U0216019

中国近现代中医药期刊续编

第二辑

上海国医学院院刊
上海国医学院辛未级毕业纪念刊

王咪咪◎主编

2020年度北京市优秀古籍整理出版扶持项目

北京科学技术出版社

图书在版编目（CIP）数据

上海国医学院院刊；上海国医学院辛未级毕业纪念刊 / 王咪咪主编. -- 北京：北京科学技术出版社，2021.7

（中国近现代中医药期刊续编. 第二辑）

ISBN 978-7-5714-1482-5

Ⅰ. ①上… Ⅱ. ①王… Ⅲ. ①中国医药学—医学期刊—汇编—上海—民国 Ⅳ. ①R2-55

中国版本图书馆CIP数据核字(2021)第049330号

策划编辑： 侍 伟 段 瑶
责任编辑： 侍 伟 王治华
文字编辑： 白世敬 刘 佳 陶 清 孙 硕 刘雪怡 吕 艳
责任校对： 贾 荣
图文制作： 北京艺海正印广告有限公司
责任印制： 李 茗
出 版 人： 曾庆宇
出版发行： 北京科学技术出版社
社　　址： 北京西直门南大街16号
邮政编码： 100035
电　　话： 0086-10-66135495（总编室） 0086-10-66113227（发行部）
网　　址： www.bkydw.cn
印　　刷： 北京捷迅佳彩印刷有限公司
开　　本： 787mm × 1092mm 1/16
字　　数： 348.54千字
印　　张： 38.25
版　　次： 2021年7月第1版
印　　次： 2021年7月第1次印刷
ISBN 978 – 7 – 5714 – 1482 – 5

定　　价： **890.00元**

《中国近现代中医药期刊续编·第二辑》编委会名单

序

2012年上海段逸山先生的《中国近代中医药期刊汇编》（下文简称“《汇编》”）出版，这是中医界的一件大事，是研究、整理、继承、发展中医药的一项大工程，是研究近代中医药发展必不可少的历史资料。在这一工程的感召和激励下，时隔七年，我所的王咪咪研究员决定效仿段先生的体例、思路，尽可能地将《汇编》所未收载的新中国成立前的中医期刊进行搜集、整理，并将之命名为《中国近现代中医药期刊续编》（下文简称“《续编》”）进行影印出版。

《续编》所选期刊数量虽与《汇编》相似，均近50种，但总页数只及《汇编》的1/4，约25000页，其内容绝大部分为中医期刊，以及一些纪念刊、专题刊、会议刊；除此之外，还收录了《中华医学杂志》1915—1949年所发行的35卷近300期中与中医发展、学术讨论等相关的200余篇学术文章，其中包括6期《医史专刊》的全部内容。值得强调的是，《续编》将1951—1955年、1957年、1958年出版的《医史杂志》进行收载，这虽然与整理新中国成立前期刊的初衷不符，但是段先生已将1947年、1948年（1949年、1950年《医史杂志》停刊）的《医史杂志》收入《汇编》中，咪咪等编者认为把20世纪50年代这7年的《医史杂志》全部收入《续编》，将使《医史杂志》初期的各种学术成果得到更好的保存和利用。我以为这将是对段先生《汇编》的一次富有学术价值的补充与完善，对中医近现代的学术研究，对中医整理、继承、发展都是有益的。医学史的研究范围不只是中国医学史，还包括世界医学史，医学各个方面的发展史、疾病史，以及从史学角度谈医学与其关系等。《续编》中收载的文章虽有的出自西医学家，但提出来的问题，对中医发展有极大的推进作用。陈邦贤先生在

《中国医学史》的自序中有“世界医学昌明之国，莫不有医学史、疾病史、医学经验史……岂区区传记遽足以存掌故资考证乎哉！”陈先生将其所研究内容分为三大类：一为关于医学地位之历史，二为医学知识之历史，三为疾病之历史。医学史的开创性研究具有连续性，正如新中国成立初期的《医史杂志》所登载的文章，无论是陈邦贤先生对医学史料的连续性收集，还是李涛先生对医学史的断代研究，他们对医学研究的贡献都是开创性的和历史性的；范行准先生的《中国预防医学思想史》《中国古代军事医学史的初步研究》《中华医学史》等，也都是一直未曾被超越或再研究的。况且那个时期的学术研究距今已近百年，能保存下来的文献十分稀少。今天能有机会把这样一部分珍贵文献用影印的方式保存下来，将是对这一研究领域最大的贡献。同时，扩展收载1951—1958年期间的《医史杂志》，完整保留医学史学科在20世纪50年代的研究成果，可以很好地保持学术研究的连续性，故而主编的这一做法我是支持的。

以段逸山先生的《汇编》为范本，《续编》使新中国成立前的中医及相关期刊保存得更加完整，愿中医人利用这丰富的历史资料更深入地研究中医近现代的学术发展、临床进步、中西医汇通的实践、中医教育的改革等，以更好地继承、挖掘中医药伟大宝库。

李经纬 九十老人

2019年11月于中国中医科学院

前　言

《汇编》主编段逸山先生曾总结道，中医相关期刊文献凭藉时效性强、涉及内容广泛、对热门话题反映快且真实的特点，如实地记录了中医发展的每一步，记录了中医人每一次为中医生存而进行的艰难抗争，故而是中医近现代发展的真实资料，更是我们今天进行历史总结的最好见证。因此，中医药期刊不但具有历史资料的文献价值，还对当今中医药发展具有很强的借鉴意义。

本次出版的《续编》有五六十册之规模，所收集的中医药期刊范围，以段逸山先生主编的《汇编》未收载的新中国成立前50年中医相关期刊为主，以期为广大读者进一步研究和利用中医近现代期刊提供更多宝贵资料。

《续编》收载期刊的主要时间定位在1900—1949年，之所以不以1911年作为断代，是因为《绍兴医药学报》《中西医学报》等一批在社会上很有影响力的中医药期刊是1900年之后便陆续问世的，从这些期刊开始，中医的改革、发展等相关话题便已被触及并讨论。

在历史的长河中，50年时间很短，但20世纪上半叶的50年却是中医曲折发展并影响深远的50年。中国近代，随着西医东渐，中医在社会上逐步失去了主流医学的地位，并逐步在学术传承上出现了危机，以至于连中医是否能名正言顺地保存下来都变得不可预料。因此，能够反映这50年中医发展状况的期刊，就成为承载那段艰难岁月的重要载体。

据不完全统计，这批文献有1500万～2000万字，包括3万多篇涉及中医不同内容的学术文章。这50年间所发生的事件都已成为历史，但当时中医人所提出的问题、争论的焦点、未做完的课题一直在延续，也促使我们今天的中医人要不断地回头看，思考什么才是这些问题的答案！

中医到底科学不科学？中医应怎样改革才能适应社会需要并有益于中医的发展？120年前，这个问题就已经在社会上被广泛讨论，在现存的近现代中医药期刊中，这一类主题的文章有不下3000篇。

中医基础理论的学术争论还在继续，阴阳五行、五运六气、气化的理论要怎样传承？怎样体现中国古代的哲学精神？中医两千余年有文字记载的历史，应怎样继承？怎样整理？关于这些问题，这50年间涌现出不少相关文章，其中有些还是大师之作，对延续至今的这场争论具有重要的参考价值。

像章太炎这样知名的近代民主革命家，也曾对中医的发展有过重要论述，并发表了近百篇的学术文章，他又是怎样看待中医的？此类问题，在这些期刊中可以找到答案。

最初的中西医汇通、结合、引用，对今天的中西医结合有什么现实意义？中医在科学技术如此发达的现代社会中如何建立起自己完备的预防、诊断、治疗系统？这些文章可以给我们以启示。

适应社会发展的中医院校应该怎么办？教材应该是什么样的？根据我们在收集期刊时的初步统计，仅百余种的期刊中就有五十余位中医前辈所发表的二十余类、八十余种中医教材。以中医经典的教材为例，有秦伯未、时逸人、余无言等大家在不同时期从不同角度撰写的《黄帝内经》《伤寒论》《金匮要略》等教材二十余种，其学术性、实用性在今天也不失为典范。可由于当时的条件所限，只能在期刊上登载，无法正式出版，很难保存下来。看到秦伯未先生所著《内经生理学》《内经病理学》《内经解剖学》《内经诊断学》中深入浅出、引人入胜的精彩章节，联想到现在的中医学生在读了五年大学后，仍不能深知《黄帝内经》所言为何，一种使命感便油然而生，我们真心希望这批文献能尽可能地被保存下来，为当今的中医教育、中医发展尽一份力。

新中国成立前这50年也是针灸发展的一个重要阶段，在理论和实践上都有很多优秀论文值得被保存，除承淡安主办的《针灸杂志》专刊外，其他期刊上也有许多针灸方面的内容，同样是研究这一时期针灸发展状况的重要文献。

在中医的在研课题中，有些同志在做日本汉方医学与中医学的交流及互相影响的研究，这一时期的期刊中保存了不少当时中医对日本汉方医学的研究之作，而这些最原始、最有影响的重要信息载体却面临散失的危险，保护好这些文献就可以为相关研究提供强有力的学术支撑。

在这50年中，以期刊为载体，一门新的学科——中国医学史诞生了。中国医学史首次以独立的学科展现在世人面前，为研究中医、整理中医、总结中医、发展中医，把中医推向世界，再把世界的医学展现于中医人面前，做出了重大贡献。创建中国医学史学科的是一批忠实于中医的专家和一批虽出身西医却热爱中医的专家，他们潜心研究中医医史，并将其成果传播出去，对中医发展起到了举足轻重的作用。《古代中西医药之关系》《中国医学史》《中华医学史》《中国预防医学思想史》《传染病之源流》等学术成果均首载于期刊中，作为对中医学术和临床的提炼与总结，这种研究将中医推向了世界，也为中医的发展坚定了信心。史学类文章大都较长，在期刊上大多采用连载的形式发表，随着研究的深入也需旁引很多资料，为使大家对医学史初期的发展有一个更全面、连贯的认识，我们把《医史杂志》的收集延至1958年，为的是使人们可以全面了解这一学科的研究成果对中医发展的重要作用。《医史杂志》创刊于1947年，在此之前一些研究医学史的专家利用西医刊物《中华医学杂志》发表文章，从1936年起《中华医学杂志》不定期出版《医史专刊》。（《中华医学杂志》是西医刊物，我们已把相关的医学史文章及1936年后的《医史专刊》收录于《续编》之中。）这些医学史文章的学术性很强，但其中大部分只保存在期刊上，期刊一旦散失，这些宝贵的资料也将不复存在，如果我们不抢救性地加以保护，可能将永远看不到它们了。

上述的一些课题至今仍在被讨论和研究，这些文献不只是资料，更是前辈们一次次的发言。能保存到今天的期刊，不只是文物，更是一篇篇发言记录，我们应该尽最大的努力，把这批文献保存下来。这50年的中医期刊、纪念刊、专题刊、会议刊，每一本都给我们提供了一段回忆、一个见证、一种警示、一份宝贵的经验。这批1500万～2000万字的珍贵中医文献已到了迫在眉睫需要保护、研究和继承的关键时刻，它们大多距今已有百年，那时的纸张又是初期的化学纸，脆弱易老化，在百年的颠沛流离中能保留至今已属万分不易，若不做抢救性保护，就会散落于历史的尘埃中。

段逸山、王有朋等一批学术先行者们以高度的专业责任感，克服困难领衔影印出版了《汇编》，以最完整的方式保留了这批期刊的原貌，最大限度地保存了这段历史。段逸山老师所收载的48种医刊，其遴选标准为现存新中国成立前保留时间较长、发表时间较早、内容较完备的期刊，其体量是现存新中国成立前期刊的三分之二以上，但仍留有近三分之一的期刊未能收载出版。正如前面所述，每多保留一篇文献都是在保留一份历史痕迹，故对《汇编》未收载的期刊进行整理出版有着重要意义。北京科学技术出版社秉持传承、发展中医的责任感与使命感，积极组织协调本书的出版事宜。同时，在出版社的大力支持下，本书入选北京市古籍整理出版资助项目，为本书的出版提供了可靠的经费保障。这些都让我们十分感动。希望在大家的共同努力下，我们能尽最大可能保存好这批期刊文献。

近现代中医可以说是对旧中医的告别，也是更适应社会发展的新中医的开始，从形式上到实践上都发生了巨大的改变。这50年中医的起起伏伏，学术的争鸣，教育的改变，理论与临床的悄然变革，都值得现在的中医人反思回顾，而这50年的文献也因此变得更具现实研究意义。

《续编》即将付梓之际，恰逢全国、全球新冠肺炎疫情暴发，在此非常时期能如期出版实属难得；也借此机会向曾给予此课题大量帮助和指导的李经纬、余瀛鳌、郑金生等教授表示最诚挚的感谢。

王咪咪

2020年2月

目　录

中国近现代中医药期刊续编·第二辑

上海国医学院院刊

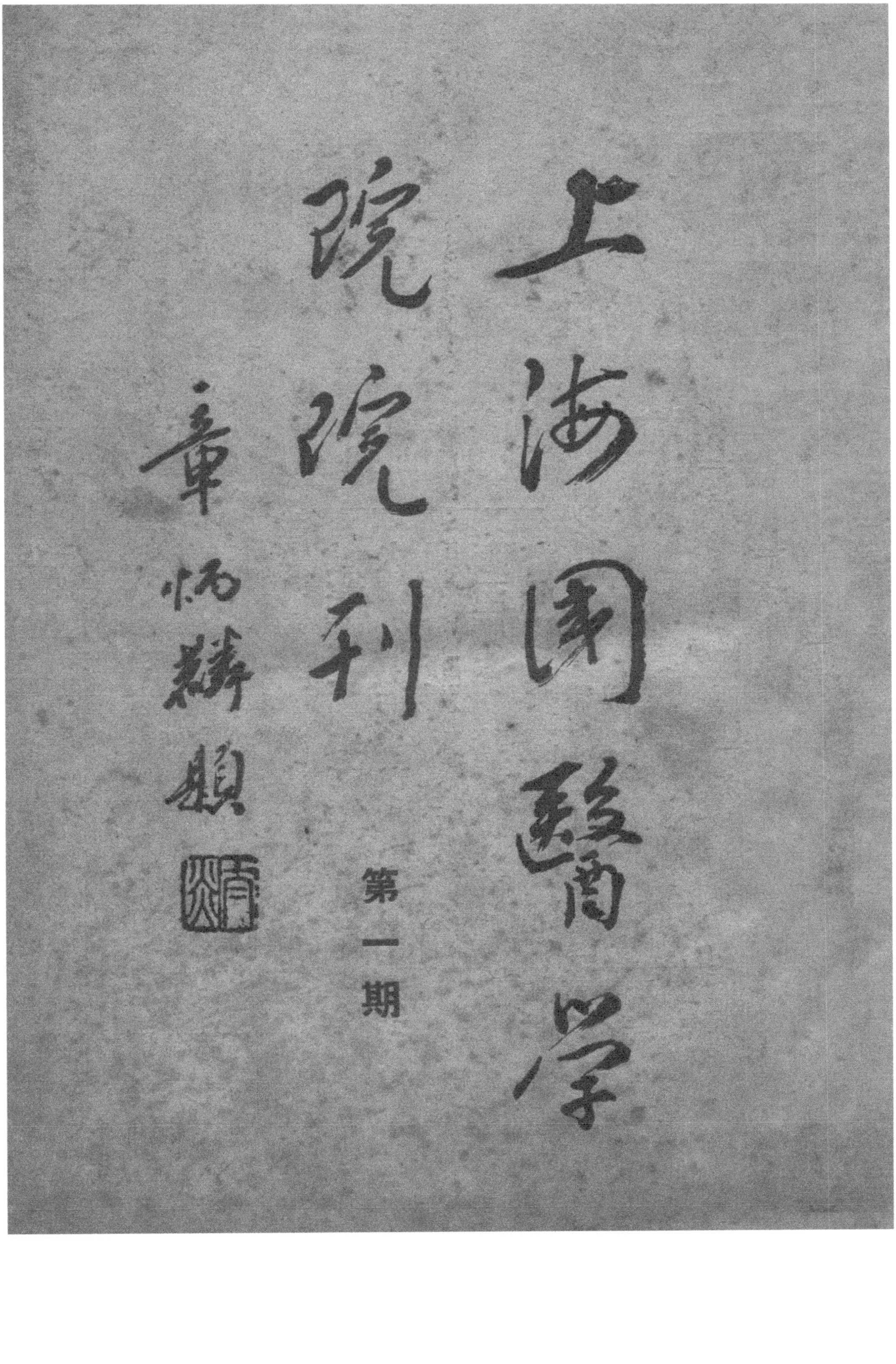
上海國醫學院院刊
第一期
章炳麟題

·白页·

本刊謹向定閱諸君道歉

敝院前在新申兩報預
告院刊出版後以種種
關係直至今日始行出
版至勞定閱諸君盼望
書此以表歉誠

本刊啓事一

本刊內容與前所預告者稿件略有更動通論數篇未能排入閱者諒之

本刊啓事二

本刊內容一洗陰陽五行之說欲以科學解釋中醫不過此種學說在吾國醫界中尚是萌芽時代不妥之處在所不免倘蒙讀者諸君不吝指正惠寄大稿無任歡迎

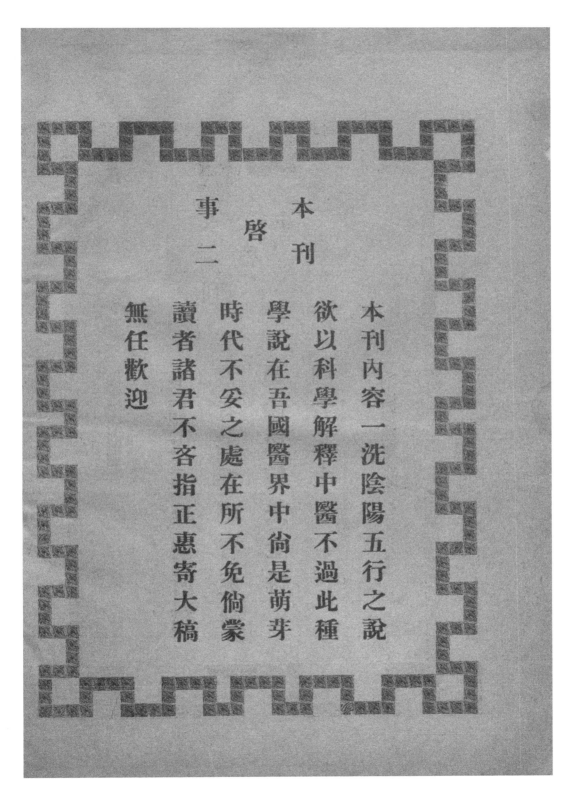

上海國醫學院院刊第一期目錄

雜俎

記載

·白页·

本院全體歡迎全國醫藥團體代表蒞院參觀攝影

本院全景

總務主任

徐衡之

教務主任

陸淵雷

訓育主任

芮達吾

事務主任

章巨膺

研究院主任

祝味菊

本院創辦緣起

徐衡之

中醫書以本草經素問爲最古。習中醫者。亦以此二書爲根本、然本草經但詳藥物功用。原非醫學之全體。素問則注重理論。故醫家之視素問。尤重於本草經。素問之立論。根源於四時、而從形能上推究生理病理之機轉。分繫於五藏六府。故素問之言藏府。是形能上之體功機轉、初非指藏府之實質也。西醫執解剖上之藏府。以繩素問。見其不合。則肆口謾罵。是西醫之駁素問。猶韓昌黎之闢佛、昌黎本不識佛學精義、所闢者寺院之僧尼而已。素問出於七國秦漢之際。其時五行學說最盛。故素問立說。亦多涉五行。晉唐後醫師。乃專以五行說醫。皆引素問以自重。二千年來、積重不返。是中醫之尊素問。猶市院僧尼之尊佛。僧尼亦不識佛學精義。所守者喫素念經而已。科學東來。西醫學說之足以證明古訓者甚多。溝通中西。自是醫家要務。然溝通之法。須深求古書精義、參以臨床經驗。從學理上探討。而後可。若采用一二種西藥器械。掇拾一二種西國名詞。卽以爲溝通中西。則欺世盜名而已。唐容川僅據中小學校之生理教科。悍然著書。以三焦當油網。自命中西匯通。不知油網者。卽胸膜肋膜腹膜。其功用所以襯貼於藏府軀殼之間。使不致因摩擦而損傷。豈有水道決瀆之用。如素問所言乎。油網之爲病。無非胸膜炎肋膜炎腹膜炎、其見證豈有如古書所言三焦病者乎、然唐氏既大言不慚。後人復盲從附和。中醫界之無人才。安得不令人太息。溝通中西。又須使中醫溶納西醫。以成新中醫。不可使中醫附屬西醫。而成新西醫。何謂溶納西醫以成新中醫。儒家之學。得禪理之浸潤。孕成宋元理學。然理學固屬於儒。不屬於佛。是其例也。何謂附屬西醫而成新西醫。嘉道之際。日本醫界。盛行吉益東洞丹波元簡之學派。兩家皆宗仲景。精考據。超出丹溪範圍者也。明治維新之後。日醫於表面上改從西醫。而取漢醫效方。製成種種藥品。僞稱新發明。遂於國際醫界佔第二位。然日醫已屬於西醫派。不屬於漢醫派。是其例也。吾國人之習西醫者。牴排中醫。不遺餘力。然其材智短淺。曾不能改製一二中藥。爲國際光。其志亦僅圖營業餬口而已。若使此輩操縱醫學教育。則吾華自有醫學之國。將不如日本之兩方剽竊者。猶得於國際醫界佔一席地。學術上之亡國。可恥尤甚於政治也。

今日國內中醫學校。已有數處。所出報章雜志。尤多。然自命溝通中西者。可笑一如唐氏。不然則固守其五行運氣濕土燥金之說。以錮蔽青年之腦筋。國必自侮。然後人伐之。無怪西醫之呈請禁閉中醫學校也。然此非中醫學本身之罪。乃中醫界之無人才也。

衡之心傷中醫學之日就頹廢。而中醫界有心人之少也。竊不自揣。於本年春糾集同人。力籌經費。而有本院之創設。期在發皇古說。融會新知。爲一有主義之中醫學校。半年以來。幾經挫折。而同人等未嘗因之稍餒。然而爲學術奮鬬。胥非少許人之事業。深願醫林碩望。社會聞人。予以贊助。則戴德非本院同人而已也。武進徐衡之。

課程說明

陸淵雷

政府不以中醫學立入學校系統。民間私立之中醫學校。遂各自爲政。無一定之課程。近日全國醫藥團體總聯合會。召集學程委員會。欲統一醫校課程。本院亦曾派代表出席。顧學術上之見解。非開會時所能講說明瞭。諸委員又於科學眞義。世界大勢。不無隔膜。徒以多數取决。故其學程草案與本院所主張者頗有出入。今該草案尚未確定。本院仍用自定課程。爲之說明如左。

本院課程。可分五類。一曰基礎科學。二曰基礎醫學。三曰應用醫學。四曰研究門徑。五曰功令課目。

(甲)基礎科學。 中醫學向來雜以道家陰陽家言。藻以文學色彩。道家陰陽家之言。多膚廓。文學又易涉夸誕。醫政不脩。習醫者類多讀書不成之人。於是文學亦荒。但掇拾套詞支語。以相附和。今欲整理中醫學。成爲世界的學術。非先習基礎科學不爲功。此類共有五科。

一理化。 高中畢業生所習物理化學。已足應用於中醫學。但以歷來中醫學校所招新生。多不從高中出身。有文字斐然可觀。而不識聲光炭養爲何物者。遽授以基礎醫學。則格不相入。亦有高中出身而但重西文算術者。猶不可不補習理化。惟年期所限。鐘點不能多佔。每週四小時。一年而畢。

二生物學。 授以動植物之攝食傳種避敵防患諸法。以明生物之究竟。及人類在動物界之位置。每週二小時。一年而畢。

三有機化學。 爲醫化學藥化學及生理學病理學之預備工夫。每週三小時。一年而畢。

四國文　中醫學之眞際。多在唐以前。自白話文盛行。學者多不能讀古書。故本院國文課鐘點較多。期於粗通詁訓。能辨別古書之時代爲度。或疑醫學當另編教科。使文字淺顯。易於領悟。何必以古書爲讀物。殊不知古人積至多之經驗。出以簡奧之文辭。又因當時無科學之故。其說理至涵渾。須後人整理發明者至多。學醫者讀古人書。譬如采鑛於山。煑鹽於海。蘊藏既富。取汲無窮。若憑一二人之所見。編爲教科。則狹隘局促。猶市之於食鹽棧五金鋪。所得幾何。文學根柢既淺。則不能讀古書而無阻。此科平均每週四小時。三年而畢。

五日文　世界藥學。德國爲最。習醫者當讀德文。然德文理法細密。非淺嘗所能致用。日本醫學居世界第二。西國醫書之佳者。日人多有譯本。近年彼邦復興漢醫。所出書儘有突過中土者。學醫能通日文。不啻兼通數國文字也。平均每週三小時。二年而畢。期於能讀和文書而止。不必能操日語。

(乙)基礎醫學　此一類共八科。曰解剖生理學。曰胎生學。曰組織學。曰病原細菌學。曰醫化學。曰病理總論。曰病理各論。曰醫學常識。前五科皆西國學說。後三科則出入中西而觀其匯通。

一解剖生理學　解剖與生理。本屬兩科。但中醫之治療。無須大手術。略明形態部位。已足應用。故解剖不立專科。附於生理。生理爲醫學之基礎。知生理之常。然後能知病理之變。內經所謂揆度奇恆者也。古人惟不知生理。立說多謬誤。故此科鐘點較多。每週八小時。一年而畢。

二胎生學　每週二小時。一年而畢。

三組織學　每週二小時。一年而畢。

四病原細菌學　此爲顯微鏡出世以來。發明最近。進步最速之科學。言傳染病者。莫不談虎色變。而至今尙無化學藥物之療法、不過利用動物之天然抵抗力。注射血淸而已。事實上可疑之處。亦復甚多。至於免疫原理說者雖多。皆屬臆測。然醫校中無此課。日人將詆爲不識法定傳染病也。此科包括細菌原蟲及免疫學、每週二小時。一年而畢。

五醫化學　生理及病理上之化學作用。今日尙多未明。西人化驗中藥。所得有效成分、亦頗異於本草經方之規矩。使用中藥。依本草經方之規矩、則成效卓著。依化驗所得。十失七八。知今日之化學程度。尙不足以解決醫藥也。然其實驗所得。亦有可以證明古說而糾正其謬誤者。不可不習。每週四小時。一年而畢。

六病理總論　泛論生理變態之入於疾病範圍者。以西說爲藍本。處處與中醫相印合、每週五小時。一年而畢。

七病理各論　西醫之立病名也、或以病菌。或以病竈。或以所中藥毒、定義分明。不相蒙混。惟官能性疾患。猶多泛漫。無較然之界限耳。中醫則以症狀立病名。巢氏病原所論。凡千七百餘候。細按之。或一病分爲數候。或一候包含數病。千金外臺。亦甚有出入。金元而後。郢書燕說。充棟汗牛。不可爬梳。董而理之。甚難甚難。近日滬上醫藥會。嘗欲統一病名。適腦脊髓熱盛行。於是開章明義。爲之立方定名。傳示醫家。令其遵用。方姑不論。名爲疫痙。則似未妥。何則。疫者傳染之義。痙者强急之名。病之見强急症而有傳染性者。不獨腦脊髓熱。破傷風瘈咬病皆如此。小兒於急性熱病。多數發痙攣而腦脊髓熱亦有不見强急證者。謂爲疫痙。未能愜當。西人知腦脊髓熱之病原係一種雙球菌。而以腦脊髓膜發炎爲固有之特徵。故又曰流行性腦脊髓膜炎。腦脊髓膜發炎。不可以望而知。於是檢查其脊髓液血液涎液等。確知有此類雙球菌存在。然後斷定其爲腦脊髓熱。今但見病人有强急之症。流行一時。而臆定爲疫痙。則鹵莽粗率。非學者態度矣。本院病理各論一科。病名悉從西醫。而益以中土之說理。亦擇其覈實可信。有裨於治療者。(此科向稱百病概論今後改稱病理各論)每週五小時。一年而畢。

八醫學常識　中醫所習用之名詞理論。驟觀之。似荒誕不足信。細繹之。多闇合科學。若是者。皆當據科學以解釋之。使意義顯豁呈露。則學者之觀念。得以確切。故名醫學常識。每週三小時、一年而畢。

(丙)應用醫學　此一類爲醫生所必需之知識技能。必修者八科。曰藥物學。曰內科。曰小兒科。曰婦人科。曰診斷學。曰醫案。曰臨床實習。曰衛生學。選修者八科。曰外科。曰咽喉科。曰眼科。曰鍼灸科。曰推拿科。曰傷科。曰注射術。曰法醫學。

一藥物學　本草自唐至宋。代有增脩。藥品亦遞多。金元以後。尤多異說。今人用藥。多宗備要從新等書。失效甚多。日人吉益東洞著藥徵。考之於仲景書。證之以實驗。品雖不多。言得約要。近時日人窮研漢藥。西人繼之。頗有新說。散見於醫報雜誌。本院教授章君次公。留心蒐輯。蔚爲巨觀。加以剪裁去取。編爲講義。甚有精采。本草例不載用量。講義則斟酌古今。定有效量。極限量。各若干。以便處方。此科每週五小時。二年而畢。

二內科學　傷寒金匱。爲方書之祖。亦爲中醫學之中堅。審證苟眞。藥效如響。書經亡佚。即王叔和所編次者。亦不得見其原本。今所見者。宋治平中林億等校刻之本也。今依明趙開美影宋刻本原文。采前人注釋。復下己意。編成講義。日本人用仲景方最有經驗。亦詳爲輯入。原書有說理難通之處。晉人羼入之文。不加刪削。以存其眞，但於講義中舉其疑義。以待識者論定。至於千金外台諸書。宋元以後諸方。當從嚴決擇。別爲時方。合之以成內科學。蓋中醫之方。對證而施。非對病而治、一病之經過中。可以用寒熱攻補相反之方。一方之應用。亦可有數種性質不同之病。故內科當以方爲經。以病爲緯。不若西醫之以病爲經。以治法爲緯也。自葉桂揭櫫溫熱。吳塘王士雄之徒從而推助之。時師或以抗衡仲景。然其方間有可取。其說則違失已多。中醫學坐是衰落。今特開溫熱辨惑一課。附於內科。使學者勿惑迷途焉。爾計每週傷寒六小時。金匱六小時。時方五小時。溫熱辨惑二小時。皆一年而畢。

三小兒科　本內科之一種。社會進化。則分業愈細。凡小兒特有之病。如百日欬。小兒多患之病。如天花麻疹腦脊髓熱等。彙爲小兒科。而初生之保育法附焉。每週三小時。一年而畢。

四婦人科　婦人之病。與丈夫同。所異者經帶胎產而已。每週三小時。一年而畢。

五診斷學　中醫之診斷。向稱四端。望聞問切。自王氏脈經以脈決病。後人或誇張脈法以自衒。其實切脈特診察之一端而已。日人吉益東洞始言腹診。其法甚佳。可取而中士尚少知者。今以望色聞聲辨舌切脈腹診諸法。彙爲診斷學。然中醫之診斷。所以定投藥之標準。非所以決定其病名也。決定病名。當用西法。故西法之聽診打診觸診。以及理學的化學的諸診斷法。亦當習學。計每週三小時。二年而畢。

六醫案　成方有定式。而疾病無定形。活變之法。隨人智慧。醫案者。前賢治病之陳迹。讀之可以啓靈心。知活變。每週二小時。一年而畢。

七臨床實習　爲習醫者最要功課。第五學年分派於醫院及各醫家。不限鐘點。

八衛生學　以公衆衛生衛生行政爲主。箇人衛生附焉。每週一小時。一年而畢。

選脩諸科　多專門方術。無須說明。惟注射術并授通行各種注射液之效用禁忌法。醫學不全用洗寃錄亦不全用西法。任學者自行選讀。得十人以上。則開班。合計鐘點。每週不得逾十二小時。一年而畢。

(丁)研究門徑　學問無窮盡。若以畢業爲學成。不復研究上進。則其所學亦僅耳。研究須有門徑。否則事勞功少。或且誤入岐途焉。此一類凡四科。曰醫學史。曰醫經。曰中西醫學書目提要。曰醫論

一醫學史　本國醫學史。世界醫學史。每週各一小時。皆一年而畢。

二醫經　素問靈樞難經。中醫奉爲醫經者也。中國學術。秦以前漢以後。截然分爲兩途。醫家所以治病者。皆漢以後學術。(本草亦有漢人文字)而素靈則爲秦以前書。前人往往牽合爲說。轉多穿鑿。難經則淺謬尤甚。不可與素靈並稱。本院所課。就教者研究所得。發揮其精義。剪闢其謬說。原文

則不加刪削。使學者識古書之本來面目。每週六小時。一年而畢。

三中西醫學書目提要　擇其尤要者授之。使畢業後能自動讀書進取。每週四小時。一年而畢。

四醫論　爲學者發表心得之課。各教授分任評改。不限鐘點。

讀傷寒論扎記

拙巢

本論云，陽明證。其人喜忘者。必有蓄血。所以然者。本有久瘀血。故令喜忘。予友吳江徐鹿萃釋之曰，忘當爲妄字之誤。喜爲有意。忘爲無心。以有意作無心事。此爲理所必無是也。然予猶嫌其證佐之不足也。凡病蓄血者必發狂。太陽篇。太陽病不解。熱結膀胱。其人如狂。血自下。下者愈。又云。太陽病。表證猶在。脈微而沉。反不結胸。其人發狂者。以熱在下焦。少腹當硬滿。小便自利者。下血乃愈。一爲桃核承氣證。一爲抵當湯證。皆明言發狂。然則喜妄者。卽發狂之變文。今人於妄自尊大。無故怒詈者。謂之狂妄。足爲旁證。獨怪張隱庵本。改上喜忘爲善忘。陳脩園淺註。並改之。眞誤人不淺也。予每見老人血衰。或刻意讀書。心營虛耗。或久病氣血兩虧。皆有喜忘之病。蓄血正不在此例。又况太陽蓄血。尚有發狂之變。豈兼有陽明燥熱。而反見安靜者乎。（按靈樞本神。肝悲哀動中則傷魂。魂傷則狂忘不精。此忘字亦當作妄。但漢人多同聲假借字。或借忘爲妄也。又志傷則喜忘其前言。此特善字譌誤作喜。不當據以爲例）

專著

古今權量考

章太炎

古權衡之難定者在其自有盈朒。宋世如歐陽永叔沈存中諸公。各以古器與今權量比勘。亦種種不同。夫謂古一兩當今三錢者。此惟王莽貨泉爲然。據漢志貨泉重五銖。今平得貨泉十枚。重六錢三分五釐。則一銖當今一分二釐七毫。二十四銖而成兩。當今三錢零四釐八豪也。若漢五銖錢。以今稱平之。一枚適重八分。十三枚則重一兩零四分。以唐開通元寶十枚互平略相當。（沈冠雲云。開通元寶。十枚重一兩零三分。此與今所平得者正同。然則今之二錢。不逮開通元寶一枚也。）是一銖當今一分六厘。二十四銖當今三錢八分四釐也。五銖錢存者最多。除梁女錢隋鑞錢易辨外。以五字交股者爲漢錢。而其重悉如此。殆可以爲定法矣。昔人謂十六五銖錢當十開通元寶錢。實不然也。又上考武帝三銖。以三枚平之。重一錢八分八釐。是一銖當今二分零八八八不盡。又下考王莽貨布。貨布重二十五銖。今以二枚平之。重九錢二分。是一銖當今一分八釐四豪。且三國晉宋權衡。未改于漢也。今以宋四銖四枚平之。重二錢七分。是一銖當今一分六釐八豪七秒五忽。是雖種種差異。非能斠如畫一。然一銖之重。未有在一分六釐以下者。更以黃金驗之。漢志稱太公作九府圜法。黃金方寸而重一斤。劉徽九章注亦有是說。而清康熙雍正兩朝所校黃金重量積營造尺一立方寸。重十六兩八錢。則欲求權衡之差。又當先知尺度之差矣。漢尺在者有建初銅尺。孔尙任謂當今量地官尺六寸六分。所謂量地官尺者。未知卽營造尺否也。今以莽大泉比營造尺。一枚得七分九釐。積十枚得七寸九分。据漢志稱大泉徑一寸二分。是漢一寸當今六分五厘八豪三秒三忽不盡也。然劉歆尺卽晉前尺。所本據宋王厚之所摹晉前尺。實得營造尺六寸九分。視積十大泉者爲長。莽泉在者貨布最爲完好。漢志稱貨布廣一寸。今以營造尺度之。得七分一釐。然則王厚之所圖者。與貨布尺相近。與大泉尺相遠矣。以大泉寸法自乘再乘。得今二百八十五分强。所積黃金當重今平四兩七錢八分八厘。卽漢時十六兩。是漢一兩當今二錢九分九釐二豪半也。以貨布寸法自乘再乘。得今三百五十七分九百十一厘。所積黃金當重今平六兩零一分二釐九豪强。卽漢時十六兩。是漢一兩當今三錢七分五厘八豪有奇。以大泉寸法計一銖之重。略與貨泉相當。以貨布寸法計一銖之重。略與漢五銖相當。斯則漢代權衡本有出入。然如孔氏同度記謂漢一兩祇當今二錢五分有奇。則歷驗未有其徵也。（徐氏謂漢一兩當今二錢更謬）

漢量在者。清宮有王莽銅斛。然宋時范鎭已不見是器。蓋依隋志仿造者爾。若依大泉寸法。漢時立方一寸。當今二百八十五分。一斗積一百六十二立方寸。當今四十六寸一百七十分。以清康熙斗法三百二十立方寸除之。得一升四合四勺強。以清雍正斗法三百十六立方寸除之。得一升四合六勺強。若依貨布寸法。漢時立方一寸。當今三百五十七分九百十一釐。一斗積一百六十二立方寸。當今五十七寸九百八十一分四百九十二釐。以清康熙斗法三百二十立方寸除之。得一升八合一勺強。以清雍正斗法三百十六立方寸除之。得一升八合三勺強。二者相差如徐氏所稱古一斗當今二升者。則于貨布寸法為近。（周禮中年人食三鬴謂一月之食也。依古一斗今一升八合。一日得粟一升一合五勺。粟率五十。粺米二十七。則為米六合二勺也。若依一升四合六勺計。則太少矣。）藥物重輕。礦植既異。植物之根莖葉實復有不同。漢時稱散藥一錢七者。謂以五銖錢鈔之不落為度。然則積藥雖厚。無過三倍於錢爾。而植物與銅。重量殊絕。木中重者。無如烏木紫檀。視銅祇六分之一。其餘或十五分之一矣。以之作散。重者亦輕。大抵草木散藥。積與五銖錢等。其重無過十分之一。積五銖錢三倍。其重無過十分之三。今據五銖錢重八分。三之。則二錢四分。以十除之。得二分四釐。是草木散藥一錢七之重也。石質重于草木。然以玉較銅。若一與二六比。靡碎作散。化堅為壤。其重當減三分之一。以較銅若一與三九比。然則石藥作散。體積三倍五銖錢者。得重六分一釐五豪也。金質又重于石。以黑鉛較銅。若三與二比。以水銀較銅。若九與五比。丹沙輕于水銀。要亦與鉛相等。靡碎作散。其重當減三分之一。是故鉛丹丹沙積與五銖錢等。其重亦等。若三倍錢積而成一七。則得二錢四分也。

傷寒論講詞

章太炎

西醫與中醫治療上結果之比較彼西醫重在解剖實驗故治腑臟病見長吾中醫講求歲時節令故治時感病見長不獨近今爲然古亦如此如華陀善剜割之術及治傷寒則技甚短外臺秘要述其方傷寒一篇僅有五苓散而已故元化之治傷寒不見信於後世而仲景傷寒論爲治時感之要籙矣要知仲景傷寒論其論病機乃積千百年之經驗而來閒及五行之說特猶算家之以甲乙丙丁代數耳若近代葉氏之流於病狀尚未說明先以五行之談爲鋪張則直是油腔滑調矣五行六氣所配本亦不同例如言五行肺爲金胃爲土言六氣則太陰爲濕土陽明爲燥金則知五行之說不妨隨意分配故祇可作比例觀也至說解剖一事亦已載在靈樞但所以多錯謬者蓋由祇剜胸腹而不能割剝肌肉故所載十二經特爲謬誤至世人誤言肝臟在左滑伯仁獨言肝臟在右其道在左其說則與實事相符蓋臟腑部位本較血管爲易瞭也其他如膀胱無上口之說亦以察視不精故爾自遠西解剖之說行有可以證明吾土舊說者即如衝任督三脈衝即大動脈內經云衝爲十二經之海又曰衝爲血海明謂血脈之本源其義可知又考靈樞經云衝脈出於頏顙乃即西醫所謂大動脈弓者近是又云上胸中而散亦是大動脈之一支惟大靜脉向未明言耳任即輸精管舊謂鬚由任脉上榮所生者誤也督即脊髓神經惟神經散布於周身者爲吾土所未

也。至十二經脈之說。內經云心合脈。又云血皆屬心。此義中西本無異論。但諸臟腑各自有脈。外通手足。則與解剖實驗者迥異。蓋血之流行。由心臟搏動。自大動脈出而分布各處。其頭面手足之脈。與各臟腑原不相干。如靈樞所說手之三陰從胸走手。足之三陰從足走胸。手之三陽從手走頭。足之三陽從頭走足者。則恐當時臆想之談也。仲景以太陽陽明等名篇。不過沿用舊名。要于經脈起止之說無與也。又中三焦屬手少陽經。內經言上焦如霧。中焦如漚。下焦如瀆。是象其形。又曰三焦者決瀆之官。水道出焉。是指其用。難經則謂三焦有名無形。試問三焦究有物否。大概即西醫之所謂淋巴腺者是。故素問稱之曰孤府。因其各處皆有。又謂半表半裏者何。蓋半表者。即金匱所謂腠者是三焦通會元眞之處。半裏者。謂其內在胸腹之中也。今解剖學中言淋巴幹左曰胸管。由下而上。右曰右淋巴管。由上而下。大約所謂胸管。即是上中二焦。其淋巴管之在下者。即是下焦。且經言下焦別迴腸。則係淋巴管在下者無疑。總之三焦是腺。似屬可靠。故內經謂為決瀆之官。凡此皆可據彼新說以相證明者也。若夫診脈之法。內經有三部九候。仲景傷寒論則僅有三部而無九候。所謂三部者。人迎寸口趺陽是也。較內經則為直截易明矣。傷寒論一書。大概是治外感的書。難經云傷寒有五。有中風。有傷寒。有濕溫。有溫病。有熱病。則傷寒論是廣義的傷寒。非五者中之一種傷寒。即如痙濕暍三症。本在太陽篇中。叔和因與傷寒少異。特為移其編次。若據仲景原書則三症亦可謂之傷寒可見傷寒是廣義之傷寒非專指發熱惡寒一種而自唐以來或以狹義視傷寒論如唐孫思邈千金翼方首謂傷寒全論不過三方桂枝麻黃大青龍是也其餘均爲救逆之方云云余意不然若小青龍湯亦豈爲救逆者乎又如金劉河間以爲傷寒論祇論傷寒與溫病無干詎知傷寒論提綱中已說明太陽病發熱而渴不惡寒者爲溫病乎且如服桂枝湯大汗出大煩渴不解脉洪大者白虎加人參湯主之則明明揭出溫病之治方又有所謂汗後惡熱用調胃承氣湯亦爲溫病立法況陽明一篇全爲熱病而設所謂正陽陽明卽熱病是也柯韻伯嘗謂仲景六經各有提綱非定以次相傳其語甚確柯氏又謂傷寒祇太陽少陰太陰有之肝胆爲發溫之原陽明爲成溫之藪其病傷寒者鮮矣語尤精闢故厥陰脉滑而厥用白虎湯少陰脉微而厥用通脉四逆同是一厥治有不同卽少陰篇中之用黃連阿膠湯甚則用承氣湯亦是溫病非由太陽經傳來可知昔人謂少陰病必由太陽傳入者則由叔和序例日傳一經之說誤之按日傳一經義出內經而仲景並無是言且陽明篇有云陽明居中土也無所復傳可見陽明無再傳三陰之理更觀太陽篇中有云二三日者有云八九日者甚至有云過經十餘日不解者何嘗日傳一經耶蓋傷寒論全是活法無死法陽明無再傳三陰之理而三陰反借陽明爲出路乃卽內經所謂中陰溜府之義也且傷寒本非極少之病亦非極重之病仲景云發於陽者七日愈發於陰者六

日愈。足見病之輕者。不藥已可自愈。更可見傷寒爲常見之病。若執定日傳一經者爲傷寒。否則非是。不獨與本論有悖。且與內經所謂熱病者傷寒之類也一句亦有抵觸矣。故六經遞傳之說。余以爲不能成立。近日本人以遠西所謂腸窒扶斯譯爲傷寒。因其病亦是七日一期。頗有相似。究未確當。其實乃爲吾國傷寒論太陽篇中之抵當湯證也。所謂抵當湯證者。脉微而沈。少腹硬滿。其人如狂。仲景斷爲太陽隨經。瘀熱在裏。經卽小腸。不涉膀胱。故小便仍利。與熱結膀胱用桃核承氣湯證之小便不利者絕對不同。且當六七日間尚有表證。頗與腸窒扶斯證潛伏期相似。惟用藥治療則絕異。西醫謂腸窒扶斯不可下。誤下則腸穿孔而下血。將引起腹膜炎。而此乃以猛藥下血者。蓋發病至此止六七日。非有兩星期之久。故下之無穿孔之患。金匱治腸癰膿未成可下之。用大黃牡丹湯。膿已成不可下。卽其例也。若至兩星期後。用小品犀角地黃湯加黃芩方方爲近是。總之腸窒扶斯祇是太陽傷寒之一證。非可以論傷寒全體也。至厥陰中之厥熱相間一種。先寒後熱。數日而平。平後復發。乃卽西醫之所謂再歸熱也。但其中厥少熱多。用白虎湯。厥多熱少。用當歸四逆湯。須有分別。昔高世栻有厥瘧之說。恐非是。瘧亦是此厥熱一類耳。又傷寒少陰病本多寒症。河間以爲傳經之病無有不熱。而疑仲景爲誤。不知少陰寒症本是猝發。絕非由傳經所得。其與太陽傷寒。證狀既異。分爲兩種病亦可。若依內因外因言之。則太陽傷寒全是外因。而少陰傷寒乃素有內因而新遇外因者也。內因者何。心臟虛弱是也。少陰厥逆。固由于此。即間有熱證。亦所謂心虛者熱收於內也。但仲景書本是廣義。故盡稱為傷寒耳。要知傷寒論所包者廣。即汎言五種傷寒。恐亦不能包括。何況太陽一種乎。觀仲景序論云。宗族數百人十年之中。病傷寒而亡者過半。則非一種傷寒可知。又曰。雖未能盡諸病。庶可見病知源。若能尋余所集。思過半矣。苟其中不涉溫病。何能思過半耶。總之治外感症法。悉自傷寒論出。可無疑義。至近今治溫病方。葉香岩開其端。吳鞠通繼其後。王孟英統其成。惟孟英膽氣較葉吳為大。然銀翹桑菊等方。服而即愈者。恐亦非眞溫病。不過小小風熱。或少陽之遊熱耳。如眞為溫病。此等方亦不能治。必傷寒論中梔子白虎等湯。始可奏效。而葉吳輩以為苦寒遏伏。不如改用甘寒。詎知眞正溫病。未有不至陽明者。苦寒尚有泄熱之功。甘寒則徒增液而厚腸胃。不獨此也。更有以為溫病藥總宜涼。每令早服犀角。而反致神昏譫語者。比比。觀仲景方未有用犀角者。本草謂犀角解毒。千金外臺方中多以犀角止血。故凡大吐衄大崩下或便血等。多以犀角治之。蓋犀角有收縮血管之功能也。陽明病原有自汗。今反以犀角收之。於是將邪逼入腸胃。神昏譫語自然起矣。人每不明此理。以為神昏譫語總是邪入心包。因此犀角之誤服。終不瞭然。惟陸九芝為能知之耳。由是以觀。河間已遜仲景。葉吳輩更不如河間遠矣。夫仲景方法本甚圓活。用之得當。效如桴鼓。其於溫熱。惟麻桂二方所治有異。餘如麻杏甘石等方均可用也。至河間雙解散防風通聖散。雖間有可用。而立法已不如仲景遠甚。即如防風通聖散一方。既用麻黃之發汗。復用硝黃之攻下。其法固屬兩解表裏。自仲景麻石甘杏湯大柴胡湯得來。然仲景立法精嚴。凡兩解表裏者。外既用麻黃之發汗。內祗用石膏清裏。而不任硝黃之攻下。如麻杏甘石湯是也。內既用大黃之攻下。外祗用柴胡和解。而不任麻黃之發汗。如大柴胡湯是也。若一汗一下。彼此牽制。則仲景從無此法。河間之方。蓋已變仲景之本。無怪柯韻伯斥之為庸醫矣。

此作原爲餘杭先生在杭中醫專校講辭以記錄不達其意因屬章君次公二次抄正復經先生手自刪定已非原稿之舊閱者幸勿以抄襲見譏焉

編者

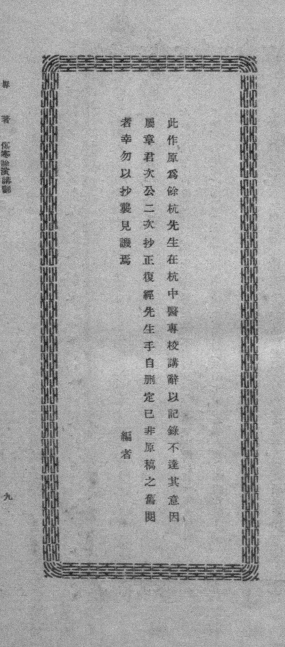

讀傷寒論札記

搵巢

本論云。衄家不可發汗。汗出必額上陷。脈緊急。直視不能眴。脈緊急者。陽氣以發汗而愈張。目直視不能眴者。津液亡而目系燥也。「此與溫病誤下直視同」惟額上陷。不易明瞭。額上爲顱骨覆冒之處。不似無骨之處易於下陷。豈有病衄之八。一汗而陷之理。愚按上字。當爲旁字。指兩陽穴言。嘗見久病及勞瘵之人。形脫肉削。兩太陽穴每下陷不起。年老之人。血氣俱虛者亦然。則夫衄家發汗。一虛再虛。宜其形肉脫而額旁陷也。

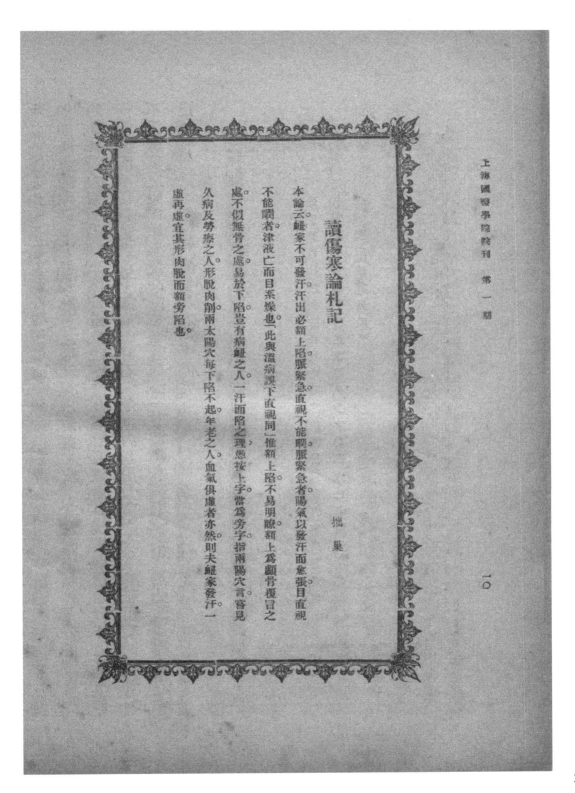

講義一斑

傷寒論講義

陸淵雷

太陽病中風。以火刼發汗。邪風被火熱。血氣流溢。失其常度。兩陽相熏灼。其身發黃。陽盛則欲衂。陰虛小便難。陰陽俱虛竭。身體則枯燥。但頭汗出。劑頸而還。腹滿微喘。口乾咽爛。或不大便。久則譫語。甚者至噦。手足躁擾。捻衣摸床。小便利者。其人可治。

太陽中風。本是造溫機能亢盛之病。更以火刼發汗。則血液被熱灼。成所謂熱溶血症。赤血球崩壞。血色素游離。分解變化而成 Haematoidin。溶解於血漿中。故曰血氣流溢。失其常度。肝臟細胞有兩種分泌機能。其一向血管淋巴管輸入葡萄糖及尿素。名內分泌。又其一向膽管輸入膽汁酸及膽汁色素。名外分泌。膽汁色素之化學構造。實與 Haematoidin 相同。有熱溶血症時。血漿中富有 Haematoidin。其結果。使肝臟生成過量之膽汁。平時向膽管分泌之膽汁色素。因湧溢而輸入血管。遂發黃疸。故曰兩陽相熏灼。其身發黃。兩陽者。中風爲陽邪。火刼之邪亦爲陽也。陽性炎上。故陽盛則欲衂。陽盛者陰必傷。津液傷。故小便難。陰陽俱虛竭。則肌膚無所煦濡。故身體枯燥。陽邪盛於上。陰津傷於下。故但頭汗出。劑頸而還。口乾咽爛而不大便也。病至此。則各種生理機轉俱受影響。於是腸胃不能吸收而腹滿。肺臟不能交換炭養而微喘。神經系統既受熱灼。復失濡養。乃見腦症狀。故譫語躁擾。捻衣摸床也。若其人小便利者。則津液未涸。腎臟機能無恙。血中病毒得以排除。故知可治。此條是火逆之危證。視前條爲重。錢氏云。上文曰陽盛。似不當言陰陽虛竭。然前所謂陽盛者。蓋指陽邪而言。後所謂陽虛者。以正氣言也。經所謂壯火食氣。以火邪過盛。陽亦爲之銷鑠矣。案壯火食氣。氣食少火。壯火散氣。少火生氣。係素問陰陽應象大論之文。壯火謂過高度之體溫。少火謂常度之體溫。氣指神經之功用。神經受高熱之灼。則失其生理作用。而起病理的反射作用。所謂壯火食氣。壯火散氣也。必得常溫之煦燠。然後能成其生理作用。所謂氣食少火。少火生氣也。丹波氏云。劑頸而還。諸家無詳釋。劑蓋劑限之謂。而還猶謂以還。言劑限頸以還而頭汗出也。王氏脈經有劑腰而還之文。

傷寒汗出解之後。胃中不和。心下痞鞕。乾噫食臭。脅下有水氣。腹中雷鳴下利者。生薑瀉心湯主之。

胃中不和。非起於汗出解之後。當其未解時。胃中固已不和。但爲傷寒證候所掩。醫與病人皆不注意耳。乾。空也。噫。飽食息也。俗作噯。噯有吐出酸苦水者。今無之。但噯出食臭之氣。故曰乾噫食臭。脅下有水氣者。胃中停水也。經言脅下有水氣。何由知其水在胃中也。本條之證候皆消化器之疾患。消化器之停水必在胃。以腸無停水之理故也。雷鳴者。鳴且走。有若雷也。此條所論。乃胃擴張兼胃腸之卡他性炎症。何以言之。患急性熱病者。以氣血集中於肌表之故。胃機能常比較的衰弱。於是食物停滯醱酵分解而成種種瓦斯。凡固體液體變爲汽體。必增大其容積。故令胃腔擴張。是爲心下痞鞕。瓦斯上出於食管。是爲乾噫食臭。患胃擴張者。常因化學的物理的刺激。引起幽門梗阻。於是胃中水分不得下輸於腸。胃又無吸收水分之機能。水遂停而不去。是爲脅下有水氣。停滯之食物腐敗醱酵。產生種種有機物。刺激胃壁。引起胃炎。結果益足減退其運動消化機能。而擴張愈益增大。炎竈蔓延。至於十二指腸小腸。遂爲雷鳴下利。由是言之。生薑瀉心湯者。治胃擴張及胃腸炎之劑也。惟用法標準。仍當據此條之證候耳。又百五十七條之半夏瀉心湯證候甚略。學者但記取半夏瀉心方中。減乾薑二兩。加生薑四兩。卽爲生薑瀉心湯。方旣略同。則半夏瀉心之證候適應症。從可知也。

金匱講義

陸淵雷

脈弦而大。弦則爲減。大則爲芤。減則爲寒。芤則爲虛。虛寒相搏。此名爲革。婦人則半產漏下。男子則亡血失精。

此條亦見於驚悸吐衄篇。婦人雜病篇。及傷寒論辨脈篇。脈之弦。因血管收縮之故。脈之芤。因血管擴張而管中血少之故。革亦是脈名。說者謂中空如按鼓皮。然則與芤脈無別也。凡仲景書中言脈諸條。以則爲二字遞接者。多不甚可解。疑皆王叔和所附益。惟失血之後。脈芤脈弦。確是事實。蓋失血多者。組織不得營養。則求血於毛細血管。毛細血管求血於小血管。小血管求血於大血管。求血之法。盡量擴張其血管。冀容受多量之血液。然血管雖盡量擴張。因血已亡失之故。不能充滿血管。此時按其脈則中空外實。狀如慈葱。是爲芤脈。中空者血液不能充滿血管也。外實者血管壁神經之擴張力也。惟血液之循環。不但藉心臟之噴射。亦因血管保持其相當緊張。使血液常有壓力。方能前進不已。若血少而血管擴張。致見芤脈則血壓低落。血運有停息之虞。其危險尤甚於組織失養。於是體功起第二次救濟作用。竭力收縮血管。使與少量之血液相得。以維持血壓。此時按其脈則指下挺然直上下行。是爲弦脈。故失血之後。始則脈芤。繼則脈弦。爲必然之步驟。芤脈又必於大失血後見之。若僅僅痰中帶血及點滴之便血衄血。脈則不芤。粗工一遇血證。方案必大書脈芤。又有明明弦脈而指爲芤者。皆坐不知脈理故也。無論脈芤脈弦。皆由體功救濟所致。體功能起救濟。則正氣猶在。其病可治。若大失血後。脈不芤且不弦。則是正氣已損。體功不能起救濟。法在不治。鐵樵先生診一男子。大吐血三次而脈緩輭。因決其必死。識見卓絕。

幼科學講義

徐衡之編

總論

(一)小兒與成人生理工作不同之大概

襁褓嬰兒與母體脫離之後。形雖粗具。而臟腑肌肉種種組織官能。多屬因陋就簡。亟待補充培養。始能應付環境。而適生存。故小兒離胎之後。其最重要之唯一工作。爲攝取營養。運化補充。至於成人。則臟腑肌肉種種纖組官能已發育成熟。無須乎運化補充。但能日日保護維持其種種官能組織使其工作與營養。毋太過或不及。故成人重要工作。非若小兒之專注運化補充也。

由此言之。是小兒與成人生理工作。其根本上有不同之點。小兒之生理工作。傾向於攝取營養。一方因種種織組官能未臻健全。竭力以所攝之營養。而運化補充之。使能生存於天演進化之境。一方因工作之繁劇。以所攝營養維持其生活。故就生理上運化營養工作言。小兒實較成人爲繁且劇。夫生理之變態。即病理之眞相。而所謂病者。即生理工作之出常軌也。生理工作之出常軌。十九因不勝應付環境。而起太過不及之態變所致。小兒之病。探本窮源。不屬於織組官能之柔弱。則營養補充之不足。或即運化工作太繁。致不勝應付環境而生疾病。

然則小兒之生理工作。既繁且劇。成人則已臻健全成熟。是成人之病。必較小兒爲簡單易治矣。何上文言小兒病較成人爲單純耶。曰。人自有生以來。種種作爲。無非適應環境求生存之道而已。小兒脫離母胎後。生理上專務運化營養工作者。亦所以適環境求生存而已。成人後其運化營養遜於小兒者。亦所以適環境求生存也。小兒病之單純。成人病之複雜。亦環境使然耳。何以故。小兒生理工作。除攝取營養運化補充以維持其組織官能外。此外別無他求。蓋其應付環境求生存之道盡於此矣。而成人之生理工作。雖已臻健全成熟。而其應付環境圖生存之道。實不止於此。其惟一之生理工作。爲如何能攝取營養。如何能應付環境。人自入世以後。種種工作。種種思想。一言以蔽之。曰求如何適生存。如何能生存而已。如何二字。千頭萬緒。而生理工作。因其有千頭萬緒之如何。亦復遂有千頭萬緒之工作。因之復有千頭萬緒之病變。豈若小兒僅攝取營養運化補充二端。

其病變亦不過飲食寒暖護育之太過不及而已哉。吾故曰小兒之生理工作與成人不同。小兒之生理工作。較成人似繁而實簡。而診察小兒疾病。亦似難而實易也。至小兒與成人生理工作不同之所在。擇其有跡可尋者。述之於下。

一、脉搏

小兒脉搏。較成人爲數。自生後至一歲。每分鐘約百二十至至百四十至。一歲以上至五歲。每分鐘約百至至百二十至。五歲以上。每分鐘約九十至至百至。而成人則每分鐘約七十餘至。若老人則六十至左右。

二、呼吸

常人呼吸。每分鐘約十六次左右。與脉搏爲一與四之比例。小兒呼吸。一歲以下。每分鐘約四十次。與脉搏爲二與七之比例。五歲以前每分鐘約三十次。五歲以後。每分鐘約二十次。與脉搏爲一與四之比例。

三、體溫

小兒體溫。較成人爲高。成人在健康時。體溫鮮有昇至百度以上者。若小兒則常常有之。又常人熱度至百另四五度。多屬不救。小兒病熱。則常有熱高至此者。此小兒耐熱性較成人爲强也。

綜觀以上三者。其生理工作。實出於同一谿徑。今試合爲解釋。

因小兒脉搏數於成人。即可推知小兒血行循環興奮於成人。或謂嬰兒體小。其心房小。其循環亦小。小故數。爲其距離短也。此說在事理上。學理上。均有可商。夫脉之跳動。由於心房弛張。是其主動在心之弛張。血由動脉而靜脉而還入於心。是爲循環。循環必不能迫促心房之弛張。故其弛張之遲速。與循環之小。距離之短。無與也。且小兒心房在形式上確小於成人。然吾人一究臨床診察。小兒心房之領域。超出左乳線。成人心房之領域。僅止於左乳線。老人心房領域。則不及左乳線。是小兒之心房。非特較成人爲小。反較成人爲大矣。夫比例不相等之物質。當先求各個比例物之面積。容積時間。然後從其不同之面積容積時間。平均而比例之。始合乎公例。成人在發育最成熟時。其心房面積。就其身體面積比例之。不出左乳線。此時心房之大小。在生理爲合乎正軌。蓋有若干面積大小之身體。當需若干面積大小之心房。其供適足應其求也。老人之身體面積。並不小於成人。而心房之面積。則不及左乳線。是老人之心房面積與身體之面積相較。不及生理正軌而小於成人也。小兒之身體面積。小於成人。而小兒之心房面積。超出左乳線。是小兒之心房面積。就小兒身體面積比較言之。超過生理之法定公例。卽小兒之心房實大於成人也。人固有瘦肥長短之不同。而在成人。不問其瘦肥長短。在解剖時心房固有因其瘦肥長短而微有大小。然其領域通常一律不出左乳線。可知心房之大小。與人體之大小。爲正比例。其有特大特小者。則屬例外。而小兒之心房。在事實學理上大於成人。可無疑義。

然則何以小兒之心房須超出生理公例而較成人生理公例爲大。蓋卽所謂小兒生理之惟一工作。爲攝取營養。爲補充不足。所以求適環境適生存也。夫血行循環。在生理上之工作。爲運輸營養料於諸臟器組織。小兒血行循環。興奮於成人。卽小兒運輸營養工作。勞於成人。亦卽小兒諸臟器組織。需要營養質。亟於成人也。

血行循環之有序。端賴於神經之調節。而神經之能調節。亦賴於血行循環之有序。若血行因種種原因。起過速過遲之變態。則神經亦失其調節功能。小兒因臟器組織需要營養之亟。血行循環之生理工作。遂徼起太過。復因神經組織自身亦缺乏相當營養質。以發育培植其細胞。亦惟有促血行之速。而取以自養。於是調節血行之功能。遂亦失其制節之效。其體則弱。其用則劇、惟體弱而用劇。時有不勝其工作之勞。倘一旦益以其他原因。使其興奮過當。則時有出軌之虞。故小兒多驚悸恐佈驚風者。其遠因實肇始於此。

肺與心之工作。本甚密切。血中濁質。屬於氣體者。端賴肺之呼吸。吐炭納養。以澄清之。夫肺之所以能呼吸。是聽命乎延髓。血中炭酸。激刺延髓而生感覺。其消息傳達於體腔之隔膜。及脅骨間之筋肉。此處筋肉。合力工作。極形和協。其伸其縮。胸部因之大小。故空氣於以吸入。亦因而呼出焉。是則人之所以呼吸。正賴有炭酸刺激之功。而其炭酸之所由出。端賴血行流入於肺。則是血行速。則其發出炭酸亦速。呼吸亦因之增加。「哺乳兒之呼吸。所以頻數者。因肺臟比較狹小。且在此時期。代謝機能。極爲旺盛。天然需要多量之養氣故也。實際上小兒之肺臟。較諸成人。更能發散多量之炭氣及水蒸氣。」（以上節錄近世小兒科學）夫肺之呼吸。有調節肺呼吸之神經。而其自身亦缺乏相當營養。處調節血行神經同一態度。所以小兒易於氣促喘急也。

血行興奮。體溫無有不增。小兒體溫之易昇。卽小兒血行疾速故也。小兒耐熱性較成人爲強者。亦由小兒慣于血行興奮故耳。

四、睡眠

月內嬰兒。除食乳外。幾完全在睡眠之中。月後至一歲。平均約每日夜睡十六小時。一歲以上至五歲。平均每日夜睡十三小時。五歲以上。平均每日夜睡十一小時。成人則八小時。茲釋睡眠之生理工作如下。

小兒血行循環。既較成人爲興奮。而睡眠時間。反多於成人。此於事理上似乎相悖。通常血行興奮。睡眠時間必較少。血行弛緩。睡眠時間必較多。陽盛者恆苦不能寐。陰盛者恆感多寐。然此皆病理之理。而非生理之理。病理之理屬於矯作。屬於退化。生理之理屬於自然。屬於進化。小兒血行興奮而睡眠多。爲生理工作之進化當有之現象。小兒種種組織官能。發育未全。工作能力。既不逮成人。而運化營養反較成人爲勞。若無一調節之道。行將見其疲命於過度工作之下矣。調節之道惟何。睡眠是也。人以睡眠之目的。爲官能休養。官能所以需休養者。因官能用之過度。若不得休養。將不勝運用。得休養乃能恢復其常度。吾意不僅如此。睡眠之眞正目的有三。一、使諸官能組織得盡力攝取營養。以補充培育未睡眠時所消耗者。二、使血行神經盡力輸送營養於諸官能組織。三、避免種種外界誘引之牽掣。致諸官能組織不能專於營養工作者。故小兒眠睡之多。完全爲小兒工作能力之薄弱。工作事務之紛繁而設。使得專心一志於營養工作。以盡厥職。世人固知小兒無病多眠。必身體强健而體肥實。反是則多瘦弱。卽成人失眠。亦多羸瘦。睡眠專爲補充營養明矣。而西國醫者以睡眠爲神經與其他官能。因工作過度而休養。實似是而非。人體各種官能。除死外永無停止工作之時。如睡眠時仍有呼吸。仍有脉搏。是官能無休息之鐵證。眠睡時脉搏呼吸。較醒時爲平勻爲有序。是官能無外界誘引擾亂之鐵證。眠睡時官能工作旣不輟。醒後精神振作。則眠時官能之生理工作。必爲攝收營養。補充不足。斷斷然矣。若謂官能工作必醒時方生効力。然而久醒不睡。精神反覺疲怠。此必醒後因種種環境消耗。不足償其所失故也。或曰、睡眠時官能工作既不輟。何以耳不能聞。目不能視。鼻不能嗅。此又不得謂官能休息之言爲非矣。應之曰。人之聽覺視覺嗅覺等等。佛家謂之「識」須根塵相對然後有識。色聲香味觸。謂之五塵。蓋指外界一切有形無形之物而言。眼耳鼻舌身。謂之五根。根塵相對。所生之感覺。謂之識。眼對色。發生眼識。耳對聲。發生耳識。鼻對香。發生鼻識。舌對味。發生舌識。身對觸。發生身識。何以知其根塵相對而後生識。舉其最顯者言之。如耳之能聞。必須根塵相對。然後聽得外界聲浪。如室內之時鐘。依時發聲。然吾人未必隨時聽得。蓋其耳根不與時鐘相對。故雖依時發聲。未之聞也。五塵之外。更有法塵。五根之外。更有意根。意對法。發生意識。此識較前五識爲廣大。不易說明。蓋前五識非與此意識同時俱起。則雖根塵相對。亦不能生識。所謂心不在焉。視而不見。聽而不聞。食而不知其味。淺言之。苟非專心之至。則雖視不見。雖聽不聞。雖食不知味也。即如時鐘之不聞者。蓋其必專心於他項工作。故雖依時發聲。未之聞也。然則睡眠之時。專心於營養運化。對於外界一切不加注意。所以睡中不能聞聲見物知味也

吾言至此。對於睡眠生理之理。似已題無剩義。若病理之理。非本篇範圍事。他日有機會當詳論之。特有一言爲諸同學告。以上所述及後此所言之病理生理。其種種形能。皆得之內經及近世之生理病理諸書。或疑所釋多近世生理病理之通行語。此不過爲曉喻便利計耳。即本節睡眠之生理工作。乃從內經天明則日月不明。藏德不止。故不下也二句推演而得。內經與近世相生理通之處甚多。此不過其一斑耳。

五、飲食

乳兒初生三月內。約每二三小時。食乳一次。三

月後約每三四小時一次。斷乳後每日約五次。四五歲後約四次。成人則三次。

六大便

一歲以下。每日約三四次。一歲以上約二三次。五歲後。則漸由二次減爲一次。

小兒離母胎後。數小時之間或一日之間。卽解青色柔黏大便。俗謂之胎便。其成分爲膽汁腸液與嚥下之羊水(卽胞漿水)合併而成。但于此有二疑點。(一)在母體中解大便否。(二)藉曰不解。何以一離母體卽解大便。其答案如下。

小兒在母體中。必不解大便。其開始有大便工作。在斷臍之後。小兒在母體中。一切營養。完全自母體由臍帶輸入。一方消化機能。如膽汁腸液。雖已俱備。但有臍帶輸入之營養。是無須乎胆汁腸液也。及其呱呱墮地。臍帶付之一剪。腸胃胆汁聞此消息。于是知無臍帶輸入之營養。若再不顯其工作。將無以自養。其工作不得不從此開始。蘊釀許久之胆汁腸液。于是湧輸而出。然而此時尚未有物質供其工作。雖無工作。亦斷無遄返之理。于是由大便出之。此卽胎便青而柔黏之理由。亦可知在胎中必不解大便。解大便必在斷臍之後。

病理學講義

祝味菊撰述

緒論……定義

宇宙間萬有生物。悉皆具有生存競爭上必要之能力。凡對於己身有害者。或設防禦。或起抵抗。試觀吾人一身。對於害因之防禦組織。及對於疾病之抵抗機能。精密周到。殆非近世視科學萬能者。所盡能闡明。然天賦之防禦裝置及自然之抵抗機轉、皆有制限。到一定程度後。即須藉人力爲之補助。方能得顯著之效果。此醫學之所以興也。醫學之目的。在於健康。欲保全康健。防疾病於未發。及施藥石於已病。必須究明疾病爲何物。欲究明疾病爲何物。必先明悉人體於無病時生活之本態。夫萬象化生。幾似無可究詰。總括之。可悉納諸物質與勢力二大原則。在舊說。則以陰陽二字代表之。物質發生勢力。運動於空間。即陽生於陰也。勢力藉物質。始能成可以測計之運動。即陽附於陰也。宇宙間一切現象。皆不出乎分子運動之結果。其運動之源、即各分子之勢力。而吾人靈妙之身體機能、溯其來源。畢竟不外乎陰陽動靜。即自物質所發生分子運動之一現象云耳。

人體之構造。雖錯綜複雜至於極點。要之。不過自物質所成之一肉體耳。其生活現象雖靈妙幽玄。質言之。亦不外乎陽生於陰。即勢力之發現於物質性肉體耳。西醫學說。以人體成分之原基。歸納於細胞。此即舊說所謂太極是也。人體既爲細胞之合塊、生活現象既爲細胞勢力之總合機轉。故吾人身體及生活。亦可歸納於物質與勢力之原理。亦即舊說太極動則生陽、靜則生陰。陰陽變化、生生之理也。

夫物質與勢力。本有密切關係而不能相離。此科學上之原則也。可知吾人之肉體與生活。亦不能相離。故欲研究人類生活之本性。須先明生活根源之人體的構造。所以攻醫學者。必先究明解剖學。以爲察知生活本性之基礎。其次則生理學、生理學之任務。在究明人類共同之生活機能。即所謂健康生活。然物有變。事有異。四季遞遷。不能無晝夜長短、寒暑溫涼之變化。何況吾人複雜之肉體、決非恆久不變之物、加以受內外種種之原因支配。變異之來。豈能或免。苟肉體之物質與勢力一朝變異。則其生活機能。不得不從而亦變。此自然之理也。吾人稱此生活之異常曰疾病。其身體上物質與勢力之變化。是曰病變。疾病與病變之不能相離。一若生活之與身體。勢力之與物質。故研究疾病。當溯其來源。探求身體之陰陽變化。以明生活所以變異之理。而後疾病之本相可得而知矣。病理學之目的。不外乎是。至究其疾病之由。探其所以發現之理。察其發現後轉歸之道。蓋莫非斯學之責。故病理學爲疾病之自然史。亦卽醫學中之哲學也。

疾病者何。吾人生活。何故而變爲疾病。欲解釋此二問題。必先明健康生活爲何物。且疾病之概念定義。亦不可不知。蓋吾人曰「健康」曰「正常」者。乃對於身體器官之構造如常。其生活機轉循規則而運行。其人有快活健全感覺之狀態而言。所謂疾病邪變者。乃對於身體器官。有物質及勢力之變化。其生活機轉。發生障碍。其人呈不快感覺之狀而言。然此區別。不過言其大概。若一一細檢之。則與此不符之類。往往而有。有身體一器官之構造。雖有變化。而全身之健康生活。毫不起障礙者。例如一腎之萎縮。缺乏脾臟之重複。及身體表面之小瘤等。或一時全身生活機能異常而不能卽認爲疾病者。如溫浴後之皮膚充血。勞動後之一時體溫亢進。及飲酒而起酩酊狀態等。故吾人在健康與疾病間。須有區別種種狀態之必要。卽不快、違和、虛弱、缺損之類。皆與疾病似是而非。蓋虛弱者。乃指身體抵抗力微弱。病因易於侵犯者而言。不快違和者。乃指健康感受之減退。未能認爲疾病而言。缺損者。身體一部分構造不全。又不能營其機能。但全身生活上不生障礙。唯在一定之部分發生病象。例如畸形廢疾等是也。

要之。吾人身體之組織臟器之構造。雖有變遷，全身生活機能尚未起障礙。而在平常態度之間者。則不得謂之疾病。易而言之。身體雖有病理變化。而生理機能不與之俱發障礙者。皆非疾病。如是則組織臟器之病變。不得卽視爲疾病。可知矣。疾病者。健康生活之異常變化。較諸生理機轉。其根本毫無差異。惟處與時及量三者之不同耳。今舉例說明如左。

(異處之例)當食物消化時。腸粘膜血行旺盛。血液充盈。此生理之現象也。若眼膜腦髓等處之充血。不得不認爲疾病。卵巢內成熟胞破裂出血。(經所謂天癸)又子宮粘膜出血。(經所謂月事)皆爲健體所恒有。若在他處。如肺、胃、腦髓、等之血管破裂出血時。則爲疾病之現象也。

(異時之例)吾人當夜而眠。意識消失。是爲生理。若在睡時以外。意識消失。則稱曰失神、或人事不省。卽病疾也。如喜怒哀樂有所感而發。則爲自然之表情。若使泣笑無常。則爲疾病之類是也。

(異量之例)常人體溫以三十七度爲常。若較此昇騰。持續。是曰熱。乃疾病之徵。如平人脉搏。平均一息五至(一分時間七十至)爲常。若六至以上。是爲病態。又平人每日排泄之尿糞、量大概有一定之多寡。其量如有增減較著時。則不得不認爲疾病之現象矣。

由是觀之。疾病現象與生理現象之間。除處、時、量、三者外。毫無不同之點。然則疾病云者。乃因生活之必要機能。起有障碍。全身之生活現象。因而發生著明之變化之謂。與前所謂不快、違和、薄弱者。其意義價値之不同。蓋在於此。

溫病講義

章巨膺

第五章　溫病之病理與證狀

溫熱病之分目。見於溫病條辨者有九曰風溫、溫熱、溫疫、溫毒、暑溫、濕溫、秋燥、冬溫、溫瘧。自注云。風溫者。初春陽氣開始。厥陰行令。風挾溫也。溫熱者。春末夏初。陽氣弛張。溫盛爲熱也。溫疫者。厲氣流行。多兼穢濁。家家如是。若役使然也。溫毒者。諸溫夾毒。穢濁太甚也。暑溫者。正夏之時。暑之偏於熱者也。濕溫者。長夏初秋。濕中生熱。卽暑溫之偏於濕者也。秋燥者。秋金燥烈之氣也。冬溫者。冬應寒而反溫。陽不潛藏。民病溫也。溫瘧者。陰氣先傷。又因於暑。陽氣獨發。以上云云。似可解實不可解。風溫溫熱。以春初春末爲別。陽氣開始與陽氣弛張之異。不知陽氣弛張至如何程度爲溫熱。更不知春之半病溫者爲風溫抑爲溫熱。雖經解釋。仍不可辨也。多兼穢濁。穢濁太甚。同是穢濁。何以一則流行的爲溫疫。一則不流行爲溫毒。暑之偏於熱者。句不辭已甚。秋金燥烈之氣。與熱病何干。自條自辨。還是辨不清楚。不究病之原理。不詳病之證狀。故不能言之眞切。只得作此糢糊影響之談。循題敷衍而已。

本講義論溫如前章所列表。只有溫熱、春溫、傷寒系之濕溫、暑溫、非傷寒系之濕溫、暑溫六種。別無伏暑、冬溫、秋燥、溫瘧諸名。何以與時俗所稱者相差有如此之多。則因從病之原理與證狀歸納之。無須多立名目。徒亂人意。今當從病之證狀以推究病理。從病理以歸納病名。

前人論傷寒溫病之異。謂傷寒由外入裏。溫病由裏出表。九芝先生亦爲此言。此實不可通。傷寒溫病同是外感。仲景言發熱而渴不惡寒者爲溫病條上。冠以太陽病之字。其義可見也。然則何以別異。曰其不同之點。只在惡寒與不惡寒。有汗與無汗之分。凡病發熱惡寒無汗者。無論春夏秋冬。均爲傷寒。發熱不惡寒或惡寒時間甚短。有汗者。爲溫病。在春曰春溫。在夏曰暑溫。在長夏曰濕溫。此所謂溫病。仍是傷寒。因傷於寒而得之病也。其說詳下。

冬日外界空氣冷。人體因適於冷空氣中之生存。皮下血管及肌膚均收束。毛竅固閉。衞氣緻密。體溫濃集外層。以抵禦外寒。人之傷於寒也。寒邪不得深入。止於外層。爲振慄惡寒。根據第二個發熱原因。全身體溫均奔集表層。以事驅逐。體溫逾適當之量。遂爲發熱狀態。在理體內熱高。當汗出以散放體溫。然因有寒邪在表。毛竅固閉。抵抗愈甚。不得疏泄。所以壯熱惡寒無汗。是爲傷寒太陽證之原理。寒邪在表不解。化燥內傳。寒邪已透過太陽表層。故不惡寒反惡熱。第一道防線破。重心不在表而在裏。體工自起調節作用。放散體溫。毛竅開。汗自出。汗出液少。故口渴。是傷寒陽明證之原理。

若外界空氣和暖。與人體體溫溫度相若。毛竅開闔之作用，在不甚重要之列。傷於寒。寒邪得以深入。體溫集表以爲抵抗。故發熱。毛竅本傾向於開。因熱高。故汗自出。寒邪中外層。例當洒淅惡寒。卒以外層抵抗力薄弱。寒邪在表時間甚暫。故惡寒時間甚短。過表入裏。重心在裏。是爲溫病之原理。傷寒陽明證與溫病同一蹊徑。一則寒邪經太陽。逗留於太陽若干日。然後化燥內傳入陽明。一則寒邪經過太陽。逕入陽明。故溫病開始在陽明。同是寒傷軀體表層。何以一則逗留於太陽。一則逕入於陽明。則因時令之異。六氣之殊故也。冬傷於寒。振慄惡寒。發熱無汗。其原理已如上述。春爲風。其氣和煦。肌膚毛竅不如冬令之固密。寒邪中人兼風化。逕入陽明。發熱汗出。爲春溫。假如春日天氣沍寒不去。應暖不暖。至而不至。則肌膚毛竅固密。抵禦外界冷空氣之能耐。依然存在。則寒傷軀體。格拒於表。惡寒發熱無汗。仍屬傷寒。假如冬日氣候和暖。應寒反暖。未至而至。人體體溫與外界空氣溫度不甚相差。肌膚毛竅防禦外寒。不在重要之列。寒邪傷人。逕入陽明。爲溫病。發熱汗出者。以病理衡之。與春溫同。故不須另立冬溫之名。夏日外界空氣熱高於人體。肌膚毛竅非但無須抵抗。并且有待於疏泄。故夏月炎熱。汗出疏泄以調節體溫。是故夏月範籬盡撤。邊防空虛。傷於寒發熱汗出。表層無抵抗。些微覺惡寒。即發熱。是爲暑溫。其在長夏時令氣候。兼濕化。傷於寒而熱者曰濕溫。病機同暑溫。

讀者須知肌膚毛竅之啓閉。所以調節體溫。其作用甚敏活。嚴冬沍寒。毛竅雖閉。若劇勞奔走。體溫增高。毛竅遂開。汗出以散放。反之夏月炎熱。毛竅雖開。若貪涼過度。毛竅能閉。以拒寒涼。知此原理。則冬日有春溫。無足奇。夏月有傷寒。亦非例外。故暑月發熱無汗惡寒。與傷寒同法。

是故傷寒溫病。惡寒不惡寒。有汗無汗。爲病之大關鍵。其發熱則基於第一第二個原理。若非傷寒系之濕溫暑溫。無有不汗多。發熱則基於第三個原理。病理與前絕不相同。詳述於下。

空氣中含養氣約十分之二強。淡氣十分之八弱。此外爲炭酸氣。養氣爲人體生活所必需。當吸氣之時。外面空氣達於肺胞中。其中之養氣由微血管交流於血液中。血液中廢料之炭酸氣由肺呼出於外。呼吸不停。保持康健之狀態。至夏月空氣稀薄。養氣之比例成分亦稀少。從外吸入之養氣量不足。復因氣候炎熱。汗出多。血液乾。體內存積之養氣量亦不足。於是呼吸不利。而感胸悶窒息。呼吸不利。則放溫之機能失職。體內溫度不能散放於外。遂爲發熱汗多胸悶之狀。是爲暑溫證之病理。

或曰汗出多。體溫當由汗散放。何以汗多仍熱。其溫不因汗散曰夏月爲濕。令空氣含水分多。體溫外散有所窒碍。且汗出既多。血液乾口渴引飲自救。然飲水雖多。因汗多之故尿便仍少故熱既不能因汗散。復不能從小便以排泄。肺藏之呼吸以放散體溫。遂居重要位置。乃因養氣不足之故。呼吸不利。以致喘促。體溫仍不能向外散放。故發熱汗出喘滿胸悶爲暑溫症特殊證狀。通常熱壯無汗者。方氣喘。如麻黃大小青龍證。皆是惟暑溫證雖有汗而見氣喘。其理在是。準以上病理。當炎夏汗多之頃。若就凉處休息。原可不病。若苦工勞力。長途行走。足以增進體溫。一方面外界之高溫。又足以使身體增熱。而皮膚之蒸發不利。及呼吸不暢。不能使體溫外放。於是病作。緩者爲暑溫。暴者爲霍亂。霍亂之病證。與暑溫大異。其病理則相同。夏月炎熱。而復勉强觸熱。毛竅洞開大汗出。血行遲。故心藏衰弱。因心藏衰弱。血行不達四末。故四肢厥冷。汗多陽虛。故外見寒象。因汗多血乾。養氣減少。空氣中養氣又稀薄。故悶絶而厥。宗人太炎先生言。血脉不能收攝水分。上下出於腸胃而爲吐利。故霍亂病理同暑溫。不過來勢迅暴。勢緩仍爲暑溫。故有霍亂之後。轉屬而爲暑溫者。審是濕溫病理可以不繁言而解。不過病兼濕。病形稍有不同耳。

溫熱之病理與證狀。從生理之形能詮解如上。雖未能纖微盡晐。大份已不外此。反觀溫病條辨之解釋。無一語不是向壁虛搆之談。其自序凡例中言是書雖爲溫病而設。實可羽翼傷寒。傷寒自以仲景爲祖。參考諸家著述可也。溫病當於是書中之辨似處究心。直欲與仲景分庭抗禮。又言傷寒論六經由表入裏。由淺入深。須橫看。本論論三焦。

由上及下。亦由淺入深。須豎看。與傷寒論爲對待文字。有一縱一橫之妙云云。簡直是神昏譫語。

百病概論

王厚培（潤民）編

癲狂病篇

上篇

余於未述此病之原因以前。當先述余之絕大經驗。余有一堂妹年二十五六矣。當十七八歲時。得癲狂症。前後約七年。始則月餘一發。繼則愈發愈頻。自十三年秋間起。幾難隔十日不發。發時氣力甚大。面赤如火。夜不能眠。詈罵歌唱。不避親疏。甚則以手抓糞污牆壁。拋擲碗筷。種種怪狀。不一而足。余伯父母苦之。求醫問藥。或育陰息風。或平肝降火。或用化痰之品。或疏安神之方。胥無寸效。繼則服馬寶熊胆及藥房中之藥水等。亦無效果。繼則以爲有寃鬼附身。轉而爲迷信之舉。經懺禮拜。耗費良多。而病曾不稍減。質之本邑西醫。亦謂不能根治。余伯父母亦既以爲不治矣。至十四年春。余偶讀中醫雜誌第九期補白欄張錫純「論治癎瘋」一則。其全文如左。

癎瘋最爲難治之證。因其根蒂最深。（論者謂此病得於先天未降生之時）故不易治耳。愚平素對於此證。有單用磨刀水治愈者。有單用熊胆愈者。有單用蘆薈治愈者。有用加味磁硃丸治愈者。（方載衷中參西錄第七卷）有日用西藥臭剝拖水過魯拉爾諸藥。强制其腦筋。使不暴發。有徐以健脾利痰清火鎮驚之藥治愈者。然諸如此治法。效者固多。不效者亦間有之。仍覺對於此證。未有把握。後治奉天小西邊門外王氏婦。年近三旬。得癎瘋證。醫治年餘不愈。

寖至每日必發。且病勢較重。其病甫發時作狂笑。繼則肢體抽掣。昏不知人。脈象滑實。關前尤甚。知其痰火充盛。上併於心。神不守舍。故作狂笑。痰火上併不已。上迫腦氣筋。失其所司。故抽掣失其知覺也。先投以盪痰湯。(方載衷中參西錄第三卷。係生赭石細末二兩。大黃一兩。朴硝六錢。清半夏。鬱金各三錢。)間日一劑。三劑後病勢稍輕。遂改用丸藥。硫化鉛。生赭石。朴硝各二兩。硃砂。青黛。白礬各一兩。黃丹六錢。復用生懷山藥四兩。爲細末。焙覆熱。調和諸藥中。煉蜜爲丸。二錢重。當空心時。間水送服一丸。日兩次。服至百丸全愈。

又治奉天女師範學生劉仲生。素患癇瘋。十餘日一發。愚曾用羚羊角加清火理痰鎮肝之藥治愈。隔二年證又反。再投以前方不效。亦與以此丸。服盡六十丸全愈。

又治一瀋陽縣鄉間童子。年七八歲。夜間睡時。驚擾不安。似有抽掣之狀。此亦癇瘋也。亦治以此丸。服至四十丸全愈。

此丸不但治癇瘋。又善治神經之病。奉天陸軍軍官趙姆齊。年五十許。數年頭迷心亂。精神恍惚。不由自主。屢次醫治不愈。亦治以此丸。惟方中白礬改爲蓬砂。仍用一兩。亦服至百丸全愈。因此丸屢用皆效。遂命此丸爲愈癇丸。而以蓬砂易白礬者。名爲息神丸。

附製硫化鉛法。用眞黑鉛。硫黃細末各一斤。先將鉛入鐵鍋中鎔化。即將硫黃末四五兩。撒在鉛上。其黃即發焰。急用鐵鏟拌炒。所鎔之鉛。即變爲火色。結成砂子。其有未盡變者。又須將硫黃末接續撒其上。勿令火熄。以鉛盡變爲火色爲度。待涼冷。入藥鉢研細。其掛於藥鉢週遭。作黑亮之色者。仍係未化之鉛。刮下使用。

此文之所謂癇瘋。包括癲狂在內。實非專指癇瘋病而言。觀其用熊胆蘆頭及磁硃丸等可知。（此等藥劑皆普通治癲狂之劑）余因其謂「善治神經之病」又謂「屢用皆效」因令余伯父母試之。亦未見效。時適購得醫林改錯一書。見其中有癲狂夢醒湯一方。謂癲狂一症。乃係氣血凝滯。腦氣與藏府氣不接。如同作夢一樣云云。余驚其見解特異。不落前人痰火肝氣諸泛論。因開原方與之。甫服三劑。精神即稍安靜。夜能小睡。前後半月間共服八劑。未曾復發。後服黃芪赤風湯二十餘劑收功。（此方亦見醫林改錯內。）

今余述事實已畢。試系之以理論

古人於癲狂一症。議論甚多。最古者爲內經謂「重陰者癲。重陽者狂」難經曰。「邪入於陽則狂。邪入於陰則癲」（難經中似有此二語。但一時記不清楚待查）後之醫者。更復主火、主痰、主肝風、主陽明邪熱。主邪入於心。議論紛紛。莫衷一是。而治法亦無一定。竊謂皆隔靴搔癢之論。試略辨之如下。

（一）辨主痰說　諸說中主痰者最多。亦最有力。甚至有造爲痰迷心竅之說。試問痰何得迷塞心竅。且心又何嘗有竅。此在稍明生理學者。皆知其妄無稽之言。不足以當一駁。

（二）辨肝風說　中醫之所謂肝風。其見症恒爲西醫之所謂神經病。至於肝之本身。固未嘗有風也。

（三）辨陽明邪熱說　傷寒陽明發狂。誠有之矣。然與此之所謂狂不同。陽明之狂。因迷走神經起於延髓。終於胃腸。胃熱而迷走神經受炙。致影響於腦而狂作。此種發狂爲暫時的。或清或下。足以了事。（清則白虎。下則承氣）若普通之所謂癲狂。與此大不相同。徒清不足以了事。徒下則胃氣傷而病終不去。此點不可不認清楚。

觀此種種。則主火主痰肝氣陽明內熱諸說皆不能成立。宜乎滾痰丸大承氣安神定志丸生鐵落飲等之功效。十不獲一也。

至於近世西醫之論此症。分癲狂之原因爲四種。一由先天遺傳性。二由梅毒入腦。三由遭撲擊等重傷。四由飲酒過度。其治法似不外用臭素等鎮靜劑以暫時治標。未聞更有善法也。夫以西醫之明解剖識病理。而卒於此症未能根治。何歟。豈亦一間未達歟。

嘗謂此症之原因。實由於腦神經受大刺激。或受極大驚恐。或所欲不遂。或悲傷過度。以致神經錯亂而發。試舉例以明之。如科舉時代。恒有功名心熱。而屢試不捷。致憤而發狂者。吾有一伯父。郎如此。又有孜孜爲利之徒。一旦投機失敗。或錢財爲人所攫。以致發狂。更有鎩羽情場。愛情之代價。乃爲痛苦。俯仰身世。淚如雨下。於是書空咄咄。如失魂魄。發狂以終其身者。比比皆是。此等人。當其爲名爲利爲戀人之時。幾乎目之所視。耳之所聽。精神之所貫注。祇知有利名與戀人。並其一身而忘之矣。一旦所欲不遂。精神之刺激。直至無以復加。安得而不發狂。此實發狂之最大原因。亦爲最多原因。彼西醫之所謂四種原因者。以吾觀之。實爲最少之原因耳。

或謂西醫於腦神經之功用。至爲明瞭。何部主思慮。何部司運動。何部司言語。何部司視聽。研究靡遺。子所說最大之原因。在稍有常識者。猶知之。豈有西醫不知之理。余曰。唯唯否否不然。智者千慮。或有一失。愚者千慮。或有一得。試問西醫既知此病之原因。何以用神經藥而不效。吾謂實因其不知此中有一關鍵之故。關鍵何在。請略言之。

傷寒論曰。「太陽病……而小便自利。其人如狂者。血證諦也。抵當湯主之。」又曰。「太陽病不解……其人如狂。血自下。下者愈。……宜桃核承氣湯方。」又近人惲鐵樵氏。於傷寒輯義按一書中。自述其經驗曰。「十年前鄙人患病奇重奇劇。見症則神經過敏。消化不良。心跳手顫。舌本亦强。而當病最劇時。往往發言不由自主。蓋已有漸入癲癇範圍之傾向。嗣後服龍胆瀉肝湯及耆婆丸等。久之又久。便血數次。病乃漸愈。嗣又屢治便血之證。凡將便血或血未盡之頃。留心體察其人言行。必小有異徵。至血下已盡。則言動較爲安詳。然後悟得傷寒論抵當證。及婦人熱入血室各條。所以然之故。否則仲景用抵當攻血。謂血下乃愈。其理極不可通。而婦人熱入血室之證。必譫語如見鬼等。亦難知其故矣」云云。瘀血之能令人發狂。昭然可見。

讀者諸君。須知人當神經受絕大刺激時。其首先受影響者。厥爲血液。今神經既錯亂而至於發狂。則血液斷無仍此循環之理。必易發生循環障碍無疑。（循環障碍 Circu atory distusbances）王清任謂癲狂由「血氣凝滯。腦氣與藏府氣不接」云云。以今語釋之。即循環障礙也。此病初步在神經。用神經藥治之。有可愈之理。及其既成。（指病根已深）則治在血液。徒治神經無益。此實治斯病之絕大關鍵。而西醫徒用鎮靜劑之所以無效也。更簡言以明之。「此病既成。治在血液。與其謂之神經病。無甯謂之血行病」吾爲此言。自負爲眞確之理論。且純由苦心探索而得。絕非抄襲古今中外任何人之言。惟於循環障碍之眞相。尚未能詳細說明。頗以爲憾。近頃丁同學成萱對此有所解釋。頗多補余不足之處。特節錄之。亦研究之一助也。其文如下。「我們知道腦神經之中最長的莫如迷走神經。這種神經是分布到各個藏府之內的。既能主知覺。又能主運動。還有一種制止心動的力量。另外又有一種名叫交感神經。也是分布到各藏府。更和脊髓神經腦髓神經相連絡。可是此種神經有一種正與迷走神經相反的力量。就是能催進心動、兩種神經的作用。互相平均。故心動能整齊。設有一者受了障碍。則心動也發生障碍。例如癲狂病發作時。每每體溫昇高。心動進亢。要曉得心動之所以亢進。是由於腦神經受了大刺激。而影響到交感神經緊張。心動因之十分亢進。—交感神經是很容易緊張的。所以人們常有發熱的現象。—因心動極度的亢進。則迷走神經無力制止。於是迷走神經的末梢也就麻痺了。心動雖然亢進。能使血行促進。同時却因心室不甚擴張的結果。全體靜脈致起鬱血。就是在輕度的心動迅速症。也有這種障碍的。照這樣說去。上大靜脈和一部分的頭部毛細管也是鬱血了。重以腦神之經受了刺激。試問怎得不發狂呢。所以要用攻血的藥去把靜脈裏鬱滯的血排通了。使血行暢快。……神經當然也可恢復原狀。……攷癲狂夢醒湯裏最主要的藥。首爲桃仁。次則甘草之類。桃仁具有攻瘀之力。……」按丁君所言。明白了當。所謂舉一反三者非歟。古人言教學相長。孔子稱啓予者商。余不禁亦有此感想焉。惟此湯雖爲治癲狂之良方。（因有經驗有理論。故可稱爲此症之良方。至黃芪赤風湯。不過可用爲善後方。非必用之劑。此病果用夢醒湯治愈後。卽不用此湯。而用其他方劑調理。亦無不可。故存而不論。）而方中之桃仁用至八錢。恐無知淺識。畏而不敢服。而市醫方肆其如簧之舌。多方阻撓。致良藥見疑。沉痾難起也。特更爲辨

之如下。（以下論藥性處略採勞耶心之說）

醫林改錯諸方。用桃仁紅花最多。而此湯中桃仁尤重。人多畏之。此實由誤會李時珍本草綱目之贅說。且誤於景嵩厓尊生集之臆說耳。綱目云桃仁補少而攻多。紅花合當歸能生血。多服能行血。夫曰補曰生曰行。明謂去瘀生新矣。又云過服能使血下行不止。此贅說也。夫病除藥止。凡藥皆然。況二味非常食之品。何必慮其過服而開後世之疑乎。亦讀者之不善悟矣。景嵩厓謂桃仁紅花。止可用一二錢。亦未細續本草經之故。經云。主癥瘕。徐靈胎於桃仁斷曰去舊而不傷新。古方多用於傷後產後。可知二味爲去瘀非敗血也。加以此方藥味頗多。如桃仁用之太少。必難見功。故其方歌有「癲狂夢醒桃仁功」之語。固明示此味之須重用也。更考之本草桃花條。范純佑女傷夫發狂。閉之室中。夜斷窗櫺。登桃樹食花幾盡。自是遂愈。亦可爲桃仁能治此病之一證。審此又何疑乎。又何疑乎。

總之此症始由神經影響血液。繼則血行障礙。亦更影響神經。交相影響。病斯日進。而不得自復。此時重心已轉。非除去血行障礙。病終不除。故決非一單純的神經問題。彼西醫不知此理。徒用其鎮靜劑。一若此病之僅限於腦筋局部者。然而不思下求於藏府之氣血。不將整個之身體通盤籌算。若從皮相以觀其治法。似甚對症而合理。而不知其實爲淺薄的近視的療法也。善夫日人和田啓十郎曰。夫腦神經衰弱之原因。決不在於腦。而在於五藏六府血行呼吸等之運化作何如何。亦可以證吾言之不謬矣。

下篇

西醫阮其煜先生前於杭州廣濟醫刊上發表

一文。題曰「龍虎丸之功效」頗有參考之價値。特錄之而附鄙見於後……

余友沈君錦成杭郵務管理局職事人也。其長女患熱症。日久不愈人已瘦弱不堪始則由余診治。熱雖漸退而至常度。不數日轉爲神經病。再請診於余即告以余對於症毫無經驗。除用鎭靜劑及增加其體力之法則外。別無他技或爲代請催眠術家以試之乃邀陳君召恩施以是術。終無效。厥後試以癲癇龍虎丸竟得病愈故錄之以供醫界之硏究云。茲將其原方附後。

癲癇龍虎丸方

西牛黃三分　巴荳霜三分　水飛神砂一分　白信三分　酌加米粉爲丸。

此方邵小村中丞聶仲方廉訪所傳送專治陰癲陽狂。不省人事。登高棄衣笑歌不寐等

象。或神呆靜坐。語言不發皆痰迷心竅之患。患此者輕則用藥二三丸重則四五丸遠年者須多服數丸即愈。以半溫開水送服。徐圖效驗。若不肯吃者納丸於粉餅內食之約半時許非吐即瀉。間有不吐瀉而愈者。愈後宜忌食猪肉一二年以免復發。孕婦忌服。體虛不忌。

谷幼香曰。癲癇之疾。皆由瘀痰迷心竅之故。痰入心包絡白信等能燥痰以之爲君巴荳霜辛熱破痰。導之下行。使白信之性過而不留以之爲臣。反佐以牛黃之甘寒。通竅辟邪。清心解毒。制白信巴荳之猛烈。合硃砂爲鎭攝。故能奏效如神。眞聖藥也。或將白信減輕一分便失製方本意。須照原方分兩配合。每料一百二十粒。每六粒爲一丸。願用此方者。勿以此藥猛烈爲疑。勿以吐瀉爲忌。庶沉痾

可起。壽域同登也。夫再病大愈後。接服候氏黑神散方。以塡空竅。使包絡痰不復生。尤妥……

甘菊花四錢 細辛三分 乾薑三分 人參三分 黃芩五分 當歸三分 川芎三分 白朮六分 茯苓三分 礬石三分 桂枝三分 牡蠣三分 防風錢 桔梗八分

右藥共十四味。杵爲散。日服一羹匙。芽茶溫湯調服。

再遠年者。痰竅閉。宜先服猪心丸。用猪心一個。男用雌猪心。女用雄猪心。以竹刀剖開。麝香三錢。外用黃泥封固。以絲綿裹之。火煆成灰。去泥研末。開水吞服一錢。次日再服龍虎丸。見效尤速。

以上爲阮君原文。下爲鄙見。

(潤民按)此方之有效理固可信。事實亦合。惟余對於邵小村聶仲方谷幼釋諸先輩之解釋。謂癲癎之疾。皆由瘀痰迷塞心竅。痰入心包絡。白信專能燥痰。以之爲君云云。總認爲不滿意。大概中國人論癲癎。總脫離不了痰呀風呀的老論調。考其原因。由於無健全的學說。所謂覆巢之下無完卵。固不關乎人的問題也。而世俗不察。見其方之有效。信其事實。遂並信其理論。(以爲眞有痰迷心竅矣)不知其事實則合。而理論則非也。誠所謂差之毫釐。失之千里矣。余意此方以白信爲主。白信即白砒。砒之爲物。功用甚廣。(近代醫學家以爲能治骨病。皮膚病。腺病。貧血病。萎黃病。梅毒結核諸症)而最明顯之功用。則爲增進血行。有淸血之功能。(故楊梅結毒用之)又與神經有極大之關係。觀去歲申報自由談范鳳源君所作啖砒記。自述日服亞砒酸鉀五六滴。不十日。容光煥發。精神振起。(可知砒爲極毒之物。余所引證。不過爲學理上之研究。非勸人服砒也。幸勿誤會。須知此物非經醫生指點。不可輕用。否則以生命爲兒戲矣。愼之愼之。）加以巴豆霜辛熱。亦能溫通活血。且可導瘀血下行。神砂與西牛黃能鎭靜神經。使其不錯亂。而西牛黃性涼。更可調劑巴豆。白信也。其治癲狂有效。或卽在此。世有好學深思之士。能於此方加一新注解者。企予望之。（下篇完）

附識四則

（一）癲與狂。人往往分之爲二。不知實爲一病。不過有輕重之分而已。蓋體質强者。正氣充足。得病之初。反抗力强。故其症象亦烈。是名曰狂。體質弱者。因正氣不足。反抗力弱。甚至無所謂反抗。僅癡呆而已。是名曰癲。故狂病之久者。恒入於癲。（其有初起卽癲者。亦因其人本來正氣不足。）癲比狂爲重。狂比癲爲輕。狂可治。癲難治。敢以質之海內醫學家。

（二）西醫於精神病。解剖上無變化者。稱之曰官能病。所以別於器質病也。然解剖上無變化云者。特今尙未能發見其變化耳。非眞無變化也。前見時賢吳有恆君「著生理之疲勞現象」一文。頗可以證吾言。其文節錄如下。

「……人疲勞之原因。在於神經。蓋神經細胞本甚圓滿。勞動過甚。則或變爲長形。或變爲新月形。原形質卽不復如前。此爲最親切之證據。如蛙之爲物。殺之不卽死者也。試剖其腹。用顯微鏡窺之。細胞必皆圓滿。腹用電氣通其腹內。使之運動。約五時四十分。細胞盡成狹小。又試取晨起之鳥。而剖其胸。細胞亦皆圓滿。或不卽剖視。閉於室內。迫之使飛。迫其困倦。接後剖視。則細胞無不變形矣。推之於人。亦復類此。平常人之運動。可以有益而無損者。以眠食二事。一養一息。抵力適均。

故細胞旋缺旋圓若眠食改常或過於勞苦，則神經遂至衰弱。……」一夫偶一疲勞神經細胞尚變其形况受大刺激而至發狂乎恐不祇變其形將一時死去者不知凡幾矣。願以質之海內醫學家，

(三)人當神經受大刺激或受大驚恐時往往昏倒。逍同學錫庠謂必由腦中微絲血管破裂出血所致但因所出之量極微故能隨出隨時凝固而人能須臾復蘇，不致如中風（腦出血）之成大患，斯言大有理。誌之以不沒其聰慧之思想。

(四)從來論學術者貴有獨到之見。不貴人云亦然。故必有發明。有創作。而後醫學始有進步。竊謂今之研究中醫者第一步須於舊學術有深切之了解。第二步則在融化新知。發古人之所未發。果能如此。則中國醫學於世界上必有發皇騰達之日。諸同志其勉之。若鄙人等固不足道也。（此篇歡迎批評及討論。通信處江蘇泰縣塘灣鎮王潤民誌）

診斷治療講義

劉泗橋編

第一章　總論

診斷治療爲治疾之樞紐。出死入生。關係至鉅。設無精當之理解。以及準備之學術。必至以有病爲無病。無病爲有病。因果顛倒。是非莫辨。以是愈疾。不亦盲人瞎馬。險奚堪言。蓋診斷之範圍。包含生理、解剖、組織、病理諸學。此尤舉其大者。是以不明生理。無以知全體器質之生活現象。不明解剖。無以知骨肉皮膚內臟各部之構造形狀。不明組織

卽無以知細胞體之活動。若不明病理。尤無從測病因變化之原理。其他細菌學。借重於顯微鏡。以及染色等器械之帮助爲多。完全爲物質的闡明。與中醫學根本相背。姑且舍諸不言。若治療但依診斷之指定。而適用醫治作用之藥物學爲主要。至器械的輔助法。雖亦不無偏長足采。然猶難言於今日之中醫也。玆先述如何爲診斷。

欲言診斷。當先知何者爲不病之平人。簡言之。卽平人必調達和平。無異常之徵證。而合於自然狀態。此自然狀態者。猶內經所言合於規矩權衡。然亦可以取釋色脈之胃氣而言。在西方言疾病之性質。大別分爲急性與慢性二種。其言病之種類。有從罹病之器官而言者。例如心臟病。肺病。胃腸病。腎臟病。子宮病。腦病。眼病。耳鼻咽喉病是也。其有不涉全體器質。而純由精神爲因者。此又癡呆、情慾狂等所由來。皆可用作診斷上之區別。至身體上之病。西說又顯別爲傳染與非傳染。屬傳染者。其病因歸於細菌。而治療則取適應之血清見證。多由實質立論。異於吾國專從體工勢力所推測者。然舍最近之細菌發明。大體分類，亦不外乎是。金匱言千般疢難。不越三條。一者經絡受邪入臟腑。爲內所因也。二者四肢九竅。血脈相傳。壅塞不通。爲外皮膚所中也。三者房室金刃蟲獸所傷。觀其三因所分。與後之陳無擇以六淫所感爲外因。七情爲內因。房室金刃獸之等爲不內不外因者。微有差別。且陳說所見。已較金匱爲進步。金匱觀察所得。只就身體之病。而遺漏智情意等之精神病。此其缺點也。

總之病變萬殊。診斷之法。要難執一。然其大別。終不出旣往症之尋問及現症之診查。然後知其符合某種疾病固有之病的活徵。而指定其疾病果屬何種者。方及於治療。此徵四失論所謂診病不

問其始。憂患飲食之失節。起居之過度。或傷於毒
不先言卒持寸口何病能中甚言既往症之宜見
審也。吾國診斷法。注重望切問聽諸診。下篇先述
望診。以爲應用診斷之基本也。

生理學講義

李徵一

人體之淋巴系統 Das Lymphgefäss-System,

在吾人軀體中。血管密佈固盡人皆知。舍此而外則淋巴管 Die Lymphgefässe, 殆亦佔人體之重要位置。此種淋巴 Die Lymphe, 凡細胞中之隙處。卽爲其產生之起點。而其功用則能使一身組織得適當之滋養。同時更藉以抵禦外來之襲擊。而血液與纖組間之交通輸送。亦莫不以此是賴。至于淋巴濾囊 Die Lymphfollikel, 復能將一切有毒有害之質。加以淸濾。是故淋巴在吾人軀體中。雖不能顯有何種新的產生。但其有助于人身組織中新陳代謝之輸送。實有莫大之關係。確無疑義者也。

淋巴之性狀與位置

淋巴運行之途徑。曰淋巴管 Die Lymphgefässe,形體纖細。非人目所能易見。但經細密之考驗。可知其形狀。乃如索狀之小束。其色澤則由紅灰而至紅色。淺色者分配于皮膚之下。而深者則在血管附近。彙多數細管而成淋巴行 Lymphbahnen, 而淋巴小體所產生之淋巴濾囊。卽位于淋巴行間。淋巴結 Der Lymphknoten, 乃卵形或圓形實質構造。介于淋巴行中間。爲纖維性組成之外膜包圍。其內部可分爲皮質 Rindensubstanz, 及髓質 Marksubstanz, 淋巴濾囊可于皮質中見之。而髓質中則有髓索 Die, marksoäinge 而淋

巴管出入之門 Hilus。則在澱粉狀組織內有輸入管 Vasa Afferentia 與輸出管 Vasa Efferentia 之分。各個淋巴腺。保持身體一定部位。或某一器官之淋巴。故亦稱之爲部位之淋巴腺。Regionä Relymphdrüsen。

關于淋巴系統之排列。約分之爲五大淋巴幹。

(A) 頸幹 Truncus Jugolaris
- 淺叢
  - 枕淋巴腺
  - 耳後及耳前淋巴腺
  - 頷下淋巴腺
- 深叢
  - 面深淋巴腺
  - 頸下及頸下淋巴腺
  - 舌淋巴腺

(B) 鎖骨下幹 Truneus Syblavius
- 腋淋巴腺
- 肩胛下淋巴腺
- 肘淋巴腺

(C) 枝氣管縱隔右幹 Truncus Bronehomediastinalis Dexter
- 枝氣管淋巴腺
- 肋間淋巴腺
- 前及後縱隔淋巴腺

(D) 腰幹 Truneus Lumbalis
- 腸骨淋巴腺
- 腰淋巴腺
- 鼠蹊淺及深淋巴腺
- 骨盆壁陰部下肢淋巴腺

(E) 腸幹 Truneus intestinalis
- 腹下淋巴腺
- 肝淋巴腺
- 腸系膜淋巴腺

此外則兩腰幹及腸幹合成一擴大部份。位于第三腰椎之上。曰乳糜池。Cisterna Chyli 爲消化時輸乳糜 Der Chylus 之大本營。頸右幹。鎖骨下右幹及枝氣管縱隔右幹則有一公共之右淋巴導管 Ductus Lymphaicos Dexter。爲衆小淋巴管總匯之區。

淋巴在體內之功用 血管在人體之運用。在輸送養氣及養料至各細胞。而淋巴管則反是。彼在體內則從事于吸收之工作。如腸中之脂肪以及細胞之排洩物。無不兼收並吸。故其功用乃等于人工建築中之陰溝。以宣洩爲其本能。且因其具有吸收之能力。故外來之侵襲。每爲所困。不致蔓延于全體。茲姑舉兩例。以證此說。

(A)吾人用針刺膚。初未見血。但即有似水之液汁。自皮膚外滲。此即淋巴也。設以彩色。就刺處塗之。則彩色即深入膚中。此乃淋巴吸收功能之表現。

(B)吾人有時被木刺等插入皮膚之時。少頃即呈腫狀。能發生種種變化。即淋巴抵禦外來侵襲之表示。

當未刺羼入之際。微生物亦隨之而入。淋巴于此時即利用吸收之功能。使羼入之微生物。不由創口傳達全體。僅集于局部。故淋巴實有緩衝之功。

此外淋巴尚有代替血管供給營養之功用。如眼部之角膜 Cornea 原無血管—如角膜有血管。則因紅血球之循環往來。眼即不能明見物體—而角膜細胞之營養。是乃全賴淋巴以供給其需要矣。

淋巴因能吸收。故儲蓄液體。亦爲其功能之一種。如吾人以乾燥麵粉之類入于口中。自有多量之液汁。急切助其調和。然後始可下咽。倘非預有儲蓄液體。口部必不能動作。致有供不應求之慨耳。他如男性睾丸中。淋巴亦預儲液體。當射精之時。無數精子。乃得易于出來。　(未完)

細菌學講義

雲間姜辛叔編

細菌學總論

第四章　免疫學

(五)側鏈說

解說免疫眞相者。莫妙于歐氏側鏈說。(Ehrlich)

sch Seitenketten theorie 假想人身細胞有多數側鎖。在平日藉與養素結鎖。病時則與細菌之毒素結鎖但此側鎖與毒素結鎖。有選擇性設體內無與此毒素相結合之側鎖則毒素雖入體。亦不足為病。如用破傷風菌毒素注射於雞體。因鷄體各部細胞根本無與此毒素可結合之側鎖。故可不病人則不然神經細胞有此側鎖故受毒後呈各種神經症狀。此時細胞受毒過甚。則歸死亡。若中毒未深則僅該側鎖消失細胞猶能恢復。於是新生側鎖以補其缺。依自然代償原則其新生之數必較原有缺額增多其所溢額者。便與細胞脫離。浮遊于血中。是卽抗毒素日後再遇毒素來襲。因血中浮遊側鎖已捷足先與之結鎖。故細胞體側鎖可免受傷此免疫體形成之所以也。歐氏又將各種免疫體分為三類說明之如下。

第一類側鎖　由此可說明抗毒素。其構造最簡單。只有一連結簇。可與毒素之連結簇結鎖。（如附圖一）

第二類側鎖　由此可說明凝集素。沈降素。其構造除連結簇外。尚有一催凝簇。凝集反應及沈降反應卽由此起。（如附圖二）

（甲）病時結鎖像　（乙）免疫時結鎖像

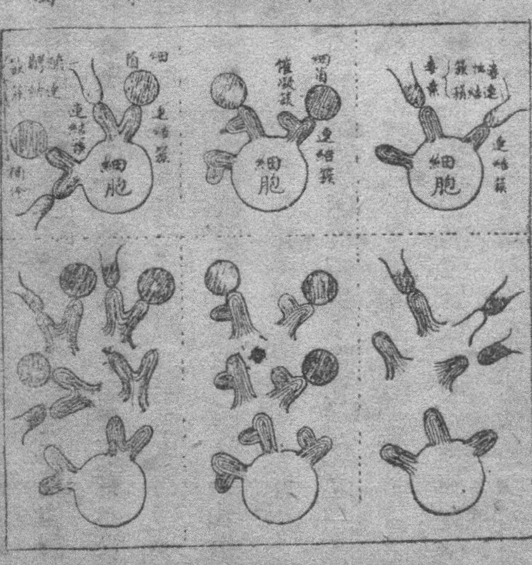

第一圖　第二圖　第三圖

第三類側鎖　由此可說明溶菌素。溶血素。其構造在三者中最爲複雜。有二連結簇。一與細菌或血球結鎖。一與補體結鎖。(如附圖三)

（六）食菌作用

除上免疫作用外。尚有營食菌作用之物質。廣存于健體之血液及脾臟骨髓淋巴腺等組織中。專捕獲細菌裹入己體之內。藉一種酸酵素力而消化之。此乃梅寄尼可夫氏 Metschnikoff 所證明。是等細胞有遊走性與固定性之別。遊走者藉一種擬足虫樣運動隨處遊行。遇有細菌來襲。則羣集於存菌之所。而逞其食菌作用。固定者其作用亦同。但不能及遠。若以戰士譬之。固定細胞如駐防軍。遊走細胞如遊擊隊。茲將食菌細胞之種類。列表如下。

（甲）小形食菌細胞(遊走性)……多核白血珠

(遊走性)……大形一核白血球

（乙）大形食菌細胞(固定性)……
- 脾臟之髓細胞
- 骨髓細胞
- 淋巴腺大細胞
- 內皮細胞之多數
- 結織稀細胞之多數

理化講義

氣象物理與生理體功運化關係之導言

南海龐澤民

（一）萬物化生之本源

宇宙萬有。在天則爲風雨雷電。在地則爲花草果木。以及蠕飛蠢動。時時處處。形形色色。皆常受變化而不少息。例若山間之岩石。經日光之曝露。雨水之侵蝕。始則變光滑爲粗糲。繼則碎裂。終化爲土壤。又置杯水於空氣之中。閱數日後。水卽消滅。

由是觀之。乃知充滿宇宙間之物。無常住不變之理。特以物體不同。而變化所歷之時期。遂有久暫之差。或經百千年而成其變態。如岩石之化爲土是也。或閱二三日而狀態頓殊。如杯水之漸漸消滅是也。老子所謂萬物芸芸。各復歸其根。然其生滅原理。要皆不外四大原質互生變化。循環往復。生者生。滅者滅。於此生滅不息之中。發生種種物類。以及一切物事遷流之關係。故森羅萬象。但覺愈變愈繁耳。此四種原質。一曰地。二曰水。三曰火。四曰風。

地　乃積塵成實。萬物終後化爲土壤之質。又土中含質甚富。受陽光之啓發。雨露之潤澤。順時善應。生養萬物者。卽爲吾人所居之大地。

水　乃地面中所含之一種流質。其性濕潤。流沛布行。滋生萬物。

火　乃太陽中旺盛之陽氣所成之熱體。炎熾赫烈。蒸發物體。使克遂長大之功。

風　乃氣體受火力所蒸騰。衝激太虛之中。遂惹起劇烈之變化。大氣因之流動。以調節四時者也。

其始在四大原質未發生關係之前。則氣象未分。故曰太易。迨地球繞日而行。地面上之氣體及水質。先被日光强烈之蒸發。而發生一種淸氣。此氣爲最初變化之發源。故曰元氣。亦名太初。次則元氣逐漸蒸發不已。積聚成象。便爲有象之啓端。故曰太始。又其次積象漸長。乃由象變質。化成一種質素。故曰太素。又其次復由質素成形。而形質相具。則元氣已極。故曰太極。此由發源之始。以至成爲形質。漸次生長。方能成爲物體。古今學者。但就物體之現象而研究其原因結果。所以周易亦祇以太極陰陽爲討論之起點。蓋取其能漸次混合而成象。爲物體成象之始而立法。即假物以明理。而不拘於物。立象以盡意。而不泥於象也。

(二)氣質變化之體用

是故陰陽。氣質也。非以對待而言。若男女牝牡雌雄之謂也。如論其象。則顯而在外者陽也。幽而在內者陰也。如論其根。則顯而昭著於外。有形體可指者？也。幽而主運於內。無迹象可尋者：也。陰主靜。物性也。陽主動。生機也。此陰陽動靜之體用。隨時善應。大之可千。推之可萬。其要則一。即氣質變化之所以然也。人體亦氣質所構成。故研究氣象物理與生理之關係。乃醫學上所有事也。

凡百生物。其受生之始。莫不稟氣受質。相蘊而生。萬靈蠢蠢。無論濕生化生胎生卵生。亦皆本此而生。此身所謂髮毛爪齒皮肉筋骨髓腦垢色。皆歸於地。涶涕膿血津液涎沫痰淚精氣大便小溲。皆歸於水。暖氣歸火。動轉歸風。苟無此氣質資生變化。則動植不生。不能成爲此繁華苦腦之世界矣。

(三)四時之來原

萬物化生之本源。因太陽熱力能蒸發地面之氣體及水質。而起最初變化之動機。余前既略言其故矣。太初雖爲一種稀薄之氣體。仍屬虛象無迹可見。但因有寒熱感覺之氣候。遂爲生長萬物之根本。此氣候之流行。自始至終。有一定之時序。約可分爲四期。每期所歷之時日大致相等。初則氤氳和暖。可以資生萬物。繼而溫氣漸厚。化爲熱力。蒸發物體。使其長大。次則熱力漸衰。退爲蕭索之氣。反茂盛爲萎黃。收結種子。再次則溫氣更退。陰氣上生。嚴寒凛烈。物類盡歸潛藏矣。吾人乃順其流行化生物體所歷時期之關係。爲之假定一種標題名稱。曰春生夏長秋收冬藏。藉資稽考之用。此春夏秋冬四時之由來也。

(四)造化之操縱在四時

由此觀之。相彼草木由胚而芽由芽而幹枝莖葉。暢茂條達。小者尋丈大者干霄孰能致之。四時氣候之所使然也。於此可知草木含靈生化之機。實主掌於寒暑相推潛移運化之力。於是一切事物成敗之理皆不能逃出此四時造化之公例。春夏秋冬。既屬四種景象假立之標題。即得適用到一切事相之變態上。世界自有人道以來。一切事相之變化。都有春夏秋冬之四個時期。故大易有變通莫大乎四時之名論也。

生物學講義

龐澤民編

第四節　動物及植物之分類

動植物種類繁夥每難區別其門類。故研究斯學者亦煞費苦心。向者分類之法有二。曰人爲分類法。曰天然分類法。人爲分類法者。如吾國之本草綱目所用之分靑法。是其分草爲山草類毒草類等等。不問其形態構造發生若何。但以其生於山者爲山草類。有芳香者爲芳草類。存毒液者爲毒草類。十八世紀林那氏 Linnacus 集此法之大成。如動物彼僅以棲水格陸爲標準。植物則以雌雄蕊之數目爲標準。此種分類之法。固亦有一部份之價値。但於動植物之系統上無若何之意義。致現世所用者。皆爲天然分類法。天然分類法者以動植物全體器官之位置形狀構造發生之現象。地理之分佈生活之狀況以及雜種交配之能力。爲其分類之標準。而再以天然進化之不同而分配之。其分類之便利實較人爲分類而上之。今姑言其分類法。

（一）動物界 Animal Kingdom

第一門 原生動物 Protozoa…… 單細胞動物。大半生於水中。體甚微細。人目不能見。或單獨生活。或集合成羣。爲動物中之最下等者。計分四綱。

第一綱 根足類 Phizopoua ……形體無定。表面亦不被膜。僅賴僞足以爲運動。其僞足伸出時。狀如樹根。例如變形蟲。

第二綱 鞭毛類 Masfigophota ……體爲卵圓形。或紡錘形。前端有一二粗鞭毛。以爲攝食及游泳之用。體上常有葉綠素。故有時認爲植物。例如夜光蟲。

第三綱 纖毛類 Infdsotia……體之全面或一部分。簇生短毛。甚細。謂之纖毛。以爲攝食及游泳之用。體內有核及伸縮胞。可自由伸縮。有口及肛門而無腸胃。例如草履蟲。

第四綱 胞子蟲類 Sporozoa……體爲橢圓形。或長形。外覆薄膜。中分二部。一爲外肉。一爲內肉。內肉有核及多數顆粒。無口。無肛門及內臟。凡營養呼吸排洩等作用。皆由體面之薄膜營之。生殖由分裂法。所生新體。與植物之胞子無異。多營寄生生活。例如虐蟲。

第二門 多孔動物 Porifera ……多細胞動物，大半合羣生於水中。狀如植物。固定不動。體形不一。或如瓶。或如圓筒。肉體柔軟。中有強韌之針骨。連絡如綱。以支持其體形。全體除基部外。多具孔。水可流通。以爲營養。例如海綿。

第三門 腔腸動物 Coentetata……體多細胞綿物。大半生於海中。或爲單體。或爲羣體。體形輻射相稱。一端有口。周圍簇生多數觸手。體內僅有一箇單之腔。無特備之消化管。外皮中有刺細胞。以爲捕獲食物及保護己體之具。例如水螅、水母、珊瑚、海葵。

第四門 扁形動物 Plathelminthes …… 體形

扁平而長內無骨骼外無介殼多具有吸盤及鈎。可寄生於他動物體內例如肝蛭絛蟲。

第五門　圓形動物 Nemathelminthes……體形如圓柱而兩端俱尖前端有突起或鈎以便寄生他動物體內例如蛔蟲寄生於人之腸中又如旋毛蟲寄生於豬之筋肉中。

第六門　環節動物 Annulata……體形扁或圓由許多環節而成除頭尾外各環節皆相似例如蚯蚓。

第七門　棘皮動物 E·hino letmata……全體輻射相稱皮面多生芒刺有完備之食腔與體腔有水管以助其運動皮膚中含有石炭質之骨片例如海膽。

第八門　軟體動物 Mollused……全體柔軟滑溼無環節表面多具介殼以保護其體例如鼻涕蟲、(無殼)螺、(單殼)蚌或蛤、(雙殼)石鼈、(多殼)及烏賊。

第九門　節足動物 Arthropoda……全體分頭胸腹三部。體面被以硬膜腹部爲多數環節而成胸部有足甚多兩兩對生足亦分爲數節神經系在腹下。心臟在數部計分四綱。

第一綱　甲殼類 Crustacea……全體分頭胸（兩部成部）與腹部。體破被以來質算甲鼠殼髓是至少五對呼吸以鰓生長水中例如蝦與蟹。

第二綱　多足類 Myriapoda……體長多節多足呼吸以體側之氣門例如蜈蚣與馬陸。

第三綱　蜘蛛類 Atachaciaea……頭胸兩部連合有足四對呼吸以肺囊或氣管例如蜘蛛與蠍。

第四綱　昆蟲類 Insecta……頭胸腹三部區別甚明。有足三對呼吸以氣管例如蝶、蛾、蜂、蚊蠅、天牛、蟻、等六足蟲均是。

第十門　脊椎動物 Chordata……動物中之最高等者。全體左右相稱。有骨架或軟骨架。背具脊椎。有神經系。呼吸以鰓或肺。大半有四肢。亦有僅具二肢或竟無之者。計分五綱。

第一綱　魚類 Pisces……涼血。卵生。體面被鱗。呼吸以鰓。如鯉、鯽、等。

第二綱　兩棲類 Amphibia……涼血。卵生。幼時生活水中。呼吸以鰓。成長以後。呼吸以肺或皮膚而生活於陸上。例如蛙與蝦蟆。

第三綱　爬蟲類 Reptilia……涼血。卵生。體面被以鱗甲。呼吸以肺。例如龜、蛇、鼉魚。

第四綱　鳥類 Aves……熱血。卵生。體被羽毛。多能飛翔。呼吸以肺。例如各種鳥類。

第五綱　哺乳類 Mammalia……熱血。胎生。體被以毛。有乳腺。以乳汁哺育幼兒。胸腹交界處有膈膜。例如各種乳哺獸及人類。

（二）植物界 Plant Kingdom

第一門　菌藻植物 Thallophyta……植物中之最下等者。無眞根、莖、花、葉、各部。以胞子生殖。

第一亞門　藻類 Algae……有葉綠素。例如水藻。

第二亞門　菌類 Fungi……無葉綠素。例如各種細菌。如為最簡單之植物。大半生於水中或陰濕處。無維管束。以細胞個體吸取養料為生活。

第二門　苔蘚植物 Bryophyta……綠色植物。無眞根及花。微有莖葉之區別。多生於陰濕處。以世代交替方法行胞子生植。例如水苔（蘚類）地錢（苔類）。

第三門　羊齒植物 Pteridophyta……綠色植物。有根、莖、葉。惟無花。以世代交替方法行胞子生殖有維管束可以運輸食物例如鳳尾草、木賊草翠雲草等。

第四門 結子植物 Spermatophyta ……綠色植物。有根、莖、葉、花、或球果以種子生殖。計分二亞門。

第一亞門 裸子植物 Gymnospermae ……無子房。胚珠顯露於外。果實大半爲球果、例如松、柏、及銀杏。

第二亞門 被子植物 Angiospermae ……有子房種子包藏於內。分單子葉與雙子葉二綱。前者之種子祇有一子葉。葉脈多平行例如稻麥。後者有二子葉。葉脈多爲網狀。例如各種菜類果類。

藥物講義

章次公編

桃仁

性　味　苦甘平

主　治　本經瘀血血閉。癥瘕邪氣。殺小虫。別錄止咳逆上氣。消心下堅硬。除卒暴擊血。破癥瘕、通月水。時珍血滯風痺。骨蒸。肝瘧、寒熱鬼疰疼痛。產後血病。

近世應用　攻瘀藥。

用　量　錢半至七八錢。

泡　製　去皮搗成泥、(桃仁泥)

禁　忌　無瘀血而悞用大傷陰氣。雙仁者有毒。不可用。

時　方　肝鬱氣滯。氣爲血帥。滯則血凝。經阻匝月。少腹痛拒按。不通則痛故也。擬

疎肝理氣。攻瘀調經。桃仁錢半 歸尾二錢 川軍錢半 金鈴子二錢 元胡索二錢 川芎二錢 香附二錢 紫丹參三錢 紅花八分

藥引 陳艾絨八分

驗　方 桃仁一百二十枚。留尖去皮及雙仁杵爲丸。平旦服之。令盡量飲酒至醉後乃任意吃水。隔日一劑。百日不得食肉。治骨蒸作熱。—方見外台—

前代記載 張石頑曰。桃仁入手足厥陰血分。爲血瘀血閉之專藥。苦以泄滯血。甘以生新血。畢竟破血之功居多。觀本經主治可知。仲景桃核承氣抵當湯皆取破血之用。又治熱入血室。瘀積癥瘕。經閉瘧母。心腹痛。大腸秘結。亦取散肝經之血結。熬香治癲疝痛痒。千金法也。

著名方劑 生化湯——桃仁當歸川芎炮姜炙艸治產後祛瘀。

千金葦莖湯——桃仁苡仁瓜瓣葦莖米仁治肺癰吐膿血。

藥徵續編 桃仁主治瘀血少腹滿痛。故兼治腸癰及婦人經水不利。

藥徵續編徵攷 据仲景諸方。則桃仁主治瘀血急結。少腹滿痛明矣。凡毒結于少腹。則小便不利。或如淋。其如此者。後必有膿自下。或瀉血者。或婦人經水不利者。是又臍下久瘀血之所致也。

近人研究 湯本求眞曰。据古籍所載。本品爲一種消炎祛瘀解凝之藥。兼有鎮咳、鎮痛、緩下、殺菌作用。

曹拙巢先生曰。桃仁走血分而攻瘀。

惟與大黃同用乃爲有力。是故桃仁承氣湯、下瘀血湯、大黃牡丹湯、幷用之。至如所用分量。以三十粒爲至少。五十粒爲中數。少則力薄不能奏效。予嘗用至八十粒而始破積瘀。近人以三錢爲斷。眞不解事也。

編者按

本品爲攻瘀血之要藥。攻效卓著。然生理病理上之瘀血。其定義究如何。湯本氏于此有極翔實極精闢之議論。特節譯于下。

瘀血者。污穢之血液。即謂反正常之血液。對于現代解釋。瘀血者變化的血液。非生理的血液。不特喪失血液資格。反爲害人體之毒物。斯種毒物應速排除體外。一刻難以存在。其在婦人。月經血若排泄障礙。或完全閉止。其毒力不但使人疾病。血液既失抗菌性。且等細菌培養基。瘀血者。最適。好是細菌繁殖之地。不但容易引誘各種細菌。變成諸般之炎性病。瘀血停滯過久。或且高度時候。不論生殖器。及鄰近部分。如腸管、腸間膜、淋巴腺等之血管內。概有瘀血之沉着。其一部分與生理的血液循環于全身。沉着于各種藏器組織內。而生血塞。肺肝脾腎等生出血性硬塞。到腦肺則發生血栓。疑着于心藏血管壁。發生心藏瓣膜病。狹心症。動靜脈瘤。血管硬變等病。此外尚能緩發諸般之病症。雖如斯多端之病症。皆因月經排泄障礙。如缺此種方劑之洋方。對于病原之月經排泄障礙。及續發諸症、皆施對證治療。姑息苟安而已。以外并無治法。漢方對于通經劑。——即驅瘀血劑——陽實瘀血者。配合桃仁丹皮。陰虛證則當歸川芎。陳久性則蝱虫水蛭䗪虫干漆等方。又續發的諸病者、與此驅瘀血劑合對症方劑。或兼用之。—下略—如湯本氏所說。婦人經閉與經行不暢。足以引起諸般病症。則攻瘀血劑在婦科治療上。確是要着。編者回憶曩年侍曹拙巢先生。診一婦人病乾血已久。予抵當湯。凡數服。桃仁用至七八錢。婦經行後。復抱子。此症若經時醫療治。必斤斤于兩頭尖、歸尾、紅花等輕劑。是倘結果可決其不良也。吾家太炎先生嘗論骨蒸之治。—肺結核—當以袪瘀爲第一義、湯本氏亦以大黃䗪虫丸療治肺結核有效、二公所說。時下醫工聞之。未有不駭怪以爲妄者。其實李時珍論桃仁之治骨蒸肝瘧寒熱鬼疰、與二說可互相印證。曩年白普仁大師—白喇嘛—來華、爲人治肺病服紅花病者難之。大師告以須瘀血去而鮮血生方愈也。此更可爲二說之佐證、然則肺病以攻瘀爲急已無疑義、但水蛭蝱虫病者畏懼不敢服、赤芍紅花。其力又薄弱不堪用、就中惟有桃仁是此等病症之專品耳。(但須重用)虛癆當補、骨蒸當攻、近世于虛癆骨蒸證狀、未能加以辨別、遇有骨蒸之病一例以虛癆治之。故對于李時珍以桃仁療治骨蒸之妙諦殆無有信之者。而骨蒸之治法。遂湮沒于近代。夫骨蒸與虛癆。證象上之差別。最重者厥爲發熱。而骨蒸之治。胥以退熱爲亟。在虛癆之退熱。固可宗內經勞者溫之與後世甘溫能除大熱之旨。在骨蒸而用此法。是促其死也。骨蒸之治法。既以退熱爲不二法門。桃仁固非退熱劑。何以李時珍用之。此層吾友王潤民解之最當。略謂人感染結核菌後。所以能發熱者。實因結核菌產生之毒素。散布全身血液中之故。桃仁能殺菌攻瘀。消融血中之毒素。故有退熱之功云。

廣東有印贈善書者。末附惡核奇方。以桃仁爲主。餘藥亦祛瘀之品。比來治一中年男子。頸際瘰癧。大如龍眼。凡三四枚成串。其人形瘦。予以治瘰癧普通方劑。如滋陰養肝降火消痰前醫均已與服。不得不別出途徑。遂以桃仁爲主藥。而以赤芍丹皮鱉甲甲片佐之。藥數服。其瘰由硬而輭。嗣以便利起見。日服大黃䗪虫丸。而以昆布海藻夏枯花煎湯送丸。效大見。特誌于此。爲諸君將來使用桃仁多一法門云爾。

趙相如

藥物學講義

釋研究國產藥物的六個信條

課外讀物

六個信條是章次公先生擬定研究國藥的方法。是否「盡于此矣」。那是鄙人不敢贊一辭。此篇不過就他的意思演繹開來。譬如照相裏面一種「放大」工作。說來透闢與否。鄙人也是不能負責。好者條目原意俱在。讀者可以一望而知的。

（1）宋元以后以陰陽五行支配藥物效能當痛加剪闢

國產藥物的效用。是數萬年經驗的結晶。并非是空洞玄學的產物。所以五行陰陽。他在藥物學上簡直致命之傷。今日既欲發揚國藥。不加剪闢怎能自救。——吾人再用文化史的眼光去看陰陽邪說。本來是春秋戰國時代儒家道家的一部分學說。例如易繫辭上「陰陽不測之謂神」。道德經「萬物負陰而抱陽」。這是孔老用陰陽兩字說明自然界現象與變化的。這本是一種「直解」的理論。并沒有什麼「神祕」「玄理」存乎其間。至于五行的發端。也和陰陽的意義一樣。是洪範說明宇宙間是火水木金土五種原質所搆成。他——五行——並且是人類生活的要素。不可一時或缺的。按照陰陽五行的來源。本來與醫學毫厘沒有關係。戰國時代。不知怎地出了一位鄒衍。他要「深觀陰陽消息而作怪迂之變。終始大聖之篇」。到了漢朝又出了一位董仲舒。他要說「天地之氣合而爲一。分爲陰陽。判爲四時。列爲五行」。自從他倆學說流行之後。古代陰陽五行的議論頓改舊觀。從此就變成「迷信」的「哲理」的學說了。根据陰陽五行發源與變遷。就可以知道內經是戰國至漢初一種時代的產物。內經既用陰陽五行支配生理搆造又用他解釋病理現象從此中國醫學便與陰陽五行發生絕深的淵源但是醫學果然高明他決不受陰陽五行的牢籠就中如倉公張仲景陶弘景孫思邈之遺書陰陽五行的說法眞是很少到了南宋中醫的厄運來了有宋一代學說以性理爲中堅查當時名儒無不高談天人感應什麼「陰陽」「五行」「河圖洛書」「無極」「太極」便是他們基本的常識同時有幾位儒而不成去而習醫的酸丁竊性理餘唾附會醫學藉鳴儒醫于是仲景思邈之學否盲晦塞內經裏面「陰陽」「五行」却是風行一時不但用他支配生理病理並且變本加厲用他說明藥效寇宗奭張潔古李東垣王好古之徒便是代表從此古代光明爍爛的藥物學淪入萬丈深淵闇天無日——我們對于陰陽五行出身既已審查清楚則他在藥物學上是否站立得住恐怕是不費煩詞而解。

(2)于古代可靠醫籍中用精密考据功夫剖析藥效

現在研究國醫的知識階級。沒有不想使國醫成科學變化。使國醫成科學化。鄙人當然絕對贊同但是在中醫界沒有人人懂得科學的時候，卑之無甚高論。最好先懂得一些科學的方法。什麼是科學方法。我們也不必引證西洋學說。只要了解清代樸學家的治學方法。這便是科學方法。考据學是清代樸學家治學方法一部分。也是科學方法的一部分，我們使用這方法在傷寒金匱千金外台裏面的方劑上。考徵一種藥的確實功效所得的斷案。他的可靠性。絕對超越穿鑿附會的理論。我且舉例爲證。譬如要考徵附子有几種功用。第一步工作。就是搜遍仲景用附子共有多少方劑。其次再剖析每種方劑。用附子的必有證狀。得了几個佐證。便可決定某種證狀。與附子確有關係。進一步再勸求反證。如果在別種方劑中。發現一種證狀。與用附子必有之症狀相同。而仲景在此則用附子。在彼則不用。此中是否有懷疑之點。經過這三個爬剔的步驟。于是附子確能治某病之歸納便卓然成立。這種方法。雖然煩瑣。但非如此就不能算是精密。只要我們有耐心去。

古代藥學書籍，實在不能算少。有這種精神的書。却沒有一部。本經疏證。雖曉得從這上面努力。可惜處處穿鑿本經原文。復又纏繞陰陽空論。成績所以有限。

說來也很慚愧。日本東洞翁所著藥徵。他的方法。他的成功。眞是令人讚嘆不置。我們此后可以仿而效之。考徵千金外台其中定有不少的發現。也許有人要懷疑學術是進化的。「後來居上」何以我們考徵藥效必定要限在古書呢。要曉得中國藥效本得之于經驗。由單方組織而成方劑。其中不知經過几多年歲。結合無量心血。仲景方劑。便是我國有人類以來的第一部驗方總錄。其次便是千金。再次便是外台。這三部書。對證用藥。絕少玄言空論。所以可靠。至于宋元以后的醫籍。大半理想臆測。我們就是費精力去研究他。也是勞而無功。所以要考徵藥效。必從古代可靠醫籍始。

(3)博采民間效方

醫藥的肇興。本來是應着人類自然的需要而產生的。他歷史之早。正不亞于衣食居三者。中國有人類以來。至少估定有五萬餘年。那末醫藥產生的歷史。也必有五萬餘年。有這樣悠遠的年歲。民衆醫藥經驗的豐富。可想而知。這種經驗見于記錄的。雖有傷寒金匱千金外台。那能算是詳盡無遺。所以奇方妙藥。散布在民間的。正是所在皆是。我們要求國藥的進步。考徵古籍上記載。怎麽能夠算是止境。所以這博采衆方的工作。也是急不容緩。最近鄙人發現民間治淋的效藥—綠靈台—這綠靈台治淋成績。眞是可靠。但遍檢古今藥物書籍。從來沒有記載。就是這個名字—綠靈台—也是我依樣葫蘆記下來的。還有我的故里僻鄉。郭姓老嫗。以紅升一味。和以薄麵。治梅毒傾吐毒涎。有殊效。這張方子。是鄙人化了不少心血得來的。總之。「單方一味。氣死名醫。」這句話也不是無因而起。研究國產藥物。和熱心平民醫學的人們。如果有耐心去到民間搜羅。這是一件最有興趣。而最有實用的啊。

（4）參考西醫籍用生理病理說明藥效之所以然

吾人須認淸中國藥物學是經驗的結晶。非理論的產物。所以我們要解釋某一種藥的療疾作用。只好憑着傳說的經驗。認識某一種藥是有治某種病的效能。如果要求徹底。某種藥何以能治某種病。這種問題。恐怕永遠沒有答案。所以我說研究國藥。只好存著他—藥物效能—「是如此」的觀念。他「爲怎麽如此。」「的確如此。」這兩層只好諉諸知之爲知之。不知爲不知。這兩句老話。但是居今日研究國藥。對于藥效的所以然。僅「「他是如此」的理解。能否滿我們慾望。「他爲怎麼如此」「他的確如此」是否永遠不加過問。這當然不是的了。那末我們用怎麼方法。就可眞正明瞭藥效的所以然。既欲達此目的。非參考西醫籍生理病理不爲功。中醫藥效雖然遠邁西醫。但是對于疾病的原委。人體的搆造。都是糊糢影響、治療上未免減色不少。倘若能夠精解生理病理。再有固有的奇方妙藥。做了后盾。那眞是了然于心、砉然于手、是何等的快事啊。鄙人也曾經用生理病理。來推測几種藥效。對與不。不敢自信。但覺得甚有興味。例如芎藭能療頭暈與虛煩不寐。先研究生理上何以有頭暈與不寐之現象。既然明瞭都屬于神經衰弱方面。芎藭既能療治、當然是安撫神經。或是補益神經之功效。又如赤痢病理。西醫說是有一種赤痢菌傳染人體而成。仲景白頭翁湯。治赤痢很有功效。這張方子的組織。黃連是有收歛作用、可以抑止腸粘膜的分泌。黃柏秦皮。可以消退腸粘膜的發炎。那末白頭翁所担任的工作。當然是殺滅赤痢菌了。此外羚羊能夠清泄腦熱。犀角能夠收歛血管。白芍可以弛緩神經。血餘炭可以保護腸膜。時賢研究的心得。無不從生理病理推演出來。準此以觀、要眞知藥效的所以然。非參考西醫生理病理。大概其道無由。或者有人要質難。說明藥效。取徑於西醫的生理病理。那算是澈底的辦法。藥理學、醫化學、解剖學、博物學、這幾項無一不與藥學有關。我們應該統統研究。才是單單參攷生理病理。豈不是皮毛之尤。鄙人對于此層的駁詰。可以代次公先生解釋。在現在中醫界、不崇奉陰陽五行的能有幾人。參考生理病理。他不反對已屬萬幸。如再談到化學解剖他們簡直要詛咒我們是反中醫所以參考生理病理這也是一種最低的希望并不是登峯造極的工具這是我們不能誤會的。

(5)改良泡製

漢唐時代醫與藥是打成一片著名的上工大師沒有一個不精解藥理後漢書華陀列傳「精于方藥處齊不過數種心識分銖不假稱量」既然心識分銖不假稱量則華陀的藥物當然是自己備製從華陀推想其餘的名醫也必是自備藥物其故有二(1)古代沒有藥店的開設非自備不可(2)古代的名醫類皆漫遊天下如現在走江湖的鈴醫一樣采藥的技倆在當時是很普通的常識直到唐代醫工也是自備藥餌唐李肇國史補王彥伯自言醫道將行列三四灶煮藥于庭老幼塞門而請彥伯指曰熱者飲此寒者飲此風者飲此氣者飲此漢唐兩代醫學所以如此發達大概因為醫皆知藥的原故。宋元以后醫藥分途醫士對于藥物不識不知性味主治惟知吱唔紙上陳言不學無術之藥工視藥物為利藪藥物的改進發明人民的死生禍福非彼等所願知坐此中醫價值一落千丈所以要改良中醫必先藥物革命藥物革命的第一步就是泡製類如起死回生的附子用水漂淡鎮嘔聖品的半夏用水浸洗薄荷的涼泄全在乎油乃竟炒用阿膠的止血潤肺全在粘質炒之成珠變為廢物此外還有許多魔道的泡製怎麼桂枝三分拌炒白芍砂仁五分同搗熟地石膏可以煆用麻黃可以蜜炙那一件不是違背學理那一件不是毀滅藥效這不過舉其犖犖大者。細加分折。眞是更僕難數。所以這改良泡製的工作。確是我們不能忽視的一件事。

(6)研究生藥的種植

我國地大物博。藥材的豐富。也是全球莫及。在理、藥物的代價。必很低廉。何以在普通的社會。生了病。有不敢服藥的嗟怨。推原其故。不外兩端。(1)貴重藥品。與常用藥品。全恃天然生產。不知利用人工培植。天然生產的藥物。用之有時而盡。取之有時而竭。唯其如此。貴重藥品。藥商不由的就窮竭心思。用僞品代替。那普通藥品。也就逐漸的騰貴起來。(2)國產藥物。漸漸爲世界所注視。一年出品的藥物。數不在少。有此兩種原因。所以國內的藥物。貴者愈貴。僞者愈僞。再因循下去。恐怕結果有有方無藥的危險。因此。我們要趕快注意生藥的種植。在植物學裏。有一種植物育種學。是改造植物舊種與造改新種的一種學說。我們不妨利用他來改良藥物舊種。造成藥物的新種。藥物新種子。如果研究告成。則藥物的播種。就廣大蕃延。那個時候。巧奪天工。四川雅州產的黃連。江蘇蘇崑產的薄荷。山西上黨產的人參。山東青州產的防風。也許不至限定一處。彼此都可交換種植。那末、藥物貴的保管不貴。僞的保管不僞。運輸出洋的。只愁外人之不來稗販。由此看來。生藥種植的研究。豈但我們研究國產藥物的應該努力。就是那負有建設國家大計的名公鉅卿。也不能不注意及此。何以執政當軸。對于中醫中藥。不加提倡。反予摧殘。這是什麼居心呢。本來此輩尸居餘氣。那有遠謀。發展國藥的重任。還是我們醫藥革命的青年同志兩肩担當。

醫學常識講義

姚兆培撰述

陰陽

陰陽二字之起原。在中國文化上古最先最古之地位。伏羲氏畫八卦。卽立陰陽二性之基。迨後文王、周公、孔子、著易經。更闡明陰陽二性之義。至周秦時代。而此說盛行。所謂陰陽者。其包括殊廣闊。難以一定之界限範圍之。其意義殊複雜。難以一定之定義解釋之。蓋陰陽者。乃相對之二性也。用以彷彿一切事理。或性質。或形狀。凡事理性質形狀之相近者。咸歸之。如以熱爲陽。而火爲陽。南方爲陽。夏爲陽。晝爲陽。等是也。故凡言陰陽者。或據其全部份而言其性。或執其一部份而指點一物。一理。或其理不可知。而以陰陽等字代之。是猶代數中之以x y代未知數也。或其理甚繁。而以陰陽等字代之。是取其文字之便利也。

醫學上之各種學理。每假借他種學術之理論以闡明之。如有微生物學而有病原菌學。有物理化學而有生理學病理學是也。吾國周秦之際。陰陽之說盛行。醫家遂亦取用之。以解釋醫理。內經周秦時書。故陰陽之文獨多。後世醫者。咸宗內經。沿襲用之。陰陽二字。遂成爲醫學中不可少之術語。而不習醫不知其大概者。無從解釋矣。

凡初習醫者。每苦陰陽二字之籠統而難解。凡久習醫者。每讚陰陽二字之深奧而玄妙。凡具新知識者。每譏陰陽二字爲陳腐而無當。此數說者。皆是也。陰陽之原起在太古時代。且難以科學之定例解釋之。安得不譏爲陳腐而無當乎。凡不可知之理。繁複之文字。俱可以陰陽代之。安得不讚爲深奧而玄妙乎。範圍既無一定。定義更不明瞭。安得不若其籠統而難解乎。陰陽二字。既籠統而廣闊。難以狹窄之定義解釋之。既深奧而玄妙。無生花之筆以宣達之。既陳腐而無當。難以科學方法全體講明之。無已。且擇內經中之可解者。條分縷別。略加整理。逐條註釋之。諸君得此。亦可以稍明陰陽之大概。其不可解者。知之爲知之。不知爲不知。惲師所謂內經可取者半。聽之可也。

(一)金匱眞言論曰。『夫言人之陰陽。則外爲陽。內爲陰。言人身之陰陽。則背爲陽。腹爲陰。言人身藏府中陰陽。則藏者爲陰。府者爲陽。』

此節所言。乃以人體之各部分。用陰陽二字爲代名詞。而實指其所代之部位也。所謂內外者。外指人身之軀殼而言。內指體腔內之各臟器而言也。外爲陽。卽軀殼爲陽。內爲陰。卽臟器爲陰。所謂腹背者。乃以軀殼前後剖分爲二。以背半爲陽。以腹半爲陰也。所謂藏府者。以藏器劃成二部。以藏爲陰。以府爲陽也。

又曰『肝心脾肺腎五藏皆爲陰。胆胃大腸小腸膀胱三焦六府皆爲陽。』

此乃更申明上節之藏者爲陰。府者爲陽也。

又曰『背爲陽。陽中之陽。心也。背爲陽。陽中之陰。肺也。腹爲陰。陰中之陰。腎也。腹爲陰。陰中之陽。肝也。腹爲陰。陰中之至陰。脾也。』

此節不過從上節『藏者爲陰』一語而更細別其陰陽也。無甚深義。

調經論曰。邪之生也。或生於陰。或生於陽。其生於陽者。得之風雨寒暑。其生於陰者。得之飲食居處。陰陽喜怒。

此節所言之陰陽。卽指內外而言也。風雨寒熱。六淫之邪。感之者表先病。病在軀殼。故曰生於陽也。飲食七情之邪。得之者。裏先病。病在藏府。故曰生於陰也。

以上數條。可別爲一類。其意義不過以陰陽二字代表身體之某一部分而已。別無深義。又有腰以上爲陽。腰以下爲陰。亦同此類。更推而廣之。脉以寸部爲陽。而尺部爲陰者。以寸主人身之上部。而尺主人身之下部也。以浮爲陽而沈爲陰者。以浮主表。而沈主裏也。若是者。皆可作一例看。

(二)陰陽應象大論曰。『陰陽者天地之道也。萬物之綱紀變化之父母生殺之本始神明之府也。』

陰陽二字。如此節所言。似極渺茫而不可思議。實則亦甚平淡。不難明瞭也。蓋所謂陰者每含蓄一『質』字之意義。所謂陽者。每含一『力』字之意義。易以陽爲乾。曰『乾爲天。』又曰。『天行健。君子以自強不息。』曰行曰健曰自強曰不息。其中無不寓一『力』字之意。以陰爲坤。曰『坤爲地。』又曰『地勢坤。君子以厚德載物。』曰地曰厚德曰載物。其中無不寓一『質』字之意。所謂宇宙者。並不神奇也。宇宙中有質聚而爲日月星辰。宇宙有力。以推行此日月星辰。環繞不息而已。日月星辰可見而不可接。可以接觸者。莫大於地。故以地爲陰。力者虛空而不可見。雖不可見但日月星辰之移動。可得而見也。此移動即力之表現也。日月星辰俱在天。故以天爲陽。知此則本節首句。『陰陽者天地之道也。』一語。可以自明矣。質與力。宇宙則然。萬物亦莫不然也。吾人欲知時間。必須備錶。此錶即陰質也。然不開其鋼條。則機輪不轉。機輪之所以能轉。因鋼條中有一種力。此力係借人之力。此錶有陰陽也。更進一層。譬之草木。根幹枝葉陰也生長收藏陽也更切一層譬之人體五藏六府四肢百骸陰也言語動作陽也故無論何物皆不能越陰陽二字之範圍而陰陽可爲萬物之綱紀也老子曰萬物負陰而抱陽亦卽此義無論何物未有不具一種力而能變化者也無論化學變化物理變化其變化必有一種力含在其中亦卽質與力合然後有變化發生故陰陽二字又爲變化之根原凡有變化者謂之生無變化者謂之死草木而不能生長收藏謂之死草人而不能言語行動謂之死人陰陽合則生陰陽離則死故本節言陰陽爲生殺之本始而生氣通天論又曰『陰陽離決精氣乃絕』也此節在陰陽應象大論中陰陽者指人體之陰陽也象者指天象也陰陽與天地之陰陽相應合也今既明天地萬物陰陽之大概下節更本此義專論人體之陰陽

又曰『陽化氣陰成形』

此節所言乃本上文而切言人身之陰陽也人與天地萬物雖形各不同而理有可通大戴禮記文王官人篇曰『生民有陰陽』盧辯注曰『言人含陰陽之氣』西醫在十五世紀時巴拉載爾以人體爲小宇宙研究大宇宙之種種現象而應用於小宇宙（卽人體之變化）其意亦與此相彷彿也宇宙既不外質與力二條件人體亦不外質與力二條件陽化氣者言人身之氣俱陽所化生陰成形者言人之形體乃陰所造成也此陰字有二解以大範圍解之則陰爲物質言人體乃物質所造成以小範圍解之則指飲食品而言本論又曰『陰爲味味歸形』味作飲食品解言人體乃飲食品所造成也陽化氣

氣者。指人身之各種機能而言。如咳嗽曰肺氣不宣。肺氣不宣者。肺部呼吸機能不宣暢而爲咳嗽也。又如食滯曰胃氣不和。胃氣不和者。胃部消化機能不健全。不能消化食物而成積滯也。故氣乃指機能而言。但各種機能。必有一主宰。如鐘錶之機輪旋轉。必有一原動力。人體各種機能之主宰何在乎。西醫謂在腦。（此說雖是。但尚不能完全澈底。腦爲陰不能自動。必有更上級者爲腦之主宰。或歸之於以太）內經在二千年前。雖知必有其理。必有其事。但不能直指其所在。不得已。乃以陽字代之。以陽爲人身各機能之發源地。故曰陽化氣。左傳昭公七年曰。『陽曰魂』注曰。『陽。神氣也』魂與神。氣其意義較陽字爲顯著矣。上古天眞論曰。『故能形與神俱。而盡終其天年。此『神』字。亦陽字意也。內經此條。以陰陽兩大綱。應用於人身。變而爲形氣兩大綱。解剖學組織學者。以形字包括之。生理學者。以氣字包括之。

又曰。『陽爲氣。陰爲味。』

又曰。『味厚者爲陰。薄爲陰之陽。氣厚者爲陽。薄爲陽之陰。味厚則泄。薄則通。氣薄則發泄。厚則發熱。』

味者。蛋白脂肪碳水化物等營養素也。因其能營養人體。故謂之陰。氣者。含有香料之物品也。含有香料之物品。每能刺激神經。增加臟腑運動。故謂之陽。營養料過於濃厚。超出消化量之上。而不能消化。故味厚則泄。在消化量之下。而適合於消化。故薄則通。芳香品能刺激使各機能興奮。故薄則發泄。興奮過烈。故厚則發熱。此節論食品藥品之性質。與上文形氣之言相近。故并及之。

(三)陰陽應象大論又曰。陰勝則陽病。陽勝則陰病。陽勝則熱。陰勝則寒。

凡一切動植物之生長。俱因於熱。試視熱帶之動植物。每較寒帶爲繁盛活潑。夏季視冬季亦然。即人身體而論。凡病熱者。其機能無不亢進。是人體機能之强弱。視爲轉移也。吾人九十七度體溫之發生。由於筋肉及腺等之酸化燃燒及化學分解等作用而來。是體溫之有餘不足。又視造溫機能之强弱爲轉移也。故機能之强弱。與熱量之多寡。其關係極密切。如桴如鼓。每成爲正比例。若造溫機能亢盛。熱量增加。供應全體九十七度而有餘。放溫機能不及放散。則身熱矣。故曰陽勝則熱。若體溫不足。不能支持全體之九十七度。則身寒矣。故曰陰勝則寒。此節乃以寒熱分陰陽也。寒熱爲八綱之一。下文有專論。茲不多贅。以熱爲陽。而南方爲陽。夏爲陽。晝爲陽。以寒爲陰。而北方爲陰。冬爲陰。夜爲陰。可一理通也。陰陽二字之包括殊廣。茲取醫家最適用者。擇要臚列如左。有本文所未論及者。各隨慧心領悟可也。

陽	陰
天	地
上	下
外	內
表	裏
背	腹
府	藏
熱	寒
夏	冬
南	北
晝	夜

明	暗
火	水
動	靜
氣	形
氣	血
氣	味
衛	營
男	女

日本和田啓十郎。對於陰陽二字之評論曰。『陰陽二字在醫籍用之最廣。腰以上爲陽。腰以下爲陰。表爲陽。裏爲陰。男爲陽。女爲陰。概言之。卽積極消極之義也。同爲風邪症。有發陰性症狀者。有發陽性症狀者。其症狀不同。治法亦異。

例如風邪之爲陰性症狀者。悉爲消極的症候。脈沉伏。惡寒。發熱。頭痛在中心。不在外表。皮膚汚穢。蒼白。氣鬱。懶動。好蟄居一室。宜以陽性熱性興奮性陽浮性等劑振動之。

若發陽性症狀則反是。悉爲積極的。脈浮大。不惡寒而惡熱。煩渴好飲。面色潮紅。肌膚滑潤。頭痛在外表。精神明爽。好出遊。愛眺望風景。觀人畜活動。宜以陰性冷性鎭靜性沉降性等劑降壓之。

是故一病必具陰陽二面。對於陽性患者。悞用熱劑溫罨法艾灸等。對於陰性患者。誤用冷劑冰囊冷水浴等。則病勢與治法不相應。名曰逆治。逆治則生變症。或非命而死。

無論何事何物。必有偏正。正者常也。偏者變也。疾病者。正規生活之異常。正規生活爲常。則異常爲變也。視常形。察常脈。三年而後可以臨病者。先知其正。而後能知其偏也。凡偏不出二端。過與不及也。故陰陽者。乃表示其相對之二方向也。故往往相對而言。如八綱中以陰陽包括寒熱表裏虛實是也。更進一層。凡事物之可以相對待者。莫不可以陰陽代入之。和田氏此論。簡切中肯。凡語陰陽。固不必涉及玄虛。俱作如是觀可也。

學生成績

本期學生成績投來者甚多。編者因時間關係。未能細閱。但取略有研究價值者數篇。隨手編入。亦未加以修改。疵謬之處。尙祈閱者諒之。本欄約分論著譯述雜記三項。（王潤民誌）

左肝右肺之眞理

劉子坎

自歐化東漸。我國醫風爲之一變。學者感西術有物質進化之助。顯明易知。于是趨重新事新法。大有一日千里之勢。而棄國學者敝屣亦日甚一日矣。且更有爲衣食之計。視之如讐敵者。自此則發生所謂中西醫學之爭。互相抵牾。一若水火之不合。冰炭之不投。彼宗西者。因研究生理解剖較詳。輒以此攻擊中醫有偶閱及內經刺禁論篇「……肝生於左。肺藏於右……」者。則曰。「據解剖所得。肝位實居於右。肺乃滿布於胸中。今中醫所宗惟一之內經。則謂左肝右肺。全與事實相反。胡不知臟腑之部位。乃爾。豈足與言醫耶」。於時有謀中西匯通。及爲中醫辯護者。則謂「內經所謂左肝右肺者。非指其部位而言。乃論其氣化之作用。固肝雖居於右。其氣化則行於左。肺雖居中。其氣化實先藏於右。——卽東方生風。風生木。木生酸。酸生肝……等之意義也」。爲此論者。昔如泰興楊如候氏。近有鹽山張錫純等。輩莫不猶持氣化大論。謀息西醫之喙。殊不知此種曲說。何能服人。欲以無稽之言。成立於今日科學昌明之世。吾見其心勞日拙而已。

余前畢業於南京某中學。于各科中。獨于生理衞生。爲最富有興趣。故解剖等亦粗識門徑。每聞中醫有左肝右肺氣化等說。常引以爲憾。然徵諸治療上之効應。輒多有見聞。往往有經西醫診斷。必須動手術解剖。或決爲不治者。而復診之中醫數劑後亦多有神驗者。心爲怪之。是以決志負笈漢醫。必求其所以。並深採新知。以開我國醫之金礦。入院以來。考及內經素問刺禁論篇其原文云。「——藏有要害。不可不察。肝生於左。肺藏於右。心部於表。腎治於裏。脾爲之使。胃爲之市。膈肓之上。中有父母。七節之旁。中有小心。從之有福。逆之有咎。」讀之不禁令我如夢方醒。于是左肝右肺之大疑頓解。近又覽及西醫汪洋編纂之中西解剖學講義一冊。中亦收羅此節。惟刪去最後二句。且亦知藏有要害之藏字。卽臟腑之臟字。而旁又註云。「按肝之部位。實居體右。肺之部位。實占中央。學者不可不知」云云。吾實不知其究何居心。古人明明囑臟腑有要害之處。不可不細察之。肝生於左。肺藏於右等語。皆指其要害而言。而又硬置之於解剖學中。謂左肝右肺。爲指肝肺之部位而言。果如所言。吾不識其于下文之心部於表。脾爲之使等語。又將作何解釋。抑亦可謂心之部位。在人體之表皮乎。脾可周行全身。而爲使者歟。其荒謬不通。誠不堪設想矣。然今之不學無術之士。盲攻我漢醫不明臟腑者。亦何莫非汪洋之類耶。

今請將古人謂左肝右肺。爲指肝肺要害之處。以今之生理解剖等。一一略釋之如下。

一、肝生於左——肝爲人身最大之腺體。位居腹之右上部。當膈膜之下。胃小端之上。其形如木楔。由左右二葉所成。惟左葉較之右葉小而且薄。但其分泌等作用。仍與右大葉悉同。然則以其要用論之。謂之生於左者。誰曰不宜。

二、肺藏於右——肺居臟腑之最上。滿布於胸腔。亦由左右二葉所合成。中包有心臟。因心臟略偏於左。故左肺短而寬。右肺較狹而長。則其量仍在等式。但左肺僅分二部。其作用當爲二。而右肺則分部爲三。則其作用亦當分之爲三。然則肺之要用。豈非藏於右乎。

三、心部於表——心固居於胸腔之中。但其作用。在使血液由血管周身循環。分佈於表層。及各組織之微細毛血管。供細胞之應用與功作。故其要在達於表耳。

四、腎治於裏——腎爲泌尿之要器。其要害之處。在腎內之馬氏小體。分治血液與尿公之清濁。故曰腎治於裏也。

五、脾爲之使——據近世生理學家所究得。脾之至要功用。在製造多量之赤血球。以吸收各細胞間之炭氣。及廢物等。輸送至各排泄器中。而使之出。再吸收養氣及滋養料等。送至各細胞間。以供細胞生活之用。故有脾爲之使之謂。

六、胃爲之市——胃乃消化之要道。亦爲聚集之所。凡吾人飲食等物。莫不儲積於此。以備消化。而供全身細胞之需。一若市場之聚集各商店。以供各戶人口之要求。古人比之其要爲市者不亦宜乎。

七、膈肓之上、中有父母——膈卽橫膈膜也。肓爲膈膜上兩大動靜脈管等所穿之孔也。中有父母者。因膈膜須從胸腹呼吸之運動。此父母二字。猶言膈肓上動靜二脉所穿之處。一若父母重要之意。

八、七節之旁、中有小心——七節之旁。乃頸椎第七節之旁。爲脊髓神經分左右兩大幹。以達於上肢之處。按古時于神經上之作用。多置之於心肝二部。故知此所謂中有小心者。卽言七節旁爲分佈神經之重要處也。

如上之所釋。理論上與事實上無不相合。故其末並申言之曰。「從之有福。逆之有咎」矣。嗚呼。吾不圖今之泛泛者流。竟視而不見。置其首尾四句於不聽。卽以自命深悉西術。堪稱中國之醫學家。鼎鼎大名之余雲岫氏。亦不知察。致此唱彼和。嘩然一辭。以爲惟一之諷擊。斯眞所謂一犬吠影。百犬吠聲矣。

至肝肺在人體之部位。吾中醫何嘗不知。試觀漢代淮南子一書。已早悉肝右脾左矣。且內經痿論篇。亦識肺者臟之長。心之蓋也。惟不過簡略耳。今人不知深究。以謀國學之發展。而徒盲論部位。謬辨氣化。豈不寃哉。

嘗謂我國各科之學術。莫不列世界各國之先。黃帝內經。神農本草雖屬僞書。而徵諸歷史。吾國醫藥等。於四千年前已告粗備。遞至漢代。則學術大興。凡今之所謂大手術。及惟一之發明者。莫不皆有見聞於當世。惜自漢以後。受政治之沿革。學術之變遷。唐宋而來。誤謂人身一小天地。以致一切之眞理。爲斯萬能之陰陽、五行、五方、五色、五聲、及干支等、哲理所蒙蔽。本學院教務主任陸淵雷先生之考徵。謂內經之陰陽五行等。係由宋人僞造。陰陽大論一篇。加入之後。而盛行者。因後世無物質進化之助。遂多受其影響。于是固執已見。任意割裂。是以今之內經雖多。而其眞象皆有不同。卽以刺禁一篇而論。有捨頭究尾者。有錄尾棄首者。有首尾皆去者。然徵諸大多。均屬捨頭棄尾。詎知本篇之旨要。正在此首尾之二句。而註者刪其首尾。雖有明註。爲言其作用。非指其部位。豈不思後有不究之士。盲施誤解乎。

故鄙意研究內經之法。須分別精粗。可於其通者承認之。而闕其所不可通者。再加以今之生理解剖等之研究。實頗多金礦。蓋以其多論能而少論形故也。(古人論臟腑之形。甚爲忽略。實爲其缺點。而其論能處則多精確。) 是故吾漢醫關於臟腑之部位與功用。固非不知。奈經種種之關係。傳至今日。簡略而已。人體內臟。有如機件。故醫之治病。亦有如修機之技師。爲技師當先究機件。則爲醫生必細詳臟腑。此實根本之談。然則今歐西學者。對於人體生理解剖研究既詳。則攻玉他山。未足云愧。自封故步。實至愚爾。

吾言至此。忽有一感想。未免骨梗在喉。不得不連類及之。即近有一般無知之徒。恆謂「吾人爲國醫革命。謀開中醫金礦。則可。若欲使中醫成科學化則不可。如使中醫成科學化。中醫必亡」云云。噫嘻。何其謬哉。試問日本之醫學。初宗我國。近始遷就德醫。但聞今世界皆尊日醫爲第二。不聞有云日本爲第二德醫者。何也。況吾輩今日之旨。在容採歐西物質方面。以助我固有醫術之發長。有何不可乎。又試問處現今科學競爭之時。欲振興中醫古代之榮譽。發揮其將來陸離之光彩。捨取現今物質進化之助力。其道何由。夫以清代徐靈胎及日本吉益東洞等。生於科學未昌明之世。其持論尚不盡盤旋於陰陽五行等之中。乃生爲二十世紀之人。而仍欲整理陰陽五行等之妄言以爲足。如驢子旋磨。凍蠅鑽紙。使二先生於九泉之下得知。必當撫膺痛哭。而嘆息於漢醫之果不競也。信乎。此蓋若輩干科學化之意義。尚不明也。姑不論。

然余作斯篇。爲發表古人謂左肝右肺之眞理。實因不忍坐視一般不學無術之士。奪詞害意。而沒煞我國醫之眞理。初非欲効世人之慢罵也。其不得已之處。幸高明者教之。

內經爲數千年前產物。其論臟腑。謬誤處當然不免。惟矯正古人可也。誣古人則不可也。今之誣古人者多矣。即如左肝右肺之說。古人實不誤。而攻擊之者則誤。（至爲此節辨護者之盲論部分。謬辨氣化。其失則又與妄事攻擊者等）劉君此文。獨能根據內經原文及近世生理解剖。詳細釋出。不牽强不附會。非惟足息西醫之喙。亦爲從未釋此節者未有之文。洵傑作也。篇中謂讀內經須分別精粗。吾意作者其眞能分別精粗者歟。安得有千百劉君。一一爲古人吐氣也哉。（編者附評）

記章次公先生丹毒失治案

余傑

歷觀古今醫案。及時下醫士報告。類皆述其治愈成績。或且用其生龍活虎之筆。多方粉飾。而於經治不效之症。則諱莫如深。噫。異矣。豈其所治之病。悉皆胸有成竹。馬到成功耶。余實不能無疑焉。竊謂醫者苟能將其治不效之症。公佈討論。方見光明磊落。其有裨於醫進步。尤非淺鮮。章次公先生任職世界紅卍字分會醫院多年。學識經驗。兩俱豐富。然此次章姓一症。竟因慎重細心。以致坐失時機。病勢轉危。於以知醫之不易。爲而胆大心細之說。爲不易之名言也。案如下。

章某湖州雙林產。年念許。充白雲觀稗文女校校役。（燒老虎灶。）陰歷十一月初九日來院求診。其症狀爲身熱、惡寒、欲嘔、舌苔白。頗類太陽病。然脉浮數。大便溏。口渴喜飲。兩目胞紅赤•小腹下紅而焮熱。大如盤。飲食不入。當時以辛涼藥子之方。爲薄荷錢半、豆豉荊芥桑葉葛根杭菊各三錢、山梔銀花連翹各四錢、黃連三分、（分三次吞。）處方大意。因其惡寒苔白。故解表。因脉數口渴。故用辛涼藥。因脉數渴飲而大便溏。審爲熱泄。故用黃連。惟小腹下何故焮熱。當時不能斷定。姑從有表症當先解表之義。翌晨覆診。則遍身發斑。細小而密。皮膚呈暗紅色。唇燥裂出血。便溏雖止。而大渴微煩。神識不清。脉數而大。苔白且厚。榮分之熱熾盛。明知非重劑清泄不可。乃用藥不然。方用鮮生地一兩、生石膏五錢、丹皮赤芍各四錢、葛根連翹各三錢、銀花荊芥紫草茸各二錢、生甘草一錢、西河柳一兩、（煎水代湯。）方中石膏丹皮赤芍銀花等味太輕。而荊芥紫草茸之再行發表。亦屬大錯。至第三日來院。症象大壞。頭面浮腫。神識昏迷。四肢顏面脫皮出血。五官模糊不辨。軀幹部皮膚呈深紅色。探之熱甚。亦有脫落之勢。斯時知病症頻危。難待服藥。商諸同院西醫。亦無可如何。終乃介紹至公部局醫院療治。豫後恐難抱樂觀也。

傑於平日觀先生用藥。雖峻悍之品。亦常用大量而獲效。惟此次用藥則甚輕。不知何故。殆急於趨時而故用此不生不死之藥耶。頃曾以此質諸王潤民先生。先生謂當用醫林改錯解毒活血湯。酌加大黃枳實生石膏朴硝紫花地丁犀角羚羊木通車前等味。日服二三劑。並謂此病症象。極類鼠疫。因鼠疫初起。亦或惡寒。唇或紫或焦。往往泄瀉。此毒入下焦之故。（若得大黃瘀積既去。反不瀉。）或口鼻見血。或二便下血。或現錦斑紅疹。或皮膚破流血水。凡諸現象。幾無不與此症相合。昔粵人以解毒活血湯酌加上列諸藥。治愈鼠疫症不下千百人。故若借治此症。當亦奇效。因其能解瘀清熱涼血。此症若徒用涼藥。而不解毒活血。倘差一籌云云。

又據同院西醫謂此症名丹毒。爲傳染病中最劇烈之症。患者極少。治療殊難。亦附記於此。以備參考。

曹拙巢先生曰。此症以急下存陰爲先務。欲嘔者胃中有伏熱也。大渴引飲者腸胃燥也。神識不清者實熱上薰而腦氣爲之蒙也。少腹赤色者熱入血海而色見於外。勢將爆裂也。竊謂當用大承氣重劑以瀉之。更用鮮生地半斤打汁冲服。雖未必定能中病。變證當不若是之速。成之惟但清裏熱而不爲之開一出路。譬之關門捉賊。賊無逃處。乃毀牆壁而出矣。成之平時固嘗自命能得仲景遺意。視蘇派庸工如芻靈者。不意竟有此失。所冀如日月之蝕。晦而旋明。倘猶不失爲南陽功臣歟。

（潤民附識）余嘗痛恨古今醫案多不實不盡之處。觀其紙上叙述。則生龍活虎。一若倉扁重生。然按其法試之。則不驗者頗多。至於記述自已治誤之案。更絕無僅有。故醫案雖多。如醫學反無多益處。爰會憤而撰「以後凡作醫案者必須宣誓」一文。無非爲促進醫學計耳。吾友夾公臨證多年。出其所學。活人甚多。此次遭此失敗。獨能不惜暴露已短。命余傑君記之。其饒度之光明磊落。及胸襟之宏闊。生平實未見第二人。至余君之記述詳盡。亦有足多者云。

三焦之考證

丁成萓

中醫學之墮落。原因不一。而學說之混亂。實其主要原因也。一物之定義者何。從來議論紛紛。莫衷一是。去古愈遠。其說愈多。說愈多。而其物之眞相愈不可得。直令人有莫所適從之感。今中醫界刻刻號召革新矣。不知所革者爲何物。新者爲何事。吾意規劃一定之醫學名詞。實爲當務之急。對於往昔舊說。孰是孰非。不牽强。不附會。不含糊。作一確切之論斷。更用披沙鍊金之手段。非者汰。是者存。必如是中國之醫學始得統一。胡然後中醫方可立足。惟是茲事非易。一面對舊說須有深切之認識。一面於最近生理解剖等學。必能通盤洞悉。否則不足以言革新。吾之才疏識淺。固知不能負此重任。所望于同志者多。希各努力直追。茲就三焦一端。將歷來各說。就個見所及。分別述之於后。

(一)錯誤方面者

A兩腎間之動氣。是三焦之本。爲無形之氣。——考之生理解剖學。兩腎之間。僅有大動脉。下大靜脈。腎動脈。腎靜脈。及輸尿管兩條。餘無他物。所謂動氣者。果何所藏乎。人身中固無氣體。退一步言之。即有氣。爲流動不定之物。試問如何固居于兩腎之間而不移。吾知此說爲不可通。不能成立。

B臍下脂膜爲三焦。及前三焦後三焦。——兩種說法。俱係空洞不確。臍之下。并未言明腹內腹外。所指脂膜。究竟有何作用。前三焦後三焦之說。更不值一笑。前後之分。究以何物爲標準。何部屬前。何部屬後。不能分別清楚。含糊其詞。亦不能成立。

C上焦出胃上口，并咽以上。貫膈而佈胸中。走腋。循太陰之分而行。還至陽明。上至舌。下足陽明。中焦亦並胃中。出上焦之後。此受氣者。泌糟粕。蒸精液。上注于肺脈。乃化而爲血。以養身。莫貴于此。故獨得行于經隧。下焦別迴腸。注於膀胱而滲入也。故水穀者。常并于胃中。成糟粕而俱下于大腸。而成下焦。滲而俱下。臍泌別汁。循下焦而滲入膀胱焉。——此說更是無頭無緒。使人愈讀愈糊塗。如入五里霧中。不知其所以然。所言上焦。攷之生理解剖學。人身并無其物。中焦似指胃部中央而言。然胃一囊狀。中空無物。食物入胃。胃壁雖有少量之吸收作用。吸收後概由門靜脈入肝。由肝靜脈入下大靜脈。歸心臟。再由心臟入肺脈。由肺迴入心臟而轉及全身。並非直接入肺脈也。此中焦之說又不通。所云下焦之作用。正與腎臟相同。然則統上以觀。此所謂三焦。非三焦也明矣。須知三焦乃一物之名詞。非可分以爲三。彼指三焦有三物。或指人體上中下三部爲三焦。徒泥于三字着想者。誤也。或謂上焦乃循環器。中焦乃消化器。下焦乃排泄器。如此之論。表面觀之。似合古人所言。其實亦不過就三焦之名詞加以牽强湊合而已。有何深意。

D 唐容川以網油爲三焦。謂網油并周身之膜。皆是網油連著膀胱。水因得從網油中滲入膀胱。即古所謂三焦者。决瀆之官。水道出焉云云。——按之生理學。與膀胱相連者。惟輸尿管。人身之水分。泰半由輸尿管泄于體外。且腔內各膜——胸膜、肋膜、腹膜、——在防護臟腑之磨傷。絕無排水機能。然則三焦非周身之油膜。昭之然可見矣。俗人悉被唐說所迷。吾謂斯可信孰不可信。唐氏自矜創獲。强作解人。實則誤人非淺。觀其所著中西匯通等書。悉多荒謬之談。不經之說。吾謂無唐氏。則已有唐氏。則中醫界不獨不能受其惠。反多一重魔障。徒留中西溝通史上一汚點。知言者其謂之何。

E 王清任氏直謂三焦無其物。——清代王清任氏。一富于革命性之醫學家。於舉世專從古籍中討生活之時。獨能提倡風氣。崇尚實驗。所著醫林改錯一書。言論雖不十分圓滿。然已難能可貴。其關係于時代性者。吾人當爲之曲諒。惟云三焦無其物。則未免言之太過。因噎廢食。以吾次節之研究。固自有三焦在也。蓋王氏明知自內經而下。各家所論之三焦爲可笑。然辨正之則可。直謂之爲無則不可。

(二) 正確方面者

既如上述。三焦之說。非彼非此。究何物乎。此吾人所不可不研究者也。据攷据所得。三焦之說。始于內經素問靈蘭秘典論曰。三焦者。决瀆之官。水道出焉。以此合以生理學。確與淋巴系統相當。觀其所言三焦之作用。與夫淋巴系統之作用。可知矣。吾人消化時間。所有食物之滋養分。除一小部分由血管吸收外。餘皆藉力于淋巴系統。故淋巴系統又可稱之爲吸收系統。淋巴系統。由淋巴毛細管、淋巴管、淋巴腺、及兩淋巴幹所成。淋巴毛細管爲極細微之管狀物。發源于體之各部器官及組織間。其一部分佈散于腸壁者。特稱乳糜管。內容液體。能吸收養料。淋巴毛細管（包括乳糜管在內）因所在之地位。次第集合而成淋巴管。管內有瓣。以便乳糜由毛細管輸向淋巴幹之需。當乳糜前進時。必經過許多淋巴腺。所謂淋巴腺。卽淋巴系中之結節是也。淋巴幹分左右兩條。各開口于上大靜脉。故乳糜最後悉由淋巴幹傳入靜脉。混于血液中。供各部細胞之滋養。同時又自各細胞中攝取一切老廢物。反輸于淋巴毛細管。而注入于靜脉。排泄于體外。此排泄物卽尿液。由是觀之。淋巴系統之作用。實爲輸運液體。與夫決瀆行水之義。確合。是淋巴系統卽三焦也。已彰然明矣。近代祝味菊先生謂淋巴管爲三焦。已得其眞。惟淋巴管僅淋巴系統中之一部。其作用爲局部的。舉局概全。吾不敢信。且決瀆之能。幷非全在淋巴管之主。使淋巴毛細管、及淋巴幹等。亦與有力焉。故吾意當改淋巴管爲淋巴系統爲妥。不知高明之士以爲何如。夫味菊先生爲近世中醫界之傑出人才。學貫中西。於舊說時有闡明。今三焦之說。亦由先生所發現。惜未曾圓滿耳。須知處今日研究中國醫學。當具當仁不讓之精神。不當徒以感情用事。緣學術爲公器。不當以私情雜於其間。有一毫私情。則非眞正之學術。是以吾能補味菊先生之缺陷。正爲中醫之前進計耳。非敢引以自豪也。語云智者千慮。必有一失。愚者千慮。或有一得。其斯之謂歟。

善哉。華陀中藏經有言曰。三焦者。人之三元之氣。號曰中清之腑。統領五臟六腑。榮衛經絡。內外左右之氣也。三焦通則內外左右上下皆通也。其于周身灌溉。和內調外。榮左養右。導上宣下。莫大於此。觀其言已含有三焦卽淋巴系統之意在矣。不言三焦爲三物。不言三焦爲三部。此其特長處。首句猶言淋巴系統爲人身最重要之器官。淋巴系統能輸運營養物故也。次句猶言淋巴系統之位置。周身內外。各臟各腑。無所不有也。末句猶言淋巴系統不受障碍。則運送養料能靈活不阻。身體各部亦得營養充足。其言已詳且盡矣。奈何後人不知所尋。徒事牽强。宜乎中國之醫學日趨於墮落矣。或謂華陀中藏經一書爲僞書。不足信。雖然書之眞僞。係另一問題。吾人但當審其言之當與不當。不應專事抹煞。譬如內經一書。經考證後知其非黃帝所作。然其書中所載。果全不足信乎。內經謂心者君主之官。神明出焉。證之今日生理學。有何不合。類此者尙多。不遑枚舉。總之、古人之觀察粗疏。所言難免有錯誤處。此亦不必爲古人諱也。

綜上以觀。則吾得而斷言之曰。所謂三焦者。確有其物。非部位。非油膜。非氣體。乃淋巴系統也。或曰。古時科學未曾昌明。焉能探究此種精深之生理學說。汝言殆不足信。吾曰、不然。欲解決此種問題。決非旁證上所能了事。必須從根本着想。且古人所述臟腑。多就其機能上立言。間及部位。亦多錯誤。如肺六葉。肺居左。等事實上何嘗如此。又如肺主皮毛。正從肺與皮毛二者機能上看出。蓋肺主呼吸。皮膚能助之。皮膚主散溫。肺亦能助之。此二者互相爲用也。內經謂三焦者。決瀆之官。水道出焉。亦僅言其機能之爲行水作用。並未及部位之若何。然則吾人考據三焦。亦當從其機能上細察。不應以其他附會也。吾言盡此。確與不確。希高明者。有以教之。

三焦之說。古今議論最多。眩人心目。而無一定之界說。致後學者有莫所適從之憾。讀書者莫不以一洞穿其眞相爲快。而欲洞穿其眞相。則非根據近世生理解剖不爲功。作者論學。素具一種勇往無前獨到之精神。篇中於三焦爲淋巴系統一節。考證綦詳。不附會。不曲解。吾不知其於古人意若何。要亦能自圓其說矣。故錄之。

又按三蕉爲淋巴系統。近人章太炎先生亦曾言之。吾人此後即宗此說可也。(編者誌)

婦人血崩及胞損之治療

余傑

竊嘗考中醫學術不進步之故。有謂墨守舊法所致者。有謂不涉經旨所致者。言之有理。語固不謬。然余以祕密二字。尤爲中醫進步之最大障礙。何則。天下事有公開而後有研究。有研究而後有進步。此一定之公例也。獨怪世之一般時醫。偶有心得。則非子弗傳。非金弗治。噫。以活人濟世之道。而爲居奇射利之術。醫界前途。尙望其有進步耶。余家五世婦科。對於該科治療。亦頗有經驗。傑本本院諸先生及同學等所抱之公開主義。不敢自祕而蹈一般醫生之惡習。茲將家父生平歷治不爽之症。略陳兩條。作研究之一助云爾。

(1)血崩　血崩一症。爲婦女不可免之疾患。其原因甚多。大別之。可分急性的慢性的兩種。故治療上亦有緩急之不同。慢性的治療。宜探其病源。緩緩調治。(例如肝經火旺而不藏血者。用加味逍遙散。思慮傷脾不能攝血者。用歸脾湯之類。)此種慢性治療。姑置勿論。僅就急性的治療言之。夫急性血崩。突然大下不止。病人頓成貧血狀態。其見症有下列數種。(一)全身皮膚呈蒼白色。而口唇指甲兩處尤爲顯明。(二)心虛忐忑。四肢發麻。(三)眩暈耳鳴。間有不省人事者。(四)脈息現芤。或竟成消失之狀。此種症象危險殊甚。若不急爲制止。而欲探本求源。用藥試病。恐一瀉千里。難於收拾。生命之虞。在指顧間耳。治之之法。惟有大量收澀之劑。遏止急流。庶可取效。當時爰列處方如左。

潞黨參　硃茯神　煅牡蠣　赤石脂
真阿膠　禹餘糧　白歸身　伏龍肝
醋煅陳墨(研末和服)　陳棕灰(燒存性)

若昏昧不省人事。先用秤錘燒紅。沃醋薰鼻。以開其竅。(但此時須將病者扶起。切不可平臥。)須臾即蘇。服前藥崩漏漸止。然後於前方中佐補養之品。如懷山藥生地炙黃芪冬白朮遠志肉山萸肉之類。加減用之。末用八珍四君之類以收功。如此按步調治。無不奏效。誠屢試屢驗之方也。

(2)胞損　婦人胎前攝生。產後調養。固不可輕忽。要知臨產之際。尤須特別注意。保護得宜。故文明國家於婦人分娩之際。有專門產科醫生爲之保護。而我國往往以不學無術之穩婆充任之。爲害之大。不可言喻。茲述胞損一症及其治療法如下。

親戚季姓女。出閣兩年。去春分娩。頗感困難。穩婆即施以手術。偶一不慎。傷損尿胞。產後體健如常人。惟小便淋漓。不能約束。經治兩月。服溫補之劑約二十餘帖。卒不效。延至夏歷六月。來余家調治。家父用八珍湯加馬勃阿膠黃絲絹桑螵蛸等藥。兩帖稍有約束。十餘帖全愈。方中用黃絲絹一尺。(至繭行或絲行中擇絲之黃色者購用)清水久煮。以物時時拌攪。至絲絹纖維完全溶化水中爲度。然後將阿膠四錢投入合煎。溶化。即成一種粘稠之化合液體。將此液體和藥中溫服。功效甚大。並聞家父言。數年前有某姓婦。亦患此症。百藥罔效。後服此方而愈。惟調治中須常靜臥。不可勞動。否則奏效極遲云。

傑按阿膠與絲絹同煎。大有至理。蓋絲絹煮爛。藉纖維以補膀胱。得阿膠化合。則纖維有粘稠之性。補時不易脫落。膀胱破裂處有所憑藉。則其自身之黏膜漿液膜等。即可漸漸生長。以補破裂。服大劑八珍湯所以溫補元氣。助膀胱救濟之力也。用馬勃桑螵蛸。取其收斂故也。至若絲絹之何以必用黃色。則吾不得而知矣。世有用猪胞煎湯服可治此症之說。意在以胞治胞。理殊附會。似不足信。余述斯篇竟。尚有一言爲讀者諸君告。古人凡遇一症。立方甚多。何者有效。何者無效。在有經驗者早已胸有成竹。在吾輩新學。每苦不能決斷。茫然無所適從。以病家作試驗品。在所不免。以上兩方。雖屬平常。然屢試不爽。決非空言欺人之談。讀者幸勿忽諸。

純屬實驗心得。非紙上空談可比。(王潤民評)

傷寒、溫病冠以太陽病字、從少陰逆傳之邪說不攻自破但既不可汗下溫鍼當以何方主治

唐景韓

太陽病發熱而渴。不惡寒者爲溫病。此仲景溫病之提綱也。今釋溫病之義者、曰。溫病因冬不藏精。伏邪醞釀成熱。伏氣所致。是邪自內出。熱由內發。與傷寒之感冒。邪從皮毛入裏。截然不同。並歷舉內經、冬傷於寒。春必病溫。及吳鞠通溫病條辨。以爲鐵證。一若千古不易之定論。而晚近時醫。復附會盲從。奉作金科玉律。曾不稍加思索。揭破此荒誕不經之謬論。可慨也已。夫傷寒與溫病。初起同屬太陽病。太陽者。主一身之表。位在軀體最外層。邪之入也。太陽首當其衝。體溫反應則發熱。而傷寒與溫病之區別。則在於必惡寒。不惡寒。二點而已。緣冬日傷寒。無論已發熱。未發熱。必惡寒者。是爲傷寒。春日傷寒。有開始卽發熱而渴。不惡寒者。是爲溫病。據此則前者之說。以冬傷於寒。寒毒藏于肌膚之論。於理論實不可通。其謬說不攻自破也。明矣。是則溫病傷寒。症見不同。治法略異。傷寒在表。汗之自愈。溫病因症見發熱而渴。足徵體內營養素缺乏。胃液不能上潮。故令口渴。若投麻黃發汗。急下存陰。艾灸散寒。是重虛其虛也。然則治之奈何。曰。辛涼解表。泄熱透邪。擬葛根黃芩黃連湯加減。庶幾十得十全。若誤投麥冬石斛。則殆矣。

見解極是。是從世補齋醫書悟出者。(編者誌)

婦人隱疾陰挺之奇治

唐景韓

經云、肝脈抵少腹。環陰器。督脈起少腹。以下骨中央。入繫廷孔。故女子與男子特異之病。除胎前產後調經。赤白帶下之外。又有隱疾多種。下述之症。卽其一也。

稀居北四川路崇福里之某氏。以感冒風寒。繼以發熱嘔吐、神疲、體倦、諸疾。服藥已。漸次告愈。次晨覺股際有物下垂。審視之。則一物如菌。挺出陰外。長可四寸。粗可盈指。不類男子玉莖。大駭。不知所可。家人爲延某西醫診視。據云、斯症非藥石所能奏效。須用手術割去。保無危險云云。氏素非西醫。力持不可。家人不敢強。醫去。經同居某甲

之介。延予老友朱君就診。朱覩狀。詢所苦。氏謂撫之不覺。捏之不痛。溺便自可。了無所苦。惟感行動不便耳。朱憶及準繩云。『陰中突出一物。五六寸。此名陰挺。……宜從虛治。』因擬升補之劑。明日復邀。謂服藥二帖。未見效果。疑係雜受穢毒。濕熱積滯所致。爲擬瀉毒通利之劑。不效如故。歸而謀之婦。婦固粵東名醫周某之女也。周醫老而無子。生平驗方。多授于女。以是翻閱舊抄。得一妙方。其法用皮硝胡椒各等分。和以黃酒。調勻敷患處。數日可愈。朱聆敎往診時。令病者如法泡製。越二日。病者痊止。面有喜色。謂自敷後。迄今已全瘳無恙矣。斯症起始奇突。實有一下研究之價值也。

欲知此方之所以能療斯疾。必先明此症之病原。然後可。吾嘗考舊籍所載。謂陰挺一症。由產後傷氣。傷及胞絡。宜升補元氣。又陰中突出如茄子。臥則收。立則下者。此名瘕聚。宜溫元陽。此種論調。極模糊。極費解。西說有子宮脫一症。原因係生產過頻。子宮筋太鬆。或提重物。增加腹部之壓力。使會陰提托之肌能弱于平時。不能將陰道口閉合。致肌筋離開本位。漸次向下低落。甚至脫出陰外二三寸。然子宮脫係產後特有之見症。與陰挺各異。而陰挺之症。何以不治于湯藥。而奏效于一簡單之草頭方。豈眞所謂知其然。而不知其所以然耶。望賢達有以敎之。

此方治此症。實不知其奏效之理。海內賢達。如有高見賜敎。極表歡迎。並當登入本刊來函欄內。(編者誌)

論氣候與疾病之關係

馬伯孫

世界上的動物。靠天空中的空氣而生活的。無有不病之理。因爲天空中空氣的成分。是時常生變化。因成分變化。而不合動物生活須要時。動物卽易生疾病。疾病是什麼東西呢。就是動物身上的物質與勢力起變異。卽生活機能起異常之變化。稱爲疾病。所以人類在世界上謀生活之競爭。疾病是往往不免的。

那麼空氣中的成分起變化。爲什麼不合生活機能而要生疾病呢。

因爲生活機能要生活。須要有空氣中養氣的幫助。好像汽鍋中要燒煤。方能生出力量來的一樣。平時空氣中的養氣是百分之二一。是確合生活機能的須要。所以生活機能能生出他的力來而生活。吸收養氣的機能是肺臟。肺中有了養氣。就能把心臟的右心房右心室中底靜脈血。由肺動脈注入肺中。到肺細胞周圍之毛細管時。養氣就能把暗紅靜脈血。變成鮮紅的動脈血。靜脈血變成了動脈血後。由肺靜脈注入心中的左心房。而下流到左心室。由大動脈注射出去到全身動脈中。而至毛細血管後成靜脈血。再由大靜脈注回右心房。這樣的全身循環。使得各臟腑生出所有的機能來。並且還有營養全身的皮膚肌肉的功能。如果氣候忽變。空氣乾燥。灰塵飛揚。而且空氣中的氣體沃蟲（Ozon）少。不能殺菌消毒。以致各種病的細菌皆飛揚在空中。往往隨人類的呼吸入內。以致發生疾病。又或空氣乾燥。天久不雨。養氣稀少。不滿百分之二一的時候。人必頓覺不快。在這時候。血液中充滿炭氣。動脈血皆變爲靜脈血。遭氣絕而死。並且灰塵是食鹽、煤灰、澱粉等有機物質所成。所以灰塵吸入氣管時。有一部分被纖毛之顫動。仍驅到體外。但還有一部分。往往貫穿肺細胞之上皮。或通過淋巴管。到肺淋巴腺。而成肺病。所以老人肺中。常見肺細胞染成了黑色的。但是氣候乾燥。養氣稀少。肺呼吸不便。而且皮毛又不能助肺呼吸。所以呼吸更覺困難。有時欲成氣喘的病症、因養氣少。肺臟不能把靜脈血變成動脈血。以致鮮紅的動脈血液少。而各部的神經失去血液營養。而成骨節疼痛。拘攣。貧血等種種疾患。多是因氣候變遷而造成的。若是在氣候乾燥悶極的時候。忽然下雨了。爽一下。人的精神上頓覺潤快。因爲地面上的灰塵着雨水後。就不飛揚在空中。並且炭氣被雨一沖。即清潔。而且養氣也增加。肺呼吸也便當。血行流利。而腦神經各部也有營養而活潑。不但如此。同時空氣中沃蟲也增加。能把一種特別的臭氣放出。破壞細菌。而在空中起一種消毒作用。或在紅日高照的晴天。而且空氣成分不變化的時候。日光也能起同沃蟲一樣的殺菌消毒作用。有這樣的氣候。人身也不容易生疾病。反而覺得暢快。這多是因爲氣候所致。所以我以爲氣候變異。即能使人易患疾病。氣候若適宜不變。能使人神清氣爽。因此說氣候與疾病。是有密切的關係。

樸實說理。不同空論。以幼年而能得此。洵屬不可多得。

（王潤民評）

論醫家之學識與經驗孰重

郭鴻傑

謹讀仲景傷寒論自序曰。感往昔之淪喪。傷橫夭之莫救。乃勤求古訓。博採衆方。其闡揚醫學。表明職志。重大如此。蔑以加矣。顧今國人。旣感中醫之殘缺。復被西人之詆毀。而欲將四千年來之醫術。繁植最富之藥物。發揮光大。挽回狂瀾。於醫家之學識與經驗。孰爲重輕。吾儕亟應有所討論者也。孫中山先生曰。『大凡人類對于一件事。研究當中的道理。最先發生思想。思想貫通以後。便起信仰。有了信仰。就生出力量』。是學識爲思想之來源。經驗乃信仰之表現。表現即力量之光大。故吾儕負光大中醫之職志。要以學識爲前提。若無爲醫之學識。不明人體受病原因。不知藥物性質如何。欲求經驗。厥道何由。世或有僅以經驗爲能事。而忽於學識之研究者。乃由其不知學識之重要。是庸醫俗子之行爲。雖經驗以後。有增長學識之可能。然已不知誤殺幾多人矣。此正中醫故步自封。萎靡不振。使人詆毀之一大原因。豈不痛哉。

更有進者。爲學識而探求。非徒書本上之高談宏論已也。尤須本先聖勤求博採之精神。用解剖化驗之科學。以窮究其病理。改良其藥物。始有正確之學識。必如是。繼之以經驗。中醫前途。豈有限量哉。

見解透徹。文字流利。使不佞操筆爲之。亦無能有加毫末也。（王潤民評）

大黃䗪蟲丸

日本湯本求眞著
中華張永霖譯

瘀血之能成種種疾患。爲吾國醫學上之一大發明。證之臨牀經驗之所得。驅瘀劑亦恆奏卓絕之殊功。特古人言之未詳。今人不加注意。致多數疾患。病毒沉滯於內。不能治療。洵可嘆息。日醫湯本求眞畢業於醫學專門學校。以爲學未足。乃鑽研漢醫。著有皇漢醫學等書。其論瘀血之害。及漢方驅瘀劑之妙。自謂爲其心血結晶。惜其書爲日文。不通日文者。無由借以爲參考。張君永霖。籍隸台灣。爲本院之二年級生。敏而好學。蓋能實行勤求古訓。博採衆方者。課餘之暇。偶出其所譯湯本氏「大黃䗪虫丸」一篇。余喜其議論之翔實也。故錄之。張君尚譯有湯本氏論瘀血之害一文。容下期登載。（編者誌）

大黃䗪虫丸方

大黃二〇、〇　黃芩一六、〇　甘草二四、〇

桃仁六五、〇　杏仁五六、〇　芍藥三二、〇

地黃八〇、〇　乾漆八、〇　虻虫一〇七、〇

水蛭一六六、〇　䗪虫七一、〇

右爲末。以蜂蜜爲丸。一回用一、〇乃至五、〇。一日一回乃至三回。

用法同抵當丸。

適用症　五癆、虛極、羸瘦。腹滿不能飲食。食傷、憂傷、飲傷、房室傷、經絡榮衞氣傷、饑傷、勞傷。內有乾血。肌膚甲錯。兩目黯黑。緩中補虛。

（解）仲師論文雖難解。今解之如下。則食傷爲消化器病。憂傷爲神經系及精神病。飲傷爲水病。房室傷爲結核性疾患。經絡榮衞氣傷爲血行器及血液病（古人指血管系爲經絡。以血液衞養身體。故稱榮衞）之意。因此等之疾病。而五勞虛極。（衰弱之至甚）羸瘦腹滿不能飲食。致血乾於體內。（久變敗血）故肌膚甲錯。（即云如鮫

膚）兩目黯黑。若用本方即可去體內之乾血。變虛爲强壯云。欲知此解釋有無大誤。則試引仲師及先哲之說爲參照。則明瞭矣。

金匱要略婦人病篇仲師云。婦人之病。因虛積冷結氣。爲諸經水斷絕。（以上說月經閉止之由來。以下述經閉之原因及發生種種多雜之病變。）至有歷年血寒積結胞門。（胞門即指子宮。積結乃云集積而凝着也。）寒傷經絡（病變波及血管系。）凝堅在上。嘔吐涎唾。久成肺癰。形體損分。（古人人體分爲三段。即胸廓以上爲上焦。胸以下至臍爲中焦。臍以下爲下焦。故在上之上乃指上焦。若瘀血凝堅於上焦。則發嘔吐涎唾之症。若久久不驅逐而放置之。則變肺疾。患身體漸次衰弱。）在中盤結。（瘀血結於中焦如盤之固着。）繞臍寒疝。或兩脅疼痛。與臟相連。（臟指子宮。謂兩肋骨部之疼痛與子宮有關連。）或結熱中。痛在關元（臍下三寸爲關元）脈數無瘡。肌若魚鱗。（若魚鱗與甲錯同意。即宛如魚鱗癬。）時着男子。非止女身。（以婦人多瘀血故。論爲婦人病。然不限於女子。則男子亦復不少。）在下未多。經候不勻。（下焦之瘀血不多。亦不致月經閉止。只爲不順。）令陰掣痛。少腹惡寒。或引腰脊。下根氣街。氣衝急痛。膝脛疼痛。奄然眩冒。狀如厥癲。或有憂慘。悲傷多嗔。此皆帶下。（古人稱婦人病謂帶下。婦人科醫爲帶下醫。）非有鬼神。（雖發怪玄之症狀。亦非鬼神。皆爲瘀血。）久則羸瘦。脈虛多寒。三十六病。千變萬端。（後略）（久字謂有瘀血不速驅治而久久放置之意）

（此處引證南陽氏叢桂亭醫事小言中之一節。因其文字不易了解。從略。）

尾台氏對本方之條下云

治婦人經行不利。漸爲心腹脹滿。煩熱咳嗽。面赤煤黃。肌膚乾皮細起。狀如麩片。目中暈暗。或赤濇。羞明怕日者。

治小兒疳眼。生雲翳。瞼爛。羞明不能視物。并治雀眼。

乾漆、別錄曰。療咳嗽。消瘀血。痞結腰痛。女子疝瘕。去迴虫。

大觀本草於䗪虫條曰。

大黃䗪蟲丸主治久瘕積結。

尾台氏於下瘀血丸條下曰

下瘀血湯加乾漆二兩。蕎麥糊爲丸。治小兒疳疾。癖塊。諸藥無效。羸瘦腹滿。不欲飲食。面身痿黃。浮腫。唇舌刮白。或殷紅。肌膚索澤。巨里（即心臟部）跳動。如黃胖（黃胖即貪血中之一種）兼有蛔蟲者。有奇效。

仲師舉抵當湯之適用症曰。（抵當湯及抵當丸藥品相同）

太陽病六七日。表症仍在。脈微而沉。反不結胸。其人發狂者。以其熱在下焦。少腹當鞕滿。小便自利者。下血乃愈。（後略）

（解）因瘀血而少腹鞕滿。發狂者。以少腹鞕爲目的。以本方下其瘀血。故云乃愈也。

太陽病身黃脈沉結。少腹鞕。小便不利者。為無血也。小便自利。其人如狂者。血證諦也。

(解)身黃者。輕症黃瘅也。余驗一老人。肝臟腫大。全身微黃。且瘙痒甚。不食、大便祕。脈沉微。與大黃䗪虫丸服之。而黃瘅瘙痒竟豁然全愈。以此可證也。仲師云小便不利者。謂無瘀血。小便自利者。尿利無障碍。故云必有瘀血。然每每亦有不然者。必以少腹鞕為目的。以其他之症狀。為參考。庶可決定瘀血之有無。

陽明症。其人喜忘者。必有蓄血。所以然者。本有久瘀血。故令喜忘。屎雖鞕。大便反易。其色必黑。

(解)喜忘卽健忘。蓄血卽久瘀血也。謂因久瘀血而致健忘也。有此症之人。大便雖鞕。然極易通。但便色必黑耳。

病人無表裏症。發熱七八日。雖脈浮數者。可下之。假令下已。脈數不解。合熱則消穀善饑。至六七日不大便者。有瘀血。

(解)消穀善饑者。貪食而尙覺饑也。此症而有瘀血者。應以本方治之。然此症實不免有瘀血。以消穀善饑多發於精神病者之症狀。依此則必曰精神病之發。多因於瘀血。然西醫對此症。皆用臭素剤、阿片剤等。而不用驅瘀血手段者。必不可謂無大誤。

婦人經水不利下。抵當湯主之。

(解)下瘀血丸症曰經水不利。本方症稱為經水不利下。雖同治瘀血。其間自有別。不可不知。

尾台氏於抵當湯條下曰。

婦人經水不利者。棄置不治。後必發胸腹煩滿。或少腹鞕滿。善饑健忘。悲憂驚狂等症。或釀成偏枯(半身不遂)癱瘓、癆瘵、鼓脹、膈噎等症。遂至不起。可早用此方。通暢血隧。以防後患。

墮撲折傷。瘀血凝滯。心腹脹痛。二便不通。經閉。少腹鞕滿。或眼目赤腫疼痛。不能瞻視者。經水閉滯。腹底有癥。腹皮見青筋者。幷宜此方。

產後有惡露不盡。凝結成塊。為宿患者。平素用藥難收其效。當須再妊分娩之後。用此方。不過十日其塊盡消。

(解)此說半是半非。有此症者。不要待到產後。雖妊娠中以此方服之亦效。但不如產後之神效耳。

據多驗之往聖先賢所說治驗。雖如斯。余更以科學為基礎。與西醫學對照之。其契合與否。更再研究之。

一、肺結核

愛氏內科學書曰

於原發性肺結核。是否患者自罹本病。其原因雖曰決由肺臟感染結核菌。其時所要注意者。必有助結核菌寄生繁殖之誘因。設無此誘因。卽決不能傳染。然若以結核菌為本病之原因。則皮相之淺見。

蓋此菌爲此病原因之一部份。實非全部也。極言之愛氏之誘因可稱爲眞因。爲眞因之結核菌者亦誘因也。何以言之。假令此菌侵入體內。若無氏之所謂誘因。則不能罹患。蓋人體中有此菌寄生繁殖最適好之培養基。俗云物腐而後蟲生。非蟲生而後物腐也。

氏又曰

對於體質疾患。有極大之影響者。莫如肺癆。如身體薄弱。抵抗力少。且貧血之人。最易罹肺癆。乃因結核菌隨塵埃蔓延於空氣中。最恐者各人隨處而吸攝。如健康體雖不能寄生。若體質虛弱之時。則容易固着而漸次增惡矣。其他并無別途之理會。

然以余觀之。氏所謂身體薄弱抵抗力少。且貧血之人。此即仲師所謂五癆虛極之症。仲師對此體質之由來。并說治方之詳密。亦可謂無餘蘊矣。故有此體質之人。若受仲師之治方。則不但改造體質。亦可得免疫結核菌。假令雖感染此病。若不失其治期。亦可待全治期。何則。師之治方雖不能全滅殺侵入體中之結核菌。亦可除去此菌立脚之培養基。以絕其糧道。則此菌失去戰鬥力矣。余從此深得仲師之方。救濟許多之病人。可爲事實之佐證。然現今之治法。每每以誘因誤作結核菌而攻之。遂忘却改良眞因之體質。致不能舉其治績者。固不可不言因於此也。然一因此菌雖不以此付之等閑。然爲結核菌之猛毒者。無使體內細胞全免受其害之理想藥其將欲如何乎。

二、黴毒

本病與前者相反。有滅殺其病原「スピロヘテパリーダ（黴毒之原蟲）」之特效藥水銀劑。況又依再發見之「サルバルサン」對本病之治療。雖如鎧袖一觸。無不粉碎之易易。然事實亦常再發爲難治症。或不能防止之後貽病。而其所以然者。亦等於肺結核病因重視外因之黴毒菌。而對此傳染最有力之內因反閑却之結果也。然本病亦不單因黴毒菌而成立者。如有與有病毒者相接觸。應感染而竟不能感染此亦可明矣。如東洋的「サルバルサン」亦所稱生生乳。水銀（九錢）砒石（三錢）硝石（十六錢）明礬（十二錢）綠礬（十八錢）雲母（十五錢）食鹽（十五錢）青鹽（三錢五分）右八味各別擣篩爲末。以次調合之。內甕中密封之。蓄積凡十旬以上。而取出燒焉。但燒石藥末二十錢許。（燒法丸法略之）如胡麻子大。以辰砂爲衣。每服一丸或二丸。以砂糖湯送下之。發見者陳子成氏所著黴毒秘錄曰。節錄如下。

或人問曰。有人與患者同寢共食而不傳染者何也。余曰此由先天之氣充固。邪氣無間而入。所以有終身爲妓半世作風流客者。竟無此恙。

西醫學者認爲本病有先天的免疫性。故黴毒菌對本病。不能單獨成立。蓋必要與內因共鳴者也。然則其內因爲何。余則曰瘀血也。茲詳論於下。

人身中之有瘀血。於循環之途中。由瘀血自家之重力。沉着於身體之最下部或凹陷部。此即西醫所謂血塞。其最多沉着之部位者。莫如盤腔也。何則。蓋此部者體例之最下部也。以其呈凹陷狀。且欠運動。則血流緩慢。因血寒而成形也。然依其所瘀之部位。及所波及部位之異。或爲痔核。或爲膀胱炎。或攝護腺肥大。或成精系靜脈瘤。或睪丸炎。若女子則卵巢炎。外膜炎。實質炎。內膜炎等。發現千變萬化之疾病。無外因者既如此。況再兼外因乎。蓋因瘀血或變敗血。不但欠乏抵抗徽毒之抗毒素。如於肉汁及血液培養基。就對細菌之寄生繁殖最適合之天然培養基。亦不外乎此。有瘀血之人。接觸病毒與否。其感染之容易。理所當然也。其所感之病毒。一部份以淋巴系爲介。一部份即直入兩者。皆與瘀血其行循環。則病毒撒布於全身。若至於茲。則瘀血鼓強病毒。病毒作出瘀血。因變爲果。果化爲因。兩相互助。儆逹毒性。症狀之發現。則千變萬狀矣。當此之時。欲施驅黴藥之內服。或施注射「スペロヘーテ」。其菌雖或滅盡。然因此菌所瘀濁之血液。及既存之瘀血。以不受其影響。故殺菌藥若不兼驅瘀血之手段。則不能期待完全之治愈。依多數之經驗。婦人之徽毒比於男子。皆易治。蓋因病毒與經血共行排泄故也。如姙婦有重症之徽毒者。因病毒無由謝出故也。又如徽毒之重症。多於娼婦者。因職業上損害生殖器。且無月經故也。以此數件。足證前說之不架空。又本病後貽症之腦徽毒及後貽之血管及血液變化之因。是明示於病理解剖學。此皆偏攻擊「スピロヘーテ」而不行排泄瘀血故也。故古人治本病。多於殺菌劑中。配合驅瘀血藥。即如

七寶丸　此乃吉益東洞翁之方。和田先生常用之。據云極有破碎護膜瘤之神効。

輕粉　牛漆各十兩　土茯苓五兩　丁子二兩半　大黄四兩

右研末以糊爲丸。

輕粉、丁子者。殺蟲藥。土茯苓利水葯。牛漆驅瘀血藥。

治瘡丸　甲斐德本氏方。

龜板　辰砂　大黄各四兩　輕粉五錢

右研末以糊爲丸。

辰砂、輕粉、殺虫藥。龜板與鱉甲同効。驅瘀血也。

排膿黑散　同氏方

鷄霜（去腹中之穢物。肉、骨、背煆霜）五錢　反鼻霜二錢五分　花（即水銀以硫礦製好之物）鹿角霜　鼹鼠霜　蘡

薁草霜各二錢

右六味或研爲散。或製爲糊丸。以溫酒送下二錢。日二三次。

花乃殺虫。鷄霜、反鼻霜、鼹鼠霜、鹿角霜乃驅瘀血兼强壯藥。此方主治諸瘤毒、黴疾、黴毒結毒、或惡瘡、痔瘻、瘰癧、鶴膝風、痘疽黑陷、等症。則用於內托排膿。亦大有神效。

由上所述之理。余治本病皆精診腹脈證。有適應症者。兼與仲景方。在上部之輕症者與第一解毒散。在裏部之重症者與第二解毒散。若如潛伏性者兼用解毒丸。以此治之。皆無不全愈。然爲此論之目的者。即喚起用殺菌藥者必要兼驅瘀血藥也。而余所用之驅黴藥以外。亦非不用他藥。然亦非排斥洋方之「サルバルサン」及汞劑也。

三淋疾

慢性淋疾及其續發症之所以難治者。亦同於黴毒。余對此症。與適用之仲景方。兼以再造散、下瘀血丸、抵當丸、大黃䗪蟲丸。治之均無不悉愈。

四癌腫

癌之主因皆爲瘀血。依仲師、南陽、尾台氏之所說極明。余因取西說以證此說之無誤。偶讀山極博士之胃癌發生論。博士於剖見鏡檢上有多數之立論曰。胃癌之最多數殆近其全部。皆嘗因含胃潰瘍(潛在性胃潰瘍)之瘢痕組織爲前驅期而發生。西醫學者必曰血塞血栓。致胃襞之血行障礙。故胃粘膜貧血。爲粘膜之胃液絕其榮養而被其消化故也。然中醫則認此病爲瘀血上攻之結果。應用驅瘀血煎丸。則下黑臭血及糞便。雖曰不速愈。然絕無再發之虞。由此可見血塞血栓之爲瘀血。亦不可謂不明矣。然每見西醫對此病源之血塞血栓。全不謀及驅除。反周章其出血疼痛之病果。或用止血、鎮痛、緩和包攝等葯。或行絕食安靜等法。而勉求其治愈。余等實難解其意。以此姑息的之療法。假令雖能得一時之僥倖。亦固着於病源之局所。遂至發生癌腫之基。

余根據以上中西二醫學。隨症兼用下於血丸。大黃䗪虫丸。抵當丸。如他醫所斷定之胃癌及胃部有可觸知之硬固腫瘤。或兼消化障碍。貧血衰弱者。且由年齡等考出充分診定爲初期胃癌者。亦屢屢治愈矣。然有固有之咖啡樣吐血症者。因未有經驗。不能斷定是否可用治癌劑。有濟生篤志之諸君子。幸勿輕視余輩無名無識之立言。如陷於絕望之淵而呻吟之難病者。萬望不可以此輕試。若從來之療法有多少認爲不優者。唯只余之名譽而已。

五血行器、血液病、及新陳代謝

此病殆皆無不兼瘀血。讀者試之。

六癩病

本病余未曾經驗。然以中西二說及由他病所得之經驗的智識而推斷之。斑紋癩及結節癩者。可以驅瘀血煎丸散及瀉血法治之。神

經癩可用附子劑。驅瘀血煎丸生生乳「サルバルサン」主治之。茲舉先輩之治驗二三節。以資參考。

(一)一婦人三十歲患癩病三年。眉毛脫落。鼻梁腫。赤斑如雲。手足痲痺。月經不通。余作抵當丸飲之。日三錢。服後三十日。下血數升。後一百日全愈。(古方便覽)

(二)一婦人面色紫黑色。全身肉脹。余刺委中。(膝膕窩)放出血。與折衝飲(桂枝茯苓丸之類方)服之而愈。(生生堂醫談)

(三)淡州人某。患惡疾。一身不知痛癢。兩便失度。其面微腫有光。眉毛脫落。先生與桂枝加朮附湯。(桂枝加茯苓朮附湯去茯苓)兼用應鐘散(川芎大黃等分爲末)及七寶丸。服之數月。疾自若。不差。更用伯州散三錢。服五日。小便悉血。二日又吐沫。臭不可近。爾後瘳復常。(續健珠錄)

(四)一男子全身乾燥。觸之如柿漆紙。眉毛脫落。余治此症。一日與化毒丸。(生生乳加味方)一日與龍門丸。如此者月餘。後與浮萍加大黃湯乃愈。(生生堂醫談)(完)

按肺結核、梅毒、淋病、癩病、癌腫等。皆須兼用驅瘀劑。理論經驗。兩俱可信。惟文字不佳。間有費解處。實爲可惜。讀者取其意而略其詞可已。(編者再誌)

五行碎語

衡之

五經異義。今文尚書。歐陽說。肝、木也。心、火也。脾、土也。肺、金也。腎、水也。古尚書說。脾、木也。肺、火也。心、土也。肝、金也。腎、水也。許慎以爲月令。春祭脾。夏祭肺。季夏祭心。秋祭肝。冬祭腎。皆五行自相得。則古尚書是也。

雜俎

致嚴獨鶴書

惲鐵樵

獨鶴先生台鑒。近日余君雲岫等倡議取締中醫。而中醫界則函電交馳。聲言不能承認。本月九日見先生快活林談話。議論極持平。然在西醫方面。必以為尊論左袒中醫。蓋西醫不但營業關係。其心目中以為中醫有鏟除之必要。固自以為所言公而非私也。中醫之爭則不免辭不達意。橫說中國醫學數千年。豎說中國醫學數千年。無非中醫有悠久之歷史。如此便不當廢。豈知西醫所持者。純為學術問題。進化問題。中醫惟其年久而無進步。陳腐已甚。留之徒為汚玷。非去不可。中醫數千年一語。不足為自己辯護也。故此事欲圖解決。非有澈底明瞭之理由。總無由使人洽心而首肯。自鄙見言之。西醫之言雖似乎近理。畢竟有主奴之見。其實似是而非。中醫之說。則未能搔着癢處。倘雙方長此爭執。或中醫竟被取締。或幸而保存。總覺未能渙然冰釋於心。今欲使此事得一久當解決。爰為疏其理由如下。

此可分兩層說明之。第一人的問題。第二學的問題。中醫比較西醫。可謂腐化已甚。而衡量中西醫二者。卻是中醫較適宜於社會。既是腐化。何以又適宜於社會。豈我國之社會腐敗已甚。倖色揣稱。當用此腐敗之中醫乎。果爾亦復成何話說。然則此話怎講。中醫學的價值。當於後文大略說明之。其所以適宜於社會者。則以治法簡捷而為效良也。中醫之所以有效。其根抵自在古書。然僅僅讀書。不能取效。必須有經驗。以所經驗證所讀古書。則古書真義。可以明瞭。而效果可以操券。經驗愈多。體會變化之公例。因習見而多所領悟。古書之明瞭者愈多。則望色可以知病。而其治法乃益簡捷。效果乃益良好。昔人所謂見垣一方者。即是指此。王冰序素問。謂未嘗有行不由徑。出不由戶者。蓋中醫之成。舍此道以外。亦竟無他途。此中有兩要點。值得吾人注意者。其一。以此種方法成功。學醫與現在科學方法完全不同。中醫竟無由加入寰球醫學研究會。且以如此方法成就。當其未成之時。治病必多出入。用藥必多差誤。故蘇東坡有學醫費人之語。然此層並不足爲病。即用科學方法研究成功之西醫。亦何嘗不有待於經驗。亦何嘗不學醫費人。其二。由經驗以明古書。由古書以明體工變化之公例。此種工夫。非等閒之輩可以夢見。必曠代一遇之良醫。然後能之。自春秋戰國和緩扁鵲以至今日。其學說有記載可以考見者。二千四五百年之中。不過寥寥三數十人耳。明乎以上二者。乃知中醫所以有今日晦盲痞塞之現狀。其癥結卽在此處。蓋彼曠代一遇之良醫。當其未成之時。在學醫費人之試驗時期中。本無多成績可言。及其成功。則已頭童齒豁。人類多劣根性。而自私自利。乃諸劣根性中之最強有力者。血氣既衰。戒之在得。苟無學問以克明之。則此自私自利之劣性。至老而勢力愈張。一也。社會重虛榮。政府獎功利。上下不重藝術。二也。少年多好上人。後生薄視前輩。其甚者雖不必有犯上作亂之事。總不免有逢蒙殺羿之嫌。三也。我國自古以宗法治國。子孫因襲之習慣。卽是人生意味之究竟。傳世之觀念太濃。四也。彼名醫者。自問區區心得。乃其畢生精力所寄。當其行將就木之年。自當謀妥善處置之法。因在前述四種情形之下。於是滿志躊躇而定一傳子不傳女之政策。記云。醫不三世。不服其藥。醫之有世業。在表面不過箕裘弓治。在裏面造成世業之原料。則不外上述各節。殆今古一轍也。但禮記所說亦不圓滿。醫必三世。然後服其藥。爲其有經驗也。然使盡人如我。則彼爲醫者雖三世。何從得經驗。若云在我必須三世之醫。在人不妨就初學者診治。是以他人之生命。供醫家之試驗。待其成功。然後我就之。如此則不恕已甚。抑世業何嘗能精。生兒象賢。自古難之。況治醫須有天才。彼良醫之以絕詣傳子。不過予以大好飯碗。席豐履厚。惰性以起。非但不能勤求古訓。幷前人已得之公例。亦茫然不知其故。結果只有一紙效方。病與方合者效。病與方不合者不效。至於何以效。何以不效。因不明體工變化公例。不能知也。故時醫能治之病。往往限於最習見之傷寒溫瘧痢病。以有效方故也。然此數病變化甚多。不明公例。則不變者能治。變者不能治。然畢竟輕病多。重者少。不變者多。變者少。庸醫所愈病。仍在百分之五十以上。此中之黠者。值病之已變者。無術挽救。只予以不能愈人幷不能殺人之方藥。而社會以其能愈過半之病。趨之者漸多。具後見就診者多。羣益趨之。其業日隆。其名日高。而爲醫者世故愈熟。趨避愈工。而治病之方愈劣。

閣下曾吃過中醫之苦。吾知必屬於此種情形下之中醫。

閣下謂尤其是大名鼎鼎之中醫。該取締。亦卽此種情形下之中醫也。一般人見中醫名愈高。業愈隆。技乃愈劣。百思不得其故。其實不過如此。吾儕必易白其癥結所在。然後可以對證發藥。局外人當知擇醫之標準。不在乎二世三世。亦不在乎門庭如市之醫生。局內人當知傳子非計之得者。且非勤求古訓。僅執一二紙效方。不足自存。

則師與弟子繼續研求後先繼美。中醫之取信於社會。當視今日且倍蓰。所謂適宜於國情也。至於當取與締否。則當問中醫學自身有眞價值與否。苟有價値。雖欲取締而不能。苟無價值。雖欲保存而不得。此則學術問題。凡學術之優劣。欲說明之。至少著書成帙。決非八行信紙所能濟事者。今旣以西醫取締中醫。則五不妨將中西醫之短長一相比較。證諸事實。賢於空論。雖是非不必由此而定。要之羣衆可以較明白也。其一。是傷寒。西醫無特效藥。只有對證治法。聽其自然傳變。必須二十一日乃可脫險。然用中醫仲景法。一日而愈。第二。是喉證。弟之豚兒。西醫院治之十六日。發猩紅熱而死。嗣後値同樣之症。弟用中醫麻杏石甘湯兩日而愈。（以上兩事皆吾自己兒女所親歷。詳拙著傷寒研究中）三曰。腦脊髓炎證。中醫前此無治法。嗣吾用蟲類驚風藥收效甚良。詳吾前辦函授時所刊醫案中。四曰舞蹈病。同鄉劉未軒之女。西醫治之不能愈。而吾愈之。五曰顛狂病。新耙子路三民紙廠吳震寰。西醫治之不愈。斷其必死。而吾愈之。六日單腹脹。虹口胡楨祥。西醫不能愈。而吾愈之。七曰女人卵巢病。王襄臣君之夫人。多數西醫斷爲必須割治。吾以一千金方丸藥愈之。八曰乳岩。同鄉錢琳叔之女公子。多數西醫皆謂必須割治。吾以千金方丸藥愈之。其他尙有十餘案。以不能舉病者姓名之無徵。茲不復贅。吾不願自伐。亦不願自貶。以上所言皆事實。逐節可以復按者。此就吾個人言之。乃羣衆中醫中之一分子之成績。未知亦可以證明中醫學之價値否。更就西醫方面言之。中醫之病在對於臟府內景不甚明瞭。西醫之病。在對於臟府內景過分明瞭。過分明瞭何足爲病。其反自然也。近世學者常言天行復仇。例如機器發明。可以省人力增出品利也。結果社會之經濟不平衡。造成勞資衝突之恐慌。其弊害乃甚於所得之利益。淸潔居處。精美飲食。講究衛生體魄健康利也。結果體內抗毒素減少。向來不病人之病菌。亦得而侮之。其弊害乃甚於所得之利益。如此者謂之天行復仇。西醫因精密之研究。知臟府之內景。對於疾病恆喜以己意左右天然以爲治療。其結果天行復仇之事以起。其顯著者。如治嘔血而含冰。防腦炎而用冰枕。治肺炎而用酸素噴霧以助呼吸。結果均不甚良好是也。閣下謂曾吃西醫之苦。吾知必屬於此種情形之下者也。又體工之此呼彼應。實有解剖所不能見者。例如肺與大腸相表裏。中國靈樞之舊說也。肺與大腸有若何關係。解剖不能知也。近見譯本歐氏內科學肺病門。以中國墨飼天竺鼠。墨由食道入胃腸。其結果乃肺中蓄有墨汁。某醫博士謂將來或能考察得各種肺病。均由大腸傳變而來之證據。亦未可知云云。是中醫二千年前所已知而爲西醫近頃所覓得者。此非由於附會中法治嘔血用五胆藥墨。其效甚良。即是諸據。且中西書籍俱在。可以覆按也。就我所已發見者。類此之事。

有十數節之多。俱在拙著傷寒輯義接中。不知此頗足以證明中醫之價值否。

抑吾尤有說者。西醫之治病也。權力甚大。病人之會客。親友之探病。皆須得醫生許可而後可。此在歐美貴族。已視爲照例文。我國則國民慣性。不此等削趾適履之舉動。假使謂非此不可。吾無譽焉。然中醫之良者。純任自然。未嘗不能取效。則又何也。遇傳染證。衣服被褥。必須消毒也。病室必須隔離也。空氣必須清潔也。然吾前此豚兒入某公立醫院。住二等病房。迨後發猩紅熱。則移入十數患猩紅熱者同居之一室。則又何也。又如微菌傷寒。與副傷寒病相似。而菌不同。必須驗菌驗血而後知。如腦炎、急性肺炎、急性粟粒結核、莫不各有其菌。而在某時期。時各病均有相似之點。非驗菌不能明白也。然通常西醫都不驗菌。惟値富家。西醫則勸其慎重而驗菌。驗菌有專家。每驗一次。須洋十元。驗菌與治療無關。則菌學爲無益。驗菌與治療有關。則不驗菌爲非是。將悉數驗之乎。將惟擇富人而驗之乎。藉曰悉數驗之。中人之家。財力有不及。將奈何。貧民小家。又將奈何。此所謂不適於國情也。此外如其取締中醫而用西醫。則憑空當增數千百萬金之西藥入口。同時當增數千百萬藥店失業之人。一方則閭閻騷然。一方則財用愈竭。不知將何以善其後也。弟雖以醫爲業。鑒於前人傳子不傳女之失。所有一知半解。悉數公布。已印之書。已有八種。昭昭在人耳目。而豚犬兒子。亦已畢業高中。入商界。取締中醫與否。於我絲毫無所損失。不過因衛生當局此舉之失當。全國明此中眞相者少。故不辭詞費。覼縷言之。弟方懼名高爲累。因先生曾發表意見於快活林。故將其所蘊蓄者。一吐爲快。若云借此出風頭。爲自己登廣告。吾敢矢言天厭之也。此頌

台安

弟惲鐵樵頓首

王清任的醫林改錯研究

劉泗橋

王清任先生的醫林改錯一書。在我從事醫學初期。早就發見有可研究的價值。而且那種開始認識。也有一段緣由可言。大約十年間事罷。那時因作阿育王寺之遊。順道拜會幼時的教授高老師。不料老師適抱西河之痛。聽了我在爲醫。首先告我醫林改錯。是應該知道的一部醫書。我就深知老師所以傾向醫林改錯的緣故了。原來這位棄世不久的高世兄。也是我們兒時的同學。後來他到北京清華學校去當教習。忽地害了癆損的病證。時常咳着白痰。高老師雖然是教育界懂得科學的人物。但是這種內病。恐怕請教中國人做的西醫。或有不妥。就此情蒙不棄。來向敝同道中找了一位道地的儒醫。那位醫而稱儒。當然守著孔老二「述而不作」的信條。可巧他所述的却是婦孺皆知的天醫星葉桂先生。慣會謅看什麼「陰虛」「陰虧」一派套話。那麼高世兄的病證。一定害在虛虧二字。補償「虛虧」的妙法。不用說有葉兄的現成底薄可以覆按。於是生地、二冬。成了這位醫生方子中的刻板文章。病家索性跑向藥行將這類藥物成擔的批購。天天照着醫生的藥方。儘量配服。眼見虛虧沒有滿實。病者就此嗚呼。據說高老師對於「虛虧」問題。也頗費一番研究。後來檢到那本醫林改錯。才覺心知其故。然而也不好明說醫生的不是。只有自怨爲何不早檢到那本好書。至於這位老師他所引爲大憾的。自然以未試輕者九付可愈。重者十八付可愈的通竅活血湯。尤其憧憬於書中論到「男子勞病」的精義。所謂「因虛弱而病。自當補弱而病可痊。本不弱而生病。因病久致身弱。自當去病。病去而元氣自復。斷爲所見之症。皆是血瘀爲患」。雖然這種金元以來傳統思想的叛徒。也有斥爲論藥立方。以血液爲病源。以逐瘀爲療法。似近偏謬。而說其不理於衆口也。殆由於此歟。語見陳邦賢中國醫學史第一百頁以上。論斷是否允公。暫可勿論。不過後來我將本書一讀。覺得他所說的。像煞就是我所懷疑而也欲說的話。他的膽力雖然不差。可是他從荒骼堆中殺人場上苦心得來的臟腑智識。若與今日西方解剖生理相比較。不免很有重要的謬誤。不過王清任先生自序原說「其中倘有不實不盡之處。後人倘遇機會。親見臟腑。精察增補。抑又幸矣」。現在我們要明臟腑生理解剖。不用再做刑餘暴屍般的觀察。只要打開西洋醫籍。分別點明。適處可以得到增補的機會。其幸又非王先生所能逆料的。我想這種惠而不費的工作。加以整理和說明。是我們認爲責無傍貸的。

近來偶然見到一種雜誌、內中小品一欄。似乎專爲攻擊中醫而設。不過談到醫林改錯的王清任。非僅假以辭色。而且特別表示景仰之至意。他說「王清任的醫林改錯、眞是一部人人該曉得的書、其價值與意義。我想信決不小於當代學者所艷稱戴東原的原善、段玉裁的「說文解字注」或閻若璩的古文尚書疏證」這樣連串的肉麻般推戴。我想王清任地下有知。定當掀髯而嘆吾道不孤了。他還說到。「希望中國「科學界。」有人出來做一篇批評敘述。將其中生理病理兩部分是非一一指明。末附各種人對於他的褒貶。以供讀是書者之參考。這件工作。於中國科學史是個小小貢獻之外。卽於傳佈普通科學知識。及醫學知識。或亦不無小補。」這裏所說本屬當務之急。不過中國「科學界」一語。我想輪不到我們黃面孔的中國人。尤其被視爲時代落伍的中醫家。至於指正本書、早具此心。原不關於傍人的勸駕。因爲在我個人對於學術上有所貢獻的。凡是目所未睹之奇書。假若有人舉以相告。必欲以達到爲滿足。若論王清任的醫林改錯。只看到爲醫學而觀察稻地鑛破腹露臟的兒屍一段故事。在我更能鼓起對於實際上的無窮興趣。雖在今日科學昌明。販東西之說而談解剖。早已不算爲奇、然而王先生在崇尙空想時代。就能打破因襲的束縛思想。爲滿足求知的慾望。而起來從事實地工作。這種大膽和努力。我們當然表示十分熱烈的欽佩。不過王先生當日之意。其所指醫林之錯。而必當改者、然而究其結果。也有古人未錯而王先生竟錯之者。我們不能因了時人的吹噓、而盲目地起來贊成。說到時人所以善意醫林改錯者。也許完全因爲同病的關係。才有這樣說法。他們不是明明說的「見疑王清任醫林改錯者之論調。卽爲不信任西洋解剖學之一種先存障礙」若不是神經過敏之談。那麼他們的贊成。也不過是種假以烘托自己罷了。但是我們對於醫林改錯。早有過整理的決心。現在從事此舉。並非只隨着外界愛好爲轉移。因爲我們在許多年以前。就覺到多數注意王清任的。說不定會漫無別擇的加以屈服。如果照上面所說。在王先生自己也怕有不盡不實之處。假若我們沒有正確觀念來了解他的眞價值。而一味去做這種迷信式的崇拜。自然會發生更可笑的流弊。我們爲避免這種錯誤起見。不得不就管窺所及。起來作個小小的貢獻。便得讀者都能明白下列三個問題。（一）就是說臟腑現象。何者算得古人失當而爲王清任改其錯的。（二）何者可算古人本無失當而王清任偏會錯其改的。（三）何者爲古人和王清任都不明白而賴本篇來說明的。

醫林改錯的卷頁。可說實在不多。就是王清任先生自己也說。「余著醫林改錯一書。非治病全書。乃記臟腑之書也。」就改錯所記的臟腑而言。也並無將臟腑全部記入。本書所包含的。不過記敘一篇。記二篇。說三篇。和內中親見臟府顯隱之形的繪圖約十三種。以上可稱在形態上的發見。下面還有施於實際治療主方三種。附方二種。都是親見臟腑後所定的。所以面目不同古人。下篇內容稍見複雜。也有論症辯症和治方多種。除了卷首自序短文一篇外。說到詳細的目錄。就是醫林改錯臟府記敘一篇。古人臟腑圖和親見改正臟府圖共三十四種。會厭左氣門左氣門衛總管榮總管氣府血府記一篇。津門津管遮食總提玲瓏管出水道記和腦髓說氣血合脈說。心脾不生血說各一篇。以上這些篇目都是實地記錄臟府而寫的。上卷後半。還有方敘一篇。通竅活血湯所治之症目十四種。血府逐瘀湯所治之症目十九種。和膈下逐瘀湯所治之症目六種。這種起因與療法所根據的論點。與本書的下卷。可稱一樣從實質臟府而出發的。不過下篇內容更多。有半身不遂論敘一篇。和半身不遂論。半身不遂辨。半身不遂本源。口眼歪斜辨。以及辨口角流涎非痰飲。辨大便乾燥非風火。辨小便頻數遺尿不禁。辨言語蹇澀非痰火。辨口噤咬牙。記未病以前之形狀。論小兒半身不遂。痿論。以上各若干種。可謂成一段落。都歸納於補陽還五湯的治療範圍。其次有瘟毒吐瀉轉筋說。更和適應該症的解毒活血湯為一節。還有論抽風不是風。與其適應的可保立甦湯為一節。以下論到「痘科」的有論痘非胎毒。論痘漿不是血化。論出痘飲水即嗆。論七八天痘瘡作癢。統計四條。定有六種的療方。就是下列的通經逐瘀湯。會厭逐瘀湯。止瀉調中湯。保元化滯湯。助陽止癢湯。足衛和榮湯。另外卷末附有方論數種。以便對症檢用。為少腹逐瘀湯。是種子安胎用的。如古骨散。和古沒竭散。以及黃芪桃仁湯。是懷胎說並記難產不下用的。其他抽葫蘆湯酒治腹大周身的腫患。蔥湯豬膽湯。治通臍肚腹不大的症候。更有鎖屑的療方多種。如刺猬皮散治遺精。以及小茴香酒治白濁。欲治痺症。有身痛逐瘀湯。即列於痺症有瘀血說一文之後。更下還有硇砂丸治瘰癧。與癲狂夢醒湯之治癲狂。龍馬自來丹和黃芪赤風之治癱症。種種觸類旁通的療治方。臨了還有治脫肛的黃芪防風湯，治老年溺尿的黃芪甘草湯。治潰爛諸瘡的木耳散。治跌打損傷的玉龍膏。據他自說都是靈驗非凡的。可說醫林改錯全書的精華。即不外乎以上所述。大約都從王清任隨筆錄成的。所以體例蕪雜無章。照王清任說。「記臟府後兼記數症。不過示人以規矩。」可知王清任的旨趣。全力都在上面的臟府記。後面方論和手定方種種。不過有感而發。內中很多特別的見地。雖然也有被人指為實在錯誤的。

讀醫林改錯的臟府記叙。就可知道王清任所以欲親見臟府的遠因了。他有一段很扼要的言語。可以告訴我們。就是從來「業醫診病。當先明臟府。嘗閱古人臟府論及所繪之圖。立言處處自相矛盾。」以後還說。「以無憑之談。作欺人之事。」這種都是王清任所深惡痛絕的。書中還有比此更利害的痛罵和指摘。現在先就這篇記叙而言。裏面被王清任所懷疑的。不過隨便說到脾、肺、腎、命門、肝、心、胃、小腸、心包絡、三焦、若干種的內臟。自然不能比現在解剖爲完備。而且內中所鬧的笑話。也有像古希臘人錯認骨縫爲受傷的一類故事。在王清任原書的記叙中所引爲不滿古人的。我們不妨預先就其所總批評的。而來下個忠實的論斷。務使讀原書的人們。對於古說今理。均能得到相當的諒解。不致跑到極端的錯誤。下面就是關於脾的非難。

王清任首說。「古人論脾胃。脾屬土。土主靜而不宜動。脾動則不安。既云脾動則不安。何得下文又言脾聞聲則動。動則磨胃化食。脾不動則食不化。論脾之動靜。誤如是。」我們研究古代醫學。當然就其有可根據者。始能作有價值之追求。不然專事「蹈隙覓瑕。」就會變做鑽窗的凍蠅。可說求明反晦了。此節說動靜對象。原沒有曲解的必要。說到古人視脾胃二部。常會認做消化機能的主要器官。總是相提並論的。其實脾臟據解剖有名(Milz)的。是主產生白血球尿酸。而且也會產生赤血球的。所以素問陰陽應象大論及五運行大論。有言「脾生血。」似乎完全有過脾臟的認識。同時素問厥論卻謂「脾主爲胃行其津液者也。」靈蘭秘典也言「脾胃者倉廩之官。」本輸篇還說。「脾合胃。」諸說散見各篇。統說脾胃相互的關係。似乎前說關之於血的。完全變了消化系了。然而這種製造發酵素而輸入十二指腸的。其實並非脾臟。而爲屬之今日解剖所見名做之(Pankreas)脾臟的。可知古代言脾主健運——就是消化的術語。——實在指脺臟而說。也有或種言脾主統血、的自然是解剖上 Milz 的脾臟了。大約古時不明白脺臟。而只知其作用。可巧脺臟之尾連接脾臟。或者因爲見到這種連接關係。就將脾臟視做一體了。那麼脾臟除了血液以多。偏還掠人之美。多了一種分泌脺液的功用自居。這就是從來一般對於脾臟錯誤說所由來。

次言肺。就王清任說的是。「其論肺虛如蜂窠。下無透竅。吸之則滿。呼之則虛。既云下無透竅。何得又云肺中有二十四孔。行列分佈。以行諸臟之氣。論肺之孔竅。其錯誤又如是。」古代有說肺是二十四孔的。一定又是玄學作祟。而從術數推論所產生的。自然乖謬不足爲訓。然而王清任先生親察臟府的結果。可說對於肺臟的成績。算得絕頂失敗。詳細留待後面再說。這裏就現代關於肺臟的解剖。且來補助舊說的不足。說到肺臟原爲胞狀腺之一種。是與氣管相連的氣管分做左右二枝而入肺門。左氣管枝再分做二枝。右氣也分了三枝。就是謂之小氣管枝。是的小氣管更反覆分歧而成細氣管枝。細氣管之大在 05mm 以下的。名做呼吸氣管枝。從呼吸氣管枝再分歧而變氣泡道。呼吸氣管枝以下。爲空氣交換之處。管壁不平而成多數圓形之泡。謂之肺胞。肺胞之壁很薄。內中含有空氣。其外面與毛細管相接。這種說明肺和小氣管枝的微細構造。與古說雖有精疏之別。但也髣髴有逕可循。肺臟形似海綿。裏面既有這麼大和小的許多氣管枝。以營吸收養氣排泄炭酸的工作。那麼古代所說的行氣二十四孔。和後面王先生在會厭左氣門右氣門衞總管榮總管氣府血府記中所說的肺有一大杈。分做九九八十一小杈。一樣說的氣管和氣管枝。與下無透竅無關。不必孔定有竅。總之又是王先生的纏夾了。讀者對此自會明白。也無容再來贅述。

我們再取王先生所論腎臟的大綱而言之。王先生說。「其論腎有兩枝。卽腰子、兩腎爲腎。中間動氣爲命門。既云中間動氣爲命門。何得又云左腎爲腎。右腎爲命門。兩腎爲一體。如何兩立其名。有何憑據。若以中間動氣爲命門。臟動氣者又何物也。其論腎錯誤又如是。」這種空想的錯誤。在王清任疑之極。是腎臟就實地解剖。是從皮質和髓質二部而成。爲一種腺複雜的管狀。這種組織的小管。約有百萬之多。就是名做細尿管的。古人不知腎臟的作用。因此造成腎主藏精的錯誤觀念。實際左右二腎。同輸尿管與膀胱尿道。都是屬於泌尿器的。其作用只在因尿液而排泄身內之老廢物。左腎爲腎。右腎爲命門之說。其說更覺不能成立。若說兩腎中間會是命門。只是動氣一言。就覺很難捉摸。因爲那種氣的動法。究竟說是實質的還是抽象的。若果是實質而會動的氣。說不定古人會將腎動脈誤會了。否則抽象而說是眞陽或相火所寄託的。那是更其沒有解剖迹象可尋。難怪王先生欲起古人而索憑據了。但就我們所知。古代所說的命門。也許就是兩腎之背而附於脊間的神經核。神經核支配全體的動作。是有極大的權威的。欲知臟動氣者果爲何物的答語。我們也不必再附會到分泌合而盂的腎上腺。來粉飾自己的淺陋了。以下再錄論肝一條。做個解釋的根據。

他說。「其論肝左右有兩經。卽血管。從脇肋起上貫頭目。下由少腹環繞陰器。至足大指而止。既云肝左右有兩經。何得又云肝居於左。左脇屬肝。論肝分左右。其錯誤又如此」古代經脈之說。應當懷疑者。不但論肝的左右兩經。其餘所名爲手足三陽三陰種種所說。大都不明古人命意何在。古時經脈是否血管。至今還沒法證實據說日本三浦謹之助博士。倒有過經穴的研究。當時也請教彼國針灸名家。先用墨點認好屍體的經穴。然後照他所指的地方而來解剖觀察。結果。中在神經幹的倒有十之三四。中於血管的只是十之二三所以要將血管和經脈兩兩對照。自然不止肝長兩經爲可商。現在惲鐵樵先生創體功反應之說。以爲經脈是病後推得之途路。換言之。就是病而後才有某經或某經可言。否則執不病之軀。則不可得而指名。此說在二千年來厄於五行說的中醫學。未嘗不是趨向實際的一種調和論。雖然惲先生還沒有得到切確的證明。而且還有人會激烈的攻擊他。但是經脈既非完全指的血管。至於只就病能而作經脈的界說。自然還有問題可言。不過我們想到古時在經脈的發見。或者因解剖的粗疏。憑了肉眼檢查。不免有將動脈靜脈和神經三種籠統而稱之的錯誤。然而所以形成經脈之病的現象者。說不定還是神經作用所變化的。王清任所疑難肝有左右兩管。這裏也不必扯到輸入血液於肝內的肝動脈和門脈的必要。還有左脅屬肝一語。是我們中醫學上的通論。不過近來此說搖動而反牽涉中醫在形態方面全部的不信任。因爲就解剖所見肝臟的位置。是在左季肋部過上腹而到左肋部。其上與橫膈膜的穹窿面相接。現在詆中醫者以爲肝居右。而醫者以爲居左。都在振振有辭較之王清任只就字面發爲空論的說法。似乎更覺其咄咄逼人了。

（本節未完）

五行碎語

成之

醫家之五行。猶數學中甲乙丙丁代數。創此說者。爲吾家太炎先生。洵爲不刊之論。東國醫家有與此意暗合者。爲雉間煥氏。其序類聚方集解有曰。古人言稱六經動及陰陽。其志蓋始於取譬。則區別其症之目已。與先生之說正同。

伊尹作湯液說

孫永祚

皇甫士安云。伊尹以亞聖之才。撰用神農本草。以爲湯液。今案漢書藝文志有伊尹說二十七篇。在小說家。而經方家湯液經法三十二卷又不屬之伊尹。惟武丁之命傅說有云。若藥不瞑眩。厥疾不瘳。此藥字之始見于經籍者。可知自殷以前。未嘗有藥劑也。嘗試論之。經方家有神農黃帝食禁七卷。而周官有食醫。鄭康成曰。食有齊和。藥之類。明醫工之與庖人聯事通職也。夫伊尹之作湯液。雖無可攷。乃其以割烹要湯。固有徵矣。墨子稱伊尹爲有莘氏女師僕。親爲庖人。湯得而舉之。莊子稱湯以庖人籠伊尹。史記稱阿衡欲干湯而無由。乃爲有莘氏媵臣。負鼎俎以滋味悅湯。而呂覽述伊尹事爲本味篇。更爲詳盡。謂有侁氏女子采桑。得嬰兒于空桑之中。獻之其君。其君令烰人養之。命之曰伊尹。湯請有侁氏爲婚。有侁氏以伊尹媵女。伊尹說湯以至味。極論水火調和之事。周舉天下肉之美。魚之美。菜之美。和之美。飯之美。水之美。而云非先爲天子。不可得而具。信斯言也。是伊尹養于烰人。故能爲割烹之事。故多識於鳥獸草木之名。此雖孟子所未聞。然諸子皆嘗有聞。豈必誣也。蓋自大禹以菲飲食爲教。其道大彀天下苦之久矣。夏德既衰。伊尹乃以滋味說湯。湯反禹之道而行之。以得天下之心。故其槃銘曰。苟日新。日日新。又日新。槃蓋卽左氏槃飱之槃。而非承盥之器也。日新。爲日一舉也。觀于葛伯仇餉之事。徒以歆羨黍肉之故而召誅伐。亦可知商人工於作膳。故葛伯望而流涎矣。不然。葛雖蕞爾。猶是邦君。豈不能自具饌食哉。及箕子陳洪範。乃言惟辟玉食。箕子殷人也。其所言者。蓋伊尹之遺法也。又魯連子曰。伊尹負鼎佩刀以干湯。得意。故尊宰舍。宰之字從宀從辛。辠人在屋下執事者也。傳記皆稱庖人爲宰夫。惟周官冢宰。摠六官之職。而其屬有小宰宰夫。亦不關割烹之事。以魯連子之言推之。是伊尹本以庖人稱宰。及其相湯以王天下。而官名不改。有周因之。遂名治官爲宰。後世稱公輔爲鼎司。亦由庖人地被其名爾。夫伊尹既善爲割烹矣。既多識于鳥獸草木矣。則其能爲湯液。良無足疑。湯液之法。雖已亡佚。據皇甫士安之言。張仲景方。卽廣伊尹湯液而爲之。今攷傷寒方首列桂枝湯。凡用桂枝芍藥甘草生薑大棗五物、大抵日用調和所需。此殆古人所謂薑桂之滋。芍藥之和。以其辛甘發散。遂用之治傷寒耳。其他大論金匱要略所取之藥。有若粳米小麥。饔飱之常也。有若白酒苦酒飲啜之須也。有葱椒鹽豉調和之美也。有若羊肉豬膏雞子。庶羞之品也。有若百合薯蕷葛根。點心之具也。有若膠飴白蜜杏子仁。瓜子仁。寒具之佐也。有若梅實橘實。燕食之果也。而皆合之藥劑。則湯液之作。本于膳羞亦已明矣。夫疾病而求藥劑。飢渴而求食飲。其情不殊也。良庖以滋味猒人之口。良醫以藥劑療人之疾。其道亦不殊也。杳惟伊尹。窮五味之變。而嗜欲以宣。作湯液之法。而百病以起。此其所以聖人歟。

聞趙樸安凶問

拙巢

知交頓慨縮歧亡。小別千年亦可傷。傳語後來新社子、脈孔營脫忌寒涼。

樸庵以吐血後。多服涼藥致死。按人之一身。惟血最熱。人之所以外感發熱者。血與邪爭也。內虛發熱者。營脫之後。因虛生寒。孤陽不歸其根也。正與邪爭則逹之。陽不歸根則引而歸之。此正治也。苦寒强迫。惟暴病爲宜。所以挫其鋒也。施之病後。則血凝而陽絕矣。其有不死者乎。每見中醫、遇西醫用冰枕。則極口詆毀。試思犀地芩連。日進不已。其與西醫用冰之殺人何所分別乎。要而言之。用之而當。中西之法皆足生人。失當則無在非殺人利器也。

和合論

孫永祚

西方治化學者。別諸和合之物爲二種。數物相合。各持其性者。謂之機械和合物。數物相合。其性變易者。謂之化學和合物。執此說以校中國方藥。蓋機械和合物爲主。而化學作用則在禁例。本經云。藥有單行者。有相須者。有相使者。有相畏者。有相惡者。有相反者。有相殺者。凡此七情。和合時視之。當用相須相使者良。勿用相惡相反者。若有毒宜制。可用相畏相殺者。不爾勿合用也。陶隱居釋之曰。相須相使。不必同類。猶如和羹調食魚肉。蔥豉各有所宜。共相宣發也。半夏有毒。用之必須生薑。此是取其所畏者以相制爾。唐愼微釋之曰。相惡者。謂彼雖惡我。我無忿心。猶如牛黃惡龍骨。而龍骨得牛黃更良。此有以制伏故也。相反者。彼我交讎。必不宜合。今畫家用雌黃胡粉。相近便自黯妒。此蓋相反之證也。綜二家之言觀之。魚肉蔥豉調和以成滋味。是機械和合也。半夏之毒。遇薑而解。牛黃龍骨。相得更良。則不僅爲機械和合。亦有化學作用焉。若胡粉得雌黃卽黑。雌黃得胡粉亦變。其爲化學作用甚明。既以化學作用變其本性。而所變之性又不可知。故合藥者以此爲戒。然今檢傷寒大論金匱要略諸方。頗有用相惡相反之藥者。如括樓惡乾薑。而柴胡桂薑湯合用之。乾薑惡黃芩黃連。而瀉心湯合用之。蜂窠惡乾薑黃芩芎藭。而鼈甲煎丸合用之。礬石惡牡蠣。而侯氏黑散合用之。豆黃卷惡人參。而薯蕷丸合用之。杏仁惡黃芩。而大黃䗪蟲丸合用之。烏頭反半夏。而赤丸合用之。甘遂反甘草。而甘遂半夏湯合用之。苦參惡貝母。而當歸貝母苦參丸合用之。白薇惡大棗。而竹皮大丸合用之。此皆經方之祖。用之千年。賴以起疾。宜其和合有甚深意。若曰非此相惡相反者不足爲功也。隱居譬之寇賈佐漢。程周輔吳。大體既正。不得以私情爲害。是倘不知有化學作用在乎其間。唯沈存中序良方稱巴豆大黃相合而性易。于是備急丸之義可得而說。非心知其意者不能爲此言也。雖然。仲景合藥之謬。于本經已無可諱矣。本經之訓。是則仲景之方非也。仲景之方是。則本經之訓非也。二者必居一于此。竊嘗思之。宜藥療病本之徵驗。古人所言。必有所試。屢試益明。後乃勝前。稽時代之早晚。論功狀之多少。則爽然自失矣。自唐宋以來。新方猥衆。和合之法。多不避相惡之條。如以麥門冬合款冬。以甘草合遠志。以牛膝合龜甲。以細辛合山茱萸。以龍膽合地黃。以防風合乾薑。以芎藭合黃連。以芍藥合石斛。以杜仲合玄參。以厚朴合澤瀉。凡此常見之事。不遑悉數。察其立方之意。蓋未嘗計其相惡而有效也。比于隱居所舉防己細辛俱行之禁。此亦不宜合用。乃服之竟不爲害。然則愼微以牛黃龍骨爲喩。誠得之矣。唯愼微既明相惡之理。猶復墨守本經。不信經方。凡舊方用藥有相反相惡者。必欲改除之。若用傷寒亦詭。當去藁蘆。用斷下黃連丸。亦棓乾薑。雖信而好古哉。吾知其迂闊而遠于事情矣。然謂本經之禁。皆不必避。則亦不可。請以食忌明之。蟹與柿單食之。無害也。兼食之。則歐而死。鼈與莧單食之。亦無害也。兼食之。則腹滿而死。此爲吾人所親見。食忌之不可犯。豈不誠然。夫以燕食之品。猶能遞爲利害如此。曾謂諸藥之性。而可苟合乎。今調藥劑。既不驗以化學。亦必擇其已試而無害者合之。則雖違本經之禁可也。不然。強以相惜忽令同事。欲共其濟。反致变釁。或因此而成大變。故尚可易知。如其精氣內傷。不見于外。將何從而知之。此則患者所以鰓鰓常恐也。

五行碎語

衡之

日本東洞翁所著書。於說陽五行之說。痛加剪闢。藥徵黃耆條曰。秦漢以降。道家隆盛。而陰陽五行之說。蔓延不芟。醫道湮晦。職此之由。豈不可嘆哉。

醫學新語

武進徐衡之
黟山李慶鴻

衡之治醫十年平日于師友講述或讀書所及或臨診所得東鱗西爪嘗散漫記錄顧素性懶慢不自整理及交李子鴻慶時相追促並出其所記互集成篇名曰醫學新語至於編訂既無次第文字更多疵累讀者諒之

衡之志

◉有出汗儘管出汗。怕冷儘管怕冷。人就覺得不舒服。在這當兒。體溫就漸漸奔集表層。以驅逐外來之風。病人的頭部。就覺發熱。這就是太陽中風證狀。此時體溫與汗腺。絕不相謀。汗腺因外面的空氣不甚冷。而無取乎閉。又因爲裏層熱頗高。而必須大開。遂成一漸漸惡風翕翕發熱之局。那奔集的體溫。本自不生祛風的效力。（所以不生效力。因爲中風不是出汗能解的。猶之外寒襲肺。不是咳嗽能解的。須知欬是反射作用。所以保護氣管。故飯米偶入氣管。必欬之使出。但風寒入氣管。却咳之不出。雖欬之不出。却仍舊要欬。弄得筋脈奮興。成了肺炎。與有汗發熱的理由。是一樣的。）却因汗腺開。個被疎泄了。益法不肯罷休。於是裡面的體溫。繼續奔集不已。遂成有汗壯熱之局。這時應當用桂枝湯實表。若治之得法。可即愈。治之不得法。極危險。

◉風傷衛。寒傷營。畢竟如何。議論紛紜。迄未明瞭。若望文生義。則有不可解者。在試問風傷衛。是風傷體溫。寒傷營。是寒傷血液乎。衛行脈外。營行脈中。是風祇能到脈外。而寒獨能到脈中乎。古書汗牛。却無論如何。說不過去。蓋古人之言。亦有可商之餘地也。總之、風寒爲二而一。營衛亦是二而一。明乎此。則種種疑團。可以冰釋。吾意宜曰風寒傷營衛。不當以風與寒分屬營與衛。傷寒治法。僅以汗解者。中風病。本自汗。然出汗儘管出汗。怕冷還是怕冷。發熱還是發熱。則因中風之汗。是人身自然之汗。却無祛除外寒之可能。否則因劇勞汗出而受寒者。仍可從劇勞汗出而去之矣。再不然。可以入浴取汗而祛之矣。以自汗不能除邪。故必待麻桂之治愈也。然而又有一種人。偶然感了寒。覺得身體有些不適。遂加了一件衣裳。慢慢地出些汗。須臾之間。已覺恢復原狀。照此說來。不用麻桂。亦能自愈。則前說自然之汗不能祛病一語。又可疑了。請析言之。

太陽病有單純的。有非單純的。太陽之為病。脈浮頭項强痛而惡寒。此為單純的。此種病可以不藥而愈。即如前所云偶然感寒。加了一件衣裳。慢慢地出些汗。其病自愈的。便是此種單純的太陽病。柯韻伯亦云。有發熱惡寒頭項强痛。不須七日衰。一日自止者。亦即指此。太陽病或已發熱。或未發熱。必惡寒體痛嘔逆。脈陰陽俱緊者。名曰傷寒。此為非單純的。此種病治之得法。可以即愈。治之非法。可以由輕而重。由重而死。所謂非單純的太陽病。以其兼見他經病狀言之也。見其嘔逆。知有傳陽明之傾向。見其頭痛。知有傳少陽之傾向。見其體痛。知有傳少陰之傾向。故復申之曰。傷寒一日。太陽受之。脈若靜者。為不傳。頗欲吐。若燥煩。脈數急者。為傳也。又曰、陽明少陽證不見者。為不傳也。則可知單純的太陽病。不有傳經之傾向。非單純的太陽病。却已早早暗伏他經之病狀矣。非單純的太陽病。其所傾向者。何以祇有陽明（嘔逆）少陽（頭痛）少陰（體痛）而無太陰厥陰諸經之證。應之曰、三陰之中。却只傳少陰。既入少陰。則不復傳。但亦有見厥逆（厥陰）自利（太陰）等證者。此非傳經。兼見證也。但是亦有單純的太陽而不愈者。有非單純的太陽病而自愈者。蓋此為非常為例外。抑亦由體質之關係。環境之不可同歟。

有以中風為輕。傷寒為重者。豈知中風實重於傷寒。傷寒無汗。中風有汗。以玄府閉不閉關係。亦以天氣冷熱關係。傷寒發熱。為體溫集表之故。中風發熱。亦為體溫集表之故。然則中風有汗。體溫得泄。似宜不發熱。蓋以初一步發熱。以體溫拒外寒之故。繼一步則以前者未能奏祛寒之功。而體溫儘量疎泄。外邪一日不去。則疎泄一日不止。體溫奔集之不已。汗遂疎泄之不已。成了有汗壯熱之局。汗多者亡陽。是有極大危險。故曰較傷寒為重。

◉古人所謂營衞。最初似專指發熱惡寒之病而言。所謂氣血。則指全身組織而言。因為傷寒內經。對於此名詞未下定義。後人沿用。又無科學思想。遂將此兩界說混和了。我們嗣後對於太陽病。則言營衞。對於內傷病。則言氣血。似較整齊。此亦正名所當有事者。

◉麻黃證皆無汗者。傷寒論麻杏石甘湯條下有汗。誤也。但亦有有汗而用麻黃者。必體察其汗腺傾向於閉。然後可用。即飲湯或大效。似乎有汗須臾即無者是也。舊說有可取者。有必須改革者。蓋學術進化自然程序。不佞非欲與古人爭長。順自然而已。

◉脈之浮緊。是熱不是寒。所以然之故。必須體溫奔集表層。然後脈浮且緊。若體溫未集。脈不緊也。內經最講陰陽勝復。人體中寒之初。是寒勝。寒勝之時。體溫未集於表。其脈遲。寒勝即是陰勝。陰勝者陽必復。體溫奔表層而發熱。則爲陽復。故云人之傷於寒也。則爲病熱。必須體溫奔集表層之後。然後脈緊。故脈緊屬熱。而治法則在驅寒。

◉汗與體溫之關係。由汗與血之關係而生。汗之作用。一散體溫。二去血中沉澱廢料。此從體工所著者知之。初不由於解剖。吾人所能知者止此。

◉若說空氣動是風。這風傷在人體。就有汗而又熱。此話郤說煞敎人不明白。然而王叔和以下的醫家。都是這樣說的。所以著書汗牛。到如今却人人不明白。若說風亦是寒。這就對了。原來沒有兩樣。若說有兩樣。先要問感受時如何兩樣法子。例如少着衣。因而感冒。甲乙都是少着衣。因而感冒。甲沒有汗。乙有汗。指有汗的是中風。無汗的是傷寒。何以同是少着衣。分出風寒的不同來。豈不愈說愈令人懞懂麼。所以我簡直說只有一個寒。并不是寒之外有風傷寒所以有中風名嗣者。根據內經東方生風來。內經的東方生風。郤不能呆講東方生風。難道西方不生風麼。然則何以說東方生風。因爲這句話。根據天之四季來。故易經上說。變通莫大乎四時。無論古今中外。無論壽夭文野。歷史總是變動不居的。這個變動不居的根在那裏。就是四時。惟其有四時。所以有生老病死。易經據此說人文。內經據此演病理。他（指內經）却生生將一個寒字。分做兩起說。冬天的寒。叫他寒。春天的寒。却不叫寒而叫風。換過來說。亦是一樣。春天的風。叫他是風。冬天的風。却硬派名之爲寒。因此冬天傷寒名爲傷寒。春天傷寒。却名爲中風。內經又說。冬天是閉藏之令。春天是發陳之令。此話怎講。因爲冬天人的玄府傾向於閉。春天的玄府傾向於開。與冬時蟄虫閉藏。春時勾萌畢達。恰恰相同。所以他認定人的生理與天總是同的。可也作怪。我們若仔細體會。簡直絲毫不錯。何以呢。就因爲春天傷寒。與冬天傷寒。迥然不同。一個是有汗的。一個是無汗的。這是他的來源。然而冬天亦有感冒而有汗的。又是什麼講究。這個可是例外。不過例外。病雖在冬天。也要名爲中風。因爲玄府傾向於開。所以有汗。因爲汗出則發泄。筋脈不致興奮。所以脈緩。因爲體溫雖奔集表層。寒仍舊驅逐不了。所以雖出汗。仍舊壯熱。後來所受的寒。漸與本體體溫合化。所以不惡寒而化熱。

◉汗是血中分出來的一種液體。其功用。一、排泄血中廢料。二、所以疏泄體溫。保持其平均。治病發汗。本是因勢利導。借他的功用祛病。即使不誤汗。然用汗藥之後。人必乏力。若誤汗。血中因損失此種液體太多。遂起非常變化。

◉何以要診寸關尺。銕師于但此事認爲不滿意。因爲內經解釋極牽强。西國循環系學說極有道理。故採取印證內經。做一篇脈之研究。

◉知溫病用石斛。舌即光潤。知舌光潤者病仍不愈乎。醫者治病。僅能使舌乾者光潤。即可謂已盡責任耶。又舌已乾燥。須問是陰症是陽症。更須辨乾燥帶枯萎與否。又須參之其他種種見證。然後可定治法。有少陰症舌苦乾燥焦枯。用大劑附子而轉潤者。彼吳鞠通安足以知之。至論從治正治。正治盡人所能。從治却非常難辨。照溫病條辨方法。是只有正治。無從治也。恐醫生不如此易做。吾非謂知從治。便無不治之病。凡內經所謂死證。必辨之至確。然後可以十得七八。內經所謂死證辨之至確。猶且只十得七八。可知此事之難。故醫道本是任勞任怨之事。並非可以擬諸肥差肥缺。吳鞠通口頭語「經文說死。誰敢說生。然治之得法。亦有愈者」此眞笑話。彼自不懂內經傷寒。耳何嘗有治之得法之事。溫病條辨。開場引證許多內經。自我視之。疵謬百出。只算蒙馬以虎皮。試問彼能知內經寒勝則浮。是何意義否耶。今之業醫者。既便其三焦說之容易了解。又用石斛之可以遠謗。是如風行草偃。相率盲從。且用甘涼遏抑。後來之病狀。皆能預料。獲診多而得錢易。仲景書束之高閣。不復一勞其心。如此而欲望中國醫學進步。眞是南轅北轍。此中理論極繁複。此問題至不易解決。不過初學如素絲。染朱染紫。當愼之於初。

◉傷病從肌表入。溫病亦從肌表入。故內經以風爲百病之始。彼主從口鼻入。只是想當然。須知傷寒溫病之分。在時之不同。非肌表口鼻之不同。此說自又可以下各家無不誤。非力闢之不可。

◉疝是任脈病。照生理講是外腎爲病。是腺病。所以不起反射發熱者。是局部感寒。所以他處不感寒。獨此一部分感寒者。因其人此一部分獨弱。此病有自幼即爾者。關于秉賦。有偶然感此者。房事後寒從下受。邪乘虛而入也。

◉衝任爲奇經。手足三陽三陰。皆表裏互相配合。衝任督帶則否。故曰奇。督脈行身之背。衝脈行身之前。任脈亦行身之前。衝督任三脈。疑皆屬腎。督脈是整個的。衝脈是散的。所以有此懷疑者。因就病能觀之。實是如此。督字命名之始。因督字之義爲衣服背脊之直縫。衝之命名。則因衝脈病有氣上衝。故任脈之名。楊上善云任者姙也。衝脈之作用。內經云二七天癸至。任脈通。太衝脈盛。月事以時下。任脈虛。太衝脈衰。天癸竭。地道不通。故形壞而無子。經以任脈主有子。故楊氏釋之爲姙。又曰、三陰之所交結於脚也。踝上各一行者。腎脈之下行也。名曰太衝。靈樞又云。衝任脈皆起胞中。上循背裏。爲經絡之海。其浮而外者。循腹右上行。會於咽喉。別絡脣口。血獨盛則滲灌皮膚。生毫毛。婦人月事下。數脫血。脈不榮其脣口。故髭鬚不生。宦者去其宗筋傷其衝脈。血瀉不復。唇口不榮。故亦不生。按鬍鬚之有無。實關腎腺腎腺之內分泌。卽內經所謂天癸。然則衝脈殆腎藏附屬之絡脈。內經又云。任脈之病爲疝。衝脈之病爲奔豚。今證之西說。疝實是腎腺爲病。而實地經驗。女子月事不下者。小腹兩旁。輒起癥瘕。嘗値此種病多次。西醫謂之卵巢病。用千金白薇丸收效甚良。女子之患此者。必兼見衝氣上逆。是衝任兩經同病也。據此。竟是輸送腎腺內分泌之機關。病則衝任皆上逆。不病則下行。小孩之脚常溫。老人之脚常冷。是可測知壯盛則衝任下行。衰老則任衝不能逮下。可知八段錦之摩脚底。正是逆制衰老之法。

◉吐血若脇旁痛。呼吸促。爲肺中小血管破裂。通常治肺藥不效。必兼治腎乃效。故古人謂肺腎同源。

◉夾陰用活鴿。詳其用意。是欲以病人腹中寒邪。收入鴿腹之意。病人腹中之寒。何以能入鴿腹。此理爲歷來醫書所不言。愚意夾陰所以腹痛。原因衝任中寒。故病人之少腹必寒。寒故痛。鴿腹則熱。寒熱相遇。照物理溫度相差之兩活體。併之一處。延時稍久。則顯中和作用。是鴿腹之熱入人體。而人體之寒入鴿腹。故痛立止。若用熱水袋。則無此效力。以一活一死也。審如此。則鴿可用。雞亦何嘗不可用。

◉恐怖卻有兩種。神經刺激太驟。則氣浮而上逆。憂患之來太深。則心衰而氣下。所謂驚則氣浮。恐則氣墜是也。驟聞隣家失火。則心跳而脚軟。登寶塔下瞰。則驚心而恍。目精氣全在下半身矣。

◉燥濕不能互化。有深淺兩種。其癥結皆在脾藏。胃燥脾濕。兩種藏器。本雌雄相輸應。太陰受病則濕勝。陽明化燥則脾約。濕勝者舌潤口和。急性病是濕溫。慢性病是胃不消化。脾約者矢燥。急性病屬熱病末傳濕溫之傳厥陰者。是其候。若傷寒論之麻仁丸證。潤之而潤。非燥濕不互化也。慢性病吸鴉片致藏燥者。肝病致藏燥者。但燥甚無津液。非燥濕不能互化。若舌潤濕重。而又藏燥者。乃燥濕不能互化也。通常均指此種。其所以然之故。亦是腺病。脾與肝本屬腺體。凡酒色所傷。必壞腺體。今之自稱濕重者。殆無有不由酒色腺體既壞。分泌過剩。在外則肌膚瘡瘍。髀間陰癬。在內則消化不良。舌常紅潤。雖日進霍石斛。而矢燥口燥。陰虛如故。其燥濕不互化之證象。乃大著矣。從前汴蓮石治此種病。主用附子。甚謬。亦未見有能澈底全愈者。近見一人。去年燥濕不互化之證象甚著。今年則已愈。其人一年來均由西醫診治。此事大有研究之價値。鍈師曾治愈一最重者。用回天丸而愈。其理由亦頗堪探討。蓋積久成內風。從風治。故效也。

◉肝不病。經必不阻。腹鳴是肝氣證據之一種。感寒亦腹鳴。但腹鳴而見經阻者。是肝病。

◉凡慢性病用藥宜輕。服藥宜久。既不可用峻劑。亦不可圖近功。

◉傷寒論以繞臍痛。轉矢氣。（卽放屁）神昏譫語。（卽狂言）爲陽明府證。可以用大黃瀉之。病人踡臥但欲寐。爲陰症。當用附子溫之。若用溫藥之後。踡臥但欲寐者。變爲腹痛矢氣譫語。便是陰證變了陽證。此謂中陰溜府。

◉太陽病有單純的。有非單純的。嘔逆却有傳陽明傾向。因胃中有積。能爲外感之引線。故必先及胃。胃氣本降。若受外感之影響。則上逆爲嘔矣。肺咳脾瀉。均是局部感寒。至於飽食作嘔。是內因。與外感無關。

◉因爲太陽受病。而影響及於胃而嘔逆。而其所以嘔逆之故。則又以神經關係。例如偶値拂逆。則食物不化。停滯胃中。此以胃中神經密佈。而其總匯在腦。拂逆是其總匯受病。胃神經因此連累及之。此病在神經之本。本病及胃也。汗腺爲神經末梢。神經末稍受病也。胃神經亦連累及之。此病在神經之末。末病及胃也。胃氣本下降。今因病而起變化。遂上逆而嘔。以不病人測病人。故知胃氣本下降。諺請「餓不死的傷寒」。其意深哉。

◉傷寒無直中三陰。有從太陽傳陽明。或太陽直傳少陰。方云。其過表入裏。則不惡寒。是指太陽傳陽明者。既傳陽明。外邪與體合化。故不惡寒。喻云、直中陰經。卽指太陽傳少陰者。因少陰亦有惡寒也。其所以未發熱。是尚未之意。終竟仍須發熱。特較遲耳。凡傷寒必由太陽傳入。

◉風之與寒。二而一也。傷寒者亦中風。中風者亦傷寒也。所以有中風傷寒之異名者。以其受病原因則一。特時令有異耳。冬主蟄。玄府則以外寒之甚。欲保護體溫。故緊閉不泄。是冬之寒。玄府傾向在閉。無時不預防外寒之侵入也。因而劇勞。玄府開而汗出。或驟感寒（如着慣皮袍。偶換棉袍。或在熱處驟至冷處）玄府必不及速閉。外寒因而襲之。然而玄府終不失職。寒雖已入。仍復緊閉不開。此時體溫雖奔集。而汗無由泄。故傷寒無汗。春主啓。玄府則以外界之寒已不如前之甚。其防護亦稍懈。而其傾向在開。一旦外寒襲之。體溫起反射作用而發熱。當其受寒之初。玄府亦知感寒之當閉。必作暫時之閉拒。然而其傾向畢竟在開。體溫既集。玄府卽不復閉。故中風汗出也。以寒屬之冬。以風屬之春。吾故曰命名之異。以時令也。（未完）

五行碎語

成之

五行之說。論者謂出於洪範。然據梁任公先生攷證。五行之說。實起於戰國之末。則洪範一篇。亦必出之後人僞記。余與衡之近正研究洪範之眞僞問題。得僞證甚多。

內經研究

何雲鶴

衡之先生以余好研究內經。常索閱所得。鶴治醫日淺。才力薄弱。實無多發現。故不願以一知半解向人喋喋。徒以衡之先生索之堅。重違其意。爰出此篇。海內同仁進而敎益。無任歡欣。惟立論不以科學眞理爲的。內經本義爲主。則不敢拜領。祇得有負高情。

雲鶴誌

提起內經。中西醫學界對於這部書有三個完全不同的研究派別。第一是舊中醫崇古派。第二是歐化醫武斷派。第三是新中醫革新派。崇古派對於內經。覺得是一部不可思議神祕玄妙的天書。天書照古老傳說。是有緣者得之。無緣者失之。幷且無緣者縱然得到一部天書。那怕你聰明蓋世。學博今古。於天書上領悟的智慧。還是一竅不通。因爲讀天書的本領。是靠天賦的緣機。不是靠人們的思想。儘管人人案頭放一部內經。架上堆一部內經。數千年來。還是沒有一個人懂得整個的內經。內經整個的精義。還是原封不動在內經裏面。並不是數千年來沒有一個人夠得上讀整個內經。是數千年來沒有一個有讀整個內經緣分的人。既然把讀內經的責任放在緣字上。舊中醫們不論現在的從前的。都抱着禮讓爲美的德性。靜候緣機。不冀非分。不管內經的好處在那裏。但捧着一部內經。說這是一部最有價值的中醫根本書籍。倘若有人出來說半句不是。不管他說的如何。拚命先把他罵得一個狗血直噴。憑良心說一句。舊中醫崇古觀念。但至於此。還可算是一個克盡守職的肖子。可奈在這一羣盲從附和的中間。偏偏跑出幾個自作聰明的投機份子。對於內經。他們也同別人一樣的一竅不通。對於近世的應用心理學。不知如何反懂得一點。認定內經是一部醫家病家人人崇拜。個個不懂的天書。就不管三七二十一。先把內經讀得爛熟。然後用似通非通繞圈子的文章。把內經原文。註的註。增的增。移的移。這一下總算不但本人能了解整個的內經。并且還能整理國粹。翼輔聖訓。啓示後學。儼然以醫界宗匠自居。本來作僞的事情。結果沒有不拆穿西洋鏡。他們的投機本領。却是眞大。能夠歷久不露破綻。唯一的工具。就是用內經的文字。來註釋內經。後來讀內經的人。看了他的大作。既不能說他是。又不能說他不是。說他是呢。愈註愈釋愈看愈不懂。說他不是呢。所引證的都是經文。似乎有來路的。末了只好怨自己緣慳。有了這樣熱心的好導師。還是不懂經旨。本來眞能讀經文的人。豈還要在經文註釋裏面討生活。不能讀經文的人。也就不能識所引證經文的是非。投機份子的註釋。增移內經。明明是同後人開玩笑。話又說回來了。數千年來。並不是眞眞沒有人識破這種勾當。識破勾當的人。自然比識不透的來得聰明。便宜貨是人人要場的。虛名也是中人以上認爲必需的。所以他們識破了這個訣巧。却並不拆穿這個西洋鏡。反而順水推舟。助紂爲虐。也依樣畫葫蘆。來註釋整理一下。像這樣你一註我一釋。把一部好好的內經。弄得支離破碎。寸寸爛斷。變成一個四不像。雖然如此。幸虧還有歷史遺傳的崇古思想。束縛他們。對於經文。還不敢儘其所好。一筆抹殺。所以我們現在從這一大堆糞土中。尙能揀出整個的金玉珠寶。不然早像傷寒厥陰篇太陰篇一樣。弄得國亡家破了。物極必反。是事理的當然。有這樣糊塗的崇古派。糊塗欺世的投機份子。就有絕端相反的武斷派。武斷派是以爲內經是一部不合潮流。不合時間。不合環境。不明人體實質現象。寸寸爛斷的醫書。軒岐殺人四千餘年。到現在中國人口非但不減。反比較軒岐時代多上好許多。是天賦中國獨厚。武斷派雖說武斷。可也有他的工具。不像崇古派一味糊塗。投機份子。一味油猾。他們憑着不徹底的歐化日化醫學爲根本。抱着出奴入主的成見。來批評內經。於國醫學同崇古派一樣。連皮毛也沒有得到。於西醫學雖然說得了一點皮毛。科學眞義的所在。却沒有像道地來路貨弄得清楚。諸位不信。請看一看他們批評內經。武斷派口口聲聲說內經不合潮流時間環境。那曉得眞眞合法的科學學說。有各個的永久獨立性。超環境。超時間。超潮流。無論時間環境潮流怎樣變遷。他的精神屹然不動。一切合乎潮流。爲潮流所支配。合乎環境。受環境所支配。合乎時間。受時間所支配。一旦時變境遷。潮流不同。所謂定例。非改革無以適生存的。並不是眞眞的科學。是假定的科學。養兒子大家知道最要的條件。是精蟲鑽入卵珠。其次是得相當的時間榮養保護。方能成胎。這個公例。是科學的公例。自有人類之始。生兒子的法子。是這樣。到現在生兒子的學說。還是這樣。中國人是這樣。外國人也是這樣。野蠻人是這樣。文明人也是這樣。近幾年法國的人口。受大戰影響而銳減。當局極力提倡生殖增進。但是增進的法子。還是數千萬年前所用的男女交合始成胎的法子。法國科學家的科學知識。比我們中國科學家總要高明得多。優種學胎生學等等鬧了半世紀。對於生兒子的最要條件。未聞有改一改良破一破例。可見真真的科學。是不受時間，潮流，環境，所支配。有永久不改的獨立特性。人類的理智。祇能證明這個公例。利用這個公例。不得改革這個公例。武斷派以不合潮流時間環境來非難內經。明明暴露自已不識科學真義的弱點。至於內經的學說。有否超時間環境潮流的獨立性。永久存在性。請閱後文自明。現在先討論旁的要事。

武斷派以爲內經是一部寸寸爛斷文不相屬的書籍。不錯。內經現在是一部寸寸爛斷的書。不過所以成寸寸爛斷。並不是內經著者的不是。是崇內經騙人竊名的投機份子不是。武斷派若是拿這句話責備崇古派的糊塗荒謬是不差。拿這句話來責備內經自身。就顯出武斷派亦是同糊塗的崇古派一樣看不出何者是內經原文。何者不是內經原文。何者是內經精義。何者是內經糟粕。就是同投機份子一樣。將錯就錯。另抱野心。就十數年前武斷派領袖所發表的言論觀之。於內經功夫簡直連崇古派投機份子不如。就最近他們的言論觀之。馬脚露出來了。同時不能不承認他們對於內經有些覺悟。有些進步。在他們一個什麼會中上衛生部的呈文中。有一段說（原文遺忘。其大意如此。）「中醫往往藉口日本漢醫的重興。不知道最近日本研究漢醫的人。於西醫學早已下了很深功夫。是用西醫學的方法來研究漢醫。來補助西醫的缺點。中國當然也祇有西醫方可研究中醫學。中醫却不能研究中醫學。」這簡直是什麼話。假使日本人對中國人說。「不差。南滿台灣等等。是你們所有的土地。因爲你們有了土地。不知利用。現在我來了。這個地方是我的了。縱使從今日起。你們覺悟。前非想努力改革也不行。不但吾不來相助你們。并且不許你們有所活動。因爲這些地方適合吾的需要。」請問讀者諸君。承認他的宣言嗎。醫學本是公開。在下並不反對西醫研究中醫學。像目下一般的西醫。完全沒有學術的準標。從前看見日本排斥中醫。就跟着說中醫學無一點的可存。現在看見日本歐化醫也注重漢醫。就反轉來說中醫學是可存在的。不過研究的人。祇限西醫。出爾反爾。豈是研究學術者所做的事麼。況且西醫中有幾位自命研究中醫的二三十年，也未曾看見他利用西醫的學說。來發明一點中醫的眞理。從前的反對中醫。或者可以說因爲自己也不知道中醫的好處。現在的相對容納中醫學。到底以何物爲標準。在下有些不明白。最好請他們來聲明一下。

拿人體實質解剖眞相來攻擊內經。更其證明武斷派對於內經是門外漢。一部內經。完全是說人體生理病理功能變化的公例。並不是說明人體實質形狀的如何。專談功能不倚實質。是內經的長處。

是內經的至義所在。內經看透一切病的變化。是體內生理功能的變化。因功能的變化。影響到實質。但恢復其生理功能。實質的缺陷也隨之而恢復。這個治病的大公例。是萬世不變的。所以他論病的變化。是論生理功能的變化。不是論實質的變化。他的治病。是矯正生理功能的變態。治傳染病也是一樣。重矯正生理功能的變態。不重殺菌。生理功能恢復常度。則微菌無隙可乘。病即差愈。所以現在有許多病。西醫認為有菌。中醫治之。往往應手而愈。方中却毫無殺菌作用藥物。西醫專重殺菌。往往束手無術。聽其自然進行。所謂待期治療法。中西治療學。孰優孰劣。患病者當自知。

在內經著作時代。內經著者知道有許多人體內的實質。在這時候。非人力所能見。但是他的作用功能。却顯著於外。因此他就專注重說明一切實質所表現的生理功能。病理變化。把實質形狀證明的責任。置在後來人的肩上。但是說明一切人體各種實質所表現的生理功能。生理變化。沒有一個相當代名詞。叫讀的人如何能弄得清楚。在勢不得不覓一個比較相當的代名詞來暫代。內經著者自已知道如此的代名詞有點不妥當。又沒有別法可想。內經著者的思想是超時代的。(超時代的思想大家春秋戰國間是很多的。)預料後來的人要起誤會。就用一個限制代名詞的法子。這個限制方法的目的。是說人體內為生存起見。一定有如此如此的生理功能。有了如此如此的生理功能。在反常的時候。一定會發生如此如此的病理變化。如此如此的病理變化著于外。一定是某生理工作變常。某生理工作形著於外的。一定有某實質為之中樞。某實質為之供奔走。現在為了時代環境的緣故。不能確定某物質的實質形狀若何。但是某物質是一定有的。現在既不能尋出某物質的一定形狀。為說明某物質功能起見。不得不照環境的可能。以比較相當的某物質借用暫代。後來的人。不要以為某物質某代名詞一定是某種生理功能的主動者。當以某種生理功能病理變化著于外者。在可能的範圍。來復證是否某物質。為中樞某物質供奔走。况且病的變化。是功能影響物質。非物質影響功能。暫時不能完全證實物質形狀。是無妨的。中醫治病。為什麼可以不明病灶。就是這個所以然。西醫能直指病灶所在。為什麼不能治病。也就是這個所以然。有幾位讀者，見在下如此說法。覺得有些不相信。疑在下過分袒護內經。在下再舉出一個內經重功能不重實質的例來。同時在下覺得由在下自選一個出來，真似有些袒護內經了。姑且把武斷派居為藉口的來證實吾的主張。可使讀者放心一點。武斷派詆內經不曉得神經大小腦的功用和實質。碰着神經系病。硬說是肝病。張冠李戴。可笑之極。不錯。內經不曉得神經大小腦的實質形狀若何。但是他曉得神經大小腦確有其物。不但認為確有其物。幷且能指出他的生理功能。病理變化。他說的肝，就是現在的腦。他說的筋。就是現在的神經。在他的時候。爲環境所限。不能發見神經的實質。幷與腦相連的關係。爲要便利說明腦與神經生理功能病理變化起見。就把肝和筋來暫代。在下先把內經說肝和筋的生理功能病理變化怎麼樣寫出來給大家看看。

內經說。「在藏爲肝。在體爲筋」的東西。其生理是等於「在天爲風。在地爲木。其化爲榮。其用爲動。」其病理是「其變動爲握。其病發驚駭。」倘若我們把肝字換了小腦。筋字換了神經。變成「在藏爲小腦在體爲神經」的東西。其生理是等於「在天爲風。在地爲木。其化爲榮。其用爲動。」其病理是「其變動爲握其病發驚駭」通乎不通。還有中醫在未知道神經實質以前。治神經病却是照內經治肝病的法子治的，往往應手而愈。現在曉得了神經的實質治神經病。乃是照舊用內經治肝病的法子。也往往應手而愈。最近惲鐵樵先生發表治流行性腦炎特效方。于初期中期腦炎，成效斐然。方中主藥。若龍膽草川連全蠍滁菊生地。皆是與肝經有關係的藥品。西醫能明病灶的所在，用血清來殺菌。治療成績。亦不見得十分高明。可見在治療學上。科學的眞義。是在功能而不在實質。西醫的殺菌血清治療。既不十分高明。其學說的根本。當然還須改進。既然還須改進。現在的是假定科學。非眞正科學。眞正科學，有永久獨立性。無須改進。且亦不能改進。其公例。

總一句說的。武斷派於內經沒有深刻的認識。於西醫學也沒有適合的根基。所以他們批評內經。都是皮相。不値識者一笑。

從太過和不及的崇古武斷兩派中。應運產生了革新派。他們的眼光。較上兩派遠大得多。悟着內經是一部極有科學價値的醫書。明瞭崇古派的盲從。於實際無補。武斷派的偏見。別有用心。想運用各個的智慧學識。來解決內經一切湮沒的眞理。播除一切不合事理的障礙。不幸他們所處環境的惡劣。進行十餘年。還是徘徊在三叉四歧的路口。有時他們也鼓着勇氣。冒險探得一條七灣八曲的捷徑。實在是分歧太多了。到今日他們仍茫然不知何時達到目的。就是在下也是一個未聞大道。歧途徘徊者。加着最近的不幸。革新派恐怕要從此一蹶不振了。本來革新派的人才太少。中西醫學的根本認識。也不十二分健全。加著主事的利害觀念太重。不禁幾個風浪。大家就有點改柁轉篷的意思。側重歐化日化的。漸漸同武斷派取相似的舉動。中醫學理難明，中藥確有成效。丟了中醫學。去換西醫學。保存改進中藥。補西藥的不足。是他們最近的表示。側重國學的。居然步崇古派的後塵。少陽相火。司天在泉。伏暑秋溫。也承認可以意會。不可言傳的事情了。

現在在下把革新派先進惲鐵樵先生。對于內經的學問。介紹給諸位。并作本文的結束。鐵樵先生對於內經究竟有多少把握。將來的是不可量。現在的。敢斗膽說一句。也是一個岐途徘徊者。自然他的徘徊。比較別人的路徑。是明瞭一些。在傷寒論輯義按。內經講義。幾部著作裏面。他的內經功夫。的確是老馬識途。從他最近發表流行性腦炎特效方宣言而論。覺得還未入門登堂。傷寒輯義按中最有價值的發表。是能明內經寒勝則浮的眞理。麻黃桂枝兩證的註釋。可說前無古人。陽明篇側重承氣證。而忽略白虎證。少陽篇小柴胡證的敷衍。是不能從寒勝則浮作進一步推演經旨的證據。末後三陰篇精彩索然。是事所必至的。最近發表流行性腦炎特效方。據云從千金方得來。因爲千金方敘痓病症狀。與現在之流行性腦炎完全相同。故斷定其有效。採用增損。成效大著。風勝則動。內經已明明說出腦炎病理。病在上。取之于下。强者寫之。燥者潤之。急者緩之。熱者寒之。內經又明明說出治法。鐵樵先生對於內經者有整個心得。不必俟千金方而後得治腦炎之良法。整個的內經。現在尚無人能發見。內經有超環境時代潮流。永久不磨滅的醫學精神。在鐵樵先生發表的寒勝則浮的原故。同在下在上海醫報九期發表天癸月經任衝的功能和關係。可見一斑。這些一斑的東西。當然不滿足我們的慾望。不過有此一斑。就可以曉得內經確有他的科學價值。非毫無研究心得的武斷派所得抹煞一切。中西醫學界。如欲研究內經。不問存心若何。必須要先認清內經著者的目的。內經著者的環境。與內經註釋增移者的手段。若如此而不能得內經的微旨。請參考鐵樵先生傷寒輯義按太陽上篇。與在下所發表的。若如此而發見內經有科學眞義的所在。就請說一句憑良心的公道話。這樣方是學者應取的態度。這樣方令人折服呀。

五行碎語

衡之

說文。心人心。土臟。在身之中。象形。而今本說文云。腎水藏也。肺金藏也。脾土藏也。肝木藏也。殆爲後人妄改。其稱肺爲火藏。見於一切經義所引。推之肝脾。亦必用古文家之言無疑也。

記章太炎先生論醫兩則

徐衡之
章成之

間嘗以事謁太炎先生。縱論至於醫。先生垂問西醫腸窒扶斯之腸出血穿孔性腹膜炎。何吾土不多見。衡之對以中醫治療傷寒。有曲突徙薪之妙。病在太陽。治即愈於太陽。病在陽明。治即愈於陽明。彼西醫治療傷寒。最初無特效藥。惟利用其待期療法。故其后有腸出血腹膜炎之弊。然則此二症者。均西醫因循有以誤之也。先生以此說固然。按之實際。則猶不止此。夫西醫籍謂傷寒病之成因。起於傷寒桿菌。幷謂其菌喜宿於腸。此語(菌宿於腸)因果倒置。當此症潛伏時期。桿菌或散布周身血液。決不在腸。何以言之。西醫謂此症潛伏時期。有頭痛四肢痠痛惡寒發熱戰慄等證象。此與太陽症絕類。麻黃桂枝大青龍。其效如響。然麻黃桂枝未必是菌殺藥也。病之所以愈。或因週身血液中桿菌。因汗而排泄於外。西醫於潛伏時見大便之祕者。輒以甘汞蓖麻子油下之。於是虛餒其腸。血中徵菌。乘虛攻襲。誤下之後。壞病未見。又無善治。於是遷延時日。屯聚於腸之菌。逐漸滋長。遂造成腸出血腹膜炎之變。準此以觀。西醫談虎色變之腸窒腸斯。即西醫早用下腸有以致之也。不然。腸出出。與穿孔性腸膜炎。在西醫籍中。原因如何。症候如何。診斷預后又如何。言之津津何中醫絕少遇見。就吾土之經驗。以反證其學理。吾之所言。大致不謬。顧中醫於太陽症。亦未嘗無誤下者。惟所用之藥為硝黃枳朴。其力猛悍。其發也暴。其壞病為結胸。西醫之下藥為甘汞蓖麻油。發作性遲慢。病人受其害於無形之中。故同一誤下。而結果不同。以此㸦反。中醫設誤用甘汞蓖麻油治太陽表證。其結果之不良可斷言也。

其二

見惠湯本氏皇漢醫學。觀其議論痛切。治療審正。而能參以遠西之說。所謂融會中西。更迭新醫者。唯此公足以當之。柯尤往矣。今日欲循長沙之法。此公亦一大宗師也。至其所錄。治效奇中者固多。然由東方專以仲景爲法。而千金外臺諸方。置之不譚。有時病證爲仲量書所未道者。則不得不用複方。約方如囊。古有明訓。仲景諸方。固有可複者。亦有斷不可複者。如葛根朮附合爲一方。則奇觚不中於繩矣。又有千金正方。俛拾卽是者。乃不肯以千金爲用。而必取仲景方複合之。如所錄某氏治角弓反張證。以大承氣湯與烏頭湯合用。治雖有效。而約方尙非合法。承氣湯之用。主在硝黃。烏頭湯之用。主在烏頭麻黃湯著。然千金有三黃湯。卽麻黃細辛獨活黃耆黃芩五味。心熱者可加大黃。內有久寒者可加附子。釋此不用。而必以迂回取徑。亦見其險也。大氏自王叔和以至孫思邈王燾諸公所論病理。不必皆合。而方劑則皆取於積驗。非獨孫王也。卽宋時和劑聖濟。以及許叔微陳無擇之書。其因證處方。亦多有可取。但令不失仲景型模。亦無屛之不錄之理。金元以後。乃當別論耳。此則吾人所當論推者也。

醫林隽語

成之

余友周柳衣性爽直而稍褊急。前年幼子暑日病熱。求治城裏小兒醫殷某。方極輕案語則有防變字樣。柳衣大怒。碎其方。謂余曰。若病眞個有變。而醫不能爲之防。則病家何事求醫。若病本不至於變。而醫自防服藥後將生變。則病者焉用服藥。後柳衣輒逢人稱殷爲防變先生。

又

吾家太炎先生。嘗爲余言。上海有名醫家。人人堪贈以超乎象外四字之匾額。以渠等疏方用藥。於寒熱溫涼汗攻和補。無一而有也。

紀載

總務報告

徐衡之

近年來。中西醫學之爭。日趨劇烈。西醫憑着科學的勢力。便蔑視中醫。肆口謾罵。簡直說中醫是絲毫無價值。簡直可以取締。可以淘汰。而中醫界則抱着唾面自乾的態度。寬宏大量。犯而不校。咳。可憐。中醫界果眞一蹶子如此的。嗎。老實說。唾面自乾。實在是無力抗折。除了等他自乾之外。更無其他法子。因爲是如此。同人等覺得中醫太丟臉了。于是勉力合作。有本院的創設。以期培植國醫人才。可以一叶唾面自乾的憤懣。

我們開辦以來。雖然爲時未久。却是艱苦備嘗。屢經挫折。但是我們抱着不屈不撓之志。憑他如何。依然是努力進行。我們犧牲許多精神。許多光陰。許多金錢。倘使一受挫折。便爾氣餒。則又何必要多此一舉呢。

經費是最要緊的。半年以來。都是我們自己担負着。有許多人說。茲事體大。關于中醫藥的前途。中醫藥界應當合力援助。可以組織募捐。閒無弊易舉。獨力難支。這話却也有理。但是我們並不主張如此。因爲我們是初辦。人家還未知究竟。况凡上海地方。更不能輕舉妄動。所以我們主張自己先努力做去。有了些成績。人家便可相信。到這時候。向人家捐些。準可得到人家的幫助哩。

課程方面，我們是抱着「發皇古說融合新知」的宗旨。所以教授方面。比較困難。種種課程。要化些心思。編出講義。才可以應着「融合新知的」宗旨。並不像我從前讀醫的母校。一部醫宗金鑑。一部內經知要。再用一部唐容川的中西匯通。便算了不起的。上課時候。只要照着書讀了幾頁。不懂的地方。則以「只可意會不可言傳」了之。本院假使也是如此。我到又要說着一句「何必要多此一舉呢」。半年來課程方面，成績如何。却也不敢說。不過照我個人的眼光看來。覺得比較從前母校時候的課程。要有興味些。有精彩些。但是草創伊始，一切不能完備。這點還要請諸君原諒呢。

本院開辦的時侯，本擬同時開辦醫院。後以種種關係。未能于短時期間實現。然而學生實習。亦是要務。幸而本院創辦人祝味菊先生診所。與本院也在咫尺。先生在上海醫界中地位。是誰都知道的。求診者日數十人。學生得此實習所在。眞是好極了。更有世界紅萬字會醫院。本院創辦人章君成之。担任該會中醫部。每日求診者以百計。因此商之該會。假爲本院學生實習之所。亦蒙許可。而學生實習有地矣。

我們辛辛苦苦辦了半年。雖然成績無多。而外界少少有些聲譽。以前有鄭洪年潘公展董康馮少山袁履登諸位先生。做我們的院董。現在又有許多熱心公益的先生們。允許担任院董。商界如中國實業銀行營業部主任王魯卿先生。匯大木行經理蔡和璋先生。紗布交易所理事陸先生潘志文先生。醫界如朱少坡汪成季丁仲英徐小圃諸先生。均帮助本院經濟，我們有了經濟上的帮助。從此可以專心一志研求醫學。擴充校務。將來或有好的成績。都是這幾位院董先生所賜的啊。

傅鐵樵先生。既然以「只厭名高」的理由。辭去本院院長職。我們熱烈的推戴。無奈他不肯屈就。此後院長。巳就請章太炎先生担任。巳蒙先生許可。太炎先生的樸學，是大家知道的。而先生的醫學。尤其是淵博精深。衡之與章君成之。常常去請教。而先生循循善誘。誨人不倦。每次總是滔滔不絕的講着三五個鐘頭。此後本院院刊。專著一欄。預備多多刊載先生著作。先生積稿已多。請歸本院刊印發售。爲本院叢書之一。亦已蒙先生許可了。

何公度君是我的老同學，精明強幹。前任松江廊下鄉政局長。他現在不高興幹了。請他下半年來帮助我們辦學校。要請他担任訓育。何君亦已允許了。

本院大事記

一月　十日　徐衡之陸淵雷祝味菊劉泗橋章次公章巨膺等動議創設中醫學校得章太炎惲鐵樵兩先生之贊助遂開始籌備開辦費由徐衡之暫墊

十五日　議決定名上海國醫學院

廿二日　登報公告成立本院籌備處暫借雲南路會樂里二七八號爲籌備處所公推徐衡之爲籌備主任

二月　一日　租定霞飛路二七五號爲院址

二日　定製校具課桌課椅床舖等簽訂定製契約

四日　鄭洪年潘公展董康馮少山袁履登惲鐵樵允任本院院董

六日　院董會成立同日備文呈教育局立案

七日　敦聘章太炎先生爲名譽院長惲鐵樵先生爲院長

九日　聘徐衡之爲總務主任陸淵雷爲教務主任章巨膺爲事務主任祝味菊孫永祚劉泗橋王潤民姚兆培龐澤民趙相如芮達吾李徵一諸君爲教授

十日　訂定簡章卽日付印

十五日　簡章出版開始寄發

十六日　登報招生隨到隨考

同　日　聘徐仲亮君爲事務員徐國樑君爲會計員本日到院辦事

十七日　開始裝製板壁電燈自來水等

二十日　本日起學生絡續到院

廿四日　聘馬鑑涵君為文牘兼書記本日到院

廿八日　日本開學

同　日　製定課程表

三月　一日　本日起上課

三日　聘董蕙子女士為日文教授鄭養山君為婦科教授

十日　聘姜辛叔君為細菌教授朱松君為注射及生理教授

十五日　南京醫學團體代表郭受天隨翰英兩先生到滬本院敦請演講

十六日　全國醫藥團體代表為反抗中央衞生部委員議決取締中醫藥案在總商會開會本院由徐衡之陸淵雷章巨膺為代表參加本日到會計一百四十餘團體旁聽者亦在千人以上本院代表陸淵雷君亦有演說

十七日　本院延請各醫藥團體到校參觀開會歡迎到七十餘團體計百數十人各代表如張梅庵陶文波張屏張壽芝曾少達蔡松巖諸先生均有演說頗多獎勵之辭文繁不備錄各團體在本校合攝一影午間雇汽車四十輛歡送一枝香午餐並贈惲著醫書四種

廿八日　本日截止報到插班

廿九日　惲鐵樵先生到院演講

四月　二日　添設專務主任聘芮達吾君兼任

六日　事務員徐仲亮辭職

十五日　全國醫藥總會函咨遣派代表到會組織編製學程委員會本院徐衡之章巨膺兩君代表出席

二十日　惲鐵樵先生辭院長職暫由總務主任代理

五月　一日　特別市教育局訓令添設軍事教育

二十日　敦聘章太炎先生担任院長

六月十五日　開始學期考試

廿五日　放假

附註　本院每兩周開院務會議一次議案繁多不備錄

本院院董一覽

姓名	籍貫	職業	通訊處
鄭洪年	廣東	暨南校長	眞茹暨南大學
潘公展	江蘇	特別市社會局長	上海同孚路大中里
董康	江蘇	前財政總長大理院院長	上海西摩路錦文坊
馮少山	廣東	總商會會長	
袁履登	浙江	甯紹公司總理	上海甯紹輪船公司
惲鐵樵	江蘇	中醫	上海雲南路會樂里

本院教職員一覽

姓名	字	籍貫	現任職	通訊處
章炳麟	太炎	浙江餘杭	院長	
徐衡之	衡之	江蘇武進	總務主任兼幼科教授	上海二馬路西藏路平樂里九十五號
陸彭年	淵雷	江蘇川沙	教務主任兼傷寒金匱教授	上海南市王家碼頭懋業里覽德軒

芮昆	達吾	安徽當塗	訓育主任兼國文教授	安徽當塗小丹陽
章壽棟	巨膺	江蘇江陰	事務主任兼溫病教授	上海寶山路寶山里
祝味菊		四川成都	病理教授	上海霞飛路振平里二三號
孫永祚	鷹若	浙江	國文教授	上海同孚路同福里
劉泗橋	泗橋	浙江寧波	診斷治療教授	上海二馬路西藏路平樂里九十六號
章成之	次公	江蘇鎮江	藥物教授	上海二馬路西藏路平樂里九十五號
趙璧	相如	江蘇鎮江	藥物教授	鎮江大港南巷
王厚培	潤民	江蘇泰興	編輯主任兼醫史教授	江蘇泰興塘灣鎮
龐澤民		廣東	理化生物教授	上海狄司威路東洋花園後愛思里七號
姚堯		江蘇上海	黨義教授	上海縣黨部
趙公尚		江蘇丹陽	生物教授	上海四馬路迎春坊中一醫院內
鄭養山		江蘇蘇州	婦科教授	上海牯嶺路
姚兆培			醫學常識教授	上海西門肇浜路
顧錫五	福民	江蘇鎮江	外科教授	
朱松		廣東潮陽	注射生理教授	上海北四川路明通里四號
姜辛叔			細菌教授	
李純珊女士	徽一	江蘇武進	生理教授	常州菱蒲巷六號
董蔓子女士		江蘇武進	日文教授	常州廟巷內
徐世恩	國樑	江蘇武進	會計	常州青果巷七十一號

夏宗彝	孟祥	江蘇崑山	庶務	王山市第三街卅三號
馬 塗	鑑涵	安徽懷甯	文牘兼書記	蘇州胥門內百善橋雙成巷五號
陳達才			書記	
傅鳳谿女士		江蘇武進	書記	常州菱蒲巷六號

本院學生題名錄

一年級

姓名	性別	年齡	籍貫	通訊處
王質清	男	十七歲	安徽蕪湖	老牛奶坊王同昌號
王金逐	男	廿二歲	福 建	台灣台南州北門郡北門莊
江惠民	男	十九歲	安徽旌德	安慶錢家牌樓九十三號
江順林	男	十八歲	江蘇泰縣	泰縣海安市
朱執中	男	十八歲	安徽南陵	蕪湖內河清弋江奚家灘何作舟交
沈警凡	男	廿二歲	浙江海甯	浙江硤石鎮通津橋東首三十九號
何 霖	男	十七歲	江蘇上海	上海法租界馬浪路西成里八十一號
李朝章	男	廿三歲	福 建	台灣豐原郡豐原街豐原二百卅二號
何通森	男	十九歲	仝 上	台灣台中州大屯郡西屯莊下石牌六二番地
沈德培	男	二十歲	湖北黃陂	上海楊樹浦晉安里魏仁記轉
李遵堯	男	廿二歲	江蘇高淳	高淳固城

汪飛白	男	十七歲	安徽蕪湖	蕪湖金馬門興隆街十七號
宋景賀	男	十九歲	安徽南陵	蕪湖內河淸弋江奚家滙何作舟交
林開智	男	廿四歲	廣東潮陽	汕頭潮陽東門外陞利行
馬善達	男	十六歲	江蘇寶山	上海英租界海甯路一千七百八十七號
唐成中	男	十七歲	江甯丹徒	上海南火車站轉運公會後
唐有岡	男	十八歲	江蘇南滙	江蘇南滙周浦王家浜路
陳可春	男	廿一歲	安徽貴池	上海小西門車站路鳳德東里七號
陳敦厚	男	二十歲	台灣	台灣台南州斗六郡斗南莊
張錫堂	男	廿六歲	福建	台灣台中州豐原郡大雅莊花眉八十號
張森林	男	廿一歲	仝上	仝上十四號
張碧傳	男	廿六歲	仝上	台灣台中州豐原郡大雅莊花眉一百〇一號
黃榮村	男	廿二歲	仝上	台濤台南州北門郡佳里
黃之銘	男	十九歲	福建閩候	上海法界賈爾業愛路十三號
楊文瀚	男	十八歲	四川閬中	四川閬中三陳街十六號
葉際春	男	二十歲	安徽懷寧	上海小西門東站路鳳德東里七號
鄧文舫	男	仝上	湖北夏口	漢口西馬場袁家墩鄧太記
廖朝燊	男	廿二歲	福建	台灣台中州大屯郡西屯莊上石牌一百十四號
趙能穀	男	十九歲	浙江	紹興廣甯橋
蔡榮華	男	十八歲	廣東	台灣新竹州湖口紅毛莊茨頭一百七十八號

錢鼎乃	男	仝上	江蘇松江	松江東門東大街五十三號

二年級

丁成萱	男	廿二歲	江蘇如皋	如皋李堡市
王蘭	女	仝上	安徽當塗	安徽當塗縣東街
沈心馳	男	廿一歲	江蘇海門	海鎮麒麟鎮
沈濟蒼	男	廿四歲	江蘇南匯	上海浦東高橋鎮北街沈德元南貨號轉
沈本琰	女	十六歲	江蘇嘉定	嘉定城內萬年春藥號
馬伯孫	男	十七歲	江蘇寶山	上海英界海路一千七百八十七號
郭鴻傑	男	廿八歲	廣東文昌	廣東瓊州海口市太昌隆轉
陳元熙	男	廿四歲	江蘇松江	上海西鄉七寶鎮東永興南貨號轉李家橋
張驥	男	廿三歲	江蘇淮安	淮安河北張錫周轉
黃祖裳	男	十八歲	江西樟樹	江西樟樹三井巷二號
張壽山	男	廿一歲	江蘇宜興	無錫和橋棟墅港
費志清	男	仝上	江蘇武進	江蘇洛陽鎮
張永霖	男	廿八歲	福建	台灣台中州豐原郡大雅莊花眉八十四號
葉炳成	男	廿一歲	江蘇江陰	無錫華市
趙錫庠	男	十九歲	江蘇丹徒	鎮江大港西街趙大興宅
趙振業	男	廿一歲	江蘇崇明	崇明向化鎮第三小學校
劉子玖	男	廿四歲	安徽當塗	安徽當塗西十字街南首

劉文浦	男	二十歲	江蘇寶山	滬太長途汽車路羅店鎮乾豐號
劉漢章	男	二十歲	江蘇寶應	寶應北門外燈籠巷

三年級

孔谷蘭	男	廿二歲	江蘇南匯	上海法界外國坟山南黃河路培福里對面順興號轉交
余澤霓	男	二十歲	浙江餘姚	浙江杭州東街仁德堂藥店
沈香如	男	廿二歲	浙江慈谿	上海法界愷自邇路一百六十一號
周兆白	男	廿二歲	江蘇江陰	無錫顧山
倪作宏	男	廿二歲	江蘇寶山	上海閘北虬江路忠德里三號
唐景韓	男	廿一歲	廣東	上海北四川路崇業里二十二號
陳詠絮	女	十八歲	浙江上虞	上海同孚路大中里四百四十三號
徐恆吉	男	廿六歲	江蘇泰興	江蘇泰興口岸大泗莊
楊慶鴻	男	廿七歲	浙江江山	浙江江山二十八都
彭奇英	男	廿七歲	福建浦城	衢州轉浦城洋溪尾
鄒文凱	男	廿二歲	廣東梅縣	愛來格路秉安里二十八號
許慶涵	男	廿二歲	江蘇江陰	無錫祝塘鎮
顧甦人	男	廿二歲	江蘇南通	南通東南水關二十九號

四年級

余逸農	男	卅三歲	安徽來安縣	津浦鐵路滁州轉來安縣
余鳳智	男	三十歲	廣東台山	廣州西關寶思西二號

余傑	男		江蘇泰興	泰興宣鎮同春徐藥號
陳敬先	男	廿六歲	廣東潮陽	廣東潮陽縣豪山鄉致和堂轉
郭榮生	男	廿一歲	江蘇丹徒	鎮江九如巷
徐庚和	男		江蘇鎮江	上海九江路廿二號復新公司
項恕	男	廿一歲	浙江臨海	浙江海門杜下橋項大德藥號
黃昭光	男	廿一歲	甯波甬縣	鄞東南鄉徐東埭鑫和祥

本院為中央衞生會議廢止舊醫案宣言

陸淵雷擬稿

中央衞生會議。廢止舊醫案。上海中醫學團體開會力爭。敝院亦派代表列席。惟與到會之醫界聞人學說不同。意見不能無異。蓋中醫之學說。不合科學。中醫之治療。究過西醫。者為不可掩之事實。謂中醫當用科學方法整理其學說。則可。謂中醫當廢止。則不可。今醫界聞人所主張之理由。則謂中國醫學有四千餘年之歷史。國粹應當保存。西藥進口有一萬數千萬之漏巵。利權不可外溢。夫使中醫藥果不能治病。雖萬年亦所當廢。使西醫藥果能回生。雖億萬金亦所當買。以此為理由。無乃甚不充足。中醫藥不可廢之理由約有五端。

(一)中國經方。歷數千百年數萬萬人之實驗而得。效用極著。方法極簡。至東漢已燦然大備。其時歐西尚在草昧時代。近三百年科學突飛猛進。醫學始脫離哲學的理想而趨於科學的實驗。然人體之祕奧。究非今日之科學所能詳悉。西人亦知科學未足以解決醫藥問題。乃趨重於動物試驗。以求效方。西醫汪企張為破壞中醫最出力之人。嘗於時事新報發表議論。略謂『中醫之效方乃犧牲數萬萬人命試驗而得。至為不仁。吾(汪自稱)新醫之治療。固不能完善。然不忍以人命為試驗。故先以動物試驗。使效力以漸接近。然後試於人體』(以上檃括汪之原文)夫謂中醫效方出於人命試驗。乃莫須有之誣詞。中國醫學月刊第一號中。言中藥發源於單方。單方之發明由於人體之抗病本能。極有理由。可以取證。即使真如汪氏之言。則既經試驗所得之效方。將以其曾犧牲人命。故悉擯不用。坐待動物試驗之成功。然後治病乎。不用此效方。則犧牲於試驗而死者。可以復生乎。且使患病者不用效方而坐待不可必得之發明。則人命之犧牲於患病失治者何止數萬萬以此言仁寧非至愚夫能用中藥之效方者惟中醫則中醫不可廢也。

(二)衛生委員廢止舊醫之最大理由謂舊醫不知病原細菌學不能治法定傳染病且爲消毒豫防之障礙也夫消毒豫防固衛生行政之首務然按其實際亦徒唱高調而已日本厲行新醫五十年竭三島衛生家醫學家之力豫防一痲疹曾無少驗細菌學之無裨於衛生如此細菌原蟲爲最下等之單細胞動植物按生物學之定理動植物愈下等者發生於地球上愈早則病原菌之存在早在人類萌芽以前決非近代始有吾中醫向不知細菌向不知消毒豫防而深知消毒豫防之汪企張余雲岫輩乃發生於近三十年使細菌果能害人則華人之絕滅久矣然以本部十八省之面積計人口之密爲全世界冠可知細菌之毒初不因舊醫而蔓延西醫所用防疫諸藥多以菌體菌毒注入人體以引起其抗毒力夫以人工注射與自然感染者相去幾何今厲行消毒充其量不過減少病菌之傳染機會決不能將病菌殺滅無餘也然人體抗毒力反因減少傳染機會之故退化殆盡一旦猝染菌毒勢必爲病愈深西人愈講消毒而抵抗傳染病之力愈弱則消毒豫防之利害輕重正復難言至於傳染病治法西醫什九無效藥其由化學製成者惟六零六與九一四然所見梅毒患者經六零六九一四之治療而歸轉不良者比比皆是比令氏之白喉破傷風血清號稱特效然皆利用動物之天然抗毒力製成可知利用抗毒力爲治療傳染病之惟一方法中醫治傳染病實能補助病人之抗毒力惟事關學理決非尺幅之報紙所能盡今欲廢中醫而代以西醫則傳染病將愈不可治矣。

(三)中醫之學說不足取信於人中藥之效方已引起全世界之研究日本且設立東洋醫道會皇漢醫界社大張旗鼓宗師仲景漢醫之價值駸駸乎出德醫之上若在五十年前則德醫壓迫漢醫正如國內汪余輩之壓迫中醫也人方扶植吾則摧殘中國醫學從此常落人後矣。

(四)郭君雲霄者西醫而供職軍隊者也丁艱歸里親友求治病以鄉僻無從得西藥束手無術因歷舉中醫藥治效數事謂西醫亟應研究中藥原文見廣濟醫刊五卷四號夫中醫藥之治效出於西醫之口則非阿私之言且鄉僻之處無西藥舖者治病惟賴中醫藥今汪余輩欲廢中醫將僅廢都會之中醫歟抑悉廢全國之中醫歟由前之說則都會衛生而鄉僻不衛生由後之說則必使窮鄉僻壤遍設西藥舖而後可無怪汪余之被謚爲西藥推銷員也郭君與汪余同是西醫郭君謂西醫應研究中藥是西醫亦當用中藥也汪余欲廢能用中

藥之中醫。是國人皆須用西藥也。郭君之言不失爲公。汪余之作爲。乃一片私心耳。敝院以爲凡西醫學校。皆應加授中醫課。非特中醫不可廢而已。

(五)廢止中醫之後。中醫之失業者。人數尚不甚多。然從此國內無人能用中藥。則采醫販藥製藥之人。以中藥爲生計者。何止數千萬。將悉因汪余之一言而失業。使中藥果不能治病。猶可說也。今以效驗卓著之中藥。益以數千萬人之生計。斷送於汪余一言之私。困獸猶鬥。汪余雖欲安然銷西藥以業西醫。其可得乎。

對付方法亦有五端。

(一)作大規模之宣傳。使全國人悉知中醫藥將被廢止。患病者從此須悉受西醫治療。若鄉僻無西醫西藥之處。卽無從求治。而直接間接以中醫藥爲生計者。皆將失業。禍首厲階。實爲上海西醫汪企張余雲岫。

(二)中西醫於學理上業務上。皆有互相聯絡之必要。今因汪余輩一二人之故。引起中西醫藥界之惡感。須喚醒西藥醫界。將汪余逐出醫師公會。并請衞生局弔銷其營業執照。

(三)余雲岫等係三十年前留學日本之舊西醫。並非公衆衞生學專家。濫充中央衞生委員。不於積極的衞生行政上悉心籌畫。而乃假公濟私。廢止中醫藥。以遂其營業競爭之素志。應請衞生部立予。能斥並却囘其議案。

(四)由中藥團體組織委員會。嚴厲禁止中藥出口。斷絕西藥之原料。

(五)聯絡各地金融機關。與西藥業斷絕金融往來。非俟中醫藥有確實保障時。決不恢復友誼。

生於憂患。死於安樂。中醫藥界經此絕大打擊。急當淬厲自新。力圖振作。謹陳管見。用備采擇。

(一)請教育行政機關監督檢查私立各中醫學校。務使中醫學漸入科學軌道。不得沿用五行氣運等謬說。擇辦理最完善之醫學校。准其加入學校系統。以資模範。

(二)規定若干年後。非正式學校出身。不得掛牌開業。禁止私人收領學徒。

(三)中醫藥界當補充科學知識。衞生知識。行消毒手續。廢除各種不衞生之舊習慣。

（四）聯絡科學家西醫學家。切實研究中藥性效。以求新發明。

（五）丸散膏丹本當公開原方。但專利法未有確實保障。則事實上難公開。無已。則仿單上之效用。須令簡明確實。并須載明禁用之證候。不得濫載百病。使人茫無適從。

（六）混售僞藥。及濫售毒藥。皆間接破壞中醫藥之信用。須由藥業醫業會同組織委員會。從嚴檢查取締。

（七）西醫凡有新學理發明。一經公認。即全體推行。雖有德日派英美派之分。學理上仍相一致。中醫則金元而後。大分門戶。各承師說。不相統一。應組織學術研究會。存是汰非。歸於一致。

（八）醫藥各團體當實事求是。公開選舉。不得仍前近於包辦性質。

以上就敝院同人管見所及。略備芻蕘之采。醫藥界同志如有充分理由。加以糾正。敝院極願犧牲成見。如以爲一得之長可取。竟予推行。則敝院全體教職員學生。誓爲後盾。特此宣言。

醫林雋語

衡之

頭痛左牡蠣不寐夜交藤此吳昌碩先生嘲醫句也。上海醫生之醫學程度。此十字盡之已。

上海國醫學院院刊

民國十八年七月出版

第一期

定價大洋二角五分

定價表

每學期二册　一年四册

零售每册大洋二角五分　郵費在內

定閱長期　每四期大洋一元　郵費在內　郵票

代價九五折　限一分至四分

編輯者　上海國醫學院

發行者　上海國醫學院

發行所偷鷄橋三四一號

印刷者　華豐印刷鑄字所

總工廠林肯路一〇〇號

發行處　上海國醫學院

上海霞飛路華龍路口

電話三二二四二號

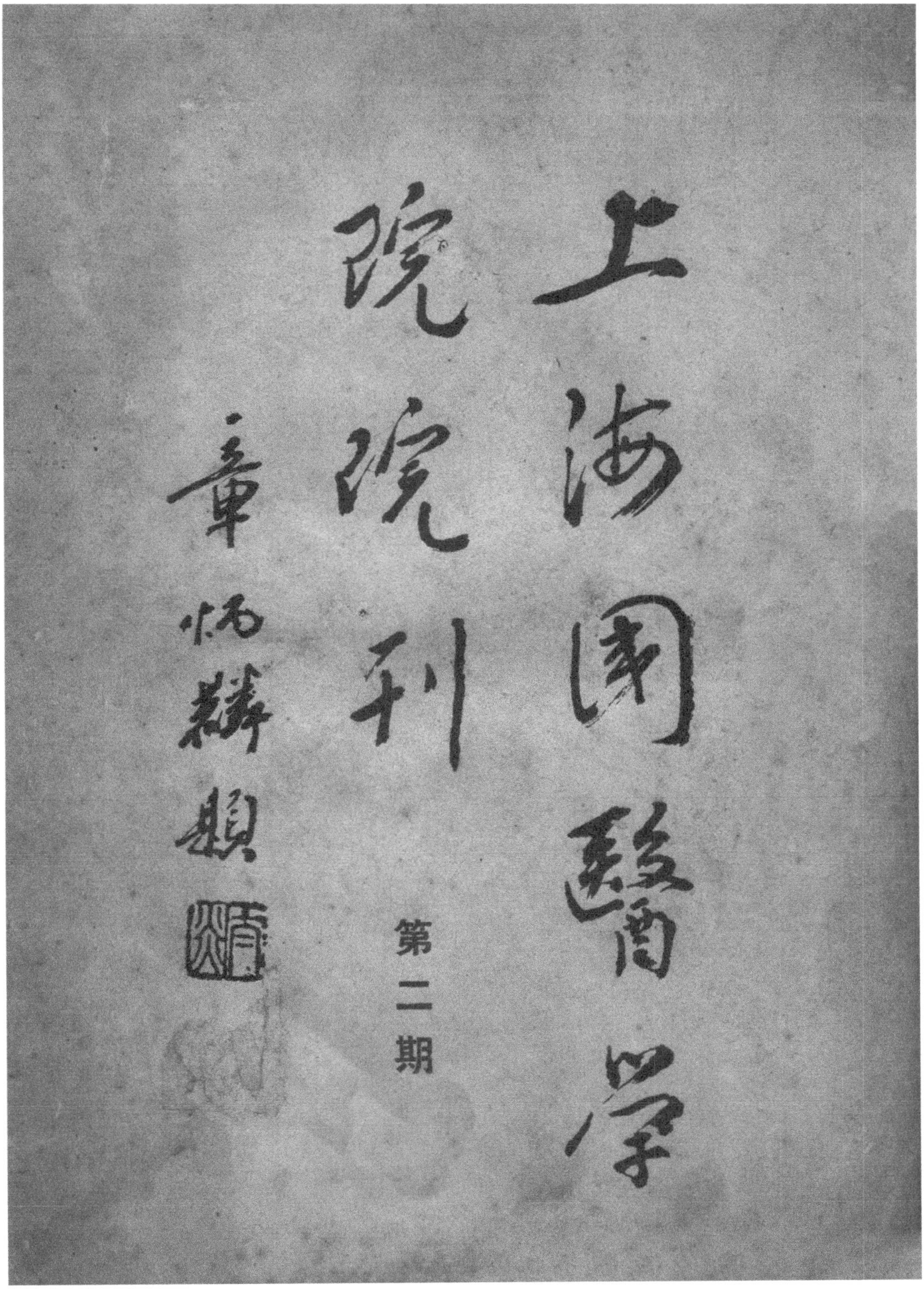
上海國醫學院院刊
章炳麟題
第二期

·白页·

上海國醫學院院刊第二期目次

譯述

名著介紹

章院長肖像

· 白 页 ·

專　著

張仲景事狀考

章太炎

林億傷寒論序引甘伯宗名醫錄。張仲景。名機。南陽人。舉孝廉。官至長沙太守。始受術於同郡張伯祖。時人言識用精微過其師。

太平御覽七百二十二引何顒別傳。同郡張仲景總角造顒。顒謂曰。君用思精而韵不高。後將爲良醫。卒如其言。顒先識獨覺。言無虛發。王仲宣年十七。常遇仲景。仲景曰。君有病。宜服五石湯。不治且成。後年三十。當眉落。仲宣以其貰長也遠。不治也。後至三十。病果成。竟眉落其精如此。仲景之方術。今傳於世。

皇甫謐甲乙經序。仲景見侍中王仲宣。時年二十餘。謂曰。君有病。四十當眉落。眉落半年而死。令服五石湯可免。仲宣嫌其言忤。受湯勿服。居三日。見仲宣。謂曰。服湯否。仲宣曰。已服。仲景曰。色候固非服湯之診。君何輕命也。仲宣猶不言。後二十年。果眉落。後一百八十七日而死。終如其言。此事雖扁鵲倉公。無以加也。仲景論廣伊尹湯液爲數十卷。用之多驗。

抱朴子至理篇。仲景穿胸以納赤餅。

案。何顒在後漢書黨錮傳南陽襄鄉人。別傳言同郡張仲景。則名醫錄稱仲景南陽人信矣。顒于郭泰賈彪爲後進。而能先識曹操荀彧。仲景與操彧殆行輩相若者也。顒別傳載王仲宣年與甲乙經序不同。尋魏志王粲傳。建安二十一年從征吳。二十二年道病卒。時年四十一。然則甲乙經序稱年四十眉落後一百八十七日而死。視何顒別傳爲得實。仲宣終于建安二十二年。前二十年遇仲景時。建安二年也。魏志粲年十七。以西京擾亂。乃之荊州依劉表仲景生南陽仕爲長沙太守南陽長沙皆荊州部。故得與仲宣相遇。然據劉表傳及英雄記。長沙太守南陽張羨叛表。表圍之。連年不下。羨病死。長沙復立其子懌。表遂攻幷懌。桓階傳。太祖與袁紹相拒於官渡。表舉州以應紹。長沙太守張羨舉長沙及旁三郡拒表。則建安四五年間事也。羨父子相繼據長沙。仲景不得爲其太守。意者先在荊州。與仲宣遇。表旣幷懌。仲景始以表命官其地。則宜在建安七年後矣。南陽張氏自廷尉釋之以來。世爲甲族。故廣韵列張氏十四望。南陽次於清河。仲景自序亦稱宗族素多。其與羨懌或爲一宗。表亦無所忌。觀桓階說羨拒表。城陷自匿。表尙辟爲從事祭酒。則於張氏同族愈無嫌恨可知也。何顒嘗與王允謀誅董卓。未遂而卒。計卒時未篤老。仲景則爲其所奬進者。自序稱建安紀年以來。猶未十稔。是在建安七八年中。傷寒論于是始作。上與何顒相校。其時不過中身也。抱朴稱仲景穿胸以納赤餅。其絕技乃與元化相類。而法不傳。魏晉間人。多以元化仲景並稱。其術之工相似也。計元化長于仲景蓋數十歲。何以明之。魏志華佗傳。時人以爲年且百歲。而貌有壯容。爲太祖所收。荀彧請含宥之。太祖曰。不憂天下當無此鼠輩邪。遂考竟佗。或以建安十七年死。元化死復在其前。而年且近百歲。其視仲景蓋三四十年以長。然兩人始終無會聚事。穿胸之術。亦不自元化得之。抱朴至理篇。淳于能解顱以理腦。元化能刳腹以滌胃。此則倉公已有刳治之術。仲景元化蓋並得其傳者也。元化臨死出一卷書與獄吏曰。此可以活人。孫奇以爲即金匱要略。亦無據。尋抱朴雜應篇。余見戴霸華佗所集金匱綠囊。崔中書黃素方及百家雜方五百許卷。明元化書亦稱金匱。奇乃誤以仲景相傳耳。仲景處荊州。元化譙人。蹤迹多在彭城廣陵間。故兩人終身不相遇。且甲乙經序稱華佗性惡矜技。焉肯謂佗人書能活人也。仲景在後漢書三國志皆無傳。史通人物篇曰。當三國異朝。兩晉殊宅。若元化仲景。時才重於許洛。何禎許詢。文雅高於楊豫。而陳壽國志。王隱晉書。廣列諸傳。遺此不編。今謂仲景事何顯。依劉表。交王粲。所與游皆名士。疑其言行可稱者衆。不徒以醫術著也。

論骨蒸五勞六極與某君書

章太炎

某某先生左右。據孫生膺若來言。有女子日發寒熱二次。自汗即退。顴如烟支。小便混濁。先生以爲虛勞難治。鄙意此證寒熱自汗。當非骨蒸。卽血痺虛勞之類耳。據外臺五勞六極與虛勞各爲一門。其治法截然有異。金匱所謂血痺虛勞者。卽外臺所謂五勞六極。外臺所謂虛勞者。卽傳屍骨蒸。亦苞肺痿在內。今人於此多不分辨。故治此而愈者。治彼則邈然無效。大氐肺痿應以鍾乳補肺湯救之。卽西醫用石灰質之義。骨蒸應以苦參青箱等攻之。絕不可用溫補。至五勞六極。乃病之淺者。雖甚疲憊。亦不遽死。此證寒熱自汗。自應以小建中調其營衛。營衛得諧。則寒熱自汗自止。至於色如烟支。血虛應有此象。小便混濁。凡寒熱交作者多。然亦不必爲旁光病也。以黃芪建中去大棗加茯苓。乃爲的方。此雖老生常談。而於此則爲確中也。如果眞是骨蒸。則前用大黃。乃是中病之藥。(古人治骨蒸多用大黃芒消)不應反至增劇。又沈存中稱去骨髓中熱無如柴胡。如果是骨蒸。則前用大柴胡湯何以反不效耶。鄙見如此。未識先生以爲然否。手肅卽問起居康勝。章炳麟頓首。

與余雲岫論脾臟書

章太炎

雲岫我兄左右。一昨論脾臟事。兄疑膍子油卽古所謂脾臟。而左脅下一器。日本人所謂脾者。古書何以不見。按釋名稱脾裨也。在胃下。裨助胃氣主化穀也。言在胃下。則爲膍子油甚明。難經稱脾扁廣三寸。長五寸。有散膏半斤。其言廣長之度。爲左脅下器。爲膍子油。雖難明白言散膏半斤。則明是脂子油也。但詩稱嘉殽脾油。月令稱祭先脾。今脂子油但可充面脂去垢之用。又時或煑以爲藥。而不可烹調爲膳。唯左脅下一物。今浙西稱草蘗底。江南稱夾肝者。味不甚美而頗可食。華佗別傳言有人病腹中半切痛。佗令臥破腹視脾半腐壞。刮去惡肉。以膏敷創。飲之藥。百日平復。言腐壞言惡肉。則爲草蘗底非脂子油可知。潛人書稱脾如馬蘗。今人或稱脾如刀鐮。皆是此物。則非徒日本人稱之爲脾。中國亦稱之爲脾矣。脂子油之與草蘗底。方位不同。然據靈樞經。(依太素本)脾大則善湊眇而痛。脾高則引季脅而痛。楊上善注。眇胠空處也。胠卽季脅。胠空處卽季脅下無骨處。其地位又與左脅下相應。恐此二物古人皆名爲脾。故或言在胃下。或言在胠空處。或言磨化水穀。或言用以爲殽也。且草蘗底中滿貯血液。而難經旣言有散膏。又言主裹血。則已混二物爲一矣。古人定名不正。兩器同號。往往有之。亦猶難經稱膽胃旁光爲靑腸黃腸黑腸。今人呼睪丸爲腎囊爾。至所謂脾藏營。脾統血者。古人雖未知脾生白血之事。然滿貯血液。則明明可覩。且藏營統血與磨化水穀分明是兩種作用。則亦必是兩種官器。兩器皆稱脾。此古人命名之失。其實則非有偏缺也。兄以爲何如。書肅。卽候起居。麟白。

再日本人稱脂子油爲膵臟。膵字不知何本。恐是膟字之誤。記祭義。取膟膋乃退。注血與腸間脂也。此以膟爲血。膋爲腸間脂。郊特牲。取胞膋燔燎。注直訓腸間脂。膟在腸上。古人通稱腸。間日本人遂誤爲膵耳。

評壇

余雲岫「科學的國產藥物研究之第一步」附子研究之研究（余氏原文載余氏醫述卷二）

何雲鶴

余嘗謂中醫至今日地步。中醫雖未絕傳。中醫學則已失傳。自議余氏「科學的國產藥物研究之第一步」所研究附子功效。后見同道頗有因其爲科學的研究。而採納其說者。或以爲附子有强心作用。或以爲附子有麻醉作用。或以爲附子有强心麻醉兩作用。作新本草之註釋。夫採人之長。從人之善。君子之道也。然採人之長而不修人之短。是太過于君子矣。同道採余氏之心得。而於余氏迷惘莫解之强心麻醉兩作用。處絕對相反他位。何以能集效於附子一身。復各隨疾患而見其效之利。不各隨疾患而見其效之害。則十年來未見有一人繼余氏作第二步之研究。以正最后之是非。是同道徒知揚人之善。而不知修人之不善。謂同道多循循奬善之君子、則處今日風雨飄搖。若斷若續之中醫命運中。若是奬善。實非自全之道。況今日中醫已被人鄙視爲無學之術。爲廿世紀怪物。稍有思想者。豈不知發揚己之長乎、循此語。則中藥之理。或亦隨中醫之理而云亡。爰草斯篇。質余氏並求正於海內大醫上工、且以驗中醫中藥之理是否眞已失傳。

「在未作研究之研究前。介紹已研究者之所得。俾讀者知所研究者已至若何程度。往后研究應取若何徑途。亦屬不可少之例。文今先介紹余氏對於附子之心得」因東西洋所產附子之成份。與吾華所產者不同。東西洋之藥學博士。其研究興味多止於其本國之附子。而吾華之藥學博士。在未得東西洋藥學博士臂助前。對於國產（中國）附子成份。確是如余氏云「現在還沒有知道。」既中華藥學博士對於附子成份無所貢献。余氏之研究附子。亦若日本傷寒家之研究傷寒方。從經驗入手。而再嵌入東西洋附子之成份。其所以如此者。蓋余氏以爲中醫之識藥。亦猶時醫之守方。徒憑經驗。莫識所以。再余氏固不承認中醫中藥有所以然之理。在從症識藥。中醫書籍雖夥。無有若傷寒論之詳且確。余氏乃于傷寒論。金匱五十三條症候中。歸納附子之功效如下。

（一）主脈沉微。 （二）主疼痛。 （三）主惡風惡寒。 （四）主厥冷。

(五)主痙攣。

余氏既以科學研究中藥爲目的。其意當然不自滿於藥效之其然。以其所得之西醫學。而研究附子五主症之所以然。

脈沉微。得附子而脈不沉不微。是附子有起脈之效。起脉之藥效。據余氏西藥之研究。惟强心劑興奮劑有之。附子能起脉。附子當然有强心興奮作用。

疼痛得附子而不疼痛。疼痛之發生爲知覺神經受刺戟。知覺神經之中樞爲大腦灰色質。止疼痛之藥效。據余氏西藥之研究。惟麻醉「末梢和中樞神經」劑有之。附子能止痛。附子一定有麻醉作用。

惡風惡寒與厥冷。得附子而不惡風惡寒不厥冷。是附子有强心或麻醉作用。因肌膚面血液不足。則體溫低而惡風寒。手足厥冷。强心而增加體溫。則肌膚面血液充。而不惡風寒手足厥冷矣。又血管運動神經若起收縮反射。則血管中血液不足。亦能現同樣症狀。若麻醉其神經。則血管放大。血液增多。肌膚卽溫暖而不惡風惡寒厥冷。

痙攣得附子而不痙攣。痙攣卽肌肉緊張攣縮也。得附子而愈。是附子有麻醉作用。使肌肉弛緩。

上述五效。經如此科學研究推測。余氏乃斷定附子有强心作用。麻醉作用。斷定附子具强心作用麻醉作用。於是問題隨之發生。卽麻醉作用。乃强制鎭定神經活動之作用。神經活動强制鎭定。則血行與心房活動亦銳減。甚至心臟麻痺而死。强心作用乃興奮血行與心房活動。心房血行活動增加。則神經活動亦興奮。故使附子眞有强心作用。決無麻醉作用。使附子有麻醉作用。決無强心作用。蓋此兩功效處絕對相反地位。猶化學之酸性與鹼性。決不能並存也。

東西洋附子成份曰 aconitin。其成份雖隨產地而稍異。然皆顯然呈麻醉作用。用后初則心臟自動中樞興奮。繼則麻痺而停止動作。吾華附子則不然。用后其藥效見於形能者。自始至終屬興奮血行。增加體溫。余氏因此懷疑吾華附子成份與東西洋附子不同。而曰「性質是興奮性多。麻醉性少。」夫余氏明明知興奮屬强心。麻醉屬制動。兩者處相反地位。勢不並存。今曰「興奮性多。麻醉性少。也未可知。」豈號稱實事求是。界限整嚴之科學研究。亦可若時醫之溝通中西。下似是而非稜模兩可之定義。或曰。余氏作此語。非全無理由。蓋但認附子有强心作用。何以能止痛定痙。止痛定痙。以余氏畢生東西洋藥學研究。惟麻醉劑具此效。但認附子有麻醉作用。何以能起脉散寒强心。起脉散寒强心。以余氏畢生東西洋藥學研究。惟强心劑具此效。東西洋藥理學。雖不承認麻醉與强心兩作用。能混合於一藥物中。且不發生中和抵消作用。然附子能止痛定痙。復能起脉散寒。歷試不爽。理論不敵事實。余氏乃下「麻醉性少。興奮性多之斷語。而臆測中國附子有特別之支那 aconitin 成份在。」

附子有強心興奮作用。不待余氏之語。而后人始知之。不待余氏以東西洋藥理研究而后人始信之。傷寒論著者張仲景氏早已知之。亦已明言之矣。讀者有疑鄙人之言乎。則請一讀傷寒論之言附子證者。太陽病上篇桂枝湯加附子證曰。「太陽病。發汗。遂漏不止。其人惡風。小便難。四肢微急。難以屈伸者。桂枝加附子湯主之。」此條亦即余氏所舉研究附子功效之傷寒論金匱五十三條原文之第一條。各家註釋對於此條病理。議論龐雜。惟成氏之云陽虛汗多爲最中肯。言陽虛。余氏或將掩耳疾走。以爲荒謬不經矣。但若再一讀同篇大青龍方后之服藥法。「溫服。取微似汗。汗多者。溫粉撲之。汗多亡陽。遂虛。」則此處之陽字。明明言體溫無疑。汗多能耗散體溫。人身體溫。欲在肌膚放散。惟有出汗一法。此語想不至爲科學西醫所否認。體溫放散過多。則體溫減低。體溫減低。則血管與心房活動亦銳減。如此現象。在西醫曰。心力衰弱。在中醫曰。陽虛。太陽病者。熱病而體溫重心在肌膚者也。熱病重心在肌膚。發汗而病不解。反汗出不止。因汗出不止。一方面體溫耗散而減低。現惡風四肢微急。難以伸屈之體溫不足。心力衰弱陽虛症。一方面汗多傷津液。現小便難。四肢微急之脫液症。太陽病未解。仍是桂枝湯所主。復加陽虛症。則加附子。與嘔加半夏無異。脫液由于陽虛出汗。汗止津液可自復。故不另加益津藥。附子之用。完全爲救陽虛。救陽虛即是回陽振陽。與救心力血行衰弱。即是強心興奮。意義完全相同。所不同者。一是東洋近代流行術語。一是中華中古流行術語。故曰。附子之云有強心興奮作用。不必自余氏言之。而后人知之信之。傷寒論一書。近人頗多以爲屬經驗書。有事實無理論。是醫術。非醫學。鄙人頗不贊同。古今惟有學理之事實。始可屹然不毀。卓立千古。傷寒論經驗之有價值。正因其經驗基于貫一之學理。此意鄙人在上海國醫學院時病講義中發表一斑。今試轉錄之。

「……上略。論學理之書。莫善於素問。論方藥證治之書。莫善於傷寒論。近人以傷寒論但列方辨症言治。而不及病理。以爲古人重証重藥。不重學理。不知仲景傷寒論立綱分目。辨症處方。嚴密整齊。非有洞達外感著病后。種種病理變化。何能至此。彼之略病理。爲便利有志醫者。易於行道濟世也。蓋醫理之邃。非醫學家不能爲良醫。成醫學家須具天才。復須經長時間之研究。學成而后問世。能有幾人。而庸醫之殺人。與時病之猖獗又若是。不速成治療人才。人之死亡於疾病。將益不可收拾。此著傷寒論之初衷。……下略」

故余氏對於附子研究成績。對於同道介紹附子功效成績。可云止于「麻醉性。」夫余氏之中醫學雖不過中才之列。然余氏所集傷寒論金匱五十三條附子證可稱已盡歸納能事。獨憾其不能由此分精華。別糟粕也。然無論所集條文是精華也。糟粕也。其用附子多爲强心回陽。而非麻醉制動。如余氏在疼痛項下所集附子主疼痛之十二證。在甘草附子湯所主治之骨節煩疼。掣痛不得伸屈。近之則痛劇之下。略去汗出短氣。惡風不欲去衣之陽虛症。(7)在桂枝附子湯所主治之身體疼煩。不能轉側之下。略去脉浮虛而濇之陽虛症。(6)在附子湯所主治之身體骨節痛之間。略去手足寒。脉沉。之陽虛症。(11)在眞武湯所主治之腹痛。四肢沉重疼痛之上。略去少陰病之下。略去自下利之陽虛症。(15)在通脉四逆湯所主治之腹痛咽痛之上。略去少陰病。下利清穀。裏寒外熱。手足厥逆。脉微欲絕之陽虛載陽症。(17)在四逆湯所主治之身體疼痛之上。略去下利清穀不止之陽虛症。(23)在四逆湯所主治之頭痛之下。略去當救其裏。與上文(23)相同之陽虛症。至於金匱。鄙人以爲非仲景書。苟是眞本。全書十之七八亦屬僞撰。且全書一無綱領系統。余氏見此語。或將謂鄙人知難而退之遁詞歟。然書雖失眞。論用附子。尙不十分出軌。試再論之。在頭風摩散所主治之頭病。雖有方無證。程氏及金鑑以爲宋人附方。據三因附子摩頭散(藥同)所主治爲沐頭中風。多汗惡風。是亦陽虛證。(24)在桂枝芍藥知母湯所主治肢節疼痛之下。略去身體魁羸。脚腫如脫。頭眩短氣之陽虛衰弱失運症。(38)在薏苡附子散所主治之胸痺。乃屬陽虛氣滯之痺痛。其論曰。「陽微陰弦。卽胸痺而痛。所以然者。責其極虛也。今陽虛。知在上焦。所以胸痺。」(34)烏頭赤石脂所主治之心痛徹背。背痛徹心。亦是胸痺症。(40)附子粳米湯治主所之腹中雷鳴切痛之上。略去腹中寒氣之陽不足症。(41)大黃附子湯所主治之脅下偏痛之下。略去此寒也。以溫藥下之之陽不足症。

又余氏在痙攣項下所集附子證。其斷章取義。亦復如是。今再續論之。在甘草附子湯所主治骨節煩疼。掣痛不得伸屈。條下。略去汗出。惡風不欲去衣之陽虛症。(7)在桂枝加附子湯所主治之四肢微急。難以伸屈之上。略去發汗。遂漏不止。其人惡風之陽虛症。(1)在眞武湯所主治之振振欲擗地之上。略去發汗。汗出不解之陽虛症。(14)在通脉四逆湯加猪胆汁所主治之四肢拘急不解之上下。略去汗出而厥。脉微欲絕之陽虛症。(21)在四逆湯所主治之脚攣急之上。略去自汗出。微惡寒。及重發汗之陽虛症。(22)四逆湯所主治之內拘急之上下。略去大汗出。下利厥逆而惡寒之陽虛症。(29)四逆湯所主治之四肢拘急之上下。略去吐利。汗出。手足厥冷之陽虛症。

由此觀之。在附子所主治之疼痛痙攣。同時必見體溫不足。血行心力衰弱之陽虛症。是附子之治疼痛痙攣。非一切之疼痛痙攣。乃陽虛體溫不足。心力衰弱所致之疼痛痙攣。統余氏所集五十三條文。皆不離此例。是附子明明爲單純之强心興奮。增加體溫。散寒藥。並無痲醉作用。此事余氏似亦若知之故曰。「aconitin 對於心臟的作用。是什麼樣呢。最初的時候。心臟的自動中樞被他刺戟。就興奮起來。心的跳動覺得很活潑。後來慢慢的痲痺起來。心臟就不動了。動物就死了。……中略……我們的附子。照仲景方看起來。似乎他的興奮作用。强心作用。是最有價値的。並沒有說到什麼虛脫。什麼心臟痲痺」。余氏既知之。而猶倡「附子的止痛。一定也是有痲醉性的緣故」者何也。曰。困於東西洋生理病理藥物治療學。而不知疼痛痙攣之病理。與順自然之治療。

疼痛之感覺。誠如余氏言。由于知覺神經生痛之知覺。知覺神經所以生痛之知覺。亦如余氏言。由知覺神經受意外刺戟。（惟刺戟之範圍頗廣。不止余氏所云化學與器械二種。）素問曰。治病必求其本。疼痛之發生。爲受刺戟。刺戟爲生痛之原。亦卽病之根。既刺戟爲生痛之原。成痛症之根。則治療大法。無論中西醫家。當然以去疼痛之原之根。爲最正當辦法。蓋病原病根。一日不去。病一日不能全愈。刺戟一日不去。神經一日不能恢其原狀。而不受痛之壓迫也。然而按照最新最有科學價値之治療。爲痲醉神經。使神經木然不知痛。誠令人有莫測高深之概。鄙人於此擬一譬喩。眞似帝國主義之侵略壓迫吾國。予吾人莫大痛苦。試問吾人欲免痛苦。最正當辦法。是否努力革新。使抱帝國主義者無隙可乘。再行侵略。若神經疼痛之去其根原刺戟。然刺戟去。則神經不受壓迫。而痛自已。抑逆來順受。忍耐鎭靜。若神經疼痛之行痲醉治療。然置之不理。並不問其根原刺戟。刺戟日日壓迫。則日日行痲醉治療。如此比擬。是否有當。有識者想可不言而喩，毋勞鄙人多饒舌也。

因刺戟有種種原因。神經所受。亦分種種刺戟。而去刺戟止痛之法。亦隨種種刺戟而異。例如同一頭痛。有血衰血液不足。神經失養之頭痛。補其血。頭卽不痛。有大便閉塞。腸胃神經反射之頭痛。通其大便。頭卽不痛。有火盛充血於腦之頭痛。降火瀉其充血。頭卽不痛。有感冒風寒之頭痛。發散其風寒。頭卽不痛。且此類頭痛。都不適于用痲醉止痛劑。用之。又都無大效。蓋病原不去。今日用痲醉劑。今日神經受痲醉而木然。迨至明日。藥效失后。痛仍發作。余氏所集附子止痛證。亦有頭痛證在。何以余氏對於附子之能止痛。必云「附子的止痛。一定也有痲醉性的緣故」。豈如此之生理成病理。及藥物治療。由病理恢復生理之順自然學理不知耶。夫痲醉止痛。非無其主治之處。特以痲醉止痛。概括一切。有坐井測天。抹殺一切之武斷矣。再讓一步說。痲醉藥之痲醉止痛。屬普徧性。卽無論何種頭痛。及其他疼痛。皆有片刻暫安之效。如近日市上流行之痲醉性止痛藥等。附子在實驗上。是否有此效。充血或大便閉之頭痛。用附子是否能暫時止痛。恐非特無暫時止痛。反將大痛而特痛。痛且增進。故余氏所主附子有麻醉性。恐亦若西方科學家之信崇以太同屬想當然。而無事實。與時醫之言五行生尅有百步與五十步之比矣。附子既無麻醉性。即其止痛果如何而能止。則曰。凡因寒甚。體溫不足血行心力衰弱。致神經因得溫力不足。受外寒壓迫。緊急收縮生痛者宜之。逾此則無效。吾人在嚴冬時出外。常覺面部及兩耳痛若刀刺。若其時以手觸面耳。立覺其冷如冰。所以如此者。外界空氣寒冷過甚。體內體溫受寒冷之逼。不達面部肌膚。面部肌膚神經失血行之溫。復加外寒之刺戟壓迫而生疼痛也。迨至返家。得溫水一洗面。再服熱茶一杯。面部立覺和暖。其痛立止。且不再發。幷不必用麻醉止痛劑。陽虛生外寒。與附子之止痛。其原理亦如此。

痙攣云是肌肉緊張攣縮現象是也。然發生此現象。亦因受刺戟。亦以刺戟為痙攣之病原病根。以刺戟為病原病根。則治療正當辦法當然亦是去刺戟。因有種種刺戟。遂亦有種種治痙攣之法。附子所主治者為肌膚因體溫不足。血行心力衰弱。受外寒壓迫。致肌肉起緊張攣縮之痙攣。其藥效與止痛原理。完全與治疼痛同。故不復舉例。

五行碎語

衡之

醫家者流。源出於巫。後世分涂。然未能盡淘陰陽天地五行之說。近今之治醫者。不學無術。學術之源流本末。知者絕鮮。故於五行陰陽幽眇難稽之詖說。猶鍥而不舍。此亦自躋於巫卜之賤者矣。

雜俎

整理中醫學說芻議

陸淵雷

當以傷寒論。金匱要略。肘後方、千金方。外臺祕要。本草經。名醫別錄等方書藥書。爲主要科目。

不當以素問靈樞八十一難等議論之書爲主要科目。

當根據科學。以解釋醫理藥理。

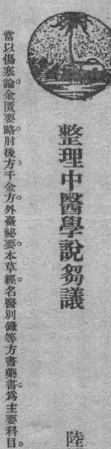

國醫之勝於西醫者。在治療。不在理論。素靈(卽內經)八十一難(卽難經)等理論之書。多出於古人之懸揣。不合生理解剖病理。時醫不察。尊奉之以爲醫學之根柢、自招物議。引起廢止中醫之危機。此大不智也。惟經方自傷寒論金匱要略。以至宋之局方。皆憑證候以用藥。無空泛之理論。本經別錄言藥性。亦但言某藥主某某諸證。皆由實驗。無悠謬空虛之論。金元以後。始采素靈之說。以解釋病證方藥。此實中醫學之墜落。不可從也。今年夏間。總聯合會開教材編輯委員會。敝院代表主張將素靈諸書作爲參考研究之書。在醫校後學年內酌量講授。不作主要課。而在會諸君爭持甚力。不蒙采納。竊謂此種主張。雖若驚世駭俗。實有極充分之理由。關係學說之標準。卽關係中醫之存亡。不憚辭費。臚陳於後。倘蒙贊許。則中醫藥前途幸甚。

素問之書。隋唐以前醫家。殊不甚措意。外臺博引諸經方之論。無有據素問以立說者。注釋素問之人。隋之全元起。唐之王砯。最著。而歷代目錄。並無二君之方書。知二君非醫家矣。故隋唐以前醫家。皆不講素問。講素問者。乃非醫家。由是言之。素問本非醫書。較然明矣。特其書多涉醫事。故漢志列入醫經耳。然史記倉公列傳。載倉公受師於公乘陽慶。陽慶謂其書有上下經。五色診。奇咳術等。今考倉公醫案中所引。皆非素問之文。倉公少而喜醫方術。及見公乘陽慶。陽慶謂倉公曰。盡去而方書。非是也。夫素問之書。固出倉公之前。安知非倉公所素習。而陽慶所盡去乎。且中醫學之大體。在於湯藥治病。素問空論。於湯藥殊無關係。習醫但求能用湯藥。雖不讀素問可也。或有爲素問訓詁疏通。亦不過講明古書。非可施諸實用。譬如管子爲政治書。然講管子者。不可以爲政治家。墨子多論機器。然講墨子者。不可以爲工程師也。至於五運六氣之說。最受西醫攻擊。其說乃出於天元紀等七篇大論。此七篇者。王砅所補入。又非素問原書。時醫反鍥而不合。至死不肯放棄。自招攻擊而不悔。此則讀書不明源流本末之過也。靈樞尤晚出。不與素問同時。其書專論鍼刺。或以爲依傍甲乙經以僞撰。八十一難論脈法。本爲解釋素問。而時與素問抵牾。其爲僞書。久有定論。二書又皆非素問之比。就書籍源流上考之。此等書。不當采爲醫校教材。亦已明矣。

大論(傷寒論)要略(金匱要略)諸書。則異於是。例如頭痛發熱汗出惡風。桂枝湯主之。今試用桂枝湯於此等病。如響斯應。夫醫家之目的。治病而已。病已治。則不言其理可也。經方但言某方主某某諸證。而未嘗言其理。非欲不言。在當時之知識。其理有未可知也。後之人智不足知而不肯自居於不知。於是援靈素以爲解釋。乃謂風傷衛。榮弱衛强。桂枝湯調和榮衛。(榮衛之說出自靈樞大論言榮衛者三數條。詳其辭氣。皆是叔和。非仲景之舊) 又謂風邪傷人。桂枝祛風。是一病一方。已有二解說矣。又有引天元紀之文。主水本寒標熱之說者。則尤荒誕不可究詰。試進而問之。榮是何物。衛是何物。榮弱衛强。何故致頭痛發熱汗出惡風。桂枝湯又以何種作用而調和榮衛。若謂爲風邪。則無人無日不吹風。何以他人不病。而此人獨病。桂枝又如何祛風。如此追問。吾知其必瞠目不能答。卽或引素靈以强答。亦但以糊塗理自解糊塗話。愈解愈糊塗而已。夫經方治病。明白了當。事實昭然。本可取信於世界。今乃引素靈以糊塗之。以自取滅亡。是誰之過歟。就學說興亡上言之。素靈諸書。不當采爲教材。不更明乎。

今試舍素靈。以今日之科學知識爲解釋。則其理明白切實矣。蓋淺層動脈充血。故脈浮而發熱。汗腺分泌過度。故汗出皮膚上之汗液。遇風而蒸發。蒸發必吸收熱度。故惡風。桂枝湯之主藥爲桂枝芍藥。桂枝之主成份爲揮發油。揮發油能刺激血管神經。以整調血液之流行。芍藥之主成份爲安息香酸。安息香酸能刺激痙攣中樞。故能收斂血管。桂枝氣厚。則外達。芍藥氣薄。則內行。人體之常理。一部份血管弛緩而充血者。他部份必血管收縮而貧血。桂枝證淺層血管弛緩。知其深藏血管必收縮。用桂枝以整調深層血管。芍藥以收斂淺藏血管。則肌表之充血自平。發熱自止。汗液亦不復漏泄矣。以此解釋。處處近情着理。有科學實驗爲根據。雖令黃髮碧眼之醫博士聞之。亦當心服首肯。何苦爲素靈作忠臣遺民。抱殘守闕。自取滅亡哉。

敝院同人。苦心研究。所教功課、大抵類是。竊以爲整理學說。發揚中醫。舍此當無他法。同人犧牲一己之私利。爲中醫界闢坦途。自問當無罪於天下。豈知二三醫人。狃於見聞。排除異己。毀謗破壞、無所不至。或謂敝院不中不西。非驢非馬。或謂敝院能空談。不能實用治病。甚則謂敝院不能勝西醫之壓迫、俯首乞降。賣國求榮。爲中醫之罪人。夫敝院淬厲自新。亦欲爲中醫張皇學術。存亡續絕耳。若使素靈爲己是。舊說爲已足。則彼二三醫人者。固守篤信。亦既有年。何致受西醫攻擊。岌岌而不能自保哉。已則不能。而忌他人之能。爲中醫之罪人者。果誰歟。更有一事。須明辨者。敝院宗師仲景。實用經方。而時人或謂仲景北方人。其法不可以治南方病。或謂古法不宜於今人。不知仲景爲涅陽人。漢之涅陽縣故城。在今河南鎮平縣南。地瀕白水。白水南流入漢。漢流入江。以山河兩界言之。其地在北嶺之南。長江流域、實非北方。況仲景爲長沙太守。即今湖南省城。更在大江以南乎。若謂古法不適於今人。不知漢末至今不足二千年。造化之運行。二千年曾不能以一瞬。而謂古法不適於今人乎。且時醫不能用仲景方。則謂之北人。謂之古法。及其書方立案。又喜引素靈以自重。不知軒岐史迹。遠在幽燕。年代且四千餘載。軒岐之於仲景。孰北孰南。孰近孰遠。可謂自相矛盾者已。日本復興漢醫。一以仲景爲宗。上不取軒岐。下不取劉李張朱。至於葉天士吳鞠通之徒。更未嘗一掛齒頰。我中土醫人。昧於決擇。亦可以借鏡而自鑑焉。故敝院所主張之教材標準。人物則仲景。書籍則傷寒金匱肘後千金外臺本經別錄。方法則科學。謹獻芻蕘。佇候　明教。

正氣與治療之關係

祝味菊

中醫治療。向重正氣。凡疾病之得失輕重。皆視正氣之有無强弱爲轉移。但正氣二字。在人體上究爲何物。竟有此種左右疾病之能。從近世科學中揣摩推測。吾以爲中醫之所謂正氣。卽西醫所謂自然療能是也。何謂自然療能。組織人體之細胞。各個皆有獨立之生活機轉。凡有益於生活者則取之。有害者則棄之。若遇外因侵害。則起反應作用以抵抗之。此反應作用。名曰自然療能。（如發熱咳嗽嘔吐下痢膿潰之類）自然療能。所以使疾病有自然全愈之傾向。疾病之全愈或死亡。亦視細胞之自然療能缺乏與否以爲斷。華此以觀。正氣與自然療能。皆有轉移疾病之權力。皆爲疾病之重要關鍵。其勢力與作用。實一而二。二而一者也。故正氣二字。卽視爲自然療能可也。

正氣之意義既明。更進而言其與治療之關係。夫正氣爲人體之要素。任何人不能離正氣以生存。亦任何醫學不能捨正氣以救人。醫學之爲用。不過輔助正氣以調節病變而已。順正氣者生。逆正氣者死。此自古治療之大法也。吾國醫學。於治療上所以能奏偉大之功效者。亦卽古聖敎人尊崇正氣之故耳。仲師傷寒金匱兩書。爲自來醫家之寶函。其立法處方。無不以正氣爲重。觀其病之在表者。或雖在裏而症狀有向外牴抗之勢者。必諄諄然以下爲戒。例如太陽病。外症未解者。不可下也。下之爲逆。又曰。太陽與陽明合病。喘而胸滿者。不可下之。又曰。結胸症。其脈浮大者不可下。下之則死。蓋太陽病未解。喘而胸滿。其脈浮大。皆正氣抵抗病變之表現。倘醫不能助其向外調節而反下之。則與正氣背道而馳。故曰逆。逆則有傷正氣。引病內陷。病變百出矣。然猶恐後人忽視而不置信。則又列舉誤下之變。如下後脈促胸滿。下後其氣上衝。下後續得下利清穀不止。數下之遂協熱而利諸條。其所以反覆聲明者。蓋無非此意耳。又觀禁汗諸條。如衄家不可發汗。咽喉乾燥者不可發汗。亡血家不可發汗。瘡家雖身疼痛不可發汗。汗家不可發汗之類。其禁汗之目的。或則因貧血。或則津液缺乏。或則體溫不足。凡此皆細胞生活機能衰弱。正氣不足之症。治療上宜探其原因以補益之。鼓舞之。若復發汗。則細胞勢力愈衰弱。正氣愈不足。而病變亦愈重。此仲景提出禁汗諸條之用意也。再就太陽病症狀及方劑而論之。脈緊。頭項強痛。肢疲而痛。惡寒發熱。等證狀。皆爲正氣抵抗病變之現象。而非疾病之本體。蓋延髓中之生溫中樞。受外邪毒素之刺戟而興奮。其結果爲體溫昇騰。此時體溫調節中樞起救濟作用以調節之。其方法即放散異常之體溫於體外。故中樞陸續輸送含有害物之血液於表層。以期努力放散。此即正氣之自然妙機也。但同時因汗腺閉結。終不得發汗。使無從輸泄之血液。迫於筋肉。故頭項強痛。肢疲而痛。欲洩而不得洩。故惡寒發熱。淺層動脈充血。故脈息浮緊。倘人體無正氣向外抵抗。則此等症狀從何而生。且亦不得稱爲太陽病矣。麻黃湯。葛根湯。大青龍湯。皆辛溫發汗劑。皆所以補助正氣之不及。使蝟集於表層之有害物驅逐於體外也。設不此之圖。於此時而用西醫之冰囊及冷水浴等療法。則未有不殆者。故仲景曰。病在陽者應以汗解之。亦此意也。又如陽明實症。因病機不能外達。持續日久。正氣失其機轉。有害物質遂深集於體內消化器官。故現神昏譫語壯熱便秘之症狀。病在裏。則非下劑不可。三承氣湯。桃核承氣湯。皆掃蕩有害物質之劑。隨病變集積之程度與病人體質之差別而選用之。此去其害因以恢復正氣之機轉也。至於三陰爲病。多屬細胞生活力衰弱。正氣不足。故治療亦多補養鼓舞之劑。由此以觀。治療不過爲除去外因恢復正氣。或補助之。鼓舞之。以促其治愈之方法而已。內經所謂治病當求其本。順其志。即此之謂也。至於疾病之治與不治。不在藥石之功效。而在正氣之機轉。苟正氣機轉消亡。則死病無良醫。雖古醫聖復見於今日。亦將束手無策。付諸命運而已。昔扁鵲治虢太子之尸厥也。天下皆歎其能生死人而肉白骨。扁鵲辭曰。「自生者我起之。」觀此可爲佐證。

綜上所述。可作一結論曰。正氣因病變而不足者。必借重於治療。而治療必須顧正氣。二者宜相輔而行之。不然。捨治療而徒賴正氣。不特病之經過太久。且將發生他種變化。若捨正氣而專事治療。則藥石亂投。救人無數矣。

說文所說五藏與五經異義不同考

文安縣舉人　蔡如梁

五經異義。今文尚書歐陽說。肝木也。心火也。脾土也。肺金也。腎水也。古尚書說。脾木也。肺火也。心土也。肝金也。腎水也。許愼以爲月令春祭脾。夏祭肺。季夏祭心。秋祭肝。冬祭腎。皆五行自相得。則古尚書是也。說文。心。人心土藏。在身之中。象形。博士以爲火藏。所謂博士說。則今文家言也。說文所稱。皆古文。許君自叙。固明言之。而今本說文云。腎水藏也。肺金藏也。肝木藏也。皆用今文。殆後人妄改。其稱肺爲火藏。見于一切經音義所引。推之肝脾。亦必用古文說无疑也。攷叔重之學。出賈侍中。本治古文家學者。則叔重之重古文可知也。五藏之說。主古文者。叔重而外。惟見于子雲太玄。而漢初醫家。亦用古文。史記倉公傳。診濟北王女子侍者云。豎傷脾。不可勞。法當春嘔血死。又論齊丞相舍人奴病云。此傷脾氣也。當至春鬲塞不通。不能飲食。此皆以脾爲木。故至春或死或劇。春木德所王也。或曰、倉公云。傷脾之色也。望之殺然黃。又云、胃氣黃。黃者土氣也。土不勝木。故至春死。此非謂脾胃屬土乎。又診齊中郎破石病云。肺傷不治。當後十日丁亥死。此非言肺金不勝丁火乎。應之曰、未然也。傷脾之色。望之殺然黃矣。其下不又云、察之如死青之茲乎。史文云、病者胃氣黃。黃者土氣也。土不勝木。此但以黃爲土。不謂胃爲土。更不謂脾爲土也。吾又疑史云、胃氣黃。胃爲誤字。其云病者胃氣黃。是不病則不黃也。胃之氣在腹中。何由察知其黃不黃乎。古書多誤字。不足據也。肺傷後十日丁亥死者。蓋期以後十日死。而其日適値丁亥耳。非謂肺病必以丙丁日死也。此豈可傅會肺爲金藏之說哉。自素問以下。醫家諸書。皆主今文。故鄭康成駁五經異義。惟以醫家之法爲證。其言云、今醫病之法。以肝爲木。脾爲土。肺爲金。腎爲水。則有瘳也。若反其術。不死爲劇。又自知其說不可通。於是强分五行之氣與位爲二。其大旨謂以上下左右中之位言。則脾春肺夏心中肝秋腎冬。以金木水火土之氣言。則肝木心火脾土肺金腎水。月令以位言。不以氣言。然因時以得氣。因氣以定位。無二理也。又案周禮疾醫注云。五氣。五藏所出氣也。肺氣熱。心氣次之。肝氣涼。脾氣溫。腎氣寒。賈疏云。肺在上。當夏。心在肺下。肝在心下近右。其位當秋。脾於藏直春。腎位在下。於藏直冬。此亦據月令言。並無氣與位之別。與許說正相脗合。而駁異義。乃強置辯以攻許說。此特牽於醫家之說而不知醫家之說不足據也。夫叔重以月令證古文家說自是確據不可易者月令一篇出呂氏春秋時尚近古所采輯皆三代舊聞自足徵信非若素問靈樞諸書託之上古實出後人也。獨是主古文說五藏者。求之漢人書中。今可見者已尟。淮南子精神訓云。肺主目。腎主鼻。膽主口。肝主耳。高誘註肺象朱雀。朱雀火也。腎象龜。水也。肝金也。又云、膽爲雲。肺爲氣。肝爲風。腎爲雨。脾爲雷。以與天地相參也。而心爲之主。高注膽金也。肺火也。肝木也。腎水也。心土也、案淮南所言諸藏。未及五行。高氏强合之。恐非淮南本旨。然肺火、腎水、肺金、心土、皆用古文家說。亦足以發明古誼。惟肝膽並言。則文以膽爲金。以肝爲木。疑肝木也乃是脾木也之誤。然高氏注呂覽十二紀、及淮南時則訓。皆兩說並存。以肝木脾土爲用其所勝。以肝金脾木爲自用其藏。而以自用其藏爲後一說。夫春木勝脾土。夏火勝肺金。秋金勝肝木。爲用所勝固然矣。而中央土何以勝心火。至冬水宜勝心火。而何以反用腎水。此不可通之說。不若自用其藏說顯而誼碻也。又南齊書五行志引洪範五行傳云、心者。土之象也。洪範五行傳原書久佚。斯殆古說之僅存者耳。此外可以證古文家說者。不可多見。自康成而後。治鄭氏之學者日衆。相承已久。堅不可破。遂不復知有古文家說矣。又案白虎通義。五藏之說數見。皆主今文。又春秋元命苞言五藏者。亦數見。並用今文。蓋康成以前。今文之說已盛行。攷今文之學。肇于漢初。尚在古文之前。自伏生口授尚書二十八篇。厥後學者相承不絕。最後有歐陽大小夏侯三家。並立學官。而古文自漢武時孔安國始傳。學未甚顯。故漢人大率皆習博士。讀通今文家言。至於古文。非篤古好學之君子。不能明也。醫家所用。皆今文家說。張仲景爲醫學之大宗。而所著金匱傷寒兩書。亦相沿不改。然仲景書自病證藥方外所備五藏脈法大氏皆王叔和叔和語和爲傷寒敘例云。今搜輯仲景舊方。用備世急。是其明證矣。叔和著書。雖本今文家言。要之五藏之說。古文實較今文爲尤翔碻足據。近者歐洲醫法。五藏部居。一同月令。益信古文之說爲不誣。夫說不稽諸古。不足以徵信。事不驗之今。亦不足以核實。歐洲叛法。必別闢町畦。不踵中國故轍。而言五藏部位。乃一一與古文之說同。此以見實事求是之學。雖世隔數千載。地去數萬里。儼若符節之合。夫儒先遺聞。存於今者無幾矣。間有之。又爲俗說所蒙。學人罕能道。然則歐洲之術。固足珍惜也歟。

發皇古義融會新知

本院院訓

前題

高陽縣增生李春輝

五藏配五行。舊有兩說。謂脾木肺火心土肝金腎水者。古文家說也。謂肝木心火脾土肺金腎水者。今文家說也。許叔重五經異義。主古文。引月令春祭脾。夏祭肺。季夏祭心。冬祭腎。爲證。而說文則說肺脾肝均用今文說。心、則仍主古文。其說曰、心土藏。在身之中。象形。博士以爲火藏。叔重素治古人家言。二書並出其手。而立說兩歧。讀者疑焉。說文心部兩說並舉。而以今文爲後一義。許君自序。其偁皆古文說。其間引今文者。所廣異義。非疏舛也。至肉部專取今文。殆淺人妄改。非許君之舊。一切經音義引說文。肺爲火藏。與今本不同。以此推之。許君本書。爲後人竄改者多矣。鄭康成亦學古文者。駁五經異義之繩糾許說得失參半。五藏一則。鄭駁之云。月令祭四時之位。及其五藏之上下次之耳。冬位在後。而腎在下。夏位在前。而肺在上。春位小前。故先祭脾。秋位小却。故先祭肝。腎也脾也。俱在鬲下。肺也心也肝也。俱在鬲上。祭者必三。故先後也。不得同五行之氣。今醫病之法。以肝爲木。心爲火。脾爲土。肺爲金。腎爲水。則有瘳也。若反其術。不死爲劇。此强分位與氣而二之。以攻許說。又無依據。但以醫病之法云云。實爲未安。且以鄭氏天官疾醫註。及禮記月令註證之。與許說正合。疾醫注。五氣。五藏所出氣也。肺氣熱。心氣次之。肝氣涼。脾氣溫。腎氣寒。此亦以五藏之氣言之。則溫爲春屬木。熱爲夏屬火。熱之次者爲季夏屬土。涼爲秋屬金。寒爲冬屬水。正用古文家說。與許無異也。月令祭先脾。註云。春爲陽中。於藏直脾。脾爲尊。祭先肺。注云。陽位在上。肺亦在上。肺爲尊也。祭心。註云。五藏之次。心次肺。至此心爲尊也。祭先肝。註云。秋爲陰中。與藏直肝。肝爲尊也。祭先腎。註云。陰位在下。腎亦在下。腎爲尊也。此以五藏之位言。與疾醫註可以互證。準四時之氣。定五方之位。理原一貫。不能離析。豈有氣爲春而位在秋者。是固不待辯而明者也。然則叔重引月令之文。以證古文。自是確據。康成之駁異義。非特牽强不足據。以疾醫註所云。亦自相矛盾。自鄭說一行。而古義逐廢。厥後鄭氏之學益顯。贍智通才績學嗜古之士。皆怵於鄭之盛名而不敢議。而醫家者流益膠執傅會。沿誤至數千載。竟無一人能發其覆。斯亦異矣。自六經出灰燼。傳述家分別門戶。各標宗旨。勢難强合。異說並存。固亦無害。醫家之學雖小道。而確有實用。出入之間。動關死生。大旨既乖。何論治法。然此事雖張孫劉朱諸名家。猶墨守舊聞而不思變。又何責乎末師淺學之逐波而靡也。故高才鴻生。恆薄方書爲不足學。而才識庸陋者學焉。而不能精求其實事求是。能破千載疑案。蓋不可得也。近世泰西醫法流布中國。其言五藏部位。竟與古文家說符合。彼豈讀我中國書。襲取古文家說而云然乎。何其鑿鑿不爽也。大凡說之不期而合者。斷非鑿空無稽之談。我中國故習。動執中外畛域之見。論及西法。輒鄙之訾之。而不核其是非。然彼人天算以及聲光化電等書。固確有實用。無空談者。其於醫學。猶是也。持平而論。固當深然其說。且彼法皆奇瓌可徵之古書者絕少。而說五藏獨隱合古義。是尤信而有徵者矣。遠溯舊聞。近驗西法。愈見經師片語之足珍。而讀異義一書。猶得於篇籍殘脫後。睹千百什一之存。叔重之功。豈不偉哉。

右文爲清光緒戊戌保定蓮花書院課士之作。刊入學古堂文集。予得之于邑廟舊書肆。時正肄業上海中醫專校。敝精竭知于素問靈難方。以五行氣運之說爲國醫神理所在。鑽研之惟恐不逮。及讀此二文。乃知五行之配五藏、古人各自爲說。則天有五行人有五藏之說。後世以爲天經地義者。不攻自破。自後糾合同人。創新中醫學派。力闢玄言空論。皆此二文啓牖之。迨及今。日本院以發皇古義。融會新知八字主義。號召醫林。亦蔡先生「說不稽諸古不足以徵信事不驗之今亦不足以核實」李先生「遠溯舊聞近驗西法」之遺意云爾。

衡之志

故紙堆裏

寄須君蘇州

成之錄

有清醫事紛歧甚。精當柯尤推正宗。若向醫林論月旦。誤人端底是吳儂。

論瀉藥

華實孚著

日人森島氏藥物學論瀉藥功用頗爲詳盡前曾擇要譯載無錫醫鐘茲國醫學院諸先生索余舊著因錄此以塞責

總論

瀉藥之應用分列如左

(一)便秘　吾人有便秘數日或數週而不見有何困苦者然亦有時誘發諸多之病狀如眩暈頭痛胃中壓悶其至要者也又有因硬便之機械的刺激及滯便之異常分解所發生化學的刺激往往發赤痢樣症狀則需瀉藥矣

(二)急性及慢性腸炎　腸炎之下利蓋爲排泄腸中之有害物（不消化物毒物刺激性分解產物）此際用止瀉藥于理相反若用瀉藥以助其排泄掃清其有害物則下利亦同時自止所以瀉藥有時見止瀉之效也

(三)尿閉症　腎臟病及臟燥神經性病等尿量減少或停閉時體中之水分及固形分不能排泄于外而蓄積遂致發尿毒症用瀉藥抑止腸之吸收亢進其分泌則可于一定之限度間防遏其發生

(四)浮腫及蓄水　凡水分蓄積于組織或體腔中不論其因何而起若于此時減少飲水兼用瀉劑防腸液之吸收以輔助皮膚肺面腎臟之排水使血液濃厚增加其滲透壓即可使吸收其蓄積之水分如同時用發汗及利尿之法其效當益顯

(五)脂肪過多症　凡下利時檢查糞便其脂肪及養分之量皆較諸常便爲極多是蓋因腸內容之排泄迅速無吸收之暇也此即對于肥胖病用瀉藥之根據就中鎂類瀉劑能鹼化脂肪與所生之脂肪酸成不溶解性之化合物妨其吸收故較他種瀉

劑收效更大

(六)遠隔部之炎症　瀉藥甚有利于腦肺虹彩(目之風輪)等之積血及炎症是蓋因腸管之積血及全身之水分損失也就中刺激腸壁之瀉藥亦如皮膚刺激藥以同一之理由能作用于遠隔臟器之炎症更無論矣

瀉藥之種類大別爲二

(一)爲妨碍全腸管之吸收發下利者所謂鹽類瀉劑是也此種之瀉劑隨其濃淡多少等一時至二十時間而奏效不發腹痛常有腸鳴

(二)爲刺激腸管者此種之瀉劑須對于胃無刺激性到于腸方生效力且須其吸收緩慢在消化管之上部所不能盡吸收者而藥物中有在小腸爲其鹼性胆汁膵液等所分解而有效者有到于大腸由腐敗菌之還元作用等始徐徐有效者前者二至四時間始發作用微覺腹痛且有腸鳴後者內服後十至十五時間始發作用腹痛而不腸鳴然按之實際頗難分別

分論

一)鹽類瀉劑

瀉藥普通之應用已述于前茲以鹽類瀉劑之特點分詳如左

(一)便秘之際欲速排除腸內容之物則宜以稀薄溶液服其大量芒硝百分之五以下之溶液其溶液解水已充足毋庸再奪他水故其作用不關于體中水分之多寡腸之蠕動爲內容多水所亢進約一二時間而水瀉然非常頑固之便祕則不奏效須用植物性瀉劑

(二)鹽類瀉劑之濃厚液有減少體中水分之效往往用于浮腫水血症等例如芒硝百分之十至二十五之溶液內服大量則由于濃厚鹽之刺激亢進腸之分泌芒硝爲其所稀釋而瀉下故組織中大減其水分此際瀉下所需之溶解水專仰給于腸之分泌故其奏效需極久之時間通常內服後十至二十時間始通利而所下之便殆全與腸液之成分相同腸分泌之多少與血液及組織中水分之多少爲比例若一二日間不使飲水之動物則其分泌不多故濃厚鹽不能發生瀉下作用

(三)用量過少而不瀉或用阿片等抑制腸之運動則徐徐吸收由于鹽類作用而利尿凡終日安坐及臥病之人因腸之運動不甚亢進故服鹽類瀉劑祇徐徐吸收不發生瀉下作用此時因其有利尿作用體中之水分減少故腸液之分泌亦減反致便祕

(四)肝臟病(積血胆石症熱性黃疸)用之有效蓋因能增盛門

脈系之血行且由于鹽類作用亢進組織液之灌流影響于肝臟之榮養也

(五)鹽類瀉劑無刺激腸壁之性故熱性病及他臟有炎症者可以使用且對於是等之病反有消炎作用然在腸壁內外有炎症及潰瘍者(傷寒盲腸周圍炎腹膜炎)不可使用

芒硝(硫酸鈉)爲白色之結晶微帶苦味有淸凉之鹹味能溶解于三倍之冷水中反應中性

除應用于上記諸症之外并能解鉛毒內服之則化成不溶性之硫酸鉛抑遏其局處作用凡硫酸鹽皆如此

通常以四錢至八錢溶解于多量之水空腹時內用後復爲適度之運動加檸檬酸或檸檬汁可消滅其可厭之苦鹹味

(二)植物性瀉劑

凡用局所刺激藥爲瀉劑其物質要具有左之性質

(一)須不溶解于酸性胃液到腸管後始能溶解者又須經腸管內之消化液或細菌等所變化而始發生刺激性者

(二)其吸收須極爲遲緩否則效力僅限于腸之上部不得發揮瀉下作用所以用純粹有效成分之瀉藥不及用生藥及其製劑爲適當也(植物性膠質能妨礙有效成分之吸收)

(三)假令雖被吸收其毒性不甚猛烈

(四)其刺激緩和僅限于腸壁之表面

具以上之性質者厥惟植物性瀉藥

植物性瀉藥槪能刺激腸管故使蠕動亢進及腸腺之分泌共同增加(因用峻下劑而腸發生重炎症往往于便中混濃汁及血液)

植物性瀉劑恆能使腸積血其刺激大腸者則自大腸積血波及骨盤內臟器(子宮及其附屬臟器)皆見積血因之惹起月經過多子宮出血及妊婦之半產早產等

植物性瀉劑之多數到腸管後始受變化而發生刺激性既如前所述而其變化或因腸液之鹼性反應或因膵液及細菌之還元作用然有待于胆汁之作用者亦多凡受胆汁之變化始奏效者如熱性黃疸腸管內缺乏胆汁之時不可使用故瀉藥與胆汁之關係蓋爲要之問題據輓近所實驗大黃對於胆汁之有無效力迴異蘆薈藤黃旃那葉(瀉葉)之作用則與胆汁無關

植物性瀉劑或者在小腸上部已有刺激性或到大腸始生效力故不但奏效之時間大相逕庭卽其適應症亦有不同如常習便祕藥須常服則以大腸到始有作用者爲宜此何以故蓋小腸之運動增盛則養分之吸收有妨經時過久遂致榮養不良甚不宜也反之如痔疾等凡能使大腸下部誘起積血之藥物皆須避之

巴豆油　此乃去皮巴豆榨得之脂肪油也爲帶褐黃色稍濃厚之

液有特異不快之臭氣反應酸性極量一回一厘三毫一日四厘

巴豆之有效成分爲一種有猛烈刺激性之脂肪酸其大部分與甘油結合爲中性油其中之一小部分遊離而存在故以之塗擦健康皮膚則發赤浮腫發水泡及濃泡內服雖極少已覺口腔咽頭灼熱胃中作惡至腸受鹼化之中性油更倍增其刺激性半至二三時間先排泄普通便繼乃下數回之水便

爲峻下藥僅用于諸藥無效之頑固便祕以半滴至一滴和入萆蔴子油或洋橄欖油內服

致死量約二十滴發急性腸炎霍亂樣下利虛脫而死

藤黃　乃一種植物之樹脂爲帶黃色之塊甚易破碎極量一回八厘一日二分六厘

有效成分到于腸管受胆汁之變化乃發生刺激性

爲峻下藥瀉數回之稀薄便服其大量則腹痛發腸炎又骨盤內臟器誘起積血常量一回五毫至二厘六毫爲丸內服（實按巴豆藤黃等峻下劑現今西醫已廢棄不用）

大黃　味微香而苦其粉末爲橙黃色少量（一厘五毫至五厘）內服因內含鞣酸及苦味質有收斂健胃之作用適合于胃腸炎大量（一分三厘至五分）則有緩下作用六至十時間下糜粥狀之薄便其作用極爲緩和故適合于小兒暨貧血衰弱之病者及恢復期等又常習便祕久服至年餘者有效但廢藥則反致便祕此爲其含有鞣酸也更服大量（五分至一錢）則下數回之薄便

通常配他藥爲散劑及丸劑內服

旃那葉（俗名瀉葉）有二種

其作用較大黃少强服少量（一分六厘至五分）約六時間排泄軟便大量（一錢至一錢三分）瀉數回之軟便及水便通常略有腹痛

主用于一時性便祕（一分六厘至五分及一錢爲浸劑）腸疒炎症時忌用

旃那葉服後有惹起惡心嘔吐等症狀此爲其含有樹脂樣之物質也預以酒精浸製除去其樹脂分則不減瀉下之效而可免前之不快

蘆薈　爲採集亞非利加亞羅屬植物葉中之津液煎熬所得暗褐黑色之塊此塊易于破碎其碎片透明有光澤如玻璃其臭氣特異其味苦

蘆薈主作用于大腸之下部故內服五分至一錢三分八至十五時間下半硬之大便腹痛甚輕或竟不痛又不續發便祕故適合于常習便祕但頑固之症需服大量然骨盤內臟器易致積血故不可多用

蘆薈又可用爲通經藥即本此理凡痔疾生殖器炎症出血及月經時妊娠時皆不可用

少量(每回二毫六絲至八毫一日三回)爲健胃苦味藥適于消化不良慢性胃炎又萎黃病貧血等加入鐵劑中能防便祕助消化常習便祕三厘至一分爲丸劑每夕內服翌朝排便

(三)硫黃劑

硫黃自己並無作用內服至腸由附着于大小腸壁特異之蛋白質幷細菌之作用被還元爲硫化水素使腸之運動亢進以促其排便此還元極遲慢故其作用亦甚緩和通常排泄糜粥樣之軟便但極微細之粉末其還元較速故有惹起水瀉者

以硫黃溶解于脂肪塗敷于皮膚遇皮膚分泌物化生硫化鉀有軟化表皮殺滅寄生虫之效

精製硫黃 以昇華硫黃洗滌于亞摩尼亞水中而精製者爲黃色乾燥微細之粉末無臭味

爲緩下藥五分至八分內服便屁汗呼氣等均有不快之惡臭又長期久服則腸發刺激症狀

外用百分之二十至三十爲軟膏

五行碎語

成之

近賢惲鐵樵氏於所箸羣經見智錄暢論陰陽五行不佞鈍根人也嘗三復其書而終不能了了惲近箸傷寒輯義按五行陰陽之說頗加詆毀吾人以爲惲之思想業已進步然近讀其保赤新書又有遠志補火不宜於小兒痧症之說忽爾崇奉忽爾唾棄惲之治學方法蓋不甚縝密之故也

傷寒論原文訂誤

曹尹甫

發熱惡寒節訂誤

此節爲風寒兩感治法。中風之確證在發熱。傷寒之確證在惡寒。熱多寒少。則風重而寒輕。師於是用桂枝二以解肌。越婢一以解表。便當汗出而愈。設令寒多熱少。麻黃重於桂枝。不言可知。越婢之有石膏。又當在禁例矣。按宜桂枝二越婢一湯句。當在熱多寒少下。今在節末。實爲傳寫之誤。否則既云不可發汗。猶用此發汗之藥。有是理乎。若夫脈微弱而無陽。惡寒甚。則宜乾薑附子湯。不甚。亦宜芍藥甘草附子湯。此正可以意會者也。

傷寒若吐若下後節訂誤

苓桂朮甘湯。爲痰飲主方。心下逆滿。氣上衝胸。起則頭眩。爲水氣淩心。此與痰飲篇胸脇支滿目眩。苓桂朮甘湯主之者。其病正同。惟發汗動經。身瞤動。振振欲擗地者。卽後文眞武湯證。蓋發汗陽氣外泄。水氣乘虛而上。則爲頭眩。陽氣散亡。氣血兩虛。故氣微力弱。不能自持而振振動搖。若欲傾仆者然。然則本條茯苓桂枝白朮甘草湯主之。當在頭眩之下。發汗動經。身爲振振搖者下。當是脫去眞武湯主之之五字。蓋汗出陽亡。正須附子以回之也。況脈之沈緊。正爲腎氣虛寒乎。此與後兩條用附子同例。張隱菴乃謂振振搖爲中胃虛微。振振欲擗地。爲心腎兩虛。不知何所依據而强分爲二也。

水藥不得入口節訂誤

發汗後。陽氣外浮。不能消水。水入則吐。要惟大小半夏湯。足以降逆而和胃。若胃中虛寒。則乾薑甘草湯吳茱萸湯。皆可用之。此證忌更發汗。要無庸議。發汗則水氣隨陽熱而張。發於上。吸胃中水液俱上。傾吐而不可止。此理之可通者也。若淋巴管中水液。既傷於汗。又傷於吐。陽氣獨張於上。而水液內亡。豈有反病下利不止之理。蓋下利一證。必水濕有餘之證也。然則此下字必傳寫之誤。當訂正之。毋以必不可通之說。貽仲師累。

衄家節訂誤

傷寒入於營分。始見發熱。邪犯皮毛。固無熱也。但皮毛不開。血分熱度增高。不能從毛孔外泄。則上衝於腦。血液受陽熱薰灼。血管破綻。而鼻膜血出。是爲衄。此不發汗而致衄者。所以發其汗則愈也。若夫衄家。則未病時已屢見衄，不因失表而見。與不發汗而致衄者不同。故與淋家瘡家並有發汗之戒。脉緊急者。陽氣以發汗而愈張。目直視不能瞬。津液亡而目系燥也。（此與溫病誤下直視同）惟額上陷三字。殊不可通。額上爲顱骨覆冒處。不似無骨之處易於下陷。豈有病衄之人。一汗而陷之理。愚按上字爲旁字之誤。當是指兩太陽穴。嘗見久病勞瘵之人。形脫肉削。兩太陽穴下陷不起。老年之人。氣血兩虛者亦然。則夫衄家發汗。一虛再虛。宜其形脫肉削而額旁陷也。

汗家重發汗節訂誤

汗家非中風有汗之證。中風之證。當云風家。汗家云者。以陽明多汗言之也。陽明有餘之證。復發汗以刼胃中之液。則胃中燥氣上薄於腦。而心神爲之不寧。按人之思索事理。必仰其首。或至出神而呼之不應。心神有所專注。凝定而不散也。若胃中燥熱上薄。則心神所寄。欲靜而不得。於是恍惚心亂。遂發讝語。則論中恍惚心亂四字。直以讝語當之。所謂胃中水竭。必發讝語也。後文又云。小便已陰疼。蓋汗後重發汗。必大腸燥實。燥氣薰灼於前陰。故小便短赤而陰疼。此爲大承氣湯的證。予親驗者屢矣。後文宜禹餘糧丸五字。實爲下利證脫文。與本篇利在下焦。用赤石脂禹餘糧湯同例。不知者誤移於此。（藥爲止澀之藥。喻嘉言常用之以治下利（ 歷來注家强作解人。不可從。

傷寒醫下之節訂誤

傷寒下後。續得下利清穀。此本太陽表證誤下。本氣之寒。陷入腸胃之證也。太陽傷寒。身必疼痛。以寒傷皮毛肌腠。津液凝冱。血絡不通之故。蓋即上節本發汗而醫反下之之證也。但既經誤下。表證仍在。裏證復起。法當先救其裏。而後救其表。所以然者。一因裏寒下陷。有生命之虞。一因水氣在下。雖經發汗。汗必牽制而不出。又恐一汗而陰陽離決。將有虛脫之變也。若但身疼痛而絕無裏證。自當以解表祛寒爲急。而絕無可疑。此皆初學之人。不待煩言而自解者。惟體痛爲傷寒的證。他病所無。故身疼痛腰痛骨節疼痛。麻黃湯主之。脉浮緊者。法當身疼痛。宜以汗解之。師雖未出方治。其爲麻黃湯證。決然無疑。金匱痙濕暍篇云。風濕相搏。一身盡疼痛。法當汗出而解。又云濕家身煩疼。可與麻黃加朮湯。發其汗。又云。病者一身盡痛。日晡所劇者。可與麻黃杏仁薏苡甘草湯。則身疼痛之當用麻黃。已可類推。况本論又云。桂枝本以解肌。若其人脉浮緊。汗不出者。不可與之。則身疼痛而急當救表之證。身必無汗。脉必浮緊。桂枝湯正在禁例。何得反云宜桂枝湯。故知仲景原文必云救表宜麻黃湯（厥陰篇與此同）學者讀仲景書。不觀其通。一切望文生訓。一旦用之失當。反令活人方治。不能取信於病家。此眞與於不仁之甚也。

病發熱頭疼節訂誤

病發熱頭疼。其病在表。則其脉當浮。而脉反見沈。則表證當減。爲血分之熱度漸低。而表熱當除。頭疼當愈也。此理之可通者也。惟後文所云者不差。身體疼痛。當救其裏宜四逆湯。則大誤矣。夫身體疼痛。爲麻黃湯證。卽上節所謂急當救表者。豈有病在表而反救其裏之理。愚按身體疼痛四字。實爲腹中疼痛之誤。寒邪入腹。故脉沈。如此乃與宜四逆湯四字。密合無間。自來注家遇此等大疑竇。猶復望文生訓。坐令仲師醫學失傳。可歎也。

太陽病未解時節訂誤

師言太陽病未解。初未嘗言欲解也。脉陰陽俱停。不可通。停實微字之誤。玩下文但陽脉微。但陰脉微。兩層。其誤自見。按脉法云。脉微而解者。必大汗出。又曰。脉浮而緊。按之反芤。此爲本虛。當戰而汗出也。浮緊爲太陽本脉。芤則爲營氣微。微則血中熱度不高。陽熱爲表寒所鬱。不能外達。必待正與邪爭。而見寒戰。乃能汗出而愈。脉陰陽俱微者。氣血俱微。卽脉法所謂本虛也。至如但陽脉微者。陰液充足。易於蒸化成汗。故先汗出而解。但陰脉微者。津液不足。中脘易於化燥。故下之而解也。張隱庵不知停字爲微字之誤。漫以均字釋之。並謂表裏之氣和平。不知正氣內微。動與表寒相抗。至於振慄。然後發熱汗出而解。一似瘧發之狀。其表裏之不和平。顯然可見。則張注不可通。也脉法又云。脉大而浮數。故知不戰（句）汗出而愈。所以然者。以陽氣本旺。表寒不能相遏。故能不待寒戰。自然汗出而解。此正與陰陽俱微相反。病之當戰汗而解。與不待戰而自汗解者。可以得其標準矣。

桃核承氣湯條訂誤

太陽病不解。標熱陷手少陽三焦經。少陰寒水之臟。下結太陽寒水之府。直逼胞中血海。而血爲之瘀。非下其血。其病不愈。攷其文義當云血自結。下之愈。若血旣以自下而愈矣。不特下文尚未可攻乃可攻之俱不可通。卽本方亦爲贅設矣。此非仲師原文。必傳寫之譌謬也。此症之如狂狀。非親見者不能道。非惟發卽不識人也。卽荏弱少女。亦能變傷壯夫。張隱庵以爲病屬氣分。非若抵當湯之發狂。徒臆說耳。豈氣分亦可攻耶。若進而求如狂所自來。更無有能言之者。蓋熱鬱在陰者。氣發於陽。嘗見狐惑陰蝕之人。頭必劇痛。爲毒熱之上衝於腦也。熱結膀胱之人。雖不若是之甚。而蒸氣上蒙於腦。卽神智不清。此卽如狂所由來。熱傷血分。則同氣之肝臟。失其柔和之性。而轉爲剛暴。於是有善怒傷人之事。所謂銅山西崩。洛鐘東應也。血之結否不可見。而特以如狂爲之候。如狂之愈期何所定。而以醫者用下瘀方治爲之候。故曰其人如狂。血自結。下之愈也。惟外邪未盡。先攻其裏。最爲太陽證所忌。故曰尙未可攻。而解外方治。仲師未有明言。惟此證由手少陽三焦水道下注太陽之府。則解外方治。其爲小柴胡湯。萬無可疑。惟少腹急結無他證者。乃可用桃核承氣湯以攻其瘀。此亦先表後裏之義也。

刺期門二節訂誤

刺期門二節。有數疑竇。不特無刺期門之確證。卽本文多不可通。腹滿譫語。似陽明實證。脉應滑大而數。不應見浮緊之太陽脉。一可疑也。卽張隱庵引辨脉篇曰脉浮而緊名曰弦。不知緊與弦本自無別。若卽以此爲肝脉。其何以處麻黃證之浮緊者。是使後學無信從之路。二可疑也。金匱婦人雜病。原自有熱入血室而譫語者。然必晝明而夜譫語。卽不定爲夜分譫語。亦必兼見胸脇滿如結胸狀。又有下血譫語者。又必以但頭汗出爲驗。今皆無此兼證。三可疑也。發熱惡寒。病情正屬太陽。不應卽見渴欲飲水之陽明證。四可疑也。腹滿爲病。固屬足太陰脾。然腹滿而見譫語。何以謂之肝乘脾。五可疑也。且渴飲。胃熱也。腹滿。脾濕也。何證屬肝。何證屬肺。而必謂之肝乘肺。亦可疑也。不知書傳數千年。累經傳寫。遺脫譌誤。在所不免。仍其譌脫之原文。奉爲金科玉律。此亦信古之過也。吾謂上節爲太陽寒水不行於表分。循三焦下陷胞中。水與血並結膀胱之證。屬血分。次節爲胃中鬱熱。上薄吸引水道。不得下行之證。屬氣分。故首節當云少腹滿痛。譫語。寸口脉沈而緊。惟少腹滿痛而見譫語者。乃可據爲膀胱蓄血。脉沈緊者。責諸有水。太陽之水。合其標熱。下陷寒水之一藏一府。乃有蓄血之證。蓄血則痛。卽前文所謂藏府相連。其痛必下者是。如是方與金匱刺期門條例相合。蓋水勝則肝鬱。鬱則傷及血分。氣閉而爲痛。小柴胡小建中湯諸方並同此例。然則刺期門者。正所以宣肝鬱而散其血熱也。次節當云發熱汗出。渴欲飲水。其腹必滿。蓋胃中液汁太多。化爲陽明浮火。發熱自汗者。浮火之上炎也。浮火在上。則吸引水氣而不得下泄。故其腹必滿。蓋胆火上炎。外達肺主之皮毛爲發熱。爲自汗。故謂之肝乘肺。陽熱在上。吸水不行。則腹爲之滿。非刺期門而疎肝鬱。則膽火不泄。膽火不泄。則浮陽上吸。而小便不利。小便不利。卽腹滿不去。病將何自而解乎。水氣直下爲縱。縱者直也。水氣倒行爲橫。橫者逆也。後文太陽少陽併病刺期門者。義與此同。若夫嗇嗇惡寒四字。決爲衍文。刪之可也。

太陽病過經十餘日節訂誤

太陽病。過經十餘日。已在三候之期。病機當傳陽明。心下溫溫欲吐者。溫溫如水之將沸。水中時有一漚續續上泛。喻不急也。胸爲陽位。

胸中陽氣不宣。故胸痛。但上閉者下必不達。而大便反溏。腹微滿而見溏。此正緊在太陰。腐穢當去之象。鬱鬱微煩者。此卽太陽病若吐若下若發汗微煩與小承氣湯和之之例也。然必審其先時自極吐下。傷其津液者。乃可與調胃承氣湯。若未經吐下。卽不可與。所以然者。慮其濕熱太甚。下之利遂不止也。惟但欲嘔胸中痛微溏，何以決其非柴胡證。但欲嘔。何以知其極吐下。意旨殊不了了。按傷寒十三日不解條下云。胸脇滿而嘔。日晡所發潮熱。已而微利。此本柴胡證今但欲嘔而胸中痛。與胸脇滿而嘔相似。微溏則又與已而微利相似。況柴胡證多嘔。今反因嘔而決其爲極吐下。意旨尤不可通。不知此嘔字卽上溫溫欲吐之吐。傳寫者誤作嘔字耳。但欲吐者。緣吐下傷其中氣。中陽虛寒。而氣上泛也。惟既竭吐下。胃津告竭，不無燥矢。故可與調胃承氣湯。此條正以當傳陽明之期。證明調胃承氣證。張隱庵反謂非承氣證。已屬謬誤。又以自極吐下。釋爲自欲極吐下。按之文義。尤屬不通。此不過攷其未至十餘日時曾經吐下否耳。張隱庵惟不知嘔字爲吐字之誤，故說解支絀如此。自愚按以下數語。尤如陽明譫語當下之以大承氣者也。

病發於陽節訂誤

此條病發於陽病發於陰。自當以太陽言之。與上發於陽發於陰一例。黃坤載懸解。最爲諦當。張隱庵以陰爲少陰。其謬誤要無可諱。陳修園因之。此又應聲之過也。風爲陽邪。則病發於陽。爲中風。當以桂枝湯發腠理之汗。而反下之。熱入因作結胸。曰熱入者。因中風有熱故也。爲寒陰邪。則病發於陰。爲傷寒。當以麻黃湯發皮毛之汗。而反下之。寒入因而作痞。仲師不言寒入者。省文耳。中風有汗。發熱易於傳化陽明。後其傳陽明而下之。原無結胸之變。惟下之太早。汗未透達於肌表。因合標陽。內壅寖成熱痰。阻阨肺氣。肺氣塞於上。則腸胃閉於下。其證略同懸飮之內痛。所以然者。以濕痰膠固於陽位故也。濕痰凝於膈上。燥氣留於中脘。故其爲病。體强如柔痙。金匱痙濕暍篇。所謂身體强几几然者。卽是由體强几几。而進之卽爲臥不著席之大承氣證。今本條卻言項强者。傳寫誤體爲項耳。仲師言下之則和。宜大陷胸丸者。葶藶杏仁甘遂。以去上膈之痰。卽用硝黃以導中脘之滯。燥氣既去。經脉乃伸。其所以用丸不用湯者。此正如油垢粘滯。非一過之水所能盪滌也。

太陽病醫發汗節訂誤

太陽病。發其汗。猶曰太陽病當以汗解也。無問在表之用麻黃。在肌之用桂枝一也。所難解者。遂發熱惡寒耳。豈未經發汗之前。本不發熱。本不惡寒。因發汗之故。遂致發熱惡寒乎。若初不見發熱惡寒。何以知爲太陽病乎。此不可通者一。醫雖至愚。誰不知發熱惡寒之當發其汗。何至誤用硝黃。則因復下之句。因字全無著落。不可通者二。

今細玩本文。特於惡寒上遺脫不字耳。如此則因字方有著落。蓋太陽發熱惡寒之病。一汗之後。遂致發熱不惡寒。此時頗類傳入陽明。因其似陽明而下之。太陽水氣已由一汗而衰。不能再作結胸。於是虛氣無所附麗。因結於心下而成痞。蓋發汗則衛氣虛。陰液傷於上也。下則營氣虛。脾陽陷於下也。陰陽氣並竭。更以燒鍼損其已傷之陽氣。耗其已傷之陰血。遂至胸中煩熱。血凝則面色青。濕聚則面色黃。（跌打損傷俱見青色。傷血故也。瘕疝之證面見黃色。聚濕故也。）燒鍼動經。故膚瞤。血凝濕聚。周身皮膚跳動。皆正氣不支之象。故曰難治。但見面色微黃。手足溫者。初不過脾虛濕勝。故曰易愈。於太陰中求之足矣。愚按陰陽氣並竭下。忽著則陰獨五字。殊難解說。前既云陰陽氣並竭矣。何所見而爲指陰獨乎。自來注釋家。往往囫圇讀過。故所言並如夢囈。仲師何以不言陰陽並竭。而言陰陽氣並竭。蓋氣爲陽。汗後肺陰外泄。而衛氣一傷。下後脾陽下陷。而營氣再傷。營衛之陽氣兩耗。而痰濕結痞於心下者。乃獨存無氣之濁陰。故曰無陽。無陽者。無氣也。試觀膠粘成塊之白痰。如結晶體者。方在喀出之時。咽喉中已覺冰冷。此即濁陰無氣之明證。心下之痞正如是耳。

傷寒脉浮滑節訂誤

脉浮爲表邪未盡。滑則爲濕與熱。以證情準之。常云表有寒。裏有熱。本條言表有熱。裏有寒。則傳寫之誤也。惟白虎湯方治裏熱甚於表寒者宜之。若表寒甚而裏熱微者。要以越婢及大青龍麻杏石甘諸方爲主。石膏知母不當輕用。此即發熱無汗。其表不解。不可與白虎湯之例也。若夫表寒垂盡。裏熱已熾。乃能用清涼透肌之石膏。驅裏熱由肌出表。其病遂解。此正燥渴心煩背微惡寒。白虎湯加人參湯主之之例也。予向者疑裏有寒爲衍文。猶爲未達一間。

按脉之來緩節訂誤

此承上節申言結代之脉也。然必先明結代之義。然後可以明仲師之言。結者。如抽長繩忽遇繩之有結處。則梗塞而不條。代猶代謝。譬之水中浮漚。一漚方滅。一漚繼起。雨後檐溜。一滴既墜。一滴懸空。離而不相續也。蓋氣未脫而停頓者曰結。氣中絕而更至者曰代。心寄肺臟之中。資脾胃中氣而生血液。胃中燥實。脾陽內停。則陽熱上薄肺藏。而肺藏亦燥。上下俱燥。則心營不濡。脉道因而不調。本藏發爲動悸。脉之來緩。至於時一止復來。譬之逐隊偕行。中途忽有阻礙。而權時落後。此非不相續也。阻礙者爲之也。脉來動而中止。更來小數。中有還者反動。譬之潮入斷港。爲淤泥所折。及越之而過。其來倍捷。而其力較猛。此非不相續也。有折之者也。此二脉皆名曰結。故得此脉者。務清陽明之燥。以滋生血之源。而脉之結者調矣。若夫動而中止。不能自還。因而復動。正如孤雲遠逝。流水不歸。卒然繼至者。其氣實不相續。故名之曰代。代者甲去而乙承之也。夫氣結復續。是爲生陽。氣出不續。是爲死陰。然則結當爲陽。代實爲陰。名曰結下陰也。二字實爲傳寫之誤。得此脉者必難治。乃專指代脉言之。非統指結脉言之也。

傷寒三日節訂誤

此亦申內經二日陽明受之之義也。二日即七日以上。與上節惡寒二日自止同例。此云三日。傳寫之誤耳。脉爲血管中含有動氣者。裏寒則見縮。故少陰寒證脉見微細。裏熱則擴張。故證傳陽明脉見洪大。不獨在足之趺陽結喉旁之人迎見大。即手太陰六部之脉亦大。計其時日。皆當在七日以上。雖然。此亦指冬令傷寒言之耳。若春日皮毛漸開。傳熱較易。則爲日亦少。至於夏秋間溫病。更有朝見太陽而日中即傳陽明者。尤不可以常例論之。自來注家不明一日之爲七日以上。反謂內經傳經期日爲不足據。張隱庵又強爲之說。以爲正氣相傳。而不關病氣。夫正氣之不受病者。一日之中。何經不達。不知何者爲傳。其實皆夢囈也。

陽明中風節訂誤

此節上下兩腹滿字。必有一衍文。玩則腹滿三字之義。似腹滿見於誤下之後。未下時不應腹滿。然非腹滿。醫者何因而誤下。此必後之腹滿字當衍也。所以爲陽明中風者。太陽初轉陽明。必有潮熱。邪風閉遏皮毛。肺氣不舒。因而微喘。肌表同病。故發熱惡寒。濕熱不從汗解。流入太陰部分。因而腹滿。陽明燥熱。而胃中鬱蒸上抗。因而口苦咽乾。皮毛不開。故脉浮緊。若以腹滿之故。疑爲陽明內實。妄行攻下。水液一下而盡。小便遂難。況濕邪粘膩。滲入膀胱。尤難疏泄。蓋此證宜桂枝麻黃各半湯或大青龍湯之表裏雙解。俾風濕由汗而解。設中脘不運。更爲斟酌下法。以去內實。此亦先解其表。後攻其裏之意也。

譫語潮熱反不能食節訂正

陽明病而見譫語潮熱。其大便必鞕。斷未有腑氣不通而能食之理。然則仲師何以言反不能食。曰。此爲仲師之失辭。不可爲訓者也。原其意旨。不過謂潮熱之時。胃中宿食。或乘未經燥實而下行。則腸實胃虛。當不至惡聞食臭。今反見食而飽懣。或稍稍納穀而脹痛。則胃中宿食。必因津液外泄。化爲臭穢。堅實之燥屎。欲下入小腸而不得。自非用大承氣湯以攻之。病必不除。若稍稍進糜粥。亦無所苦。此即謂之能食。雖潮熱譫語。不過腸中便鞕。胃氣固無損也。此蓋爲小承氣湯的證。故予謂宜大承氣湯五字。當在五六枚也下。今在但鞕耳下。實爲傳寫之誤。張隱庵乃於有燥屎者反謂不可下。能食而但有便鞕之證者。反謂宜大承氣湯。顛倒謬誤。貽害不淺。特訂正之。（玩但字耳字語氣。極爲輕忽。必字也字語意。極爲鄭重。宜大承氣湯究竟當屬何證。通人皆當辨之。獨怪陳修園每作張氏應聲蟲。並謂不敢妄言錯簡歟哉。)

三陽合病節訂誤

此條爲陽明經證發端。三陽合病四字。當在後文脉浮而緊條。傳寫之倒誤也。夫脉浮緊。屬太陽。咽燥口苦。屬少陽。不惡寒反惡熱。屬陽明者。此三者皆三陽篇提綱。固當爲三陽合病。本條則無之。可知歷來注釋家。望文生訓。皆瞽說也。夫陽明之中氣爲太陰。太陽將傳陽明。必上濕而下燥。故有脉遲汗出不惡寒者。亦必有身重短氣腹滿而喘諸證。爲其太陽表汗未盡。內併太陰之濕。而未易化燥也。濕熱內蘊。上冒咽喉而出。則口中糜碎。舌苔乾膩而厚。至不能辨五味。下逼於膀胱。則小溲不禁。此時若發其汗。則胃中燥熱上攻腦部。必至心神恍惚。發爲譫語。若用硝黃以下之。則浮熱上冒陽明經脉入腦之處。而頞上生汗。頞上者。闕上也。(兩眉間爲闕。爲愁苦者見顰蹙之處。孟子所謂蹙頞。即兩眉間也。)陽明胃中燥實。則闕上痛。故誤下後浮熱上冒。則闕上生汗。脾主四支。胃亦主四支。誤下後脾胃陽虛。故手足逆冷。故欲救譫語之逆。宜小承氣。欲救四肢逆冷。宜四逆理中。蓋此證不當急治。必待自汗出。然後可用白虎湯泄肌理之濕熱。俾從汗解。此亦有潮熱乃可攻裏之例也。愚按面垢下譫語字。亦爲衍文。若本有譫語。下文發汗則譫語當作何解乎。

二陽併病節訂誤

此節全係正陽陽明內實之證發端。言二陽併病。此必非仲師原文。淺人因三陽合病。而妄加之也。夫既曰太陽證罷。無頭痛惡寒惡風諸證可知。安得更謂之併病。但發潮熱手足汗出。則胃中津液必少。少則不能下潤大腸。而大便難。胃中燥熱上衝心神所寄之腦部。一時昏暗。而心神爲之恍惚。遂發譫語。譬之膽怯者夜行。見寢石以爲伏虎。見植木以爲立人。安在所見之非妄。又如敗軍之將。草木皆兵。聞風聲鶴唳。則惕息而伏。此無他。皆因暴受激觸。腦中震動。心神失所依據故也。陽明病之譫語。何以異此。要惟大承氣湯以下之。一泄腸胃之燥熱。而諸恙可愈。然則此證爲正陽陽明。而非二陽併病。較然無可疑者。張隱庵明知併病之非。猶言太陽病氣併入陽明。則盡信書之過也。

太陽病節訂誤

太陽之病。誤下成痞者。則太陽標熱陷於心下。而關上之脉獨浮。是爲大黃黃連瀉心湯證。關上浮者。陽熱在胸中故也。今寸緩關浮尺弱。發熱汗出而復惡寒。病不在膈上。故寸緩。腎陽虛。故尺弱。雖關上見浮。胸中陽熱獨盛。而太陽之表寒未解。夫心下痞而復惡寒汗出者。則又爲附子瀉心湯證。(瀉心湯加附子以救表陽)不嘔而但痞。則心下本無水氣可知。故證情與乾嘔之甘草瀉心湯殊異。但太陽誤下成痞。雖部位當胃之上口。要不爲轉屬陽明。如未經誤下。病人不惡寒反惡熱。大渴引飲。表裏俱熱。乃眞爲轉屬陽明也。陽明病法當多汗。然又有腸胃無實熱。不能蒸水液成汗。而小便數者。其大便必硬。不更衣十日。無所苦。雖硬不可攻之。此時津液不能上承。亦當渴欲飲水。但須少少與之。而不宜過多。所以然者。陽熱少而蒸化難也。惟節末但以法救之渴者宜五苓散二語。則殊有未安。蓋此節所論爲小便數而陽熱不甚之證。設令爲水濕中阻。津液不得上承。則以五苓散利其小便。中氣既通。內藏津液。自當隨陽上達。今小便既數。大便復硬。則其渴爲津液內竭。豈有津液內竭之證。而反用五苓散者乎。愚按少少與之下脫水停心下四字。蓋津液內竭而渴欲飲水。原不同陽明熱甚者易從汗泄。必有水停心下之弊。設水停心下。津不上承而渴。但用五苓驅水下行。然後中氣通而津液上達。不治渴而渴自止矣。太陽篇云。渴欲飲水。水入則吐者。名曰水逆。五苓散主之。所謂法也。

五行碎語

成之

清代醫家。能不受陰陽五行之牢籠者。殊不多覯。尤在京醫學讀書記。曾設問難之辭。微露攻訐之意。然亦不敢直揭其非。舍尤而外。曾無一人能發其覆者。以徐洄溪之淵博精深。猶未能免俗。自鄶以下。無足譏矣。

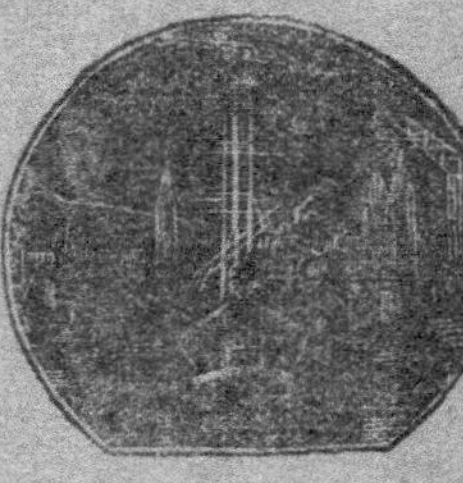

盲腸炎篇(上)

王潤民著

盲腸炎古名腸癰。茲先述吾國古時之說。而後及西說。

(甲)中國古說　金匱要略曰。腸癰之為病。其身甲錯。腹皮急。按之濡。如腫狀。腹無積聚。身無熱。脈數。此為腸癰膿。薏苡附子敗醬散主之。又曰腫癰者。少腹腫痞。按之即痛如淋。小便自調。時時發熱。自汗出。復惡寒。其脈遲緊者。膿未成。可下之。脈洪數者。膿已成。不可下也。大黃牡丹湯主之。注者謂附子敗醬散症為小腸癰。大黃牡丹湯症為大腸癰云。

(乙)西說　日醫齋藤次六於此症之病理辨之最為清晰。曰元來盲腸炎一名詞實誤。應云虫樣突起炎。特囿於習慣。一時遂不便矯正耳。盲腸在小腸終點。移入大腸之端。實即上行結腸。從腹之下方向上方之部分。其外側約大如小指。為二寸之細長管。即虫樣突起。此內腔通於盲腸。其尖端即入於此。因小腸之細所至。此急急廣閉。故種種微生虫及有害物。均積滯於此。猶之魚住於行潦。其側虫樣突起。作深深之洞窟。有害物更乘。罹於疾病者。非常之多。故此盲腸炎。即為此虫樣突起中之有害微菌所生之炎。發腫化膿之所。甚可恐怕。且其炎不祗限於一部。且及於周圍。如此者謂之盲腸周圍炎。又曰。大便祕結之人。虫樣突起內之舊便。常生硬化。所謂糞石者是也。此糞石硬如魚骨柑核櫻實。足傷虫樣突起之內側。於是化膿菌乘之而入。此外由結核菌而起者亦多云云。

愚按合以上中西二說觀之。盲腸炎當即中醫之大腸癰。試將下列盲腸炎之症與前大腸癰條對照。即知吾言非坿會之談。

盲腸炎之症狀　最重者右腸骨窩部發生痛與熱。且多突然而來者。痛時非常難堪。如遇咳嗽行走工作。則痛更甚。觸以手亦痛。且全身發寒。寒極則熱。達於三十九度至四十度。同時舌胎膿厚。食慾不進。口渴不眠。曰疼痛。曰發寒。曰發熱。凡此種種。皆與金匱所述之症象吻合。

(丙)治法　近世西醫之攻擊中醫者。輒謂中醫可廢。吾謂中醫書籍中之許多荒誕理論。誠非廢不可。至辨脈症用藥之方法。則不可廢。而仲景氏之術(辨脈症)及其方劑。尤不可廢。即以盲腸炎症論之。仲景在二千年前。已立有靈效之治方。及今用之。屢試屢驗。其他類此者。尚不可勝數。是知中國醫學。在在足補西醫之缺。苟能廢去五行生尅等之妄言。吸收西醫之生理、解剖、病理等。以發輝光大之。必成爲世界最新之醫學。可斷言也。故中國醫學有改革之必要。無廢棄之可能。茲姑候他日論之。而專論此病之治法。

西醫謂此病須在早期施行手術(須於病起後二十四小時內。將虫様突起割去。)因虫様突起一無作用。割去之無妨於事。且早期割去而後。二星期即可治愈。並可不慮再發。若不割去。其炎擴至周圍。成腹膜炎。不久即將全腹化膿而至於死。又謂治療此症以開剖爲上。至服藥則爲姑息療法云云。愚按此症得長於腹部解剖之醫生行之。可無生命之憂。且中醫自華陀而後。不習解剖。凡病之發結於內。爲湯藥所不能及。非解剖不可者。竟無法治之。不可謂非中醫之缺點。吾非頑固者流。故此症解剖。吾不反對。不過苟有善法。竟能內消而不必開刀。豈不更妙乎。若然。請讀以下各節。以見漢醫方之不可廢。莫謂捨西洋醫學外。更無第二種優良之醫學也。以下爲中醫方。

(一)大黃牡丹湯(大黃四兩牡丹一兩桃仁五十個冬瓜仁半升芒硝三合煎法等見金匱此爲仲景方)治膿未成者。如膿已成。則當用排膿散及排膿湯二方亦見金匱)

此方實驗者。古今實驗此方之人甚多。不可勝數。茲姑錄和田氏治驗一則於下。(因無徵不信。故必舉實驗之人。)

一學生年十九歲。一日宴會歸來。下腹部疼痛。翌日益重。惡寒發熱。食欲缺乏。請治於余。至則脈搏浮數。體溫三十九度强。舌黃。下腹部硬結。稍隆起。疼痛殊甚。小便白濁。即斷其爲盲腸炎。以大黃牡丹皮湯與之。服藥二日。下痢數次。疼痛稍降。熱稍下降。食欲增進。頗爲佳兆。余囑其飲粥。取柔軟易消化之物。七日後全愈。偶因食餅十數個。其夜再腹痛。翌朝疼痛發熱如前。日復求治於余。余以其病在暴食。當掃除腹內之殘滓。令服巴豆製下劑。服後二三時。大下痢七八回。家人親屬俱大恐。急招余謂曰。我子之病甚重。恐一人不濟。擬更延他醫共商之」余憤然曰「近傍無可商之醫師。若商之於西醫。則余之治法。與當今學說不同。何可商之有。此病因病者得速效。不守醫戒。自視其症輕甚。乃再發者。當再診之。」至則腹痛殆已消失。體溫下降一度半。病者自覺輕快。因告其家人曰。「病者所言如斯。無庸商之他醫矣。歸益與以前劑。不數日而全癒。一月後腹部之餘塊。亦消散。按本病及急性肺炎。西醫戒用下劑。然余用仲景氏方以下劑救癒者不少。而其初期即施治者。不數日即癒。初起不治。或已被二三醫生診視者。其經過大概遷延。是因姑息之治法。病毒沉滯其中故也。世人每謂病將痊。難於擇醫。不知病初起時。尤不可不愼也。

(二)建中湯去飴加陳皮木香。攣痛甚用之。

芍藥六分 桂枝三分 甘草二分 大棗四分 生薑二分 陳皮四分 木香三分

(三)甲字湯用於既化膿之後。

茯苓一錢二分 大黃七分 芍藥七分 牡丹四分 桂枝四分 甘草二分 生薑二分 桃仁三分 薏苡仁八分

此二方實驗者。日醫井上香彥及醫學士野津猛男。猛男氏於其所著漢法醫典中並曾爲之說明曰。育腸炎既化膿。則必須開刀。舉西醫者人人知之。今用漢方醫治。得由內服藥而化其毒。竟不必開刀也」云云。足徵此症剖割之非必要矣。

(四)清腸飲 金銀花三兩 當歸二兩 地楡 麥冬 元參各一兩 苡仁五錢 生甘草三錢 黃芩二錢 水煎服一次痛少止。二劑足可伸。(按陳遠公曰。大腸生癰。腹痛甚右足不伸。)又二劑毒盡。

此方實驗者。近人余擇明君其治案曾發表於醫界春秋。錄其原文如下。「有一患腸癰者。經某西醫診治多日。病愈加劇。痛苦不堪。某西醫欲剖腹爲之割治。病者不可。欲爲之穿刺。病者又不可。醫曰。否則性命必危矣。是非穿割不爲功。病者懼而出院。來求余診。余與以清腸飲。(此方出顧世澄瘍醫大全)一服而大瀉。瀉出膿血甚多。疼痛亦大減。再服又大瀉數次。腹外腫消。其痛若失。而腿亦漸能伸直。後又減輕分量。數服而痊」云云。

又陳遠公謂大腸癰既潰爛。能食者生。不能食者死。蓋凡生癰疽。俱以有胃氣爲佳。今大腸癰破而不思食。則胃氣盡絕。不急補胃而惟治癰。必死之道矣。開胃救亡湯人參、山藥、苡仁、元參、白朮各壹兩。金銀花二兩。生甘草三錢。山羊血一錢研。水煎調服。一劑胃開。二劑膿少。三劑疼止。四劑全癒。按此方亦見瘍醫大全。雖未見有實驗家之報告。然以清腸飲之有效推之。此方當亦有效也。

(五)驗方 下爲孫雲台先生之言

譚組庵先生嘗告予云。蔣雨岩之太夫人患盲腸炎。延西醫數人。皆言須剖割盲腸。否則兩日必死。改延中醫談君診治。服理氣活血之劑。兩日痛止腫消。二年後瞿太親母亦患是病。延西醫四人診。僉云。非開剖不治。合家惶急。商於余。余陡憶譚公之言。囑其延談君或夏君診。第一日服夏應棠方。次日延得談君。服藥則腫消痛止。予皆乞得其方。錄之以備參攷。

夏方醫案。風邪濕熱積滯交阻。氣不疏泄。宜宣解達邪。調氣疏肝。炒香豉三錢。元胡索一錢。象貝三錢。括蔞皮四錢。金鈴子錢半。黑山梔二錢。洗腹皮三錢。赤白苓各三錢。橘核絡各三錢。左金丸絹包七分。絲瓜絡二錢。生苡仁三錢。談方紫蘇二錢。陳皮二錢。烏藥二錢。丹皮三錢。製香附三錢。半夏一錢。沉香錢半。生甘草二錢。大白芍三錢。海南子二錢。酒炒黃芩三錢。焦穀麥芽各三錢。連皮生薑一片。藥前服香連丸一錢。

以上五方。為余所已發現者。其他靈效方劑為余所未發現者當尚多。姑不論。

(丁)近有人謂中醫治此症。雖多靈方。但愈後或不免復發。孰若西醫之剖割。即永不復發之徹底。余曰。誠然。但剖割。仍不徹底。人體中之臟腑器官。無不有生病之可能。肝可生病。腎可生病。心可生病。以致耳目咽喉。無不可生病。為預防徹底起見。當一一割去之。今僅割去盲腸。是仍為不徹底也。若謂盲腸無用。非可與肝腎心耳目等相提並論。則吾猶有一說。世間無絕對之真理。萬物之真相不易知。盲腸之無用。亦今日之生理學說為然耳。他日研究更進步時。安知不發現無用之用場。即退一步言之。盲腸真無用矣。然人苟能慎重衛生。飲食則可不致發生此病。苟不慎重衛生。則任何器官。皆可生病。盲腸炎特千百病中之一種耳。可得而勝割耶。吾國醫學。但能令人防患於未然。及見病治病。病之初發者以法治之。再發亦仍以法治之。如此而已。不能為非必要之剖割也。彼以為此症非剖割不足以徹底解決者。適見其神經過敏而已。若以此譏中醫。吾中醫固自願承受焉。(聞近有人並無盲腸炎而亦割去之者。不知確否。如確。則是庸人自擾。亦吾之所謂神經過敏者。可笑亦復可憐。)

又按近日西醫如余雲岫等。輒引褚澄(或為姚僧垣之言。一時記不清。待查。)「多診識病。屢用達藥」二語。謂中醫捨經驗方外。無絲毫學理。此不對。須知中醫書如傷寒金匱等。某病見某症某脈。則用某方。脈症稍不同。則用另一方劑。類有一定之格式。此譬如數學中公式。從之則便捷而得數準。不從則否。此種公式。在始創之者。固自有其原理。惟後學往往不知。又如民間日用之珠算。普通商人都祇知運用歌訣。而在數學程度稍高者。則能知其原理。又如指南針。中國數千年前卽發明吾不敢誣吾祖宗之必無原理也又譬如有寶篋於此偶失去鑰匙尋之不得不可遂謂其原無鑰匙也傷寒金匱之法亦若是焉而已特恨吾儕學淺不之知耳（以後中醫學改革第一卽在求知二字吸收西醫生理解剖病理及醫化學等以說明古方奏效之原理同時發揮中醫精當之理論及廢去宋元以後之妄言）」彼西醫常曰中醫之方劑獲效爲倖中不知非倖中也古方組織之原理今人不之知耳所謂行焉而不察由之而不知其道亦猶運用珠算歌訣而不知其所以然也故余君之攻擊祇可以針宋元以後之醫學若以攻擊仲景則期期以爲不可爲述大黃牡丹湯等可以治盲腸炎恐西醫曰此特驗方而已無學理之可言也故特爲辨之如此（上篇完）

此篇爲舊著近來於此症新有所得因時間關係不及編出當於下期發表（不知醫客王潤民識）

故紙堆裏

衡之

是何虫豸竟能醫藥籠同收敗鼓皮搜得龍宮方外藥補箋脚氣集中詩

日本多脚氣有遠田澄庵者世業此醫其法用水蛭箝於膝蓋俾吸水腫既果腹則置之水桶別易一蟲久而覺瘙則腫退而疾除矣（見日本雜事詩）

歇斯的里篇（日本名為花風病）

王潤民著

臟燥一病古名心風近世西醫書譯為歇斯的里為古今女子最易得之疾病良由女子之身大都工愁善怒或因家道不和之悲傷或因子喪夫離之悲痛或因嫉妬而生或遭失意與其夫薄倖傷情而起初起之時多不為意久則鬱極生變遂喜怒無常應懽笑者而反為哭泣當悲感者而偏自懽欣忽而易其溫柔之性以成狂暴忽而無端獨生憂慮空自驚慌癡頑無量以對人慌惚周章而忘己此種情形皆臟燥病之所由致也惟是世人對於此種病之患者每多懷疑而不以其為病因是一再延誤致傷生命者殊為可憫茲特參攷古今學說及郭受天君之論文以證之

(1)歇斯的里之原因　本病多發於十五以上之婦人小兒男子皆鮮發此病者常由神經性遺傳重病後或貧血衰弱神經感動（或驚或怒）或憂或慮等而起濫用酒及烟草慢性鉛中毒亦足以起此病此外生殖器病亦能致之

(2)歇斯的里症狀　此為奇妙變幻之疾病其情狀實不能一一舉言撮其大概言之則有精神不安之狀態偶犯小過常若身有大罪稍有嫌怨卽深惡其人而堅欲報復稍聞傍人私語卽疑其言已之惡起種種怪僻之心雖親夫亦有疏遠之嫌且不但是已之疾病他人若重言之卽發憤怨以善言慰之亦不表同情於人遊山見物輒嫌其熱鬧獨居一處又悲感而思外出常時好為涕泣遇事皆無始終惡心嘔吐尿意頻數便祕嗅味之感覺過敏夜中見恐夢而屢覺色慾有全廢絕者亦有反於此而興奮者頸部腦部起壓迫感覺咽喉時覺絞窄食物咽下極為困難（按患此症者往往嗜食木片土塊咽喉部時覺有一球體上下其間是謂之歇斯的里球）絕無僂麻質斯而發神經痛病漸漸增重全身發痙攣其時精神朦朧或

泣或笑或叫。常人見之。無不目之爲發狂。亦且聲嗄呃逆。病更增進。則知覺脫失。針刺不復知痛。或僅偏側之知覺脫失。於脫失之側。耳、舌、鼻、眼皆失感覺。且起色盲症。又於重病時。有人事不省者。

(3)醫聖張仲景之發明。　按歇斯的里 Hysteria 一字。源出希臘。爲子宮之義。以本病往往因子宮疾患。生殖官能異常。(月經姙娠產褥)。節慾及荒淫而發者居多。故以名之也。然吾國二千年前之醫聖張仲景早已知之。此決非附會之言。試觀金匱要略曰。婦人臟燥。悲傷欲哭。象如神靈所作。數欠伸。甘麥大棗湯主之。卽發明此病之原因及治法也。臟者子臟也。燥者子臟失和。故病。觀姙娠病篇。「婦人懷姙。……子臟開故也。當以附子湯溫其臟。」之「藏」字指子臟而言。則本文之「藏」字亦自當作子藏解。註家有謂爲心臟之臟者。誤。心藏神之說。此內經及後世諸家不明生理之語。仲景所不言者也。譬如內經及後世諸家。皆謂腎藏精。而仲景腎氣丸之主治。則爲少腹膀胱之疾。是知仲景之所謂腎。必與近世生理學合。以此推之。則吾斷定此處之「藏」字爲子宮。或不甚謬妄也。惟是仲景生於二千年前。既發明此病之屬於婦人。與子臟有關。更發明靈妙之方劑。卽此靈妙之遺方。今之醫學家。尚不能窺其底蘊。誠不可不謂之醫聖矣。近世西醫如余雲岫輩。排斥中醫。謂祇有驗方。更無學理。何其言之妄也。觀於此方之敍症。果無學理哉。

(4)歇斯的里之療法。茲先述西醫之療法。而後及中醫。

此病雖非死症。治之甚爲不易。其罹至數月數年或數十年者有之。直自治愈者亦有之。其療法甚多。如服易消化之食物。令習運動。避精神感動。眺出水花木。與意氣投合之友好同游。以溫浴冷浴。清潔身體是也。其內服藥劑。可用神經劑。如臭剝、阿魏、纈草劑。及阿片嗎啡催眠劑、鎮靜劑等。然效甚少。此外最適用者。則爲靈心療法。一催眠術。二倡導法。三重行教育法。(此三法見歐氏內科學)如是而已。至於中醫之治法。則有進於此者。古人云。心病還將心藥醫。此症除用心理療法外。其第一有效之方劑。則爲甘麥大棗湯。按此湯爲甘草、小麥、大棗三味。性甚和平。何以能治此病。人多不解。余昔亦深疑之。乃閱崇實堂醫案。及日本醫書。及近年來醫報醫誌等。多有稱其靈效者。始信其確有功效。至此方所以奏效之理。由近人郭受天君曾論之。雖其言未能圓滿。要亦研究之一助也。茲節錄其文如下。

……查本方中之藥品。僅有甘草、小麥、大棗等三味。平淡無奇。對於此種臟燥之重症。何以能收奇效。然其中實有至理存焉。蓋此方以甘草爲主藥。按藥徵云。甘草主治急迫。故善治裏急、急痛、攣急。兼治厥冷、煩燥、衝逆。悸咳、驚狂、悲傷、痞鞕、利下等症。佐以小麥大棗。均富於糖質。有甘味。甘草得其協助。故效力尤爲强大也。……據陳修園氏之解說。臟虛而火乘之。則爲燥。可見臟燥一病。症勢急迫矣。經云。

病苦急。急食甘以緩之。徵諸近世藥理學。凡緩和藥。能使身體某部分之緊實性。減弱弛緩軟化而鬆解之。此與經云甘緩急之說不謀而合。由此觀之。本方所以能治臟燥之理由。不待解釋而自了然其義矣。

郭君之言。雖未必盡仲景之義。而古聖立方之精。要亦可見一斑矣。

（5）歇斯的里答同學問　同學某君謂歇斯的里之病。既出於子宮。何以有生殖器絕無異常。而亦發生此病者。且何以男子及小兒亦同有之。豈男子亦有子宮耶。何可笑云云。答之曰。聰明哉此問。實不可少。按子宮之說。醫界反對之者多矣。不獨君也。如沙可氏Charcot與其門徒以爲此症。係靈心症。其病情係自己之意想所致。即其一例。日人和田氏有歇斯的里（臟燥）與血之道病一文。獨發人之所未發。試更引之何如。「歇斯的里原出子宮之義。然現今男子亦有歇斯的里病者。血之道原出血道變異之義。（血管系血行血性等異變之義）本男女通有之病。然女子二七而天癸至。七七始止。其間或出血或流產或暴露。所謂血道異變之機會最多。此婦人所以多血之道病也。男子無經血。且血道異變之機少。此男子所以少血之道病也。然猶有痔出血。鼻衄血尿等。仍不外爲血之道病。中醫名此等症狀。男女統稱血症。有血症者。曰有血之道病。……余以爲欲取歇斯的里之名。通用於男子。不如用血之道病爲穩當。蓋歇斯的里出於子宮之義。血之道出於血道異變之義也。如此例極多。惜世間非外洋運來之病名。則鄙棄之而勿言。余勿敢多所主張耳。」

觀於此。則此症之原因及男子所以有此症。皆根本解決矣。故余得而斷言曰。歇斯的里原因甚多。謂與子宮有絕大關係則可。謂完全出於子宮則不可。古今人之議論雖多。要以和田氏之主張爲最有力。即仲景氏之所謂臟燥。亦即「血之道病」之義。讀書細心者。必深韙余言。

本和田氏之理論。故除甘麥大棗湯外。更引效方如左。

（1）淸血圓。治諸血之道。

香附子十六兩。分作三分。一酒浸。二燒黑。三炒。當歸川芎各二兩。莪朮一兩。右味爲細末。白湯送下。

（2）治一切子宮病

蒲黃。莪朮。香附子。茯苓各四錢。右爲煎藥。

按此二方。當爲日人所製。鄙意如能參用桂枝茯苓丸。當歸芍藥散。或下瘀血丸等更妙。（更能拔除病根。）即前甘麥大棗湯亦然。蓋此症實爲瘀血迫急神經系。先之以緩和。次之以掃蕩瘀血。斯爲拔本之治法已。

記已已失治案三則

章巨膺

醫案專籍。至遜清一朝。汗牛充棟。類皆治驗實錄。絕無不治失治之案。豈一生爲醫。竟無不治之病。矜伐功績。諱飾過誤。習積相沿。比比皆是。是故醫案之於醫學無多用處。病治者有記錄價值。不治者更宜詳爲記載。以資後學研究。必如是。醫學方有進步。茲篇所記。頗有關於醫學前途。於病家有所箴告。於醫家知所惕厲。故不惜暴露已短而記錄之。

（一）

法租界馬浪路姚伯南夫人。四月中病寒熱。予小柴胡湯兩劑已瘥。越日出門。復感再病。寒熱起伏。弛張頗甚。胸脘苦悶。脈弦數。舌紅潤。乃夏秋間習見之病。予柴葛芩連數劑。病無出入。後用茅朮白虎湯。姚君岳母樓太夫人見用石膏大懼。勉進一劑。熱退減。再診挽陸君淵雷同往。淵雷爲處方。倍石膏柴胡。太夫人益懼。屏不敢服。會夫人之令弟樓君亦病。病情相彷。較輕。帶診數次。病瘥而餘熱不得速清。心殊焦急。乃改延所謂傷寒名家亦稱聾朋者。先視樓君。曰。無妨。再視夫人。則正色告以危險。脈案揣以聳聽危詞。曰防其昏厥。方藥卻甚輕淺浮泛。無非豆豉石斛。越數日。出疹瘖。幸賴高明。未至昏厥。調理匝月全愈。

按此病爲長夏習見之證。殊無記錄價值。然余卻有失着。故認爲失治案之一。病者苦脘悶。因不欵。未能肯定其必出疹瘖。此一失也。濕溫證例不得速愈。而認眞用苦寒藥求速效。此二失也。因此二失。轉不能如時醫之得信任。此不足奇。所可怪者。名家危詞聳聽之江湖術也。

疹瘖本將透出。名家適逢其時。不然。豆豉石斛之力。豈能勝於柴胡葛根。既淡豆豉大豆卷鮮石斛等足以應付之病。決不致於昏厥。此數藥亦決不能弭昏厥於無形。方藥不稱脈案。是可怪也。在時下名家。防其昏厥。防其發厥。防其虛脫字樣。幾於千方一律。已成一定方式初不知何以將爲昏厥更不知何以防其昏厥須知如此寫法最爲巧妙後日成則居功敗則卸過已早於初診時預爲地步此則有關於醫學眞僞非細故也

「防其之」說是時醫藏身之窟礴矢於有清嘉道年間盛行於今醫時代陸九芝先生作蘇談防其說有一段節錄於下

假如人得寒熱病一二三日未必遽命醫也至四五日而不能不藥矣醫來病家先以一虛字雜其口若惟恐其不以爲虛者藥用大豆卷淡豆豉防其留戀增重也此數日間絕不用豈微辛散防其虛也不如是不合病家意五六日用生地用石斛立案書防其昏譫不如是而欲以苦寒去病病家不樂聞也(姚夫人案所用石膏芩連即苦寒藥爲樓太夫人所屏棄病家不樂用苦寒信然)越日而昏沈譫妄矣六七日用犀角羚羊案則書曰防其肝風動防其熱入心胞不如是而欲以攻下去病病家所大畏也踰時而妄言妄見手肢掣動矣如是者謂之一候一候既過病勢已成然後珠黃散蘇合香丸及至寶丹紫雪丹貴重之物於焉畢集病則舌強言蹇目光散亂囊縮遺溺手足厥冷種種惡候相隨而至於是他無可防而獨防其脫矣此等病狀皆在七日以外十三四日之內病家一味防虛十分忙亂親友滿堂或說陽宅不吉或疑陰宅有凶或則召巫或則保福一面按日開方所防皆驗甲乃拉乙乙仍拉甲甲乙復拉丙丁方人人同防亦人人驗病至此即有眞醫安能將眞方眞藥希圖挽救於不可必得之數而適陷坎中亦惟有與時俛仰而已是亦病家迫之使然徐洄溪曰病家方服其眼力之高不知即死於其所用之藥

以上云云切中時弊洵爲砭時救俗之論姚夫人之病未至如此之甚也假不佞不治於先不用辛散苦寒於初若早延名家大豆卷之手筆則病之變遷正不可知或竟如九芝先生所言節節防其而節節如其所防乃狗尾續貂幸得邀功是殆姚伯南先生門祚之幸不然者竟當如廣吉里張某事也

(二)

閘北廣吉里張某正在壯年在交易所爲經紀人日入甚豐秋末病多日猶強至交易所辦事至第五日始來門診熱甚高惡寒無汗傷寒太陽證仍在予麻黃湯翌日稍得汗惡寒解熱仍高再診予葛根芩連既而大便溏瀉太陽陽明必自下利原無足奇仍從葛根芩連加減出入雖無進展却無壞象然而病家驚惶萬狀親朋會集交相薦醫乃以重金聘請海上唯一名家名家出診不易延請必具舖保出門必有保鑣汽車嗚嗚深夜始至診脈立方案云是秋溫伏暑證病已凶險防其昏譫藥用鮮石斛大豆卷淡豆豉冬桑葉等連續延診五次處方大致不外此類套藥病遂日重果然昏沈譫妄如名家所言初張某與余雖非至稔然家屬有疾輒延余診治此次四診不效見大便溏瀉誤爲漏底傷寒自然大病必須大醫乃改延名家至是五診病情日非念余誠篤復來邀診則神識昏糊時或狂躁舌乾絳卷短腹痛便血是津液受刼熱深入營腹膜炎腸穿孔勢已不可挽救余不忍棄之去告曰尚有最後辦法惟弋獲與否不可必余僴人不敢負此重任當邀吾友來商病家諾之乃電徐君衡之劉君泗

橋來。予小品犀角地黃湯，倍用生地。晨間定方。病家復轉輾延他醫。最後仍主余等方。而進藥已在黃昏時候。藥力不及。至午夜而逝。張某之死。余爲之惆悵懊惱累日。余敢大膽言。張某非死於病。病爲傷寒。而曰秋溫伏暑。重金延聘。只買得豆豉豆卷之方。進而神昏譫語。再進而穿孔下血。還是豆豉豆卷。有爲青年。斷送於是。孤兒寡婦。成就於是。嗚呼。誰實爲之。誰令致之。究亦非名家之咎。始作俑者。其在葉吳。葉吳邪說。貽毒無窮。目擊心傷。銜恨何極。

畢竟張某之病。是傷寒還是溫病。據名家言。是秋溫。病家當然信從名家言。轉以余認作傷寒治爲誤矣。最後得某西醫診斷。謂是傷寒。余寃始得平反。否則是非顛倒。功罪反置。然事實俱在。既不必以口舌筆墨爭辯，更不須藉西醫申寃也。此病在余四診之時。委實無險惡證象。辛涼解表。苦寒清裏。葛根芩連實爲正當不易辦法。進而狂躁譫妄。協熱下利。當用承氣。乃始信終疑。誤入歧途。殆命也夫。

(三)

至友李茗楹君令郎二歲。一日。忽發寒熱。面色紅潤。熱不甚。有汗。略略欬嗽，時在初冬，鄰里有出痧疹者。恐其出疹。余謂病情甚好。只須辛涼解表。欲出痧疹。自然透出。處方用茅根去心五錢。其他葛根連喬薄荷等稱是。越三日不相聞。至第三日晚。李君至。謂昨夜請推驚婆。余問如何作驚。照前日病情，不致驚風。君謂未見驚狀。恐其作驚。爲防患未然也。乃同往診視。小兒面色反不如前。酣睡。自推驚後無汗。信鄰婦言。恐出痧疹。故茅根不敢服。謂茅根涼性。去心者更涼。故只服一劑而止。余聞言。殊不悅。念茅葛之力。只一帖尚未及彀。處方仍如前。越日再診。表熱不揚，以熱度表量之。達四十度。少汗。而氣息粗。病情較重。余私自考量。當用石羔。幷需麻黃取汗。然茅根且畏其涼。毋論石羔。倘非必要。甯取緩着。李君與余過從甚密。若有緩急。必來相告，遂用柴葛解肌湯。去石膏。加川連黃芩，至翌晨。遲李君不至。嚮午。自往探望。則病情已急。問昨夜經過。謂昨方未服。至午夜。手足抽搐。目珠上泛。氣息甚促。痧疹見而不暢。早晨延請李某。頃來方去。索其方。用麻黃石膏。先予猴棗散等。余曰。方藥良是。惜已嫌遲。是誠余之過也。及午。不及藥而殤。是夜其七歲女公子亦病。視其胸背見痧點。欬嗽咯血。謂嚮明急送福民醫院。越日痧疹透達甚密。遍身有汗。經西醫裸胸聽診數次。遂閉。痧疹隱沒。遂氣急鼻扇。醫言危險萬分。但用噴霧機助呼吸。而無對證治療。李君知醫院不可恃。仍挽余診治。痧疹沒早。乃轉肺炎證。舌乾絳卷短。語言蹇澀。先予犀角地黃一劑。繼予大劑增液宣肺達邪等藥。熱度以次遞減。舌色逐漸淡潤。得不死。

李君令郎之殤。委實是余過失。設病變之夕。即投麻黃石膏。或不死。乃未能當機立斷。因人之疑。而放棄原有主張。屈已之意。而求合病家心理。過失在是。設處麻石方。雖被棄不用。告無罪矣。雖然。此病節節錯誤。一再至三。蘇常習俗。凡普通寒熱。掘地取茅根煎服。出痧疹則尤爲的對之藥。乃謂茅根性涼。去心更涼。有碍痧疹。不知出何經典。疑忌不敢服。無驚事推拿。任醫而信從不如鄰婦。此一誤也。柴葛解肌之方。力雖不逮麻石。然方未嘗誤。設早進藥。決不致一變而不可收拾。既任之而又疑之。此二誤也。余方既屏不用。又不另爲之計。及變端驟起。又不走告。坐失病機。此三誤也。夫疑懼交幷。則隣婦之意見紛陳。信任不專。則醫生之用藥爲難。皆病家所大忌也。李君至友。罔知余非庸劣粗工。乃前者臨事而疑。以致僨事。後者臨危而專。遂得竟功。此中得失。果何所繫。貴耳賤目。賢者不免。嗚呼。隣婦之言。深可畏哉。

放歌贈徐衡之

曹家達

壯夫失路苦怏悒。見神不拜遇鬼揖。畏道畏尾何足師。忽如放豚入其笠。無端戾氣殊渭涇。見逐客兮下秦庭。有才安往不適用。撞鐘何用借寸莛。生死肉骨出膽智。揮毫白眼看人世。

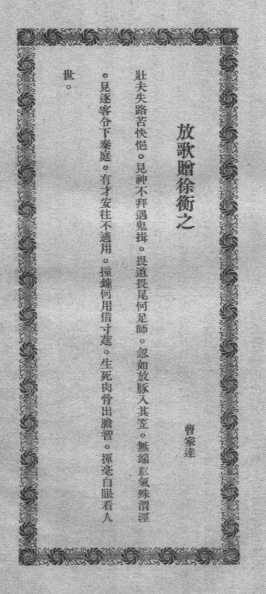

中國藥物起源的研究

章成之擬草
徐衡之飾辭

從前研究中醫的老先生們多半是迷信「聖人」這兩個字的。以爲「聖人」「天亶聰明」「傑出羣衆」他——聖人——可以創造宇宙。包辦文化。甚至神奇古怪無所不能。所以歷史上是「聖人」所講的話。所行的事。誰都是抱着「等因」「奉此」的態度。絕對不敢說半個「不」字的。現在中醫退化到這步田地。原因雖然很多。我想那「聖人」兩字。至少也要負點責任罷。

說起中國藥物的起源。誰都是說神農氏嘗出來的。要問起神農生理的構造。也和人們一樣。這萬有不齊的藥物。如何嘗得他們——中醫界腐化的保守派——沒有話說。只好「神農是聖人」給我們一個答復。我們要注意。神農是聖人。所以能嘗百草。同時我們也可說神農是個妖魔。怎麽說。神農如不是妖魔。這百草如何能嘗——衡之按。名醫圖譜載神農宏身牛頭。龍顏大脣。此非妖魔而何。

况且藥物之產地。不是聚攏在一處。和現在的藥店一樣。可以信手拈來。假使到山西去嘗黨參。到四川去嘗附子。神農早就疲于奔命了。况且當神農的時代。有許多地方荒烟蔓草。渺無人跡。神農便有心嘗藥。也是限于環境。一無辦法。

藥物的組織。不止一類。我們就是承認神農能夠嘗藥。也不過植物一類。礦質是嘗不出什麽來的。毒物是不能嘗的。試問鬧洋花砒霜巴豆這些東西。是不是可以隨便嘗試的嗎。

根據世界人類進化的步驟說。一部上古史。决不是三皇五帝幾個什麽聖人所能撑持得下的。就中的神農氏。也不過代表一個時代——耕稼時代——幷不是眞有其人。所以神農嘗藥。也等于「女媧補天」「黃帝乘龍」同爲神話資料而已。

神農嘗百草這句話。在考據上也有些來歷的。淮南子「……古者民茹毛飲血。采樹木之實。食蠃龍之肉。時多疾病毒傷之害。于是神農乃敎民播種五穀。相土地宜。燥濕肥燒高下。嘗百草之滋味。水泉

之甘苦。令民知所避就。當此之時。一日而遇七十毒。……」淮南修務篇

這嘗百草之滋味一句。便是後世神農嘗藥的出處。但細玩淮南子原文。幷不是一定說神農嘗藥。不過說神農嘗辨百草什麼可以做民衆的食料。什麼是不可以吃的。後世誤會神農的意思。以爲神農嘗辨百藥。眞是「數典忘祖」

陸賈的新語也有幾句可以證明神農嘗辨百草是爲民擇食料。而不是爲民嘗藥的。他說「……民人食肉飲血衣皮。至于神農以爲行虫走獸難以養民。乃求可食之物。嘗百草之實。察酸苦之味。敎民食五穀……」陸賈新語道基篇

此外還有後世的書籍。知道神農嘗草。有些站立不住。他們便改變論調。說神農嘗草幷不是神農氏自己嘗的。類如干寶搜神記說「神農以赭鞭鞭有百草藥。知其毒」又任昉述異記說大和——江西太和縣——神釜崗有神農藥鼎。咸陽山中有神農鞭草原。「芸忽小誌」又說。「神農時有一神獸。人有疾病。炎帝授意于獸。獸輒如里外啣一草。搗汁服之即愈。」衡之按史記三皇本紀亦有赭鞭鞭百草始嘗百草始有醫藥之說。

照以上看來。神農嘗百草這幾句話。那有存在的餘地。據古書的記載。說嘗藥的也不止神農一人。孔叢子說「伏羲嘗味百藥。」孔叢子雖然是一部僞書。亦可是古代嘗藥的傳說。已不是一致的了。

一種事物的發現。決不是從天空裏掉下來的。我們仔細研究。總有牠的「前因後果」中國的藥物學。既不是神農嘗出來的。那末藥物的發現和藥物的成功。究竟是怎樣一回事呢。要解決這個問題。是要根據古代的歷史。推尋探討的。

有史以前的人類。在石器時代。蹎蹎瞑瞑。昏昏噩噩。知識方面固然極其簡單。生活資料也萬分缺乏。即如飲食一端。陸居的吃草木之食。山居的吃鳥獸之肉。傍近水濱的吃魚鱉螺蛤。這些東西不夠服食。樹皮草根也是掘剝乾淨。用他充飢。誰知我們中國光明燦爛雄視全球的藥物學。就在這無意識剝樹皮掘草根的時候產生了。這層理由。幷不難了解。因爲藥物的多數材料。大都以植物爲大宗。當時的民衆。樹皮草根。是他們的日常食料。用藥植物。在那時也不過和我們現在吃的青菜蘿蔔一樣。應用在生活上。幷不是怎樣希奇的一回事。

他們這樣的生活着。大黃也吃。巴豆也吃。鬧羊花附子等。無所不吃。及至藥性發作的時候。生理上起了突然的不可思議的變化。這時對于他吃下去的東西。開始懷疑來。但是還不能十分斷定是食物的變化。及至一再的遇着同樣的事。——腹瀉痲醉——他們開始

覺察。并且認識了怎樣形狀的東西——功用——怎樣。由此可以得到個普遍的共同認識。

在上古的時候。是吃的樹皮草根等等不易消化的食料。那末在他們的生理上必定發生「瞋脹」等病。又爲居處不定。受風寒的侵襲。生活上不免有病的徵象。不過那時幸虧他們抵抗疾病的能力强。很不大覺得痛苦。有時也竟會好了。但是藥物有時吃下去。竟會于不知不覺中。發生療疾的功能。譬如「瞋脹」的人。吃下大黃。巴豆。肚瀉了一會。覺得舒暢了許多。再吃竟會好了。這是他們對于攻下藥。麻醉藥最初的認識。

復次天天嘗試攻下麻醉藥。身體當然是「枯槁瘦瘠」那天天嘗試人參地黃的人們。他的身體當然是「腦滿腸肥」起來。有一天這兩種人聚攏在一起。彼此交換知識。于是他們倆對于大黃附子人參地黃都得了一個很深的印象。

他們這樣千百次的試驗。億萬人的傳說。藥物當然是一天天的進步。所以我說中國有史以前。藥物早就「根蒂莞固」自後政治上的組織也繼續進步。社會上的生活也逐漸完備。那藥學倒反入于停頓時期了。

本來一種事物的創始。大都是「偶然的發現」而後逐漸演進的結果。遂古先民。爲我尋食料。竟會產生「光明燦爛」「雄視全球」的藥物學。這雖然得之于「偶然發現」但是也不知犧牲了幾多人的生命。絞了幾多人的腦汁。纔有今天這種洋洋大觀的神農本經。我們坐享其成。這是應當如何感念的啊。

藥物初見于記載的要算是詩經了。例如「言采其莔」——說文解字註。莔貝母也。又「贈之以芍藥」又「采采芣苢」——陸璣疏云。芣苢一名車前。一名當道。在牛跡中生。故曰車前當道。但據劉孝標辨亡論注。芣苢澤瀉也。兩說不同。——藥物學在那東周時候。已經是詩人謳詠的資料。這藥物學的知識。在當時的民衆。必然更是很普遍的了。——衡之按——尙書武丁之命傳說有云「若藥不瞑眩厥疾弗瘳」藥之見于經籍者。此爲最古。當時君臣誥命。亦以藥之瞑眩爲喻。則殷代人民。藥物經驗之富。可以想見。故吾謂中國藥物之普遍。當遠在夏商以前。

除了詩經而外。還有一部爾雅。上面關于藥物的記載。更是不勝枚舉。爾雅最初的作者。相傳是周公旦。此說雖不足據爲定論。但是藥物在成周以前已經「功程圓滿」那是無疑的了。

由此我們可以追溯藥物的起源。大概經過下列的五個步驟。

(一)迷惘　就是人們在茹毛飲血的時代。將藥物當做日常的食料看待。與樹皮草根一樣的看法。根本的使用。

(二)懷疑　就是吃下藥物以後。藥性發見。引起他們的懷疑和趣意。但有時也能引起試驗的好奇心。

(三)認識　他們既然經過突然的教訓。懷疑注意和試驗。再加朋儕們經驗的結果。其總和就是對于藥物智識的了解和認識。

(四)應用　先民對于藥物。既得了相當了解和認識。便本着他們的智慧。根據他們的經驗。應用藥物的效能到疾病上去。瞋脹的就知道吃大黃枳實。感冒的便知道吃麻黃桂枝「銖積寸累」都成爲民間治療的公例。

(五)研究　醫藥是切于民生日用一個很緊要的事。古代先民對衣食居等等生活上需要問題。都次第解决。他們當然要注意到醫藥上面。于是便從很豐富的經驗作進一步的研究。譬如同一瀉肚藥。有一種瞋脹病。是大黃很靈效的。有一種病。却非芫花大戟不可了。同一退熱藥。有一種發熱病。石羔是很靈效的。有一種病。却非黃芩不可了。先民藥物的智識。照這樣天天的進化。他們到了有文字的時候。便很忠實的記載下來。「某藥至某病」現今流行的神農本經。雖經後人修飾竄改。但大部分是先民的手筆。這是無可疑慮的呢。

由此看來。「神農嘗百草」爲藥物學的創始者。那是頂天大錯。他——藥物學——是犧牲了不少先民的生命。經過了千百次的試驗。結合了無量數無名藥物學家的心血成功的。并不是一個獨裁的「聖人」嘗出來的。

惲著保赤新書。吾家太炎先生。有論藥物學起源一段。可爲作者所說之佐證。可見研究醫學。別有見地。不肯苟同俗說。我們章氏是很可以自慰的啊。

「……章太炎先生。謂藥物療病。大抵起于單方。蓋草昧之時。未有醫術。偶服一當得愈。傳之他人。屢試不爽。遂爲本草。郎唐宋以來增附藥品。亦非醫生自知其效。必有單方在前耳。今西藥中「金雞哪」即彼中患瘧者所自求也……」錄保赤新書卷六四十五頁。

趙相如按。據地質學家調查。中國北部在冰川時代已有人跡。而冰川時代距今至少爲五萬餘年——見學衡雜誌陸懋德中國文化史緒論——攷中國有史以後。僅得四千數百年。則有史之前悠遠之年歲。人民藥物學上所得之經驗。可以推見。近人之反駁西醫者。動言中醫肇自神農黃帝。此語一出。既減低中醫由實驗而得之真價。又縮短中醫創始年歲。醫不悅學。常識簡陋。此中醫之所以日就衰頹與。

努力藥物革命

羚羊角——原名麢羊

章成之

釋名 李明珍曰。按王安石字說云。鹿則比類而環角外向以自防。麢則獨棲懸角木上以遠害可謂靈也。故字從鹿從靈省文。後人作羚。

形態 類似牛角而細長。長約一尺許。徑約一寸餘。梢稍光澤。呈黃褐色。末端稍彎曲。關節為螺旋狀而纏繞。日本產者帶黑色。長五寸餘。其基礎部有橫皺狀紋。稱為倭羚羊。

性味 鹹寒無毒。

效能 鎮痙藥。

用量 三四錢。近代以其價昂。僅用三四分。

主治 本經明目益氣。起陰。去惡血注下。辟蠱毒惡鬼不祥常魘寐。別錄除邪氣驚夢。狂越僻謬。療傷寒時氣。寒熱。熱在肌膚。濕風注毒伏在骨間。及食噎不通。久服強筋骨輕身。起陰益氣。利丈夫。

本草便讀清肝胆之熱狂。性稟輕靈。鹹寒解毒。治厥陰之風痙。功耑明目。辟惡除邪。

近世應用 平肝。解熱。定風。安神。

泡製 磨汁。鎊末。切片。

著名方劑 （1）紫雪丹——治煩熱發狂（見局方）

犀角 羚羊 硃砂 朴硝 硝石 磁石 寒水石 滑石 石膏 丁香 沉香 木香 麝香 升麻 甘草

如法合成。每服三四分至一錢。冷開水調灌。

（2）羚羊角散——治子痫（見本事方）

羚羊角屑一錢　杏仁　薏仁　防風　獨活

川芎　當歸　茯神　棗仁各五分（炒）　木香

甘草各二分半

右藥加姜煎服。

醫案　嗔怒動陽。恰値春木司升。厥陰內風乘陽明脈絡之虛。上凌咽喉。環繞耳後淸空之地。升騰太過。脂液無以營養四末。而指節爲之麻木。是皆痱中根萌。所謂下虛上實。多致巔頂之疾。夫情志變蒸之熱。閱方書無芩連苦降。羌防辛散之理。肝爲剛臟。非柔潤不能調和也。

鮮生地　元參心　桑葉　丹皮　羚羊角　連翹心

（見葉天士醫案）

前代記載　張石頑曰。羚羊屬木。入足厥陰。伐肝最捷。目暗翳障。而羚羊角能平之。痘瘡正面稠密。不能起發。而羚羊能分之。小兒驚癇。婦人子癇。大人中風搐搦。及筋寒歷節痛。而羚羊能舒之。驚駭不甯。狂越魘寐。而羚羊能安之。惡鬼不祥。而羚羊能辟之。惡血注下。蠱毒疝腫。瘡腫瘻癧。產後血氣。而羚羊能散之。濕熱留滯。陽氣不振。陰器衰痿。而羚羊角能起之。煩懣氣逆。噎塞不通。鬱爲寒熱。而羚羊角能降之。詳本經所主。皆取散厥陰血結耳。愚按諸角皆能入肝散血解毒。而犀角爲之首推。以其嵩食百草之毒。兼走陽明。力能祛之外出也。故痘瘡之血熱毒盛者。爲之必需。若痘瘡之毒。幷在氣分。而正面稠密。不能起發者。又須羚羊角。以分解其勢。使惡血流于他處。此非犀角之所能也。人但知羚羊角能消目翳定驚癇。而散痘瘡惡血之功。人所共昧。羯羊角治青盲目暗。與羚羊角不殊。而辟除邪魅蠱毒。亦相彷彿。惜乎從未之聞。惟消乳癖。丹方用之。白羯羊角。亦能消乳癖。而方家每用琉璃角燈。磁片刮取薄屑。置胸中候脆。杵細酒服方寸匙。屢效。嵩取宿腐之味。以消陳積之殆也。其鹿角刮屑。善消虛人乳腫。未潰卽消。已潰卽斂。卽本經主漏下惡血之治。龍角神魂不甯。功用與龍齒略同。千金方中有齒角幷用者。牛角腮嵩主閉血血崩。牛之一身。惟此無用。而本經特爲採錄。千金尤爲崩漏要藥。可見天地間無棄物也。

近人研究　孫鳳翔曰。羚羊角以有掛痕者爲眞。今磨用之角。不見掛痕。已難確定其眞僞。若羚羊角片。則多以山羊角鎊成。且久煎無味。絕無效力。

編者按　羚羊角。據古人傳說經驗原為鎮痙要藥。痙近人所謂風。定風即鎮痙之謂也。羚羊角所以鎮痙。生理上藥理上之作用。尚不可詳。以意測之。殆為清泄腦熱。歟腦中熱發生痙攣現象。羚羊角實為妙品。若痙動為局所性與神經中樞無關者。羚羊角非其治也

以羚羊角為退熱藥。始于蘇醫。實則葉天士之用羚羊角的目的在平肝。並非退熱。觀以所錄之醫案可以知之。近日時醫以痙動為熱極生風。內經熱淫於內治以鹹寒。羚羊性既鹹寒。復能定風。當然退熱。于是應用于陽明病之神昏譫語。循衣摸床。諸候。渠等尚以為羚羊角退熱之力。超過膏黃芩連也。噫。

羚羊犀角近世每多聯用。實則兩藥之功用。截然不同。羚羊功在清泄腦熱。犀角則為收縮血管凝固血液之藥。——華實孚先生之說。吾家太炎先生說亦同之。——東人渡邊熙謂羚羊有消滅血液中毒素之效。故可應用于腳氣。按此說頗新。誌之以備一說。

故紙堆裏

成之

入唐求法巡行記。卷四。會昌五年正月條。有敕問。求仙由何藥。具色目申奏者。道士奏藥名曰。李子衣十斤。桃毛十斤。生鷄膜十斤。龜毛十斤。兔角十斤等。敕令於藥行中覓，盡稱無。成之按。藥既有行。則藥店之起源。當在唐代無疑。

山藥——薯蕷

章成之

釋名 小泉榮次郎曰。山藥本名薯蕷。因唐代宗名預。避諱改為薯藥。因宋英宗諱署。又改為山藥——見和漢藥考后編二六八頁。

形態 植物學大辭典。薯蕷科。薯蕷屬。多年生蔓草。莖細長。葉長心臟形。有尖端。葉柄長。對生。夏日葉腋生花。呈穗狀。花小。單性。淡黃綠色。植物名實圖考曰。薯蕷生懷慶山中者。白細堅實。形扁。

產地 山野處多有之。

成分 和漢藥考後編。藥學的有效成分未詳。根中含有粘質物。稱為「シユ——シン」。及乾根中。有一種蛋白質。約含%云。又依榮養價分析之。水分八○・七四。脂肪○・一六。炭水化合物一五・○九。纖維○・九○。灰分○・六四。

雞　沮　羚羊角——原名羱羊

性味 甘溫平。

主治 本經。傷中。補虛羸。除寒熱邪氣。補中益氣力。長肌肉。強陰。

別錄。主頭面遊風。頭風眼眩。下氣。止腰痛。治虛勞羸瘦。充五藏。除煩熱。

甄權。補五勞七傷。去冷風。鎮心神。安魂魄。補心氣不足。開達心孔。多記事。

大明。強筋骨。主泄精。健忘。

時珍。益腎氣。健脾胃。止泄痢。化痰涎。潤皮毛。

震亨。生持貼腫硬毒。能消散。

近世應用 補肺脾腎。澀止精帶。

用量 小量三錢。中量五錢。大量兩許。

入藥部分 根。

方劑名稱　懷山藥。炒山藥。

炮　　製　竹刀刮去黃皮。切片。洗去粘涎。焙干•名炒山藥。切片晒干。名生山藥。

禁　　忌　鉄。脾虛有濕之人。

著名方劑　炒香散——山藥人參黃耆遠志茯苓神桔梗甘草木香麝香辰沙。治驚悸鬱結。夢遺失精。八味腎氣丸——山藥地黃茱萸丹皮澤瀉茯苓附子桂心。治虛勞裏急。少腹拘急。小便不利。

驗　　方　儒門事親小便數多。山藥以矾水煮過。白茯苓等分爲末。每水飲服二錢。

普濟方脾胃虛弱。不思飲食。山藥白朮一兩。人參七錢半。爲末。水糊丸小豆大。米飲下四五十丸。

醫按示例　鎮江蔣寶素頻年泄瀉。脾腎久虧。倉廩不藏。胃關不固。清氣反從下降。法當益火之本。兼理中陽。

大熟地人參白朮炮姜炙草山萸肉茯苓製附子油肉桂山藥。見問齋醫按。

葉天士。渴飲頻飢。溲溺渾濁。此屬腎消。陰精內耗。陽氣上燔。舌碎絳赤。乃陰不上承。非客熱也。此乃藏液無存。豈是平常小恙。(按此卽糖尿病)

山藥熟地萸肉茯神牛膝車前

前代記載　——節錄張秉成說——山藥……養胃。健脾。益肺陰。固腎。脫凡脾虛泄瀉。肺虛咳嗽。腎虛遺滑等症。皆可用之。……但性偏膩濇。脾虛濕勝之人。則不可用。

——節錄黃宮繡說——……且其性濇。能治遺精不禁。味甘兼鹹。又能益腎强陰•故六味地黃用此以佐地黃。然性雖陰而滯不甚。故能滲濕以止泄瀉。生搗敷癰瘡。消腫硬。亦是補陰退熱之意……

近世發明　近時發明此藥。爲治糖尿病之特效藥。——見後——

近人研究　張錫純曰。山藥色白入肺。味甘歸脾。液濃益腎。能滋潤血脈。固攝氣化。甯嗽定喘。强志育神。性平可以常服。多服宜用生者。煮汁飲之。不可炒用。以其含蛋白質甚多。炒之則其蛋白質焦枯。服之無效。若作丸散。可軋細蒸熟用之——見衷中參西錄山藥解

吾家太炎先生曰。薯蕷一味。開血痺特有神效。血痺虛勞方中。風氣諸不足。用薯蕷丸。今雲南人患脚氣者。以生薯蕷切片。散布脛上。以布纏之。約一時許。脛上熱痒卽愈。——節錄章氏醫學叢書脚氣論。

華實孚先生爲述上海天廚味精創製人吳蘊初。患糖

尿病。延醫診治。注射糖尿病最新特效藥。因蘇林Jns·ulin無效。遂有人勸吳改服中方黃芪山藥。吳君曾留學日本。精解化學。乃日服黃耆而親驗其小便。一星期病如故。吳再易山藥服之。亦日驗其尿。自服山藥後。尿中糖分逐漸減少。未幾。病即霍然。

寳孚先生又謂西人論糖尿病療法之外。以戒糖及禁止五穀粉食為緊要攝生法。因澱粉經消化作用。可變為糖。而使糖尿增劇也。余以為糖尿病絕對忌糖•乃西醫因噎廢食消極的辦法。須知糖尿病之原因為澱粉質。新陳代謝機能不趨正軌所致。蓋患者腸內所吸收之澱粉糖質。已不似常時之貯藏于肝內。其大部分均入血液而自尿質排出。今再禁絕食料中之糖質。是出納不相符。而人體中需要之糖質。必日形虧乏。故凡患糖尿病者。若將澱粉類食物。完全禁止。即將發生危險。國醫以山藥治糖尿病。一方山藥富于澱粉。能增加人體中缺乏之糖質。一方山藥有收濇之性。更能遏止入體向外滲漏之糖質。準以上言之。西醫治糖尿病禁止食糖。未必于病有益。國醫用含有澱粉之山藥。而病竟能愈。嗣後山藥治糖尿病。果屢試而屢驗。則西醫治糖尿病。絕對忌糖之學理。將有根本動搖之一日也。

編者按 近世治胸痺。胃脘痛。嘔吐清水。呑酸痺雜等症。一例用辛香開泄。或辛開苦降為治。于是呑酸嘈雜之胃病。竟無適當治法、臨證指南醫案脾胃病門。曾以脾胃分治立論。其言曰。太陰濕土。得陽始運。陽明陽土。得陰自安。以脾嗜剛燥。胃嗜陰柔也。葉氏此言。予嘗嘆為卓絕。故予每遇呑酸嘈雜。恆和其胃而不運其脾。山藥萹衣雲苓苡仁粳米甘草穀芽。均和胃之妙品也。治呑酸嘈雜。雖不能立時見效。其病亦必稍殺。間嘗攻之西醫籍。胃酸過多證。其痛常發于食後二三小時。或空腹時。如投以蛋白質。或亞爾加里劑。——按即小蘇打之類——痛可緩解。夫山藥固富有蛋質白者。以其治胃酸過多之慒雜。豈不甚妙。倘醫者不解此。以芳香運脾。或辛開苦降之法治呑酸慒雜。勢必亢進胃膜之分泌。而病益甚。吾兄衡之嘗言。葉天士雖不能治傷寒溫病雜病。則固有可采處。今觀葉氏脾胃分治之論。信然。又近世以山藥治實勞欬嗽。蓋山藥富有蛋白質之故也。

章太炎先生論醫筆錄

徐衡之

姻戚某年五十歲。病肝胃痛多年。發作時。胸脘劇痛。腹中有塊墳起。冷氣上衝巔頂。徧治無效。余為疏小柴胡去參加青陳皮。亦無效。改處理中加吳萸青皮方。亦不驗。逐予溫白丸。按外台溫白丸治癥瘕積聚。丸如蔡豆大。每服七粒。遞加以知為度。余變換其服法。予二十一粒。囑分三次服。而病者誤聽。一服盡之。服后腹大痛。吐瀉繼之。時在六月。病家驚為霍亂。余曰。是藥後當有見象。屯瀉七次。腹痛止。吐亦已。從此痼病霍然。距今已十數年。未聞一發。

其二

太陽篇中桃核承氣湯抵當湯二方。皆治結血。昔人多不能分辨。東人書中。或以桃核證為新瘀。抵當證為久瘀。其實非是。余嘗攷之。太陽有旁光小腸之分。桃核承氣湯。乃治熱結旁光者。抵當湯乃治熱瘀小腸者。病所不同。病情亦異。論稱太陽病不解。熱結旁光。其人如狂。血自下。下者愈。夫熱結旁光。其人自下血。則病以愈。此與太陽病得衄而解者。蓋同。蓋病已深入血脈。腎藏泌別不能得力。則熱邪必并入血中。自旁光而出。假使一時盡下。卽亦不須用藥。以下或不盡。少腹結急。勢必以藥導之。此桃核承氣所主也。至若太陽抵當證。頗有類遠西之腸窒扶斯。彼土以腸窒扶斯為傷寒桿菌屯聚於腸。抵當湯證之所起。則為太陽隨經。瘀熱在裏。經者。小腸也。西人治腸窒扶斯。多用待期療法。三星期而後。小腸發炎過甚。馴至出血穿孔。及腹膜炎諸證。仲景用抵當湯。祇在六七日至十餘日間。急以峻藥下之。腸中瘀熱。一下而解。此仲景醫術所以神也。若病者已逾兩星期。則抵當湯似不可用。宜小品犀角地黃湯加黃芩方。蓋腸中瘀熱過甚。剝蝕腸膜。快藥下之。誠有出血之危也。至桃核承氣湯抵當湯證狀之辨識。一則熱結旁光。故小便不利。一則熱結小腸。小便自利。此大較也。抵當湯證脈微而沉者。此因熱血瘀于一處。血液循行。為之障礙。故爾。若遽以為心藏衰弱。則為脈狀所愚矣。凡脈微身寒之證。不必盡由心藏衰弱。如食積脹滿。亦能使然。況瘀血聚于小腸乎。又二證發狂雖同。其因亦異。抵當證之發狂。以瘀熱在裏。猶承氣證有見鬼狀。然桃核證之如狂。則以病機乍轉。必呈瞑眩之象。如蚼解者。必先目瞑心煩也。

學生成績

本欄約分「論著」「譯述」「雜記」三項。其謬誤之處。統請閱者指正。（編者識）

少陽病寒熱往來瘧疾亦寒熱往來故論者謂少陽法實賅瘧疾然瘧疾投以小柴胡湯往往無效何歟究竟少陽症病理與瘧疾有無分別并小柴胡湯之用標準何在

丁成萱

（1）導言

這篇東西。本來老早就脫稿了。那知經過金匱教授陸淵雷先生的一段解說。（語詳陸著金匱今釋卷二）頓使我這篇裏所含的一點瘧疾病理。根本搖動。同時也引起了我不少的疑問。這些問題。因為我學識淺薄的緣故。所以自己也就不能應付解決。因此。我祗好仍將我的說素抄在這裏。明知是不十分對。但也沒辦法。這眞使我痛心。好者。我一向抱的是「抛磚引玉」的主張。勿論是好是歹。我儘敢拿出來獻獻醜。海內高明學者。如肯與我一個正確的反響。那末。我就進步不少了。

至于我所以不拿內難二經上面的話來解釋瘧疾。反引西國瘧原虫的說法。這是什麼道理。也須得聲明一下。否則。一定有許多人要對我懷疑。說我是獻眉西醫。其實不然。我說。當這中西醫學紛爭的當兒。我們的精神應該是當仁不讓。勇往直前。我們的態度應該是不牽强。不傅會。對的說對。不對的便說不對。處處以事實作根据。決不容客氣用事。須知醫學是科學。不是玄學。而且內難二經上關于瘧疾的說話。非常模糊。不能使人一目了然。甚至有許多說不通的地方、所以我甯可拋棄了內難經而暫時屈服于明白了當的瘧原虫說法之下。決不願替古人諱飾。爲國醫界戴上假面具。做那自欺欺人的勾當。至于原虫說法不圓滿之處。我在篇幅之末當特地提出。敬希讀者注意。

(2)總論

小柴胡湯本是仲景傷寒論上少陽症的主要方劑、近來一班中醫拿牠去治瘧疾的很多很多。差不多人人腦筋中都藏着一個「小柴胡湯治瘧」的觀念。因此開出治瘧的方子來。也是千篇一律。總跳不出此湯頭的範圍。這是什麼道理。我很狐疑。一天。据一個醫生告訴我道「少陽症寒熱往來。用小柴胡湯治之即愈。瘧疾也有寒熱往來的見證。當然一樣地可以小柴胡湯治之」。啊。原來用小柴胡湯治瘧的動機和其唯一的理由。就是爲了「寒熱往來」四字嗎。這段說話。似乎可以使我豁然而解了。可是不然。我要問「少陽症的寒熱往來與瘧疾是不是同道一軌呢」。這是吾們不可忽略的先決問題。又「用小柴胡湯的標準。是不是祇要見到寒熱往來呢。一換言之。有了寒熱往來的見證。是否發以小柴胡湯都會有效呢。」這是吾們第二步應當解決的問題。能夠將這兩個問題弄得清清楚楚。則其他一切枝節。都可迎刃而解。

(3)分論

(甲)少陽症與瘧疾之病理比較觀

根据近代科學的研究、瘧疾 Malaria 之所以寒熱往來。是由于瘧原虫 Plasmodium Malaria 增殖作用的結果。瘧原虫的亞羅弗尼斯 Anopheles 蚊居中作媒。而傳入人體血液。瘧原虫既經傳入人體。即奔進赤血球 Erythrocyte 耑靠血液營養。初時其體甚小。漸漸發育則佔据了整個的赤血球。一俟成熟期到。赤血球容牠不住了。于是乎牠就同孫悟空一樣。用分身法分成爲若干小球體。衝出破壞了的赤血球。預備重行鑽入新的赤血球。如此演進、直害得血液受累不淺、所以瘧者面色都是蒼白。就是這個緣故。當那瘧原虫衝破赤血球的當兒。能使人體溫上升。而呈發熱現象。同時脾臟也就腫大了。等到汗出退熱。脾臟仍歸縮小。但久瘧也有腫而不消的。俗名瘧痗。這種在治療上很不容易。更因爲瘧原虫種類不同的關係。所以成熟期有長短。分裂數亦有多少。普通可分爲三種。每二十四小時成熟者。則每日寒熱一次。四十八小時成熟者。則隔日寒熱一次。每一原虫能分裂至十五或二十個。七十二小時成熟者。則三日寒熱一次。每一原虫能分裂致九至十二個。因此有每日熱 Tebris qusrtana Triceps (即每日瘧) 間日熱 Febris

Tertiana（卽隔日瘧）三日熱 Febrish Quartana（卽三日瘧）之不同。通常以四十八小時成熱者爲多數。所以瘧病多半是隔日發作一次。還有一層。不論他是一日瘧二日瘧或三日瘧，通例是下午發作。上午和夜間發作的很少很少，西醫汪企張謂「往往發作于午前。」（見商務出版內科全書上册）此說與事實不符。不可從。由此看來。可以明白了。瘧疾的寒熱往來。必有其一定的時間，不是亂發的。話雖如此說。間或也有例外。譬如一個人的身體經過了重複傳染或混合傳染之後。那就寒熱無定時了。好者。這種情形總少見。俗稱瘧疾不分清是也。再說原虫分裂的時候。起初能使末稍動脈管收縮。故皮膚之血量大減。于是乎洒洒然毛髮起立。而惡寒。繼而則血管漸張，蒸蒸然發熱。最後末稍動脈管大張。汗液淋漓。溫熱排泄。好像病已好了一般。這就是瘧疾的病理。

至于少陽症的病理。有兩端可說。一是寒熱往來，二是胸脇苦滿。少陽症的寒熱往來，照方有執說。「少陽症……寒熱往來者。邪入軀殼之裏。藏府之外。兩夾界之隙地。所謂半表半裏少陽所主之部位。故入而併于陰則寒。出而併于陽則熱。出入無常。所以寒熱間作也。」唉。含糊極了。這段解釋。從何說起。直使我莫明其「地土堂」所指兩夾界之隙地與少陽所主之部位。究竟在人體解剖上那一點呢。不得而知。幷且硬把「陰陽」和「出入」湊合上「寒熱」。益加見其拙笨。吾意索性沒有這段解說倒也罷。一有這種解釋。反使人如入五里霧中。不知所向。所以我覺得非常不滿。照我說「少陽症的寒熱往來，是人體上一種自然療能作用的表現。卽是正氣與邪氣相爭的結果」仲景有「弱血氣盡。腠理開。邪氣因入。與正氣相搏。結于脇下。正邪分爭。往來寒熱」的話。可爲鐵證。故與瘧疾的寒熱往來。是絕然兩途的。再說胸脇苦滿吧。根据仲景書攷察下來。少陽症的主證是胸脇苦滿。而非寒熱往來。至于胸脇苦滿的道理。我不妨引證一段來說明一下。日人湯本氏云「……令病人仰臥。醫以指頭自肋骨弓下。沿前胸壁裏面。向胸腔按壓之際。觸知一種抵抗物。同時病人覺壓痛。是卽小柴胡湯之腹證。然則胸脇苦滿。當是肝脾膵之腫脹結鞕，然肝脾膵三臟幷無異狀。而肋骨弓下仍有抵抗物觸知者。無非該部淋巴腺之腫脹鞕結。……」由此看來。胸脇部之所以感覺苦滿。可以明白了。——淋巴腺的腫脹鞕結。

費了九牛二虎之力。總算把瘧疾和少陽症的病理說完了。現在我再來兩相比較一下。看二者之間。究竟有無相同之處。照上面說下來。瘧疾有寒熱往來。少陽症也有寒熱往來。這個在表面上似乎是相同的，其實不然。瘧疾的寒熱往來。是發作有定時。原因是瘧原虫增殖作用的結果。而少陽症却不同。原因既不是原虫。寒熱且無定時。所以這是「形同而實異」。還有一樁少陽的主證胸脇苦滿是胸脇部的淋巴腺腫脹鞕結。瘧疾祇有左脇下覺得苦滿痞鞕。這個苦滿痞鞕是脾臟腫大。因此同是一個苦滿現象。却有部位的不同。範圍的大小。然而攷其實質。脾臟也是個淋巴腺的大本營。脾臟腫大。也可說是等于胸脇部淋巴腺的腫脹鞕結。所以這又是「形異而實同」。總之二者之間。同中有異。異中亦有同。不可稍事忽略。

(乙)用小柴胡的標準

中醫治病。與西醫根本不同處。就是西醫治病。講究什麽細菌。哪病灶。哪某病病原體與某病不同。用藥也就不同。所以甚重視特效藥的發現。至于中醫治病。不隨病名而立方。故無所謂特效藥。萬病悉隨其證而治之。(中醫之長處在此。而短處亦在此)證有腹證。有舌證。有脉證。有外證。而腹證為主。知得證之法者。卽可決定其治法。而確定其方劑。證之與方。恰如影之隨形。不可離開。關於此點。說得最好的。莫過于日人湯本氏。茲引其說一節如下。「……例如桂枝茯苓丸由桂枝、茯苓、芍藥、桃仁、牡丹皮五味而成。因臍下部之瘀血塊。左直腹筋之攣急。為目標而用之。以此為目標而用此方。則因於瘀血之血管、血液諸病。悉能治之。又如黃解丸由山梔子、黃連、黃芩、大黃四味而成。其目標為心煩、心下痞、上逆、便祕而用之。以此為目標而用此方。則因血管、血液之炎性機轉、諸病悉能治之。又如葛根湯。由葛根、蔴黃、桂枝、芍藥、生姜、甘草、大棗之七味而成。是乃以主藥葛根證之背項筋的強直性痙攣為目的而用此方。凡感冒、腸窒扶斯、腸膜炎、破傷風、偻麻質斯、喘息、熱性下痢病、眼疾、耳疾、上顎竇蓄膿證、皮膚病、以及其他病證。悉能治之。……」明瞭以上各點。就可以知道小柴胡湯亦必有其腹證等等。以為用牠的標準了。現在讓我來考察一下。看觀小柴胡湯中有柴胡、黃芩、人參、黃連、半夏、生姜、甘草、大棗七味。按首三味(柴胡、黃芩、人參)最佔重要位置。其餘的數味。俱不能算是責任重大。所以我此刻要譚及的。也祇是柴胡、黃芩、人參三味。据日本東洞翁的攷證。柴胡主治胸脇苦滿。旁治寒熱往來。腹中痛。脇下痞鞕。又黃芩主治心下痞。旁治胸脇滿。嘔吐。下利。又人參主治心下痞。堅鞕。支結。旁治不食。嘔吐。喜嘔。心痛。腹痛。煩悸等證。統察下來。差不多這三味都治胸脇部和心下的毛病。由此可曉得用小柴胡湯的標準。必定在胸脇苦滿和心下痞鞕堅實。決不在寒熱往來。(至于柴胡所以能治胸脇苦滿。我想大致不外于章太炎先生所說。先生曾謂「柴胡能刺戟淋巴腺。促進淋巴液泌別之作用。故治胸脇苦滿。」)關于此點。湯本氏亦曾說過。茲更引之如下。「……小柴胡湯、柴胡姜桂湯、大柴胡湯、田逆散等之柴胡劑。應用上之目標為胸脇苦滿之腹證。卽為胃加答兒、腸加答兒、及肝臟、胆囊、輸胆管之炎證、瘧疾、脚氣、心臟病、肋膜炎、肺結核、腎炎、子宮疾患等屢見之腹證。若見此類病有胸脅苦滿證。更參脉舌外證等。

而選用柴胡劑中之適方。則諸證皆能治愈」云云。並不曾說及柴胡劑之標準爲寒熱往來。可爲吾說之佐證。可嘆一班庸俗盡以「寒熱往來」爲主治。不知寒熱往來祇是柴胡一味的旁治而非主治。反客爲主。可就錯了。近今惲鐵樵先生在傷寒輯義按中第二卷第九十三頁亦說小柴胡湯的主證是寒熱往來。可惜。

（4）結論

我所要解决的問題。現在可算已經解决了。第一少陽症與瘧疾的病理不相同。第二用小柴胡湯的標準。不在「寒熱往來」定在「胸脇苦滿」與「心下痞鞕堅實」。如此我敢武斷地說一句。凡是有「胸脇苦滿」和「心下痞鞕堅實」的。不論他有無「寒熱往來」。以及是瘧非瘧。儘管用小柴胡湯治之有效。雖有「寒熱往來」而不見「胸脇苦滿」和「心下痞鞕堅實」者。定不可小柴胡湯治之。如此而已。

附疑問數則

（一）据科學上的研究 Anopheles 蚊多在熱帶地方。并廣布于溫帶各處。若天氣稍冷或寒帶地方則少見。故患瘧者亦少。然則秋天氣溫本比春夏之交爲低。何故瘧疾不發于春夏之交。反多發于深秋呢。此可疑者一。

（二）事實上瘧疾無論一日二日和三日。多半發于下午。這是何故。此可疑者二。

（三）有一種人患瘧疾會再發。譬如今秋一作。明年秋間再發。甚至後年秋天照常還發。這是何故。此可疑者三。

（四）西國有所謂假而間歇熱者。其人體中并無瘧原虫而其症象却與瘧疾絕相似。又有作弛張熱及稽留熱者。有并不發熱但皮色污穢蒼白。心悸氣促。關節疼痛。體力衰脫者。其血中皆有瘧原虫。而其症象又不似瘧。在西醫俱稱爲麻拉利亞 Mal ria 這是何故。此可疑者四。

（編者評）少陽病與瘧疾。爲千古疑而未决之問題。其故因瘧疾之病理易知。而少陽之病理難知。試問少陽病究因何種病毒而成。病毒集中何部。何以寒熱往來。又小柴胡治瘧疾無效之理由安在。及有時奏效之理由又安在。古今載籍似未有詳細說明。類皆囫圇吞棗。强作解人而已。作者獨能博覽羣書（如湯本氏著作等）。精思冥悟。比較二病之異同。及指出小柴胡用法之標準。其長處在不作含糊語。理論雖尚未能十分圓滿。然亦可讚美矣。

論瘀血之害

馬伯孫

本院院刊第一期中。鄙人曾作氣候與疾病之關係一文。其實所謂氣候與疾病之關係者。卽氣候與血循環之關係也。但是這一篇又不單論血液循環。不過論其中之瘀血一症而已。人體所以能保存不腐爛。而且能生出動作來。全由血液循環全身所致。（動作雖爲神經所使。然而能生他的動作。亦由受了血液營養）若血液循環系中偶有一部分成瘀血而障碍。全身必大受影響。茲且舉重要數症。而論其爲害非淺。以及診斷並治法。

（一）瘀血成大動脈瘤之害　大動脈中的管壁一部分擴張而成大動脈瘤。其大小是不同的。大約不過豌豆大小。這瘤的發生。是由於動脈中血行遲慢。及內膜的變化。血液凝固閉塞。成爲血塞而成。而造成這血塞的血塊。稱爲血栓，（血塞血栓都是西醫界的名稱。就是中醫所說的瘀血。不過他們分得很明瞭。所以我也這樣分。）這種血栓成了栓塞（瘤）後。有的附着管壁而不動。有的一部分游離在血液中。當循環到末稍部分的時候。則成栓塞。但是動脈瘤多生在上行大動脈與大動脈弓。生在下行大動脈的很少。若是動脈瘤張大。壓迫了旁邊的臟腑。各臟腑則起障礙。至於所生的症狀。是因臟腑而不同的。大動脈弓動脈瘤起張大。上大靜脈卽受壓迫。而且頸部及上胸部皮下靜脈。起蛇行狀擴張。肺臟以致被壓迫。而起呼吸困難。

若肺臟的左氣管枝受壓迫。則發氣管枝狹窄病。若壓迫了回歸神經。則聲帶麻痺。不能發聲。食管受壓迫。則食入困難。甚至餓死。臂神經或肋間神經受壓迫。則發神經痛。所以單大動脈瘤之害。已經如此。而循環系中。各部多能瘀血。故此瘀血爲害。爲全身很危險的病症。

（二）瘀血成癲狂　癲狂的病理。在清朝有王清任氏曾經發明過。他說。癲狂是由於血氣凝滯。腦氣與臟腑氣不接。我們用今世的生理學病理學來解釋。簡單的說。就是循環系因瘀血障碍而得。茲特詳細的說明如下。腦神經中最長的。是迷走神經。這神經是分佈在內臟各臟腑中的。但是有一種特別的功用。就是牠有制止心動的力量。另外還有一種交感神經。可巧恰與迷走神經相反。牠有一種催進心動的力量。心臟所以能整齊的跳動。不致太快太遲。就是完全因這二種神經互相平均的結果。若是這二種神經。有一障碍的時候。心動也就要發生障碍。此病的成。是因爲腦部受了大刺激。影響到迷走神經的末稍麻痺。因爲迷走神經的末稍麻痺。沒有制止心動的力量。單剩了交感神經去催進心動。所以交感神經是極度的興奮。而心臟的跳動很快。但是交感神經雖是這樣的興奮着。可是心臟不能永久持續時。心肌質就容易發生衰弱。而左心室也無力去噴射動脈血注入大動脈中。同時右心房亦無力擴張。以致血壓減少。而血行緩慢。至於全身靜脈鬱血。而上大靜脈。與一部分頭部毛細管亦鬱血。此即王淸任所說的血氣凝滯。腦氣與臟腑氣不接。因之大靜脈由腸胃中所吸收到心臟的營養料不足。而左心室注入大動脈的血液中。營養料當然也不足。那麼頭部腦神經也就得不到充分的養料。所以神經就不活潑。而至錯亂。由此可知癲狂病的原因。是由於循環系受腦神經刺激的影響而成瘀血。若單是腦神經受刺激。循環系不起瘀血。則腦神經得血液的營養。仍能漸漸恢復。不致成爲癲狂的。所以治癲狂。亦當攻去大靜脈中的瘀血。方有效。若單治以緩和神經。是無効的。故此病的成實由於瘀血的爲害。

（三）瘀血成神經痛與痲木痙攣　瘀血造成這種的病症。是因爲心肌質衰弱。血行緩慢。而成血管壁局部的瘀血。這種局部的瘀血。雖不如癲狂的大靜脈瘀血爲害的大。然而已能使得血行更加緩慢些。譬如上膊動脈與橈骨動脈中。血行緩慢。於是上肢的神經因得不到充分的營養。就成橈骨神經痛。尺骨神經痛。或上肢痲木。或痙攣等症。若是下肢的股動脈中。血行緩慢。即成股神經神經痛。或成痲木痙攣。痛引不能走路。若胃動脈血行緩慢。即成胃痛。若面部二側的內顎動脈下齒槽動脈上齒槽動脈血行緩慢。則成三叉神經痛。與牙痛等症。

從以上的數症看來。就可以知道瘀血爲害之大。差不多人身上所患的疾病。一牛倒因爲瘀血的關係。所以當病初起的時候。即應從速斷定。以免遷延不治。但是怎樣纔能分別得出。這病是由於瘀血。而那病不是呢。這是極容易診斷的。凡是血管的一部份有瘀血。他一部份血管中。必然現貧血的症象。上肢的指甲色彩。往往沒有血色。而現灰白色。遍身的皮膚也現灰白色。舌苔成紫而黑暗。捫之潮濕不乾。脈象現結脈。或尺部現滑脈。若是胸部大靜脈瘀血。寸脈則芤。既然診斷後。斷定是由於瘀血爲病的。那麼就當着手去驅瘀。但是這種瘀血。是因爲心肌質衰弱。血行緩慢而成。所以去治應當第一步。先攻去瘀血。用桃核承氣湯加減。（古方驅瘀劑很多。如大黃䗪虫丸。抵當湯、下瘀血湯、桂枝茯苓丸、當歸芍藥散等。各有各的用途。茲舉桃核承氣湯不過作一例而已。非謂此湯可包辦一切的。讀者請勿誤會。）因爲桃核承氣湯中的主藥。是桃仁。桃仁的功用。照日本東洞翁的弟子鄗井茅氏所著之藥徵讀編云。桃仁主治瘀血。少腹滿痛。故兼治腸癰。及婦人經水不調。又湯本求眞云。桃仁係消炎性。驅瘀藥的解凝藥。兼有鎭欬鎭痛緩下殺虫殺菌作用。這種的功用。完全是因爲能攻瘀而得的。用桃核承氣湯時。可再加琥珀、紅花、丹皮、赤芍等。去攻去瘀血後。一面更應當用附子去强心。使心肌質强盛。生出他所有的收縮擴張力來。去噴射血液。更用人參亢進血運。使血行恢復原狀。而保往常態的速度。這樣心肌强盛。血行速度恢復。則血管中因所瘀住的血既除。即照常通過血行。而去循環週身。營養全身的神經。與腦神經。腦神經既得營養。而迷走神經所受的刺激。亦漸漸恢復原狀。而仍去制止心臟的跳動。與交感神經互相使心臟起整齊的跳動。使血液循環週身。而週身神經因爲得了血液的營養。則瘀血所成的疾病皆能全愈。這一篇論文中有錯誤的處任。須請海內高明者敎之。

作者於生理病理。皆有相當研究。加以好學深思。故能立言精切。無模糊影響之談。本篇與後譯湯本氏論瘀血之害一文。對照讀之。實有相得益彰之妙。然著者之年齡。祇及湯本氏三分之一。（作者年祇十七歲。而湯本氏據本院台灣同學說。約爲五十餘歲。）將來造就。或遠出湯本氏之上。未可知也。孔子云。後生可畏。信然。

又作者嘗謂欲革新國醫。除精研傷寒金匱千金外台各要籍外。此外則須多讀西醫書。按此說卓見也。特附識之。（編者）

三陰三陽之我見

趙錫庠

漢朝的張仲景。他做了一部傷寒論。那書的內容。是拿三陰三陽做提綱。後然再辨症論治。至今我國的醫界。皆奉爲金科玉律。可是他的定義。古今注家雖多。卻議論紛紛。沒有一定的界說。我推想此中的原因。大概總逃不了聖人兩個字作祟。何以見得呢。你看傷寒論說起他。是「太陽」「少陽」「陽明」「少陰」「厥陰」「太陰」。而內經說起他。也是「太陽」「少陽」「陽明」「少陰」「厥陰」「太陰」。仲景是聖人。歧皇也是聖人。前聖後聖。其揆當一。於是乎拿內經的三陰三陽。來强釋傷寒的三陰三陽。拿傷寒的三陰三陽。來附會內經的三陰三陽。雖說得天花亂墜。其實徒亂人意。無裨實用。要曉得。中醫的定名。向來是不考究的。一個名辭。你可以這樣用他。也可以那樣用。在表面看起來。兩方所說。好似一樣。但是細細地看看他的內容。恰是風馬牛不相及了。所以研究中醫的人。而拿名辭來比附。就是門外漢。近來西醫余雲岫氏。要算是攻擊中醫最出力的人了。他看見這派的說數荒謬。就冒昧的武斷的說。「傷寒論最難解釋者爲六經。（三陰三陽之簡稱）最無謂者亦爲六經。」六經眞無謂嗎。眞難解釋嗎。我不禁爲三陰三陽呼寃不置。但是這也我們中醫與人以可攻之隙。因爲解釋六經的人。大多都是拿傷寒的六經。和內經的六經。混牽不清所致。我現在先拿陰陽兩個字說說。再拿內經上的六經。和傷寒上的六經。解剖一下。比較一下。看看可是能夠混雜的。並且傷寒上的六經。是不是有解釋的。有義意的。陰陽兩個字。是中醫書藉裏相對的代名辭。如內外。呀强弱呀。物質勢力呀。進行病退行病呀。皆可以用這兩個字做他們相對的代表。他的取舍。是很廣泛的。甲可以拿他來代表表裏。乙可以拿他來代表進行病退行病。丙丁也可以拿他物質勢力和强弱。例如他說脈。也常用陽陰兩字做代表。但是有代表部位的。(陰代表寸口（此寸口包寸關尺而言)和(尺中陽代表人迎和寸口)有代表派象的。(陰代表沈濇弱弦微陽代表大浮動數滑)又有代表按法的，(輕按是陽重按是陰）所以我們在書籍上。看見了這兩個字。第一步就要審查他代表的性質。屬于何種。然後才可以將全文看下去。切不可拿甲處的陰陽。來傅會乙處的陽陰。拿乙處的陰陽。來穿鑿丙處丁處的陰陽。因爲他代表的各有不同。明瞭了這點。才可以讀中醫的書籍。才算得是一個中醫的學者。注解傷寒論的人們。不知道這種道理。只曉得用高壓的手段。拿聖人的大銜來包辦一切。壟斷一切。所以造成種種錯誤。但是這也是時代的關係。我們不必深責他。

陰陽兩個字。已經單簡說過。現在來談三陰三陽內經裏三陰三陽的陰陽。是代表那一種呢。是代表內外而言。他將人體分做內外二層。內就說他陰。外就說他陽。外又出前後旁三面。就拿「太陽」「少陽」「陽明」做他的名字。內亦分此三面。就拿「少陰」「厥陰」「太陰」做他的名字。這就是內經拿陰陽代表內外。而分六經的大概。傷寒論呢。他把急性熱病分爲兩大類。一類是機能亢盛的進行病。俗名陽症。一類是機能衰弱的退性病。俗名陰症。這兩類病是相反的。但是他的治療和經過。又可劃分三個界限。說他三個段落也可。於是仲景就適用起陰陽兩字代表他。進行病中的三個界限。就拿「太陽」「少陽」「陽明」來做他的名字。退行病中三個段落。就拿「少陰」「厥陰」「太陰」來做他的名字。太陽病就是少陰病。不過一個是機能亢盛的進行病。一個是機能衰弱的退行病能了。所以有一得病時。就是少陰病。以前的人都喚他做「直中少陰」。以爲少陰病是裏病。是拿表裏的觀念來看這陰陽的。眞是荒謬絕倫。近人惲鐵樵先生。要算是現今中醫界高明的份子了。他著的傷寒輯義按裏。也跟着他們說道。「若病毒直至少陰則深矣」。唉。我眞要替中醫界痛哭流涕。其實不過是害病的人各種機能衰弱。抵抗力不强。易于被病征服而呈衰微的現象罷了。醫宗金鑑上說道。「傷寒邪氣入裏因人臟氣素有寒熱而化」。也就是這個道理。傷寒六經的解釋如此。義意如此。毫不難解釋。並非全無義意。余氏你也相信了吧。至于傷寒的六經。和內經的六經。是一回事。是兩回事。至此讀者自然會分辨。用不着我來累贅。

復次。古今注家。對于傷寒論上的六經。好像猜啞迷一樣。其實所不可知者。僅爲太陽少陽陽明厥之太少厥等字。此當爲漢時流行之術語。今不可考知來歷。古人說過「讀書但觀大略。」又說。「不求甚解。」此屬不可鑿解。亦不必拘泥者。但是易以甲乙丙三字。按之大論。也未嘗不可。至於他代表的大體及義意。則絲毫不難解釋。但看前文卽明瞭了。我說至此。更有要講的幾句話。也就附帶說一說。就是治一種學說。如視他是神秘的。難解釋的。這就永無可以解釋的一天。如視他是公開的。可以解釋的。他就迎刃而解的解釋清楚了。如視他有神秘不可測的義意。結果反沒有義意。如視他是有很淺近的。狠簡單的義意。其義意就立見於前了。治中醫學的人。不可不知呀。

仲景祇言三陰三陽。不言六經。如言太陽之爲病。不言太陽經之爲病。其義可知。六經云者。乃後人附會之詞。不足信。至三陰三陽之眞諦。日人湯本氏亦曾有說明。可與此篇相發。茲錄之如下。

「……仲師此書。分太陽、少陽、陽明之三陽。太陰、少陰、厥陰、之三陰。其曰陽曰陰。與後世醫家之空言陰陽五行不同。師曰。病有發熱惡寒者。發於陽也。無熱惡寒者。發於陰也。所謂陽證者。新陳代謝機能之病的亢進也。陰證者。此機能衰減之病的沉衰也。故陽證者。概爲實證而易治。陰證者多屬虛證而難療。而太陽者。謂此機能亢進發於體表。少陽者發於胸腹間。陽明者發於腹內也。三陰者皆此機能衰減現於腹內之名稱也。太陰爲其最輕微者。厥陰爲其最重篤者。而少陰則介乎二者之間也。」

觀乎此。則三陰三陽之惑可解矣。

又日本渡邊熙博士亦有三陰三陽之解釋。原文已由許金田同學譯出。見後譯述欄。試取與此篇對照讀之。亦有趣味之事也。（王潤民）

芍藥之研究

趙錫庠

1. 導言

芍藥自神農本草經收入。列爲中品。後諸家本草亦有其記載。其主治功用等事實之記錄。可謂富且皇矣。至於所以然之藥理的討究。則殊不足以饜學者之望。如本經謂之「苦平無毒。」名醫別錄謂之「酸微寒有小毒。」於是開後人「酸斂」與「苦泄」之爭。自古迄今討論本品之藥理。而能跳出酸與苦之範圍者。就吾所知不過二三人耳。今試取芎藥嘗之。幷無所謂酸與苦之味覺。退步而言。誠酸也。苦也。然物之酸與苦者多矣。試問能否替代。豈非荒謬絕倫耶。本院陸淵雷先生嘗曰。「國醫古訓。極精當而極荒誕。然精當之事實。往往掩于荒誕之理想。」若芎藥亦其中之一例也。生理作用不明。使用標準終不得確定。經驗記載雖多。苟無學理以整理之。則如一盤散沙。正眞價値亦爲之減色不少。且此等理論於治病之根本上實際上。幷無若何關係。在昔時不知所謂科學。尤可以此作聊勝于無的解釋。今日科學東渡。進步飛突。豈可再作自欺欺人之事。西醫以此作攻擊中醫之口實。政府以此爲不准加入學校系統之理由。彼迷執之者。亦當稍爲覺悟。

近人丁福保氏著化學實驗新本草。列本品于興奮劑。雖曾引日人猪子氏等說。謂之含有安息香酸。而認爲其有效成分。然亦未明言安息香酸之藥理作用。而於我國記載。不過轉錄而已。苟能將本品作科學的研究。不牽强。不附會。確定其生理作用。納我國之記載于科學軌道之上。而證明之。匡定之。不亦大快事耶。此種幻想。實吾研究本品之動機也。至本文既痛駁「酸斂」「苦泄」等名辭。而又探究「瀉肝」「肝陽」者。實以古人此等說數。雖由理想。雖屬假設。而何以如此假設。如此理想。亦自有其所以然也。

2. 總論

日人日野五七郎。一色直太郎。合著和漢藥物學。載本品含有澱粉、鞣酸、砂糖、揮發油、安息香酸、護膜等質。至安息香酸之含量。據和漢藥物學。及伊藤氏之成績報告。均爲百分之五。而奧野改造。朝比奈二氏之成績報告。則爲千分之二十七。要之安息香酸爲本品之主要成分。至其含量究竟。則因本文爲學理的討論。非實驗的報告。無關宏旨。從略可也。本品之成分已簡單報告如上。茲當進而言諸成分之藥理作用。而將國醫記載。證明之。匡定之矣。

3. 各論

(甲)安息香酸之藥理作用

安息香酸隸水楊酸屬。能刺激直接之局部。且有防腐之效。然其偉大之功效。尙不止此已也。安息香酸投之於姙婦。往往惹起墮胎者。投之於腸窒扶斯。則造成腸出血之素因者。皆因其能擴張下腹腔血管。令起充血故也。是以有利用此作用而用之爲通經劑者。腹腔血管擴張。則血管抵抗減低。血壓因之起顯明下降。又能安靜造溫中樞。擴張皮膚血管。以助發汗。故又有退熱作用。頗宜於心搏亢進。血壓昇高。體溫飛騰之症。又能刺激腎臟。增加尿量。多用之往往發生腎炎。又對于急性關節風寒濕痺能奏特效。不但可以下熱。且可以縮減該病之經過。然用之過量。則有痙攣虛脫之危險。不可不注意也。又本質於種種呼吸器衰弱病。以興奮祛痰爲目的而內服之。

可收卓效。（本余著藥理學）

（乙）鞣酸之藥理作用

鞣酸觸於粘膜或脫落之皮膚上。則與其組織表面之細胞及漿液中之含氮化合物相化合。而生不溶解之化合物。變爲一種衣膜。以被覆其部分。對於粘膜發炎分泌旺者。尤易與粘液化合而生被膜。此種被膜不獨可以防害黴菌之發育。且能保護炎症部分。使免外來之刺激。況鞣酸又能殺病原菌。當細胞壞死之所產生之溶細胞酵素及發炎性物質。鞣酸又能破壞之。故炎症可以速治也。斯時局部毛細管內皮之半流動性細胞間質。亦與鞣酸相化合。生澱沈樣物質。能減分泌。能阻止白血珠之遊走。是以能去組織之充血。而乾燥硬固。知覺痲鈍。是卽所謂收斂作用也。又用於出血部。則與血液之蛋白質相化合。生不溶解物質。而封蓋出血口。可以止血。（上本余譯藥理）然此處須聲明。此所謂收斂作用。乃作用於皮膚及消化管等粘膜之表面。使組織收縮。血管狹小。分泌減少。阻止出血之收斂。與國醫斂肝之酸斂。迥若兩途。且此等作用。止限于組織之表面。若經腸細胞吸收後。作用則完全消失。切莫以辭句相近而附會之也。

若腸胃出血。外治法藥力不能達到。以本質內服。亦收奇效。

（丙）揮發油之藥理作用

揮發油能爲一般之刺激皮膚作用外。有多少之防腐作用。且適量之內服。有健胃功效。經腸壁吸收後。則在氣道上呈防腐作用。兼能減低其分泌。故使用于肺壞疽化膿性氣管枝炎等病。本質雖由內服。于減底氣道分泌作用上。幷無若何損失。又能增加排尿量。可爲利尿劑之配伍藥。（上錄皇漢醫學）

（丁）ゴム（護膜）之藥理作用

ゴム（護膜）能保護腸胃粘膜之表面。使得免外來物質之刺激。適用于腸胃炎。其止血作用。亦同鞣酸。惟較弱。至澱粉砂糖等質。日常食品類皆有之。在藥效上無足輕重。茲從略。

（戊）腹部血管擴張之治療作用與斂肝

人之血液有定量。充于此必貧于彼。上部充血。往往下部貧血。下部充血。往往上部貧血者。卽此故也。但此所云。是血管的病變。若心藏病變。則不在此例。本品既含有安息香酸。能擴張下腹腔血管。今起充血。本上原理。則亦能間接的減低上部充血。

本品之斂肝。爲一種普遍的常識。但叩以肝是何物。如何斂法。本品何以能斂肝。雖終日大喊保存國粹的那班委員先生。吾恐亦將左顧而言他矣。彼輩所目爲野郎中者。倒還是他來解釋。本院陸淵雷先生。釋金匱之肝傳脾云「——內經之法。以愉悅舒暢。爲肝德。以憂愁鬱怒。爲肝病。然則古醫書所謂肝。乃泰半指神經。——」此言如何爽快了當。（上期院刊何雲鶴先生之內經研究中亦曾論及肝藏。讀者可以參攷。）上部充血充及大腦腦神經因之興奮。則煩躁不眠。充及耳目口鼻則耳鳴目赤鼻衄牙痛。凡此現象國醫皆謂之曰「肝陽。」權其輕重而施以「斂肝」「瀉肝」等療法。若斂肝名辭之由來。意者服所謂斂肝劑。而所謂肝陽之見症。皆各斂蹟。因而名之曰斂肝歟。肝之爲物。前已言之。肝陽之陽字。有兩種義意。一爲勢力。（卽作用）一爲機能亢盛。然則肝陽云者。腦神經興奮也。何以興奮。充血故也。斂肝者云。減退其充血而使之安靜也。進而言之。斂之云者。靜之也。持酸斂說者。就腦之作用言也。持苦泄說者。就腦部之血液言也。二而一。一而二。爭辯胡爲哉。

本品大明本艸謂之除煩治驚狂。頭痛目赤。張元素謂之瀉肝收陰氣。王好古謂之治太陽鼻衄。張石頑謂之斂津液。吳儀洛謂之瀉肝火。得吾說者。皆可豁然貫通。而知其說乃謂集中血液于下腹部。減退上部充血。而安靜腦神經矣。

（己）下腹腔充血與婦女病及利尿作用

本品在婦女病上。有兩種記載。分述于下。

（一）通經去淤。如本經謂之除血痹。別錄謂之散惡血。逐賊血。甄權謂之主治婦人血閉不通。仲景先生黃著桂枝五物湯。用以治血痹。大黃䗪虫丸。王不留行散。用以逐淤血。和濟局方四物湯。用以調經。皆利用其引起子宮壁充血。而促其出血也。

（二）產婦忌用。各家本草。類皆言之。此言不但在經驗上有價值。在學理上亦有極大價值也。茲爲釋述于下。

（1）腦貧血　婦人經生產之大出血。血液缺少。腦部常因貧血起眩暈現象。本品能減少腦之血量。則主裁全體之腦神經。將何持以作勞。亦卽古人所謂剋伐生氣也。

（2）血不易止　子宮壁血管擴張。呈充血狀態。則出血口不易凝結封固。寶貴之血液。將因之繼續損失。故不相宜。

然非絕對不宜。若腦部特起充血狀態。或少腹部着有淤血。則又在所必用矣。仲景先生之溫經等湯。是其例也。

本品之利水。本經別錄皆言之。今得安息香刺激腎藏揮發油增加尿量之說。而證明之。於是可以知吾國本草記載之翔實。及博大。然本品幷非任何小便不利。皆可使用。必腎藏機能衰弱。國醫所謂陰症。方可使用。若進行性急性腎藏炎。則在所禁忌。是以眞武湯有本品。而五苓散等方則舍而不用。本草逢源論本品。始曰利小便。終曰小便不利者禁用。似爲矛盾。實指此言也。此等關扭最應注意。不可輕易放過。

（庚）芍藥之赤痢醫治作用

李時珍張石頑吳儀洛皆謂本品爲治痢要藥。仲景先生之黃芩湯。

張潔古之芍藥湯。或以爲君。或以爲臣。要皆用以治痢也。本品之鞣酸ゴム等作用。前已言之。細菌能殺之。腸腐能防之。充血出血則止之退之。損傷破裂則被之護之。投于赤痢。安得不效。

(辛)芍藥與風寒濕脾及喘欬

仲景先生之烏頭湯桂枝芍藥知母湯。皆以本品治關節痛。小青龍等湯。皆以本品治喘欬。今得安息香酸鞣酸之說而證明之。注解之。嗚乎。仲景先生之博大精深。于此亦可見一般。然先生後。又誰能知之用之。埋沒良藥。恐芍藥常有不遇之歎。

(壬)芍藥之退熱發汗

安息香酸能安靜造溫中樞。能擴充皮膚血管。以助發汗。前已言之。然可以證明本經之主治寒熱。別錄之性微寒。而仲景先生桂枝湯之用本品。亦得確當注解。

(癸)芍藥與攣痛

仲景先生于甘草芍藥湯。用本品治脚攣急。當歸芍藥散等方。用本品治少腹痛。日人吉益東洞攷徵本品曰「主治結實而拘攣」素日耳食師友之經驗談。亦可證明不爽。至其所以然。則難言也。意者脚與少腹俱爲下部。痛覺乃貧血的呼救。用芍藥故效歟。然則甘草芍藥湯之脚攣急。爲失養而拘急矣。然此不過一種理想。若本品之治攣痛。是否由此。抑本品另有其他成分。能鎭痙止痛。則作者不敢武斷。如有將吾說證明之。或推翻之者。則作者當引爲師友。

又本品之安息香酸。多用之。則引起痙攣。與上說豈不抵觸耶。抑與其他伍藥起化學變化。非惟不能引起痙攣。且能鎭痙止攣耶。此種問題。作者學淺。殊不能解決。海內外醫傑起而教之。實爲吾所馨香禱祝也。

4.結論

芍藥之功用。作者已於上章拉雜說之。其內容雖不能謂爲會通中西。但自認恰可爲會通中西之一助。現在將芍藥提綱揭領說說。以清眉目。以作結束。

芍藥含有安息香酸、鞣酸、揮發油、砂糖、澱粉、ゴム(護膜)等質。能擴張下腹腔血管。減退上部充血。能安靜造溫中樞。放大皮膚血管。能防腐殺菌。止血護傷。能振興腎藏機能。增加尿量。能防腐氣道。減其分泌。振其機能。祛其痰涎。能鎭痙止痛。催經下血。又對于關節炎。能奏特效。可用以爲鎭靜劑。通經劑。退熱劑。利尿劑。止痛劑。防腐劑。止血劑。殺菌劑。祛痰劑。關節炎之特效藥。不宜產後婦人。進行性腎藏炎。用之過量。則起痙攣虛脫之弊。

近年來國產藥物之科學的研究。日興月盛。惜皆屬外人及國內少數西醫有志之士。而國醫界反少注意及之者。此固由科學程度之關係。抑亦惰性之表現也。不知中醫學含蘊極富。而古來之處方。尤爲神妙。如傷寒金匱等書。其各方中之每個藥味。一經研究。無不各有至理。此眞奇妙有趣之事也。願國醫界努力研究。以冀開發此無盡之寶藏。勿令外人越俎代謀也。

趙君此篇。所謂蓽路藍褸、以啓山林。不敢謂其所論必是。以錄供閱者之研究。倘有以正其誤。幸甚、（編者）

國醫治療水腫病之特長

羅濟安

水腫之爲病。簡單言之。卽人身毛細血管滲出之液體增加。同時淋巴管吸收減少時。起之各種障碍、從病理上類別之、有因充血而水腫者。有因鬱血而水腫者。有因還流障碍而水腫者。有因毛細管分泌亢進而水腫者。以及炎症性填充性之水腫等、幾稍治病理學者。類能知之。初無逐一詮釋之必要。

夫西醫之治水臌也。除用其獨步的手術。穿孔放水外。別無其他對證治療之方法。殊不知放水之於水腫。決非根治之善策。何以言之。蓋未放之時。因水分之壓力。故各組織與體腔間、尙能保持其平衡。設一旦而放之。則失其平衡矣。於是各組織與體腔間之水分。勢必以所穿之孔道爲尾閭。共圖外泄。故一度放之。尙無大害。若至再至三。乃如竭澤而漁。終必有陷於涸轍之一日。猶之病吐血者。延至三次以上。卽難除根。所以然者。以其對於血管之途徑。已駕輕就熟。習慣自然。雖欲治之。而事實上殊無能爲力。放水之限度。亦當作如是觀。脫放之而繼續不已。則未有不成壞病。致告術窮者。吾故曰。放水之於水腫。決非根治之善策也。

至國醫對於治療水腫病。則與西醫迥異。必先審其爲虛性實性。而後乃分別治之。如水腫之因水液浸潤於皮下組織而成者。則以輕度之發汗。令液體由汗腺蒸發於外而解之。如水腫之因吸收機能薄弱而成者。則施以健脾之法。但於此有須附帶述明者。古醫籍上之脾字。與生理學上之脾字不同。蓋古人之所謂脾。乃指胃腸及其他組織之吸收作用而言。健脾乃催促吸收機能亢進。水液不致凝聚。則不治其腫而腫自消矣。如水腫之因腎臟病。致水液之排泄不循常軌而成者。此種病候。多小便不利。利其小便。使水液調節、則病良已。

此外尙有攻下之一法。卽金匱痰飲咳嗽篇中之十棗湯是也。按此大都爲腔洞水腫之最劇者。湯中之甘遂芫花大戟。皆猛烈有毒。腸壁經其刺激。立起反射作用。將淋巴管內所有水分。盡量吸收而排泄之。不足、則淋巴細管向組織中吸收以繼之。所謂決瀆大下。一舉而水患可平矣。顧難者曰。方雖佳。無如藥力太猛。故每有服此湯後。致胃腸中毒而畢命者。吾將應之曰。是何害。書有之。若藥不瞑眩。厥疾弗瘳。如果適如其量而用之。以藥毒而攻病毒。未嘗不可。是在醫工之權衡得失耳。矧致命於此湯者。吾嘗謂皆由於心藏之機能衰弱而致。非因胃腸之中毒使然。良以水液排泄過度。則血必乾燥。血乾燥。則主宰血液循環之中樞的心臟。未有不衰弱而致病變者。此蓋由於病能上推想而得之結論也。苟他日遇有此等機會時。當進而為尸體之解剖試驗。或能發見有力之佐證。足以徵實吾之主張者。固跂予望之矣。

按此篇為祝味菊先生所講。而羅君記之者。惟十棗湯近人多不敢用。(余亦未有此經驗。)江陰曹穎甫先生常用之。茲錄其金匱札記中十棗湯治驗一節如下。「予先慈邢太安人患痰飲有年矣。丙寅春忽然昏迷若癲狀。延醫診之。皆曰危在旦夕。予不得已。製十棗湯進之。夜半而利。下痰無數。明旦則清醒如平人矣。後在陽湖惲寓。治張癡山門人祥官。祥官本無病。癡山以其累逃塾。使予診之。予診其脈左脉弦。問其所苦。則曰胸中痛。予曰。此眞病也。以十棗湯方付之。明旦大下痰涎。冷甚以為愈矣。翊日來診。脈弦如故。仍令服前方。下痢更多。繼以薑辛五味而愈。不更病矣。……」觀此則十棗湯固自有可用之道。惟脈證之審察須眞確耳。彼畏之如虎。或竟謂其不可用者。識之不到者也。(王潤民)

闢「江南無眞傷寒」之說

劉子坎

我國醫藥書籍。雖汗牛充棟。然其眞確可信者。惟仲景之傷寒論而已。故有識之士。莫不宗之。自秦皇士傷寒大白一書。「有南人無眞傷寒」之說出。而蘇浙皖等地。于傷寒論之方。始不能行矣。遞至清代。葉天士吳鞠通輩。復從而和之。更云「江南誠無眞傷寒也。」以致大江之南。下游各地。凡有謂「仲景方為不可用者」。每為病家所樂聞。雖經先賢陸九芝据地輿與時令力闢其謬。可參閱世補齋醫書第九卷論秦皇士傷寒大白一篇然至今猶有誤尊為至理名言者。余深以為憾。故不得不再舉生理與氣候。復闢其謬誤。茲略述如下。

考秦皇士等之理由。不過謂南方為熱帶之地。氣候溫和。故南人病亦必溫熱。而無傷寒。北方寒冷。故病傷寒而不病溫熱耳。嗟呼。何其謬耶。夫人為萬物之靈。乃熱血動物之最高等者。具相當之體溫。賦調節之機能。隨環境之轉移。應氣候之變更而生存者。非若其他之物質。寒之則寒。熱之則熱也。故處寒帶之人。其生理調節之機能。常使生溫亢進。—體溫高—放溫退減。—筋肉皮膚密—復加人工之增熱法。以助禦外界之寒。若遇氣候驟熱之變化。或增熱太過。則其發病實多熱而少寒。是因其生理防寒之機能素盛故也。反之。則居熱帶之人。其生理之機能亦常令放溫亢盛。—筋肉皮膚疏—生溫低減。—體溫低—喜取風涼。以助禦外界之熱度。倘感氣候驟寒之變化。或貪涼過度。則其發病莫不多爲傷寒。而絕少溫熱。此亦其生理防寒機能退減之故。然則南人實易病傷寒。何妄謂「江南無眞傷寒」哉。況疾病之起。大都由於感受風寒而來。其所以有發熱之徵者。乃人體自然療能之反應耳。卽內經夫熱病者皆傷寒之類也。又人之傷於寒。則病爲熱也。乃時醫治病。一見有發熱之徵。輒投以淸涼之劑。如生地麥冬羚羊犀角等。而多屬無效者。此其未識人體發熱之原理故也。且醫聖傷寒論所用之麻桂等。亦不過性取剌激。以疏皮膚筋肉。使營衛調節而病除。此理請參閱本學院陸淵雷先生所著之傷寒今釋太陽篇益明並未鑿分寒熱之性。更焉有祇能治北方之病。而不能治南方者乎。總之無論南方北方。皆有溫熱。亦卽皆有傷寒。「江南無眞傷寒」之說。全係荒謬無稽之談。不足以當一駁。而吾所深慨者。秦皇士之腦經顢頇。固不足深責。獨怪居今之世。猶有漫不加察。甘受其蠱者。可悲也夫。

江南無正傷寒之說。爲荒謬無稽之談。前賢陸九芝曾駁之。在頭腦稍淸者。皆知其無學理之根據。本無再駁之必要。特今之醫生多不讀書。不好研究。已成膏盲錮疾。致猶有奉其說爲金科玉律者。於是仲景之方不行。而葉吳之書以僞亂眞矣。不知仲景之書。溫涼汗下諸劑。無一不備。何有於傷寒。何有於溫病。安可舍是他求哉。秦皇士此說。固不知傷寒。亦不知溫病。而世人信之奉之。此傷寒溫病之所以多枉死也。劉君此文。根據生理與氣候立言。以闢秦氏之謬。實能補陸氏論之所不足。閱者試取世補齋所論與此篇對照讀之。秦氏之妄昭然矣。是不可以不錄。(王潤民)

百合病論

宋道援

仲景之書。詳于脈證及方劑。而略于病理。致後人專以五行運氣爲釋。反使其義晦而難曉。卽如百合病篇。後之註者。多未中肯。今先錄金匱原文。再略引各家之解釋。而殿之以管見焉。

要略曰「百合病者。百脈一宗。悉致其病也。意欲食復不能食。常默然。欲臥不能臥。欲行不能行。飲食或有美時。或有不欲聞食臭時。如寒無寒。如熱無熱。口苦小便赤。諸藥不能治。得藥則劇吐利。如有神靈者。身形如和。其脈微數。每溺時頭痛者。六十日愈。若溺時頭不痛淅淅然者。四十日愈。若溺快然。但頭眩者。二十日愈。……」

千金曰「百合病者。皆因傷寒虛勞大病已後不平復。變成斯疾。」

程雲來云「頭者諸陽之會。溺則陽氣下施。頭必爲之搖動。小兒元陽未足。腦髓不滿。故溺時頭搖。老人血氣衰。肌肉澀。腦髓消。故溺時不能射遠。將完必濕衣。而頭以爲之動者。由陽氣衰。不能施射故耳。是以百合病溺出頭痛者。言邪舍深而陽氣衰也。內衰則入于臟腑。上則牽連腦髓。是以六十日乃愈。若溺出頭不痛。淅淅然者。外舍于皮膚肌肉。尚未入臟腑之內。但陽氣微耳。是以四十日愈。若溺出快然。但頭眩者。言邪尤淺。快則陰陽榮衛通利。臟腑不受邪。外不淅淅然。則陽氣尚是完固。但頭眩者。是邪在陽分。陽實則不爲邪所牽。故頭不疼而眩。是以二十日而愈也。」

陳修園云「此症多見于傷寒大病前後。或爲汗吐下失法而變。或平素多思不斷。情志不遂。或偶觸驚疑。猝臨異遇。以致行住坐臥飲食等。皆若不能自主之勢。此病最多。而醫者不識耳。」

唐容川曰「肺藏魄。屬陰。肺金不清。則魄不靜。是以醒則如有神靈。魂爲陽。藏于肝。肝血不和。則寐多夢擾。兩者可以合勘。又曰小便赤。曰溺時。諄諄論溺。蓋以肺主水道。水道水濁便是致病之由。水清卽是去病之路。至辨症之淺深。一則曰頭痛。再則曰頭淅淅然。三則曰頭眩。玩其原文。殆指腦髓而言。故痛者病深。不痛者病淺。」又曰「百合病溺未頭痛與頭搖有別。是陽有餘髓受病。設西醫剖而視之。必見其腦衣發炎也。」

去歲吾師陸淵雷先生問阮其煜先生云。「百合病是否爲神經病。」阮君答謂『中醫之所謂百合病。卽西醫之所謂「希司利亞」也。』而王潤民先生否之。根據千金之意。謂係熱病後之遺熱所致。陸師之意亦同。

道援按。百合病之解釋衆矣。然欲求其一無疵瑕者。實絕無僅有。如程雲來謂其腦髓爲病。陽氣不足。取譬小兒老人之小便不能射遠及頭搖爲言。然陽氣不足。何以致頭痛而頭之痛與不痛。又何以可測病之淺深哉。含含渾渾。使人寐寐。陳修圓謂大病失治後。及情志爲病。庶幾近之。然語焉不詳。義多含糊。至唐容川斷其爲腦衣發炎。更屬荒謬。其所謂腦衣發炎。當卽今之腦膜炎。試問腦膜炎與本病之相似果何在。且未聞以百合而可愈腦膜炎者。可見唐說之爲非是矣。若阮君謂「中醫之百合病卽西醫所謂「希司利亞」」吾師潤民先　已辨之甚詳。第對于本病之病理。未暢言耳。以愚個人觀察所得。百合病之病理。良由熱病後水分消耗過多。神經不得濡涵而呈虛性興奮之現象也。觀其「意欲食復不能食。常默然……」如寒無寒。如熱無熱。」云云。皆係懊憹不爽之象。夫熱病體溫亢進。水分消耗必多。神經先受高溫之薰蒸。既又不得水分之濡養。神經不能循其正常之工作。而易興奮。故遇事不能決斷。其欲惡在兩可之間。是以欲食不能食。欲臥不能臥也。惟因其興奮係虛性。故不若實性之躁狂不甯。而常默然。然何從而知其為水分少。曰明其言「溺時頭痛者六十日愈。……溺時快然。但頭眩者二十日愈」也。夫尿液雖為排泄物。然亦係人體水分也。熱病後水分少。神經既無以滋養。而更欲排泄尿液。則水分更感覺少。而神經愈涸。神經涸則乾燥。而覺頭痛矣。故溺時頭痛者病最甚。而愈期亦最遲。是以云六十日乃愈也。若水分較足。則溺時頭不痛。而但淅淅然——淅淅猝然凜冽之貌。——更輕。則溺時快然。而但眩矣。故四十日二十日可愈——所言六十日二十日之愈期。不過言其大略耳。——傷寒論太陽篇六十七條云「大下之後。復發汗。小便不利者。亡津液故也。」彼此互證。可知其為水分少矣。且治本病之主藥為百合。嘗考百合味苦性涼。富有澱粉。藥理澱粉有滋養神經及弛緩神經之効。其餘如知母括蔞清熱生津之品。——仲景每施于熱盛津傷之口渴。——如白虎湯。柴胡去半夏加括蔞根湯是——雞子黃及地黃。皆富于滋養料。更喜性皆清涼。能清熱滋養。兩者兼施。尤臻上乘。牡蠣含有炭酸石灰、燐酸石灰、珪酸動物質等。為鎮靜神經之特効藥。——日人湯本氏曰。牡蠣可治驚狂煩躁幻覺不眠等或神經症狀。——仲景治火逆煩躁。有桂枝甘草龍骨牡蠣湯。百合病因餘熱水分少而神經虛性興奮。故牡蠣可收其功。總看其見症。不外乎津液傷而神經虛性興奮之現象也。是以詳察其用藥。亦不離清熱滋養。兼以鎮靜耳。或謂百合病症。于西醫籍不見。恐無此病。殊不知西醫之于器質病理。固已達于苟完苛期。然云至精至善。余實未之敢信。至于官能病理。則萌芽時期。尚恐不逮焉。何一百合病之為然哉。吾人研究學問。所謂「不可從後跟上去。正欲當頭趕上。」國醫之治官能病。實勝西醫多多。是以研究國醫。不妨以中說為本。而以新的科學方法證明之。庶幾國醫前途有光輝焉。愚見如此。不知明達者以為何如。

亦是一種見解。可補古說之不足。(編者)

表裏之研究

江惠民

小引

日今科學萬能。雖未臻盡善盡美。但勢已一日千里。前途至為輝芒。

故一般人心理。咸謂舊學。猶閉戶造車。不合於軌。事之必然。無如我國醫藥。與於炎農。樹診療之肇端。且神農所著之神農本經。岐伯所集靈樞素問。歷敍藥性解剖生理、病理、診斷、諸般。慨乎以無機械幫助思想簡單之世。其微言大意。造詣精深。不亞於今日科學所發明。豈所預料。奈何後世一般强作解人者。以五行六運。穿鑿解釋。自以爲德配天地。位居齊聖。不知竟將堂覺之醫學。使至幽渺不可究詰。晦盲不可名狀。愚爲二十世紀人。愚非欲炫古以自博。要之古人生於一切簡單之世。而能創獲藏器之形能。未始不足以語矜誇科學發明者。故不憚辭費。逐條釋出。俾了然古說之眞理。所謂進化順自然。變遷。眞理未可泯滅。見仁見智。是在讀者。

表裏之界說

表裏之說。出於素問血氣形志篇。謂……「足太陽與足少陰爲表裏。足少陽與足厥陰相表裏。……」然吾人從解剖上推察。若謂膀胱在腎之外。膽在肝之外。則絕不可通。然則表裏究作何解也。靈樞本輸篇曰。「肺合大腸。大腸者傳導之府。心合小腸。小腸者受盛之府。肝合膽。胆者中清之府。脾合胃。胃者水穀之府。腎合膀胱。膀胱者。津液之府者也。」綜觀上述。然表裏配合。大多一臟配一府。至其說明。不難推知。在裏者謂根本發榮之地。在表者爲形能運化之區。乃兩者相依而行。共營一種機能也。（如血由小腸吸自食物。可謂發榮之地。供心之循環。可謂運化之區。故小腸居裏。心主表等是也。）然表裏中最難通者。爲三焦與心包。脾與胃。及肺與大腸。以三焦在今日解剖上無其名。脾與胃與今解剖上所指者不同。尤肺與大腸。則系統迥殊。上下遠隔。生理上絕不相侔。陸淵雷先生曰。讀古書當取三種態度。凡理論與事實皆合者。當以科學證明之。凡理論合而事實不合。或理論不合而事實合者。當存而待考。凡理論與事實皆不合者。卽當剪闢。肺與大腸。以管見所及。並無發生關係之可能。當爲剪闢。無使徒亂人意。然亦不得不揭其原委。故併述於后。海內明達。倘有以愚言爲非者。希敎益之。則幸甚。

心包與三焦

三焦一物。有謂兩腎間動氣。是三焦之本。有謂網油並身之膜。竟有謂無狀空有其名者。聚訟紛紜。莫衷一是。直至今賢祝味菊先生。悟出靈蘭秘典論中。「三焦者決瀆之官。水道出焉」及榮衞生會篇曰。上焦如霧。中焦如漚。下焦如瀆。與今日解剖學上淋巴管作用正同。創三焦爲淋巴管。誠灼見也。國學泰斗章太炎先生云「三焦爲水道。卽今所謂淋巴腺。內則鬲上、鬲下、臍下。如上焦中焦下焦。外則布列肌腠。通會元眞。而內外諸淋巴管。本無維網。末流漸會二大幹。右曰右淋巴總幹。左曰胸管。此二者各不相注……」而謂三焦爲淋巴腺。然徵之實驗事實。極吻合。第腺與管。雖同屬淋巴系統。判爲兩物。且皆同具有行水作用。故丁成萱先生綜合兩說。認爲淋巴系統。—淋巴腺、淋巴管、淋巴幹。—實得其眞。（說詳本刊第一冊）今吾人既認定淋巴系統爲三焦。再當進求心包爲何物。經云。「心包者。爲心主之宮城也。」證以今之解剖學。即所謂心囊。爲心臟外之包膜。其膜分內外兩葉。心外膜即心囊之內葉。附著於心臟。包含上大靜脉幹。動脉幹。肺脉幹。而外葉分六部。下與橫膈膜腱質部相接。上爲靜脉之開口部。前連胸骨。後接食管。左右與胸膜連絡。兩層之中間。貯有淋巴液。……觀其布置。無一非爲保護心臟而設。故古謂心臟之有包絡。猶蓮花之有橐籥。橐籥空虛。則蓮子動搖。包絡充足。則心君安逸。包絡不充。則有怔忡驚悸心嘈心跳等症。然則所謂充足與不充。乃指上文兩層中間之淋巴液是也。設吾人認淋巴管爲三焦。則三焦與心包。尚無直接之可能。蓋左右兩總淋巴幹。俱開口於內頸靜脉。亦開口於心囊外葉之上部。故兩總淋巴幹。實爲直接與心囊相通之路。今二者關係已明。再更研究淋巴液在心囊內有何作用。試舉胎生學上之胚胎。外裹有羊液膜者。胎即浸潤於此液中。至其功用。爲保護孕婦之腹受外界打擊時。免致害及胚胎而設。心臟之有心囊。即同胚胎之有羊液膜。心囊之有淋巴液者。蓋他種官能均牽附心囊之外膜。設無此液爲之浸潤。則心臟之搏動。縱由迷走及交感兩神經司之。其房室之收縮擴張。難免不受他臟之影響。故心囊液不充。即現怔忡心嘈心跳驚悸。若心囊液充實。則心之生理機轉正常。若過甚。則由生理轉於病理。而起異常狀態矣。故病理總論全身循環障碍篇。心臟周圍組織之異常條。謂「心囊腔內液量增多。（如心囊水腫心囊炎）自外面壓迫心臟。妨害其擴張。則障碍心臟之收縮運動矣。」繇此觀之。即內經所謂心包爲心主之宮城一語。經此證明。豈非亦化陳腐爲神奇耶。至心囊水腫。心囊炎。所謂之水腫。此水源從何出。非由淋巴系統官能發生變化而何。蓋淋巴管壓力微弱。故管壁破裂時。漏出於體外淋巴量較少。且易止。若大淋巴幹即胸管裂破。則漏出淋巴液甚著。且有乳糜管輸來之乳糜。存於腹膜腔。或肋膜腔。內稱爲乳糜腹水。或乳糜胸水。總稱爲出淋巴。……毛細管漏出之淋巴液、若受刺激。分泌機能異常亢進。液水瀦蓄體腔中者。稱曰腔洞水腫。從其部位有種種名稱。曰心囊水腫。胸水。內腦水腫。陰囊水腫。腹水。……（以上節病理總論）綜觀上述出淋巴條。則知淋巴管幹皆爲水腫發源之處。是二者不可畸重畸輕。統屬淋巴系統。此其一。後淋巴液瀦蓄體腔。雖汎發至各處。心囊亦其一。是知心囊確與淋巴系統有關。此其二。本此二點。即明古謂三焦者。決瀆之官。及心包絡與三焦相表裏。非荒謬不可信也。

心與小腸

心合小腸。小腸者受盛之官。化物出焉。受盛者何。蓋言小腸之盛胃中消化之食物也。化物者何。乃將食物蒸化爲精微之物。隨卽輸出。以入於脈也。然此爲古人解說。吾人欲知彼所言「精微」及「入於脈」等之原因。是不得不求之生理解剖矣。夫人身各組織。有一種特殊作用者。其器官中大半含有腺體。（卽所謂內分泌）小腸中之所以有消化作用。除由膵臟輸來之酵素。膽囊運來之膽汁外。其尙有一種液體。乃腸腺之分泌物也。消化唯一目的。在於易於吸收。小腸最大機能。卽在吸收。而兼事消化。卽如身體之滋養料。如蛋白質。脂肪。水炭素等。必待食物消化後。始可供身體之營養。然受此養料。必有方法。使之輸送血中。循環全體。蓋小腸有種粘膜。有無數之襞。使其面積增大。襞間密佈絨毛。數約四百萬。絨毛之內。含有血管及乳糜管。—淋巴管之一部—凡食物變成乳糜時。經乳糜管吸收。入靜脈。輸送於右心房及肺臟。再由心房心室輸入上下大動脈。以達毛細血管。散佈全身。以營養各組織。迴流靜脈管。再入心房。然此周流往復。循環不已。皆賴小腸吸收之功也。由知心與小腸之關係。非常密切矣。故曰心與小腸相表裏。卽此理也。

脾與胃

古人論脾。有兩種作用。（一）爲心主血。肝藏血。統脾血。（二）爲脾胃者。倉廩之官。五味出焉。前者指今之內分泌上。生白血球之物。在左脅下一器而言。後者指消化上而言。「消化」與「統血」兩種作用迥殊。徵之解剖。上左脅下之脾。僅主生白血球。並不能兼營消化作用。但橫在胃下有名膵臟者。能製造酵素。輸入十二指腸。而爲强有力消化利器。遍覓之於內經。則無其名。然章太炎先生曰「釋名。稱脾。裨也。在胃下。裨助胃氣。主化穀也。言在胃下。」則爲膵臟甚明。難經稱脾扁廣三寸。長五寸。有散膏半斤。其言廣長之度。爲左脅下一器。雖難明白。言散膏半斤。則明是膵臟也。」膵臟之名。係日人譯出。殆恐日人未深悉古人命意耳。今吾人可以二物視之。既知脾有二種。然則表裏上所言之脾。指消化而言。抑指製造血球而言。靈樞本輸篇曰。「脾合胃。胃者水穀之府」所謂水穀。乃指消化明矣。蓋消化之步驟。一爲使蛋白質變成容易吸收之百布頓。一爲變成供給淋巴管吸收之乳糜。前者爲胃及膵臟所消化。後者爲小腸所消化。然欲使蛋白質變成百布頓。必須賴胃液素之作用。但胃液素僅能在酸性溶液中。始能發生作用。而膵臟之蛋白酵母。其作用與胃液素相似。卻能於任何酸性鹼性中。皆能發生作用。且有澱粉酵素。脂肪酵素。觀其消化力。自較胃爲强。其營消化。多在十二指腸內行之。且爲胃之後半截工作。蓋物之入胃。僅能使物變成稀粥。入十二指腸。則成乳糜。乃已預備吸收。故經云「脾主爲胃行其津液」所謂行其津液。係指吸收而言也。脾與胃相表裏。豈在斯乎。

膀胱與腎

腎合膀胱。膀胱者洲都之官。津液藏焉。氣化則能出矣。所謂津液者。自知其非爲唾、涎、淚、涕。而爲小溲。但何下句接一氣化。則能出矣。蓋古人當時。不明腎與膀胱間有輸尿管相通。而謂膀胱有下口。而無上口。津液之藏者。皆賴命門中眞火。蒸發水穀而成氣。滲入膀胱而爲溺。右腎爲命門。故腎與膀胱合。證之生理解剖。其理論雖荒謬。其事實則眞確。按體內因化學之變化而成之廢料。由血帶至腎臟。以便祛出。其各個細尿管內之內皮細胞。有使尿酸尿素與血分離之可能。且由馬氏小體分泌水與鹽。故尿即從此析出。而瀉之入腎盂。入左右兩輸尿管。下注膀胱。當膀胱被充滿時。輸尿管自行閉塞。防尿之逆流。膀胱壁同時收縮。膀胱括約肌弛緩。尿即由尿道內射出。是爲排洩。若以想像說明。有腎而無膀胱。則尿無所藏。亦無從出。有膀胱而無腎。縱膀胱能排尿。尿與血亦不能析別。今二者既不能相離。腎合膀胱。自無間言矣。

膽與肝

肝合膽。膽者中淸之府也。所謂中淸者。古人認腦髓骨脉膽女子胞。此六者地氣所生也。皆藏於陰而象於地。故藏而不瀉。名曰爲奇恆之府。今以理推測。蓋肝細胞能分泌胆汁。血液循流至肝時。而其析自血液。係轉移充塞血液內過剩之炭素。輕素之方法。斯等原素多發見於膽。功在淸潔血液。亦爲强有力之消化利器。以溶解遊離脂肪爲主要之職務。故膽汁裨益於全身營養。誠匪淺也。但分泌膽汁。雖在於肝。其用則在於膽。何也。蓋欲行消化作用之時。膽囊早已預置膽汁。經輸膽總管入十二指腸。吾人知肝藏製造膽汁。循序不絕。設無膽囊爲之貯藏以調節。縱使肝有路徑通十二指腸。則小腸行消化作用。將無倫序。曷以故。因空腹時。膽汁則貯於胆囊。行消化時。方流入十二指腸也。今二者相繫既明。表裏自不待繁言而解也。

肺與大腸

肺合大腸。大腸者傳導之官。變化出焉。歷來諸家注釋內經。僉謂大腸居小腸之下。主出糟粕。是名變化傳導。又曰肺主氣。上連喉系。下通心肝之竅。司呼吸出入。居上以鎭諸臟。而壓糟粕。以行於大腸。出納淸氣。以出濁物。故肺與大腸相表裏。簡直是肺關於大腸之排洩。又謂「猶之一酒壺。蓋上無孔。傾之不出。必揭其蓋而後可。故遇有大小便不通。或下痢疾。則以杏仁桔梗開提肺氣。所謂病在下。取之上。上竅開。下竅行。大小便即下。痢亦易圖。然推究藥效。杏泥實有潤便之功。桔梗確有排膿之效。而非定論也。難經三十五難曰。「五藏各有府。皆相近。而肺獨去大腸。小腸遠者。何謂也。然經言心榮肺衛。通行陽氣。故居在上。大腸小腸。傳陰氣而下。故居在下。所以相去而遠也。」由知古人已知肺腸遠隔矣。而言表裏者。基於肺爲衛爲陽氣。大腸為傳陰氣。所謂陰者。即指粕糟。肺既能通行陽氣。是大腸之傳陰氣。又涉於肺矣。徵之生理學。大腸之排糞機能。全在腸壁之蠕動。肺所司之呼吸動作。絕不干腸壁之蠕動。知其為一種之推測也。然則將如之何。某謂大腸與肺係交流作用。是誠強作解人。稍知生理常識者。類能道其謬。緣細胞之生活。其攝取營養。排去老廢。因其無呼吸排洩諸器官。故其體之周圍。營有交流作用。以代呼吸排洩諸器也。人有呼吸循環排洩等諸臟器。且排洩廢物。不僅限於大腸之排糞。腎與皮膚有能輸尿與排汗。非大腸獨能營排洩諸作用。漫言交流作用。寧有是理。然則又如之何。以臨床徵驗。肺結核末期。多吐後加痢。（即為腸結核。）濁痰中所含之結核菌。設入盲腸。即誘起盲腸炎。最顯著者。愚曾目睹一業裱糊匠。因患喘滿。每發時必先、肛、門、奇、痒。歷經、三、次。均如、此。殆為肺與大腸有關歟。稽之歐氏內科學中。有肺結核者。什九併發肛門瘻。惜乎愚未詢及前患者之肛。是否發有異狀。故未能斷定耳。綜觀上述。結核病末期。而至腸結核者。然大小腸均可感染。濁痰誘起盲腸炎。世亦不多覯。喘滿而引起肛門痒者。縱為肛門瘻。總為肺結核之併發症。然肺結核之併發症。非關於腸者頗多。肛門瘻不過其中一種耳。愚初涉門徑。學力苦淺。未能旁證精確。敢有前說。還望　博學君子、勿以人廢言、錫以宏論、不勝股盼之至、

將至難解釋之古來臟腑表裏。一一用今之生理學解之。頗可以供參考。故錄之。（編者識）

記暑假中經驗幾則

趙錫庠

五月既望。大考畢。放假典禮。亦於斯時舉行。諸同學紛紛束裝賦歸。吾亦於二十日偕趙相如先生郭榮生學兄同車回里。相如先生鑒桑梓間貧苦病民。難得醫治機會。且夏日施畏之際。正疫病叢生之時。於是發起送診。先生診所。與吾家近在咫尺。書本生活之餘。即前往實習。先生屢起險症。日往就診者頗夥。余于此亦獲益非淺。余體素弱。暑假中竟承病魔光顧。亦曾經過醫治手續。此六七十日中。頗有一二經驗。值得記者。爰書於下。

（甲）大港東街趙姓婦人。母家姚姓。年三十餘。一日來室就診。腹大便便。全身蒼黃。略有黑色。且浮腫。氣粗。據述月水亦黃。不更衣者將越月餘。時有氣自少腹冲上。診其脈微細。察其舌質黃不華。按其腹。痞鞕異常。又謂曾為醫作膨脹治。無效。言下戰然以膨脹為懼。先生目吾曰。「汝以此為何病。何以浮腫。」余答曰。

此黃胆病也。非膨脹。胆石流入循環系。障礙循環。靜脈管鬱血。血中水分浸入組織。所謂鬱血性水腫是也。先生頗頷吾言曰、當予消石礬石散。余曰。可與桃核承氣湯合用。則桂枝暢血運。桃仁驅血垢。胆汁之在循環系者。桂枝桃仁勒之。在消化系者。大黃芒消攻之。再以礬石總其成。則庶乎標本兼顧。一鼓成擒。先生。曰枝桂猶慊力弱。當易以附子。遂定劑焉。隔日來復診。云昨日服藥後。下燥矢數枝。腹及肛門部頗痛。按其腹。鞕如故。先生曰。毋畏。非三五劑所可了事。於原方中加重芒消。謂之曰。服五貼再來復診。三診時。兩手及面部浮腫皆退、惟足部仍浮腫如故。腹部漸軟。又爲書茵陳五苓散方。囑單日服五苓散。雙日服前方。再數服。上冲亦愈。足部浮腫亦漸消。後如此者。共服兩方約五十餘貼而愈。

案如此黃胆重症。腹滿如鼓。鞕如石。加之月餘未大便。而醫者不議攻下。誤作膨脹醫治。直諺語殺人不用刀耳。愚于本症得很深印影凡三。（1）病者如體虛脈搏微弱。在在總是機能退減的現象。而治之必須攻下者。則可稍佐附子。且其富于刺激性。可助下劑成功。一面可以免去虛脫之弊。（2）此症苟非附子之强心。則浮腫不能消失。非桃仁之除淤。則血液不得澄清。非大黃芒消之攻下。則黃色之胆汁無去路可去。然善後之茵陳五散。亦與有功焉。（3）能認症確用藥當。不論何藥。雖數十劑亦無妨。切勿中途疑慮。改弦更張。而功虧一簣。然非眞知灼見者不辦。

（乙）余外祖母。年七十餘。大便溏泄者兩日。忽亢熱。吾往視之。切其脉。浮大有力。視其便奇臭。詢之無汗。出而謀諸先生。曰。葛根芩連湯對症否。先生謂當加枳實導滯丸。防其成痢。與服。汗出脉緩。身涼。而下利如故。日十餘行。如魚凍然。略有紅色。便時且裏急。吾走告先生。曰。果應先生之言。請爲處方。方爲大黃二錢。枳實三錢。厚朴一錢。黃芩三錢。黃連八分。淸水豆卷三錢。薺菜花炭三錢。銀花炭三錢。灶心土一兩。煎湯代水。余持方歸。以病者年踰古稀。恐大黃枳實用量太重。私將大黃減爲一錢。枳實減爲二錢。一服後、大下血水一次。余思伏龍肝（即灶心土）有止血止瀉保護腸粘膜之效。能何今下血如此。一面自想幸將枳黃減輕。否則豈不……耶。然心終不釋。將藥細檢。幷無訛味。詳視灶心土。乃靑磚一塊。略有薄泥浮其外。而至此疑團始解。於是親入司命之府。手採伏龍之肝。煎成與服。微下一次而愈。吾每見富貴之家。率以藥餌之事。委諸僕役。其僨事實不堪屈指。此猶小焉者也。今後病家其愼諸。

我國藥物。率皆數味並用。甚至一方有數十味者。是以欲釐定單味藥之正確功能。頗不易易。以數味同用。雖有效。終不知究屬何力。今無伏龍肝則大下血水。有則微下一次而愈。伏龍肝偉大之功效見矣。願吾同志勿視伏龍肝爲無足輕重之藥引。則幸甚焉。

（丙）吾有胃病宿疾。同學咸戲呼爲胃病專家。吾亦不以爲忤。平日大便三四日方一行。量頗多。暑假中有十數日未大便。咸之。一日下午。乘方搖扇呼熱。吾忽大呼「冷」。厚布短衫袴猶不足以禦寒。繼則腹酸痛。欲便。便澁不暢。稍知醫學皮毛躍躍欲試的我。以爲是脾胃虛寒。夾有食滯。遂書枳實導滯丸三錢。乾姜一錢。泡湯送下。使家人速購。方服後。忽復發熱。亢熱一夜。大便四行。自覺危懼。適章次公先生。以太師母病回里。翌晨使家人速邀次公相如二先生來診。由相如先生處方。大致爲黃芩茶澤山查麥芽霍香佩蘭等藥。先生行後。至午中時。忽大熱無汗。身略震動。自切脉洪數有力。家人曰兩目亦赤。余屬速去請次公相如二先生。二先生皆以應診外出。乃令余妻書麻黃五分。生石膏三錢。家人以余初方無效。頗疑慮。吾急曰。否則將有急變。服後。汗出熱消退。下午次公先生來。頗讚吾法。曰能實用方。不負讀書一番。否則徒事理論。奚取。諸先生行後。余亦就眠。薄暮時。吾母呼吾曰。「汝欲便否。」余忽在不知不覺中答曰。「命都沒有了。還大便做什。」家人聞余語頗驚。咸來視余。斯時余知覺全無。據述兩目直視。歷半小時。大汗淋漓。略有知覺。見家人環余而立。但口猶未能作語。家人在吾頸後重提數起。是時吾已恢復常態。笑慰母曰。「毋驚。余已愈。」覺熱已退清。自切脉。亦遲而不洪數矣。後服導滯止瀉藥而全愈。

當余厥回後。家人咸咎余曰。「不當服此峻品。幸厥回神清。否則豈不……耶」孰知不昏厥病不愈。昏厥者。乃所謂瞑眩也。尚書云。若藥不瞑眩。厥疾不瘳。正探驪得珠之言也。今之所謂溫病家者。畏麻桂膏連如洪水猛獸。用藥率瓜果點心之品。藥後當然平安無事。然欲望疾之瘳。吾未敢信也。當余大熱時。表猶未解。而兩目赤。煩躁。脉洪數。身震動。已至陽明大熱之候。此時如復顧忌徘徊。恐棄衣而走。登高而歌等現象。皆接踵至矣。石膏減退大腦皮質及末稍神經之興奮性。又能抑制一般橫紋肌之興奮。以消殺體溫之產生。麻黃發汗散溫。則過量之體溫有去路。血壓亢進。毛細血管充血之兩目赤。脉洪數。大腦皮質及末稍神經興奮之煩躁身震。奈何不渙然而釋。霍然而愈。然服麻黃後。率有血壓上升之現象。即古人所謂「辛溫」也。單用之于大熱症。實非所宜。但與石膏同用。則有解表清熱之功。而無增熱快脉之弊。此仲景先生大青龍湯之精義也。

今之病家喜服不負責任之敷衍藥。余家亦其中之一也。吾不知其請醫服藥之目的何在。而一般未夢見仲景書者更樂于敷衍。長此以往。他人雖不來消滅。中醫中醫自身亦將無形消滅。噫。

論病處方。有法度。有膽識。而尤以第一案(黃疸)爲具有大醫氣象。果能更加努力。他年成就定自不凡。(編者)

暑假在景和救疫醫院脚氣治驗譚

郭鴻傑

家住嶺表。賦體不强。前赴南洋羣島。近年北來滬濱。曾染脚氣之病。或重或輕。或易地不醫而自愈。或服藥。或不服藥。因時節氣候之轉變。而亦自愈。因是以脚氣病家自嘲者。亦屢矣。

今夏滬上疫疾既盛。又值醫校假期。乃被邀與劉子坎、丁成萱、諸友。同赴閘北景和臨時救疫醫院服務。斯院之創。數年於茲。其經費純由國醫朱少坡先生擔任。其設備則參合中西。器械藥品。應有盡有。復得總務陸雪齡、醫士祝味菊、馬成德、諸先生。婆心主持。有條不紊。對於病家。完全免費。慈善高風。良堪景仰。吾在此間臨床實習。所獲中西治療各種經驗。自非淺鮮。同時使我復病脚氣。醫治結果。頗足研究。興懷所及。爰述梗概。以就有道。

我既學醫於中西學術紛爭之際。正欲從事實驗。以求究竟。故在救疫醫院。乃致力於臨床紀錄。以資鑑別。其治療經過。已有丁成萱兄詳爲論列。(見自强醫學月刊)茲不多贅。但以總比較觀之。凡重症必經鹽水注射。及服中西藥而治愈者。不及百分之二十。輕症完全服中藥而治愈者。竟達百分之八十有餘。且注射鹽水者。最後多有小便閉。胸煩氣喘等不良狀態。服中藥者。絕無其弊。就此一端。中醫中藥之眞價值。可想見矣。

至我脚氣病復發之原因。則以救急病房。配藥室。均在樓下。地頗陰濕。兼以調理病人。不分晝夜。每夜多至一二點鐘後。始得睡眠。故兩脚往來。受濕較易也。初僅脛間微腫。契友固已大驚小怪。時促服藥。而我猶以爲司空見慣。不加注意。繼乃日漸沉重。竟至痲腫過膝。畢步孔艱。指掌亦略發痲。於是不得不乞靈於藥石。一翻藍本。遂以鷄鳴散之類。服二三劑。不效。又以本體頗似貧血。臁部略酸痛。腎氣或有不足。再用腎氣丸加減。以歸地桂附等藥。服二三劑。亦無別種變化。乃思脚氣之腫脹者。爲水分濕氣之壅滯。必因空中濕氣飽和。而人身中放溫機能比較薄弱。以致所有陳腐水分。不能運化爲汗液。向外排泄之故。且患脚氣病時。嘗小便短、而無汗。可以證明。非用利水除濕之藥。助其滲透。不爲功。始採用五苓散、加防已、地膚子、牛膝、木香、砂仁、生姜等。服一劑而腫脹頓退。又輒以赤小豆煮服不二日。而全症已愈八九矣。按以五苓散加味療脚氣病。諸家醫書未見敘及。我今用之竟有效驗。益信國醫之處方變化無窮。大有賴於研究與發揮也。

爲脚氣病論文中之別開生面者。閱之頗曉興趣。作者殆已能運用漢醫方者歟(王潤民評)

脚腫病之效方

趙能穀

腿腫病俗稱大脚瘋。亦有稱流火者。西醫曰象皮病Elephantiasis。患者多爲農人。發時行步蹣跚。操作艱難。不惟於業務上發生障礙。且間接影響及國家之農業出產。蓋吾國爲農立國。農民數佔全國人口十分之六而强。此病既爲農民之一般疾病。則患者又何可勝數哉。

(一)(甲)主因　下肢淋巴管壅滯。或截斷時。致起還流障礙。而成誘發性淋巴管炎。

(乙)誘因　(甲)農人工作之時。多皆起立。故下肢之血液及淋巴易起還流障礙。

(乙)操作時下肢浸漬於水中。積年累月。多患濕瘡等症。

(丙)平日受器械的作用及蟲類的侵害。每致外傷性出血。

(二)症象　發熱憎寒。病處皮膚紅腫。靜脉血管較健康時爲顯露。間或有食慾衰減者。發熱期少則三日。多則六七日。即熱退。且患處紅腫亦消散。然愈後多續發。續發時則較初發爲重。

(三)治療　初起者。

外用　葱白杵爛和蜜罨患處。

內服　海蛇、地栗、同煎。俟海蛇化盡。取湯吞當歸龍薈丸三錢。(此丸藥肆有售)

續發者。

外用　杉木鑤花煎濃湯。人皮硝半兩頻洗。日以藍布浸鹽鹵束患處。

內服　黃檗酒炒海蛇各等分。加葱鬚自然汁爲丸。綠豆大。茅根湯日送三錢。

(四)結論　吾鄉多水澤。近郊之農人。多以此症求治于吾家。以上列諸藥按症與之。皆奏效果。西醫於此病無根本治法。

惟用冷罨、消炎等對症治療。近人汪于岡作為『免除農人疾苦敬告海內外同志請益』一文。數載於某巨報上。意欲為此病求一適用於西醫之根本治法耳。然則學無中西。欲求其治愈則一。因不宜鑿分彼我。望海內外同志採用之也。

可備參考（潤民）

辨傷寒與溫病及治法

沈德培

越人五十八難曰傷寒有五。有中風、有傷寒、有溫病、有濕溫、有熱病。其所苦不同。仲景撰用八十一難素問九卷作傷寒論。以是知傷寒之方治。悉載論中。溫病之方治亦載在論中。善讀者、玩索有得。應用無窮。自葉氏倡溫先犯肺之說。鞠通輩從而和之。似傷寒另是一症。溫病又是一症。而傷寒論之旨反晦。余也學本膚淺。未能識其萬一。茲因暑假之暇。謹按傷寒六經。將傷寒溫病之區別方治而略辨焉。

太陽為一身之藩籬。外邪干之。在冬令則曰傷寒。在他時則曰溫病。其不同之點。祇惡寒與不惡寒。渴與不渴。症既各殊。治法自異。本論於傷寒條下立方。溫病於條下未立方者。蓋謂傷寒之脈有定。故主麻黃湯。或主桂枝湯。或麻黃二桂枝一湯。溫病之脈無定。故不立主方。隱示人於籌中之麻杏石甘湯與梔豉湯、白虎湯及大青龍湯。葛根黃芩黃連湯。擇而用之。以一宜辛散。一宜清解也。

陽明為成溫之藪。仲景以胃家實為提綱。凡外感之邪。一入胃府。必發潮熱、譫語、不大便。均宜酌用三承氣湯。惟未入胃府以前。狀似傷寒。仍當以麻桂等味汗之。形同溫病。仍當以梔豉白虎等湯清之。蓋陽明有在經入府之別也。

少陽主樞。界居半表半裏。三陽由此出入。三陰亦由此出入。當邪出表則惡寒。及邪入裏則惡熱。汗吐下皆在禁例。無論傷寒溫病。均以小柴胡湯、和解之。惟偏於寒者。倍生薑半夏。偏於熱者。倍黃芩、或加芒硝。殆舍此無他法也。

太陰乃陰中之至陰。以濕氣為本。以燥氣為兼見。若從燥化。固屬陽明之溫。何以言之。蓋內經所謂中陰溜府也。治以白虎承氣等湯。惟從本化。脈浮者可發汗。主桂枝湯。如自利不渴。當溫之。宜服四逆輩。即因誤下。腹滿實痛。或大實痛。只用桂枝加芍藥湯。桂枝加大黃湯。且戒人宜從誡也。意謂太陰多寒少熱耳。

少陰本熱標寒。標本不同。有從標化者。有從本化者。惟其從標化也。症屬傷寒。論曰。當始得之。主麻黃附子細辛湯。得之二三日。主麻黃附子甘草湯。按法溫之。其寒自除。設延至吐利躁煩。或息高。或頭眩。

時時自冒雖有妙劑亦徒勞耳豈眞證不治哉實爲粗工所誤焉惟其從本化也即爲溫病論曰下利咽痛胸滿心煩或猪膚湯心中煩不得臥主黃連阿膠湯按法清之其熱自解若遲至口燥咽乾或腹滿不大便或自利清水心痛口乾燥雖有神方亦無益耳豈眞藥不效哉乃治者失其眞機焉此少陰之方治不可忽也

厥陰本陰之初盡陽之始生因有寒厥熱厥何謂寒厥蓋厥多熱少一厥不回之寒症論曰諸四逆厥者不可下之若下利清穀汗出而厥者用通脈四逆湯手足厥脈細絕有寒者用當歸四逆加吳茱萸生姜湯其病未有不愈者乃不出此偏至下利至甚厥不止或下利厥逆躁不能臥或手足厥煩躁灸之不還始議四逆湯未免太晚也何謂熱厥蓋先熱後厥厥深熱深厥微熱微之熱症也論曰厥應下之殆指此耳當下利譫語内有燥屎與小承氣湯噦而腹滿視其何部不利或與猪苓湯或與大承氣湯其病未有不退者設不出此待至熱氣有餘發癰膿或又發汗口傷爛赤或厥而嘔胸腹煩滿便血方用白虎等湯殆亡羊補牢耳況寒熱往復本無一定所以烏梅丸麻黃升麻湯皆寒熱互用別具進退屈升之妙此厥陰之方治尤當致意焉

傷寒六經中之區別如此顧可不詳加剖辨哉雖然傷寒溫病同屬外感固一而二二而一也當在三陽者若霄壤不可混治者在三陰只辨其寒熱而已傷寒不出範圍之外溫病亦在範圍之中甚矣仲景之傷寒論何其包括無遺歟

議論通達是研求傷寒論者得者(編者)

對於傷寒論溫病發熱而渴之解釋與方劑

汪飛白

傷寒論溫病一條諸家解釋俱不明瞭以致異說紛起此予所以欲闢千古之疑團略陳一二之心得海内名賢倘乞賜教是幸

今試問溫病之發熱何以異於太陽陽明及何故口渴則諸家未有能爲圓滿之答覆者如醫宗金鑑云『發熱不渴太陽證也發熱而渴陽明證也』若是則溫病與陽明證同一證也胡不言溫病即陽明病乎此中諒必有大分別矣

要知陽明與溫病之別在於發熱與惡熱發熱不惡寒乃溫病不惡寒反惡熱乃陽明是故溫病陽明之分即發熱與惡熱而區別之然則溫病即陽明白虎之初症其所以不惡熱者因未至惡熱之本症苟至惡熱時則達陽明之本證矣若言溫病介於太陽陽明之間則稍有可商夫溫病發熱較之傷寒發熱如第十三條中有翕翕發熱等語蓋翕翕之意乃指淺合輕附之貌可知太陽之發熱甚輕迴異

于温病之發熱矣。

然則温病發熱何以異於太陽發熱。豈不知發熱下有「而渴」二字乎。其所以渴者因體中之津液被大熱蒸鑠。神經缺於濡養。尤其口咽神經感覺更爲顯明。是以口渴。若不治之轉屬即惡熱成陽明症矣。此温病發熱而渴之原理也。總之温病乃陽明病之初症。非關於太陽症也。仲景置之於太陽中者。恐置之於陽明症內。人或將疑爲陽明主症。發生疑問。故列入太陽症中。使後人另有以解之。另有方劑治之耳。

近世葉氏之徒。治温病翹桑菊銀多用等藥。平淡無效。而反使病增劇。以愚觀之。用五苓散。加葛根黃連黃芩其可也。蓋五苓散非僅用於小便不利而已。和劑局方有「五苓散主治傷寒温熱病。煩渴不止。」等說。此症苟用五苓散與之。煩渴即止。病亦隨之而愈。至于白虎證用五苓又不能治矣。此蓋五苓散主治白虎初症之温病也。其所以加葛根芩連者。以葛根能攝取體內營養液。輸送至上部。使口咽神經得有濡養。而渴自止。黃芩、黃連、俱是苦寒之藥。苦寒能泄熱。亦可清體中之熱。使最高之熱度漸漸低減。如斯再用五苓散調節之。或汗後即愈。或小便後即愈。此温病發熱而渴之解釋與方劑也。

近人屢言陽明爲成温之藪。固是確當不易之論。然傷寒論太陽篇又有發熱而渴不惡寒之温病。此温病是否即陽明病。又温病發熱。太陽病亦發熱。同一發熱。何以太陽無口渴症而温病有之。凡此種種。各註家皆模糊影響。未有能爲明確之解說者。汪君此文。獨能詳細釋出。明白了當。且以經解經。無絲毫牽强之弊。余喜其用心之細。故錄之以爲初讀傷寒論者之助。又五苓散似不可用。鄙見當用葛根芩連湯加蘆根天花粉爲是。

（編者）

醫林雋語

成之

惲鐵樵氏傷寒輯義按。論太陽病命名之義。以太陽是最外一層。往者予嘗舉惲氏此說。與亡友趙樸庵商榷之。樸庵曰。太陽是最外一層。然則太陰是最裏一層乎。

故紙堆裏

贈醫者二和尚

衡之錄

昨日喝不死。死事在今日。睡餘迷悶語復譫。驚走醫師窘無術。囁囁耳語是不可治。必欲治者姑以薓投之。主人（袁柏田觀察）趣具參事。亟莫能止。兩生（趙伯期吳梅梁）侍側神栖皇。忽動我心知死矣。死生亦大事。安可自糊塗。薓來搖手示當爲別圖。是時冥然于世百不關。魂夢祇在一山松竹間。恍惚玉川子。餉余七盌茶。開眼乃見僧。笑問可思。瓜蹶然奮起。索液磊磊綠沈爲余副。（劈）主人在旁爭不得。須臾神氣定。一身更無病。徐詰醫師。誰云是貴介聲名馳。再訊此僧狀。知爲走街二和尚。二和尚何殷殷。孄誦佛。勤濟人。今日豈非出我于死地。我欲自字爲更生。作詩聊紀和尚一功德。惜乎和尚不肯言其名。

譯述

瘀血之害毒

日本湯本求眞著
中華張永霖譯

此篇與大黃䗪蟲丸。同在上學期譯成。後因院刊第一期篇幅有限。祇將大黃䗪蟲丸登出。茲復將此篇發表於本期。以慰讀者之望。譯文甚忠實。文字亦尙通順。與大黃䗪蟲丸一篇之文字不通者相去已遠。殆亦張君之進境也歟。(王潤民)

(導言)凡病之成。必由外因與內因共鳴。近人徒知注重外因而忽略內因。此大誤也。不知內因之重要。有時更勝於外因。內因之主要者有三。一曰食毒。二曰水毒。三曰瘀血。茲篇爲湯本求眞之心血結晶。亦爲從來論瘀血最詳盡之文。

嘗討究在漢方特說瘀血之意義。瘀血之瘀字爲汚穢之意。血字爲血液之義。此不待言也。然則瘀血爲汚穢之血液。卽反正常之血液也。以現代的新說解釋之。卽瘀血者。爲非生理的血液。不特喪失血之資格。反爲損害人體之毒物。斯種毒物。應速排除於體外。雖一刻亦不可任其存在。今試轉眼光由他而觀察之。如婦人之有月經。既爲姙娠豫備的造化之妙機。而月經血自家則不關與此機轉。不過只爲此機轉開始至完了期間內所發之一現象耳。換言之月經血者卽亦如報此機轉之開始與完了之信號旗而已。不特不參與此機轉。實爲被此機轉主人解雇之不良僕婢也。以其有毒性。若與上論對照之。卽可達至「月經血」者卽瘀血也之結論。故月經血若排泄阻碍或全閉止其毒力。不但使人疾病。且失抗菌性。等於細菌之培養基。以瘀血最適好細菌之寄生繁殖。故容易誘致各種之細菌而成立諸般之炎性病。非只此也。瘀血若停滯長久。或至高度時。不特沉着於生殖器之血管內。即與此鄰接之腸管。腸間膜淋巴腺等亦然。其一部分則與生理的血液共循全身。沉着於各種之臟器組織內而生血塞。而肺、肝、脾、腎則生出血性硬塞。腦、肺則發血栓。凝於心臟血管壁則起心臟瓣膜病。狹心症。動靜脈瘤。血管硬變等。此外尚能續發諸般病症。雖如斯之複雜多端。皆因月經之排泄障碍者不失機宜。處以凱切之通經劑。其經血之疎通固不待言。即將來續發諸病亦可制止於未然。而缺此種方劑之洋方。對於病原之月經障碍及續發諸病。皆施對症治療。姑息苟安而已。此外并無治略。反之漢方之用通經劑(即驅瘀血劑)如陽實性之瘀血則與桃仁。牡丹皮。陰虛證當歸芎藭。陳久性䗪蟲水蛭乾漆。又如續發的諸病。則以此驅瘀血劑與對證方劑合用或兼用。故苟非高度之器質的變化。或古之所謂病入膏肓者。其治皆不爲難。

讀者綜合上說。可知洋方中所不能得之驅瘀血劑。竟具備於漢方中。良可一吐萬丈之氣。然若此說明。猶恐人或以爲一家之言。來獨斷之譏。爰舉往聖先賢之論說治驗。以爲之證。

仲景師曰

婦人(中略)經斷未及三月。而得漏下不止。胎動在臍上者。此爲癥痼害。(中略)所以血不止者。其癥不去故也。當下其癥。桂枝茯苓丸主之。

癥玉編云。癥者腹結病也。尾台氏曰。蓋腹中有凝結之毒。按之應手可得而徵。故癥者謂腹內有小腫瘤狀明矣。此爲月經閉止與子宮出血之有因果關係。由此可推究癥者爲血塞。又由師謂「所以血不止者其癥不去故也」以此可察出血者爲血塞阻碍血流。而測枝血行之血壓昇騰之結果也。又由師謂「當下其癥桂枝茯苓丸主之」以此亦可知此方有治血塞及因此出血之作用。

又曰

產婦腹痛。法當與枳實芍藥散。假令不愈者。此爲腹中有乾血著於臍下。下瘀血湯主之。亦主經水不利。

下瘀血湯方

大黃 二兩 桃仁 二十枚 䗪蟲 二十枚

右三味。末之。煉蜜和爲四丸。以酒一升。煑一丸。取八合。頓服之。邪血下如猪肝。

(註)徐靈胎氏曰。邪血者當作瘀血。尾台氏曰。邪血疑爲乾血之誤。余曰前說雖非無理。以後說爲優。何以故。蓋師既曰此有乾血著於臍下。故服本方後當下乾血明矣。然則乾

血者謂瘀血之陳久者也。

師云主經水不利。又曰頓服後乾血下如豬肝。由此可見此腹痛者。由月經排泄不充分之故。服血久久凝滯於臍下部之血管內。成形血塞。致壓迫刺戟鄰接部之知覺神經也。那本方後所以鎮痛者蓋刺戟神經之原因之乾血(即血塞)變成豬肝狀而排除故也。

續建珠錄曰

攝州船場賈人某之女。年十八。便祕難通。於茲有年矣。近曰經閉及三月。其父母疑其有外遇。請醫診察之。曰懷姙。女不認。復更醫察之。不能斷。乃請先生(譯者按謂吉益南涯也。名猷。東洞之子。續建珠錄皆記其治驗)診之。按其腹。在臍下有一小塊。近則痛。先生曰此爲蓄血。非雙身也。乃與大黃牡丹皮湯。服三貼。下利十數行。均雜黑血。爾後塊減半。又兼用當歸芎藥散。未幾經水來潮。大便如平日。

月經閉止三月。所臍下部生小塊。服大黃牡丹皮湯後。下黑血而小塊減半。可見其小塊爲血塞無疑義矣。

類聚方廣義桂茯苓丸條曰

治經水不調。時時頭痛。腹中拘攣。或手足麻痺。或每至經期而頭重眩暈。腹中腰脚疼痛者。(中略)經閉止上衝頭痛。眼中生翳。赤脈縱橫。疼痛羞明。腹中拘攣者。

頭痛頭重眩暈者。因瘀血上衝於頭腦。生翳、血管怒張、疼痛、羞明者。爲波及眼球所致。手足麻痺。腰脚疼痛者。爲侵襲腰部或四肢之傳播知覺神經所成者也。

仝書桃核承氣湯條曰

治經水不調而上衝甚。眼中生厚膜。或赤脉怒起。瞼胞赤爛。或齲齒疼痛。小腹急結者。

治經閉上逆發狂者。

此眼患及齲齒疼痛。亦瘀血上衝之結果。發狂即發精神病之劇甚者也。

仝書抵當湯條曰

婦人經水不利。棄置而不治者。後必發胸腹煩滿。或小腹鞕滿。善饑。健忘。悲憂驚狂等症。釀成偏枯癱瘓。勞瘵。鼓脹膈噎等病。終至不起。若早用此方。通暢血隧。可防後患。

(註)胸腹煩滿者。言感覺煩狀而且胸腹部(胸即心下之意)膨滿。小腹鞕滿者。即下腹部堅而膨滿也。善饑之善字。即數之意。善饑即多嗜症。健忘、悲憂驚狂者。即神經衰弱。「歇斯的里(ヒスラリー)」「ヒポコンデリー」等之神經症及精神病也。偏枯者。半身不遂。癱瘓者。脊髓麻痺也。鼓脹者腹部脹大之總稱。包含子宮及卵巢之腫瘤。膈噎

卽食道骨狹窄症之汎稱。如食道癌胃癌亦含蓄在內。血隧之隧字卽穴道之意。而血隧卽言血管系之義也。

以上之論說治驗。若能細心玩味之。則愚說之不誣妄瞭然矣。婦人之瘀血。非獨因月經障碍。卽因產後惡露排泄不全者亦復不尠。何以言之。蓋此惡露亦不外姙娠期間所生之瘀血。分娩後本有自然排出之必要。設或因自然良能作用之不及。或因以人工的抑止而全不能排泄者。斯沉着於腹內爲各種疾病之淵源。誠不異於月經排泄障碍也。

子玄子產論曰

凡產後三日。勿拘外證及虛實。必飲以折衝飲。惡露未盡者。百患立生。危斃立至。愼之愼之。

(註)此說就一般論雖甚可。然謂勿拘外證及虛實云云。未免極端。學者不可盡信。

生生堂治驗曰

間街五條之北。釜屋伊兵衛之妻。半產後。面色黧黑。上氣頭眩。先生診之。脉緊。臍下結鞕。曰此有蓄血也。卽與抵當湯。三日覺腰以下解怠。更與桃仁承氣湯。果大戰寒。少頃發熱汗出譫語。四肢緤搦。前陰出血塊。其形如雞卵。六日間約二十餘。仍與前方二旬。宿患如忘。

(註)黧黑者無光澤之黃黑色也。頭暈者眩暈也。臍下結鞕者下腹部堅硬凝塊之意。此卽血塞。譫語者讝語也。緤搦卽間代性痙攣。前陰者膣口也。此症因流產時惡露排泄不全。下腹部生瘀血。其餘波影響至頭腦以致眩暈也。以服抵當湯桃核承氣湯瘀血全能排出。故能治愈。

產育論曰

凡產後玉門不閉者。與桂苓黃湯。瘀血除則淸血充暢。其不閉則能自愈。

(註)玉門卽膣口。玉門不閉卽會陰破裂。桂苓黃湯卽桂枝茯苓丸加大黃改爲煎劑者也。治會陰破裂以內服藥。豈不微妙哉。

又同書曰

產後惡露不下。腹中脹痛者。宜桂苓黃湯。

又曰

產後惡露日久不斷。時時淋瀝。當審其血色之朽濁、淺淡、臭穢。而後定方藥。淺淡者宜芎歸膠艾湯。朽濁臭穢者宜桂苓黃湯。

(註)惡露之血色淺淡者。爲脫血之候。以芎歸膠艾湯止之。其汚濁臭穢者。爲瘀血之徵。當以本方驅除之。

又曰

產後氣喘者爲危。此證方書中名爲敗血上攻。其面必紫黑也。

宜桂苓黃湯及獨龍散。

（註）氣喘者痰咯不出喘鳴迫息也。倘若瘀血上攻。則恐成肺栓塞、

類聚方廣義桂枝茯苓丸條曰

產後惡露不盡則諸患錯出。其窮甚至於不救。其治法則以逐瘀血爲至要。故宜此方。

同書桃核承氣湯條曰

治產後惡露不下。少腹凝結。上衝急迫。心胸不安者。凡產後諸患多因惡露不盡所致。故宜早用此方爲佳。

諸說概可謂肯定愚說。

婦人之多瘀血。且因此致胚胎諸疾病。既如前述。然此前述非獨婦人有之。即男子亦復不少。其實例誠不遑枚舉。今舉自己之一例。以爲實驗談。余體素頑健。未曾染疾患。而痔疾則有之。時覺胃部脹滿停滯。且常發不眠、逆上、便秘、隨其腹證。飲以大柴胡與桂枝茯苓丸合方。僅服一回即瀉下粘血便。不但血壓下降。且前證亦均減退。如常。然若單用大柴胡。則雖能瀉下。亦必無粘血便。且對於逆上等之腦症及血壓亦必鮮有影響。由此觀之。桂枝茯苓丸之驅瘀血作用、彰彰明甚。又可知男子亦有瘀血矣。因更特錄吉益南涯氏之治驗於左。

浪華島內之賈人伊丹屋某。嘗患腹痛。腹中有一小塊。按之則痛劇。身體尫羸。面色青。大便秘。飲食如故。乃飲以大柴胡湯歲餘。少差。於是患者怠服藥。既經七八月。前症復發。其塊倍於前日。大如冬瓜。煩悸喜怒。劇則如狂。衆醫交治而不差。請先生診之。與以前方。兼用當歸芍藥散。服一月餘。一日忽下異物。形如海月。色灰白。狀似囊。內空虛。可盛水漿。餘者或圓或長。或大或小。或似紐。或黃色如魚餒。或如敗肉。千形萬狀。難以枚舉。如此者九日。舊痾頓除。

（註）魚餒之餒。言如魚肉腐爛之意。如魚餒如敗肉者。不外言瘀血也。以此當知當歸芍藥散有驅瘀血作用。亦可知男子亦有瘀血也。

據此亦可爲證。然男子無月經、姙娠等之關係。何以亦有瘀血。曰。其源由頗多。就余所知者。其因有三。第一當爲遺傳。凡關於遺傳之學說。非直接的所能論斷。惟當求諸統計。或其他種種之材料。以間接的推理歸納爲常。余說亦然。以余之經驗。診父得大黃牡丹皮湯之腹證者。其子女中亦必有人有是湯之腹證。診母得當歸芍藥散之腹證者。其子女中亦必有是散之腹證。又其父母有桃核承氣湯或桂枝茯苓丸證者。亦然。若謂此爲偶然一致。爲甚少之事。實不足憑。

信者則何以反覆試驗莫不皆然故難謂爲偶合矣此余對於瘀血遺傳說之主張也。

第二爲打撲等之外傷因而溢血也凡打撲等輕微之外傷雖任何人亦屢屢有之然若其度稍强則皮下之筋肉發生溢血若此溢血迸出血管外則失血液之性能復不能歸生理狀態此所謂死血瘀血也若放置之則漸次吸入血管內與生理的血液共循體內致成種種疾患之泉源。

第三則爲熱性病之熱溶血症也如腸窒扶斯之高熱特長性傳染病血球與細菌毒素爲高熱而崩壞現出所謂熱溶血症然此溶血決非生理的血液若失其治期而不蕩滌則往往喚起可畏之腸出血而陷生命於危險即幸而得生然此瘀血不去將來亦續發諸般病症。

▲瘀血之腹症

仲師曰(上略)但小腹急結者乃可攻之宜桃核承氣湯腸癰小腹腫痞按之則痛(中略)大黃牡丹皮湯主之(上略)此有乾血著於臍下下瘀血湯主之(上略)脉沉結小腹鞕(中略)抵當湯主之傷寒有熱小腹滿宜抵當湯如斯仲師之瘀血治劑皆以小腹即下腹部爲目的其故何也曰腹腔爲身體最大之腔洞因可容最多量血液之關係故有瘀血時亦當比他部較多此當然之理也且其一部之骨盤腔爲身體最下部之腔洞運動缺如故瘀血容易沉墜於此亦即容易致成血塞之理也若血塞達至一定之程度以上則當腹診時可得瘀血診斷之目標此仲師瘀血治劑之目的在於下腹部之第一理由也。

第二理由則生自門脉也彼解剖生理之所示此靜脉有輸送腹腔內諸臟器組織靜脉血及腸管內吸收之乳糜於肝臟之任務然此靜脉亦如他靜脉缺如瓣膜裝置不惟難促血液之前進且不能阻止其逆流況此靜脉之下流於肝內分歧爲無數之靜脉通過肝臟實質內因其抵抗而擴大故其靜脉之血壓亦極微弱動則幾欲逆流於其起始部設若有瘀血則此血壓或絕無或生陰壓遂則逆流瘀血則沉着於此靜脉本源之腹內諸臟器組織之血管內此成形血塞之理就中與此靜脉之經路成一直線之下腸間膜靜脉之起部即下腹部則起頻繁且强度之血塞故若此部之血塞超過限度以上亦復爲瘀血治劑應用之目標。

第三理由爲生於婦人其理既述於前茲從略。

因有以上之理由若腹下部有觸知之抵抗物按之疼痛且非爲宿便、結石、寄生虫及子宮懷姙者皆悉爲瘀血宜選用治瘀血劑然則此抵抗物及壓痛可謂爲瘀血之腹證矣。

▲瘀血之脉證

仲師曰癰腸者少腹腫痞按之則痛如淋小便自調時時發熱自汗

出復惡寒。其脉遲緊者膿未成。可下之。當有血。脉洪數者膿已成。不可下也。大黃牡丹皮湯主之。此文本爲盲腸炎之診斷療法。今暫就其脉候觀察之。凡發熱惡寒者脉無有不浮數。今反遲緊者一因疼痛之反射作用。又其過半因少腹腫痞。卽盲腸部腫脹硬結之障碍物嵌入血流之中。阻碍血流之故也。何以知之。曰得自盲腸炎化膿之時。少腹腫痞則減退。脉變洪數（或曰化膿熱）故也。

又曰太陽病六七日。表證仍在。脉微而沉。反不結胸。其人發狂者以熱在下焦。小腹當鞕滿（中略）抵當湯主之。曰表證仍在者。以有發熱惡寒等症。脉當浮數。而反微而沉（此沉非陰證之沉。卽結也。）者。蓋因變形之瘀血。介在血液循路中。障阻血液而成少腹鞕滿也。

又曰太陽病身黃。脉沉結。少腹鞕。小便不利者爲無血。小便自利。其人如狂者血證諦也。抵當湯主之。此論血性黃疸與瘀血性精神病。其脉之所以沉結者與前條無異。

王肯堂曰有瘀血則脉澀也。以桃仁承氣湯下之。

綜合以上諸說觀之。可得一結論曰。瘀血若增劇至一定度以上時。則阻礙血流。其應徵爲脉呈血液不流行象。雖然此乃限於陽實性而高度者之脉狀。非盡如是也。又此脉狀必現於左脉。不見於右脉。此余多年之實驗也。

▲瘀血之外證

古語曰。「誠於中形於外」。又格言曰「心思於內色現於外」。此言喜怒哀樂之情。無論如何抑制。終必顯於言動也。疾病亦然。有病毒在體內者。其應徵必現於外表。扁鵲所謂病之應現於大表者也。瘀血爲疾病之一。自亦不外此理。體內有瘀血。必現於外表。如皮膚、粘膜之類。此現於外部之症狀。稱爲瘀血之外證。然此外證千狀萬態。殆難得其端倪。若欲診察不誤。首在醫者之心眼。而非筆舌所能及也。茲爲初學之階梯計。特揭古人之論說治驗。以示其一端。餘則任學者自研究之。

仲景師曰

病人胸滿、唇痿、舌青、口燥。但欲漱水不欲嚥。無寒熱。脉微大而遲。腹不滿。其人言滿者。爲有瘀血也。

（註）但欲以水漱口。不欲嚥下。此屢見於瘀血家。但難據爲確徵。舌青者因舌齶血瘀血之證佐也。不拘其有無腹滿。病者自訴腹滿。則有瘀血之確證也。但此腹滿卽下腹滿也。不可不知。

續藥徵曰

（上略）仲景又別有診察瘀血外證之法。曰其身甲錯。曰胸中甲錯。胸中者蓋卽心胸之下也。曰肌膚甲錯。

（註）甲錯云者卽皮膚如魚鱗。如龜甲之皺紋也。此因有瘀血。

缺乏生理之血液灌漑皮膚。不得良好之營養故也。有此徵候者可確定爲有瘀血存在。

生生堂醫談曰

鈹鍼

問曰醫者只以藥石。行鈹鍼者至稀。而子獨專行此術。未知傳自何處。又此鈹鍼治何症。有何効力。

答曰予未曾有恆師。皆師學古人。鈹鍼者亦隨古人之遺法而行之也。又鈹鍼非特去毒血。其功殆不可預期。施諸種種之症。皆有奇効。故內經數以鈹鍼取毒血。明龔廷賢萬病回春曰。青筋症北人多患之。此卽痧症也。又淸之郭志邃於痧脹玉衡亦爲同症。此自古所有之術也。然在本朝人皆不知注意。未有專心用之者。閩由脇東門氏曾行此術。又方今萩野台州氏有刺絡篇之著。郭有陶始行此術。得大效而享盛名。後著玉衡成一家之言。然因欲使其術入神。遂過於潤色。反招人厭。吾人雖不取郭氏之論。方而能專以鈹鍼取毒血著效者亦陶氏之賜也。或謂患痧者千人中難覯其一。此誠不研究之至也。予常見病痧者十中必有一二。尤以卒倒者爲多。於是始專行郭氏之術。實可稱嘆。予屢以此術治愈沉疴痼疾。今舉二三例於下。

一、江州山田五條村太郎右衛門之妻。兩足冷如冰。拘攣不能遠行。醫治弗效。請治於予。予診之。兩脚紫筋縱橫如網。乃以鈹鍼放之。兩三次。出血約二三合。作桂枝茯苓丸加大黃與之。約二十日復常。（中略）其他以此術治效。不遑枚舉、急卒之痧者夕發朝死。不知此症者誤爲卒中風。卽灸百會、人中、神闕、湧泉等。飲以延齡丹、蘇合香丸搐鼻散等。此不但無效。終至束手待斃。又如小兒之諸急症。上竄搐搦者刺兩手之五里或地蒼。以口强吸出血卽可蘇生。總之在急卒之際。鈹鍼之效遠勝藥石。扁鵲之醫虢太子。吾亦不多讓者，以有此術也。然有郭陶所謂痧者多以脈證不對爲痧。此不可盡信。吾門則宜先視血色而定。次以委中尺澤之細絡而定也。尺澤若不能詳則只委中多紫黑或紅黑而間雜。古書謂青筋。然青筋者毒血反少。設有之。其皮膚亦只薄青。此謂痧也。然亦有不在絡之薄黑點之痧者。刺之則出大血。其功甚速。至於三稜針之刺法。有深淺之按排。淺則雖出血不足愈病。深則貫絡成大害。亦有一鍼而出血數升者。亦有數鍼而不血出者。亦有無論血出多少則瞑眩、卒倒、昏暈、搐搦、嘔吐者。實可堪驚。若使之平臥以冷水一盌潠之。須臾則正氣可恢復。心神爽健。瞑眩者以此有大效。瞑眩若强則神效亦多。此種吉兆不可不知。（中略）夫痧者毒滯於絡中。氣血爲之不流行也。故發爲痧變成千變萬化之症。當仍放其毒血。蓋使其氣血循環快復也。故先刺絡。若無毒者則不出血。此確實證據也。如婦人之月經月月當下。

若一月停滯則生病。病痔之人。著無理止其下血。則變成異症爲種種之患。此因毒血在體內故也。痧亦如是。欲出此毒血者。非鈹鍼不能。然放痧之術。若誤刺動脉。一身之血盡出亦能致死。愼之不可誤事。

余曰痧病之名。自古慣用之。其實不外潛伏瘀血發動之誤認也。而中神氏竟不着眼於此。以爲瘀血以外有痧病者。此千慮之一失。氏之痧病論。亦即瘀血論。痧病之外症。亦可謂瘀血之外證矣。以余之經驗。凡瘀血家之面色。概爲暗紫黑色。或暗赤色。就中唇口爲甚。而中神氏曰先視其血色而定者。即此之謂也。

生生堂治驗曰

京師油小路五條之北、近江屋、甚助之妻。全身發斑。大者如錢。小者如豆。色紫黑。日晡所必發痛痒。又牙齦常出血。先生診之。臍下拘急。徹腰。與桃核承氣湯。兼坐藥。前陰出血。不數日乃痊。

余曰此症爲瘀血自裏轉出於表。紫斑、出血、疼痛、瘙痒者。即其外證也。

又同書曰

一婦人年三十。久患頭瘡。臭膿滴滴不止。或粘於髮。不能梳。醫以爲黴毒。攻之不愈。痛痒不止。請先生診之。其脉弦細。小腹急引腰腿。曰瘀血也。投以桂枝茯苓丸加大黃湯。兼以坐藥。不出一月而全瘥。後有一夜腹痛二三陣。大下畜血云云。

余曰此症亦瘀血自裏轉出於表。頭部濕疹、疼痛、瘙痒者。其外證也。

醍醐村有一道士。又曰名曰戒善。其妻年四十。全身發黃。醫者妄爲黃疸。先生按之至臍下則痛不能堪。與桃核承氣湯十餘日全已。

余曰此血性黃疸也。余以爲宜以大柴胡湯與桃核承氣湯合方治此種黃疸。

方伎雜誌曰

（上略）然余曾療一七歲女兒之行經。服藥十餘日而愈。此女至十四五歲之時經行。自後無滯。至十七歲初產一子。又療二歲行經之女子。初疑爲小便血。因而檢視牝戶。始知爲經水。洵稀代之事也。而二人皆無特別之異症。因其但血之妄行。以桂枝茯苓丸煎湯飲之。不日皆愈。（下略）

余曰此非眞月經。乃因瘀致子宮出血也。故出血亦爲瘀血之外證也。此不可不知。

榕堂翁療難指示前錄曰

（上略）凡血熱證者舌色必作殷紅。宜以此辨之。

余曰殷紅者鮮赤色之意也。以余之經驗瘀血家非獨舌然。即唇口亦有呈殷紅。

橘窓書影曰

余數年潛心診蓄血之證。舌上并無特別之胎。面亦有紫斑者。有蓄血之症。此大患也。熱候雖輕然亦不可輕忽。而亦有吐血下血而亡陽者。其人雖無現蓄血之症。概可決斷而治療之。不限外邪或雜病。若舌上有此候者可謂蓄血症矣。又喘息、胸痛、肩背痛、此皆因蓄血。血由他竅洩者愈。攻胃則吐血。上奔蓄血上衝。不能上達。不能下泄者死。當此時若大吐血者亦死。吐血而死者脫氣也。不吐血而死者壅塞也。余聞長崎吉益耕作年七十餘而中風。手足不遂。因而仆倒。頭部擊於石上。出血數合。其後不遂竟愈。又長崎升齊曰。曾見中風半身不遂。因發癰疽而自愈者有三人。此亦可云天幸也。蓄血不發於表而鬱於內之人。亦能發種種之惡症。將此理細繹之。可謂眞有其理。

余曰淺田氏所舉舌鮮紅及有紫斑點者。為瘀血之外症。此確實之說也。然如眼球結膜有右之斑點或呈紫青色者。亦為瘀血之徵。此宜加附之。庶成完璧。至於因瘀血而喘息、胸痛、肩背痛、吐血、腦出血者。余亦同感。

半身不遂

日本醫學博士渡邊熙著
張永霖譯

吾等所研究之泰西醫學。以半身不遂多為頭蓋內出血。因腦動脈出血者。其重症則稱為腦溢血、腦卒中。輕症則為中風。皆決定為治方絕望。

其他有エンポリー、有心臟瓣膜病、有我師マーシャン氏之病理解剖學上發見之胎盤細胞エンポリー者。然其治方則尚未有適當之出現。

在和漢醫學。亦有稱為偏枯者。此泰西醫學所無之處也。偏枯者即半身不遂。一名曰風痱。或曰癱瘓。病源候論曰。四肢不收。神智不亂。一臂不遂者。曰風痱。時能言者可治。不能言者不治。按岐伯之說。偏枯與風痱自有區別。學者多評之。以予言之亦相同也。以上三說彷彿以表面的觀察之。病源似乎相同。以其程度有輕重。若鹵莽診斷。泰半誤診為腦溢血性。後依其經過狀態始能辨別為三種。然若加細察之。甲乙雖為突然發病。而丙則為漸次起半身之不全麻痺。經過三個年間。則突然身體之筋肉發作拘攣。以此動機而半身不遂漸次增惡。甚則一時意識全失。殆不能鑑別為溢血。然大部分漸次輕快。意識記憶亦漸明確。惟留下半身運動不全及麻痺耳。エンポリー者與溢血頗相似。惟有心臟辨膜病之原症存在。故易於鑑別。

欲除此異物之方法者。當與敏活之內服藥。

エンボリー之中。豫後最良者。爲恩師マーシャン氏於病理學的發見之胎盤細胞エンボリー。在和漢醫學。此症狀之起於產婦者。稱謂柔中風。有的確之內服治方。然若不與適當之服方。則經過延長。而且亦不良。故宜與正派之和漢醫道治療之。偏枯之治方有數種。爰先舉先哲北山友松之治方。後述予之病例。

江州堅田村有北村道卜者。年六十。患中風。請京都之醫師幾島氏治之無効。延予診之。予曰。欲其速愈者。三年後必再發。發則不治。若不欲速愈者。則當能長十五年之壽。二者請選其一。病者曰。因荏苒彌歲。不堪再久。願以速愈。以謝朋友。予從其言。以巽切散加烏藥、白芷、青皮。服五十貼得全治。後三年果如前言。門人矢島安節問緩治之方。予曰。以十全大補湯則得矣。

偏枯之第一病例

大正十三年(譯者按即民國十三年下仿此)一月二十八日。大阪東滿南同心町一丁目四七一番地。元官吏藤田萬二。年六十四。自三年前腰痛漸劇。兩脚難以步行。遂覺左半身疼痛。運動不隨意。不全痲痺。就床。言語亦稍澁滯。欲行兩便。亦依壁支杖。始能傳步。嘗如失神。亦無腦溢血之狀態。自是意識漸不明。記憶亦無

診斷　動脈硬化(偏枯)性半身不遂

處方　大防風湯

兼用　化毒丸

服右藥一日。即能穿鞋免杖。步出門外。不勝雀躍。

偏枯之第二病例

大正十四年十二月十九日。上福島女工三輪春江。年四十八。嘗罹梅毒重症。皮膚病之瘢痕猶在。且脫毛症亦甚。自十三年夏。左脚痲痺而劇痛。兩手亦然。不能操業。無失神等症。

診斷　梅毒性動脈硬化性半身不遂

處方　桂朮苓附湯加鹿角

兼用　化毒丸

右服十日間。痛去。再三週間。能操業云。

半身不遂病例

大阪市、住吉區、北島、

播本マス　七十一歲

昭和二年(譯者按即民國十六年下仿此)一月七日初診。患者自小兒時代身體羸弱。月經初潮者爲十八歲。十九歲結婚。三十七歲罹重症之子宮病。肩上有疳瘤。產下七子。內一人生後即死亡。四十歲起身漸健。四十八歲月經閉止。五十歲至六十歲無何恙。

但自以前來只有胃痙攣之特病耳。六十歲至七十歲。雖云健康。但時時有胃痙攣。自四五年來羅僂麻質斯。右半身痛。三年來右半身知覺及運動有不全麻痺。時或及於左半。十二月二十一早淘米時。忽感右手腕如脫力。自室內行至門外。忽覺右半身特於右下肢脫力。遂仆倒。精神意識無差。求治於近醫。斷爲腦溢血。時淹沵於頭部以至今日。

現症　羸瘦貧血。精神、意識、記憶皆明晰。飲食少量。尿濃而色赤。便通二三日一行。能得嚥下流動物。兩頸側深部如砥石。

診斷　右半身不遂 因動脈硬化 非溢血性 所謂偏枯

處方　大防風湯

兼用　十一丸

經過二週日漸次輕減。尿量多。色薄。食慾稍振。雖右半身不遂。然稍能運動。如欲至廁所。若扶持之。能得步行。

產後之柔中風。所稱謂老人偏枯之半身不遂者。世中極多之病也。洋醫家無治方。而和漢醫家則有之。以適當之方治之。可隨愈。

半身不遂(偏枯)病例

大阪市港區、九條通、一丁目

湊歌子　五十一歲

本人自幼則藝妓也。大正十四年十月。靜坐中忽突然右仆。不省人事。少頃意識漸明瞭。然右半身成不遂。至能步行時。約經一個年。十九歲時經一次之難產。產後小兒隨卽死亡。二十歲時罹子宮病。例之嘗患梅毒者。頭髮脫落。其後亦歷患腎臟炎、神經痛、月經痛、痔疾、肺尖加答兒、慢性胃腸加答兒、腸窒扶斯等。總之卽病弱之身體也。

大正十五年十月二十八日初診

診斷　半身不遂 瘖家之動脈硬化 非溢血性

處方　大防風湯 衰弱者用大人量二分之一

兼用　化毒丸

補中益氣湯

紫金丹

初診時。爲欲人扶持乃能步行之衰弱羸瘦貧血。約服十日許。竟能獨步自如。一般之榮養運動皆恢復。

瘖家之兩肺尖濁音半身不遂貧血內膜炎病例

大正十五年九月七日初診

大阪市、大正町

加藤花子　二十三歲

生來健全。至二十歲極强壯。十八歲結婚。二十一歲起月經漸遲。每至夏期則疲勞。腰冷。發不明之熱。忽肥忽瘠。二十歲之十月分娩一小兒。產後六日卽死亡。產後左足左手漸起麻痺。恰如柔中風。後漸次自然而愈。翌年三月有白帶下、腹痛。易於感冒。無第二次妊娠。而其夫本來亦無病。惟有今春患腦病。本患者其他有咳嗽。咯痰。左肋骨間及腸痛。齒痛等。

現症　體格中等。榮養普通。兩背上葉部有濁音。其部位廣大。蓋因心臟虛弱也。

診斷　三期梅毒性左半身不遂。兩肺尖濁音。

處方　柴陷湯　後轉用萆解湯

兼用　桂苓丸　後轉用化毒丸

半身不遂症處以桂朮苓附湯加鹿角。約經十日間痛去。再二週日能就業。

（按）半身不遂。爲千古難治之症。用中法治之。竟可克奏敷功。如本篇所述者。用西法則無望。中醫之具有特長。照然矣。又按傷寒論之葛根湯及桂枝加葛根湯。（或再加苓朮附。）及醫林改錯之補陽還五湯。亦可以治此症。特附之以備參考。（潤民）

三陰三陽

日本醫學博士渡邊熙著
中華許金田譯

以處方爲中心而開拓之和漢醫學。欲定其主治効用者。必先病理。若無病理則不能說明症候。若無症候則不能定主證。主證若不明。則不能定處方治療及處置之方針。此當然之理也。要定症候。或其主證之診法。又須先明和漢醫學之病理。分析三陰三陽。例如感冒之治法。亦當從感冒之性質。或時期之異。用藥自有不同。即以隨證施治之主義。可謂秩序整然之理也。似西洋醫學之診病。即刻造成處方。萬不及處方之法也。譬如以料理喩之。其雜亂之處方。宛如小兒之料理粗枈一樣。設有適口之品。此是偶然之無作。系統不明斷之處方者。即所謂雜派雜方也。和漢醫學者。用種種主義及方針。自四千年以來。亦有發見非常之原理。自德川時代。則有熱心之先哲。講究種種疾病及功妙之治方。其中有腸窒扶斯之處方。爲其特殊之研究。且亦可應用於他病。然無論何病。皆不採直接攻擊之法。而常用間接治療者。例如皮膚病。不注重局部療法。而採用全身療法。即利尿法或排毒素法。使其體中之毒素出。則皮膚病可於短時間內全治也。如感冒之不即愈者。用元陰湯可速愈。（按其處方之物。即是鍋中煎物後。所殘留之堅膜。用水濕之而剝離之物也。）決不如西醫無論何病均偏攻擊病原。而不顧患者之生命及危險。故如傳染性疾病之治療方針。亦不專依殺菌療法。其前提即以排毒素爲主。殺菌療法爲副。後乃使其病原菌自家中毒而自然消滅也。

此外西醫對全身病之結核。或梅毒之局所病例之瘰癧。カリエス肺病腎臟炎。皮膚筋肉之慢性潰瘍。癌腫等之局所病。若和漢醫學者。雖用局所之手當。然以內服療法。則局部及全身可同時並愈。此等改善方法。卽以血液爲大着眼點也。

以下將和漢醫學之哲學的病理。三陰三陽以科學的知識釋之。以企易解。

三陰：大陰、少陰、厥陰（虛脫之意）

三陽：大陽、少陽、陽明

三陰三陽者。和漢醫學之病理根本也。傷寒論以此爲基礎。講述一般之疾病。不僅傷寒病。例如診一病。亦當先鑑定其病原現屬於三陰三陽之何部。亦卽認別摘其病之輕重及部位也。若除却此三陰三陽則無方法可以理解和漢醫學。是故要學和漢醫學者。必先理解現代之科學。否則對和漢醫學。永遠不知其味。猶如對異宗教徒之敵視也。若然何以能將尊信之和漢醫學貢獻於世增進人類之幸福乎。故熱心翻譯三陰三陽之症候部位。此豈非和漢醫學之病理乎。余以獨乙醫學之最近胎生學比較對照而解釋。望諸同學者。須由科學研究是理也。

太陽病

太陽者。不可不解爲皮膚表面之病。蓋昔時。發熱有分表熱、裏熱。半表半裏之熱。人若感冒發熱之時。則感全身之皮膚灼熱。此所謂太陽病也。卽熱在表。其熱於外表蓋欲發散。故其症狀爲頭痛、頸肩背等强掣。或疼痛。

所謂表者。皮膚表面之總稱也。在於胎生學上。可說是形造動物性管之細胞集落。亦卽角板或外板之外胚葉系統也。卽成人之神經中樞及皮膚系統也。乳兒期之背面皮膚。若磨擦之。現過敏之舉動者。此則胎生時代之神經一系統也。獨乙醫學。謂感冒卽粘膜之加答兒。而東洋醫學。謂感冒是由皮膚侵入致發熱之病。所以太陽病之標本用感冒而講述之。

少陽病

少陽病者。謂熱在表裏之間也。卽在皮膚系統之外胚葉與內胚葉間之中胚葉、而造成胸膜、脇膜、心囊、腹膜等之漿液膜系統之病。此屬於少陽之症也。再詳述之。則中胚葉者。係由外胚葉侵入之神經纖維。更傳入內胚葉之內部。屬體內中間部葉統之病也。其病狀爲胸脇苦滿、胃部痞鞕等。且亦有呼吸器及血行器病也。

陽明病

陽明病者。熱在裏之謂也。裏者既如前述之內胚葉。卽胃腸之內面也。又名曰腸腺葉、係植物性管之細胞集落之意也。其症狀主爲胃腸發病之脹滿、便祕。是吾等所謂胃腸熱（胃腸病腸窒扶斯、赤痢等亦屬陽明病。）故消化器系統病腸窒扶斯病亦屬陽明病也。

太陰症

太陰病者。熱之反對。卽陽之反對。屬陰。亦卽寒也。若其在腹裏卽內臟寒冷。其症爲脹滿疼痛。時時嘔吐下痢。蓋嘔吐者胃之寒冷。下痢者腸內面之寒冷。例如冬期。過冷致腹痛下痢也。此則太陰病之症狀也。（寒與利尿、利尿與小腸之關係。此古來醫學之論法。然近年三宅一之博士之論文中。有小腸絞汁者爲利尿催進劑也。以此可爲佐證）

少陰症

少陰症者。寒感於表及裏之症候也。所以時而裏寒下痢。時而表寒身倦但欲眠。若似冬期。忍耐寒氣而但眠。遂致凍傷之候也。（換言之卽全身之機能衰弱之證也。）

厥陰病

厥陰者。三陰之主寒陰之極也。卽外熱內寒。或表寒裏熱。暴急陰陽錯雜寒熱混淆之症狀也。例如高熱之病者。因衰弱致四肢厥冷。飢而不欲食。且煩渴欲引飲。又心中疼熱。其氣上撞心。譯之卽呼吸促迫。心悸亢進等之病況也。食則吐。若有蛔虫亦吐。因胃內冷蛔虫自出也。

若下痢卽不易止。是故厥陰者危急存亡之際也。當此時若獨乙學派。則必用カンフル注射。或生理的食鹽水注射等之治法。和漢醫家臨於此時。則與麝香、犀角、龍腦等之蘇合丸、或附子煎劑、四逆湯、眞武湯之處方也。

附子之煎劑。當於危篤險惡諸藥不効束手無法之時用之。其卓効爲他藥所莫能及。例如診得肺結核之末期。續發腸結核之患者。下痢。頻數而痛。呼吸困難之時。是用附子之適應症也。從前有一歌舞伎役。因食松蕈中毒。致腹痛劇甚不止。以寒臟之症治之。得迅速顯著之功効。余嘗遇一臨終之結核患者。不忍視其苦狀。用有附子之活幼（書名）建中湯治之。得再生經驗。其後再生存於世。其人係三十三歲之婦人。得病八年之久。雖親醫藥亦未曾有如此之卓効。一家狂喜。後再大咯血。遂成不歸之客。

以上係三陰三陽六部位之定症。然當須區別病症之深淺微劇而療治之。卽熱有深淺。寒有微劇之別也。

按此篇前段多不通順處。此由譯者漢文程度不足之故。而編者又不通日文。故不敢妄事更改。致失其眞。閱者取其意而略其詞。幸甚幸甚。

又按以最近胎生學解釋三陰三陽。誠爲別開生面。而後段論附子可治腸結核之下利腹痛等。亦極精當。讀者幸注意之。（潤民）

腦之梅毒

日本醫學博士渡邊熙著
張永霖譯

腦梅毒。世人患之者極多。現代醫學對此殆無徹底的療法。今也六〇六之全盛時代已過。一次注射於血液中。暫時之後採取其血清注入腦脊髓中。雖採用此法。然多爲砒素而虛其心臟。此非特漸次衰弱。且能增腦症狀。若注射十回以上。則腦症增劇。身體衰弱。漸次變爲無功有害之療怯。常爲人所憤慨者。夫如是。雖曰醫學進步。畢竟治療則未伴其發達。故現代治療學之愚劣。良可羞恥也。

予知西洋方之不能治療先天及三期梅毒久矣。特對於深入腦脊髓之梅毒。則更難也。故曰予對於梅毒方面有此趣味者。決非單純之因也。

著者常精查小兒腦膜炎及成人之腦病。兄弟互相罹患入於精神病院之家系。概以梅毒性遺傳者爲多。或有自罹其病毒成重感染之既往症者。亦有不然者。亦有因於小兒之腦膜炎。而兄弟前後入院者。以此細查之。皆爲兩親或祖父母有梅毒之既往症爲原因。自吾等學習時代。其於小兒之腦膜炎。皆信以結核性爲原因。未聞爲梅毒性也。後經經驗。重加萬分注意。得多數之病例。而此結核說始能根底的明瞭而破壞。大正三年。自信已決。得試水銀注射。挽回危篤萬死之病兒。得蘇生恢復之經驗。自後雖無多數經驗之機會。亦可知腦膜炎之原因與腺病質原因相同。信以先天梅毒性者爲最多。悲哉。西洋醫學即令認爲先天梅毒性。亦只治以一般之驅梅法。其於腦梅毒之特種療法及豫防。固束手無策。即如慢性腦膜炎。其治方亦全無。豈不深可嘆哉。然維幸予發見治方於漢法。

爰述名醫竹田昌慶爲外國帝王優遇之事蹟。且其所遭遇之病例。恰與本題相似。此種事實。誠可一新世人之耳目。

醫家竹田昌慶。爲日本後龜山帝足利義滿時代之人。應安元年即中國明朝太祖洪武元年也，斯時竹田昌慶渡明。偶遇太祖之皇后難產。將頻於死。當此昌慶與藥一劑。竟無事分娩皇子。太祖賞其功。封竹田爲安國公。後十二年八月三十日。第二皇子產自后宮之一貴妃。帝喜不自勝。然皇子自降誕後未幾。全身發疹。其形如痘。體質漸虛弱。此即今日所謂胎毒之皮膚病也。其時之大醫均奉上治方。然終無良徵。惟有束手待斃。（當時中國自宋之末世稱爲局方時代。文化進步。因社會政策之結果。民衆與藥舖均能直接授受藥品。醫師之用漸少。故醫術漸陷於衰頽）而日本之文化。已自鎌倉時代獨創的而發達。如安藝守定。則有婦人科專科獨立。其發達若斯。故日本之醫師重用於中國之帝室。然而竹田昌慶再被召托以皇子之病。獻以左記之方。

方名　甘連湯加紅花大黃

兼用　辰砂牛黃散

服後發疹漸退。兩便通利。因產後第五日。臍帶脫落。諸病平隱。故至九月二十四日浴後遽起衝逆。如撮口狀。危險之症狀也。因獻熊膽生姜汁。及其他開達之藥。然藥不能下嚥。痰涎壅盛。氣息奄奄。加之晝夜頻發搐搦痙攣。咽喉喘鳴。現代之醫學如此腦膜炎之末期症狀亦不能救。因處左記之方。

走馬湯

右因不能以普通之服法。故以曲頭管灌下。得稍稍下利。須臾吐涎頻頻。氣急稍緩。得蘇息。乃與

五香湯

服後時徵手足。其搐搦拘急依然。故與

芍藥甘草湯加羚羊角

越十月四日。少少吐乳。至六七兩日。大便變青色。有微熱。生後約二個月乃

轉用龍膽湯合抑肝散加芍藥

右爲鎭癎之目的而獻上也。

十月十六日未刻。發癎。痙攣發作。心下衝逆。手足攣急。晝夜頻頻。急則與

沉香散以排之。緩則以甘麥大棗湯消息之。

如斯日三四度發。然其勢緩而不急。

十一月五日生後約三個月。痙攣增劇。日至六次。其後無日日發作。至二十六日。反劇烈。一日七八回。

主治醫竹田昌慶斷爲胎癎。胎癎者現今之先天梅毒性腦膜炎也發病以來已三個月矣處以

妙功十一丸本丸爲血液之殺菌消毒劑

攻下之。瀉下腸垢粘滑如濁唾之汚物。自後衝逆漸愈。安然全愈。翌年八月。滿一歲。時時吐乳。或吐痰水。飲食漸減。夜間睡中有嘆息。胸廓膨滿。顖門突起。現出解顱狀。頭面赤色。額上時帶紫黯色。氣字鬱塞等候。

昌慶斷爲胎毒上攻。不容或緩。因奏用

柴陷湯或飲紫圓類似走馬湯

且據王羲之頭風帖所說之

發作膏　貼於頂

不數日突起稍減。腦膈疏通。元氣復常。按著者有對於腦內壓高者與走馬湯則頭蓋內之內壓減低之事實自後安然無事。但因言語稍遲。故與

加味歸脾湯

得全愈。今也無此以上詳細之記錄。因中間有片片之斷失。然自誕生後之症狀大略如此。但七八歲時嘗出血痰一二次云。（完）

按腦梅毒一章原文甚長。中間治驗例凡六、七則。茲篇所述治案。特其中之一斑而已。又按腦梅毒西醫不能治。而用中法治之。竟一一奏顯著之偉效。孰謂中醫之治梅毒竟無可取哉。特人不精研。吾末如之何耳。（編者）

感冒

日本渡邊熙博士著
中華吳漢欽譯

一　感冒之治療法

感冒之治療法。西洋或東洋皆同以發汗解熱法爲目的。近來有以腦脊髓膜炎球菌「ワクチン」（卽以彼之球菌ワクチン使感冒速爲輕快者。）受其注射者牛日許而卽輕快云。當有研究之價値。在獨逸學派對於感冒無一定之治法。因之亦無何等之規律節制。故醫師之治感冒時過於輕率。持續連服ヒリン之製劑。老人小兒或衰婦弱人等往往因之起心臟虛弱而至成意外之大患。流行感冒死亡數之多。卽此種治療法之誤也。反之而和漢醫學之治療法規律森然。決無因感冒而致死者也。噫以此易易之病症。在今日猶難治。和漢醫學其可忽耶。醫術之革命其可緩耶。

二　和漢醫學感冒治療之法則

漢法之治感冒。視症之輕重。及合併症之如何。計有四五方之別。皆依其症與脉而用之。

漢法之感冒方。載於書籍者。始自漢之張仲景。其方殆爲古代之帝王聖賢傳來者也。

（一）治感冒不可發汗淋漓。否則病必不愈。須於皮膚漐漐少潤爲度。

（二）服輕劑之時。有飲用熱粥以助發汗者。然若用複雜之藥劑時。則免用之。

（三）服用感冒藥有禁忌如左。

A. 脈緊而不發汗者禁用。（發汗藥）

B. 酒客服桂枝湯而吐者禁之。

C. 有淋疾者。不可强發汗。特於夏期最當注意。

D. 有衄血者不可發汗。

E, 多出汗之人不可更重發汗。

F. 脫汗甚者。當制止之。以上自（一）至（三）特於自A至F當特別注意之。

G.其次不可誤投及須深戒者。卽毋誤投麻桂之劑也。譬如同一感冒。適於桂枝湯者。不可誤用麻黃湯也。此不可不嚴然區別之。

以上七條是不近於西洋醫術之思想。如此於適病用適劑時。猶有如合鍵之於錠者。譬如茲有桂枝湯症之病人。以猶如合鍵之桂枝湯服之。則其猶如錠之感冒開。而除却種種客症之症狀。卽主症之熱解時。客症之頭痛惡寒亦悉除去。若其感冒有麻黃湯症之時。依其主症發汗之。則客症之惡寒頭痛咳喇等症無不皆除去。

輕症感冒第一方

方名桂枝湯

處方　桂枝 三兩　芍藥 三兩　甘草 二兩　生羌 三兩
　大棗 十二枚挫十九瓩

右煎服一劑量（全量三四・〇）但一兩作三錢等之則成百三十二瓩。（吾人以一・三四瓩算爲一兩）

水七〇〇・〇西西乃至六〇〇・〇西西冷侵二三小時。而後置於火煎取五〇〇・〇西西乃至四〇〇・〇西西。一日分爲二三回服之。但每常要溫服。

若體量十五貫（譯者按日本每貫當中土天秤六斤四兩）以上。或平日肉食者。當要增加藥量。服此煎藥。令溫飲薄粥以助發汗。當覆促微發汗。

主治效用鼻加答兒。噴嚏、發熱、頭痛、肩項强者、惡寒喘鳴者、有發熱而無身痛者、上衝寒熱往來者、或下痢者、本劑專主解熱之方也。

感冒第二方

方名麻黃湯

處方　麻黃 三兩　桂枝 二兩　甘草 一兩　杏仁 七十個去皮

右四味以水九合。先煑麻黃減二合。去上沫。入諸藥煑取二合半。去滓溫服其三分之一。免食粥。溫覆微發似汗。

主治　感冒喘鳴、身疼惡寒、發汗頭痛、止衄血、

感冒第三方

方名　葛根湯　又云桂枝加葛根湯

處方　葛根 四兩　桂枝 二兩　芍藥 二兩　甘草 二兩　生薑 三兩
　大棗 十二枚 一九・〇

右七味四一・〇瓩。入於水七〇〇・〇西西（三合五勺）煑取六〇〇・〇西西。此宜先除葛根煑諸藥成六〇〇・〇西西時。乃入葛根。再二三沸。去火絞滓。溫服其三分之一。以葛根煎久則成爲無効也。主治效用。感冒特於感冒之合病症。卽胃

病。項背筋拘張而汗出且惡寒者。用於兼腸胃加答兒者、酒客、有胃擴張者。小兒赤痢、大腸加答兒出血性者、感冒經過不良。有寒熱往來。咳嗽咯痰。殆似肺癆瘵等。本方應用誠甚廣汎也。

感冒第四方

方名　桂枝二越婢一湯（即桂枝二分越婢湯一分之意。）

處方　桂枝　芍藥　麻黃　甘草各十八銖　生姜一兩三銖　石膏二十四銖　大棗四枚

右七味以水二〇〇•〇西西煮成一〇〇•〇西西作一回頓服。

主治　心臟及胃皆衰弱。有水腫疼痛。脈甚微弱不可發汗者。本方適用之。

感冒第五方

方名　桂枝加厚朴杏仁湯

處方　桂枝　芍藥　生羌各四•〇甘草三•〇大棗六•〇　加厚朴四川產二•五杏仁三•〇

右七味四瓩水六〇〇•〇西西煮取三〇〇•〇西西一日三回分服。

主治效用　感冒及氣管枝加答兒、喘息、或云將麻黃湯加厚朴為佳。但桂枝及厚朴若非良品則奏功不著明。

以外後世派（指金元以下）於夏天之感冒用香蘇。但非只發汗解熱之意。而且有發散之功。

方名　香蘇散

處方　香附子一錢　紫蘇七分　陳皮六分甘草三分右水煎服（一回量）

主治　四時溫疫、傷寒、感冒、治內外兩感之症、

加減法一、春夏溫疫頭痛甚者。加白芷、川芎、名謂芎芷香蘇散。甚有奇效。

二、依惡寒兼濕（濕者僂麻質斯即有瘀血）者加蒼朮、

三、發熱加柴胡黃芩、

四、腹痛加木香、

五、咽痛加桔梗、

此方散氣暢氣之劑也。故治耳鳴、頭痛、眩暈、咳嗽、喘痰、肚腹疼痛、瘧疾之劑也。故氣鬱血滯衄血者。加當歸、川芎、側柏葉有奇效。適於婦人寡婦僧尼氣鬱者之感風寒暑濕症。

1. 姙婦四五個月腰以下浮腫者。加白連、白茯苓有奇效。

2. 姙婦口中熱咽痛、口舌生瘡者、升麻葛根湯合本方有奇效。名為香葛湯。

3. 又用於婦人之淋病甚有奇效。其時必當加車前子、黃芩。

方名　升麻葛根湯。

處方　葛根一錢五分　升麻　赤芍藥各一錢　甘草三分

右入生薑水煎服。

主治　感冒頭痛。時疫、鼻乾不眠、或治痘疹最好之方。

三　續發性肺炎治驗例

大正八年（譯者按卽民國八年）東京大學之看護婦畑田某。二十八歲。患流行性感冒。發三十九度至四十度二分之高熱。只因飲水而絕食者六日。成爲肺炎。晝夜咳咯不止。痰鏽色又混純血。精神恍惚。呼吸頻數。脈浮緊而數。每分鐘百至以上。心胸痛。打診聽診全部定型性肺炎也。乃與左方

處方　竹茹溫胆湯加石膏。

禁忌　不可用濕布冰囊、吸入等一切。

依左方治之七日。而諸症緩解。十日輕快。食欲亦振。熱亦降至三十八度內外。至二十一日熱全退而痊癒云。（木村博昭實驗）

編者曰　西洋醫之治肺炎、氣管枝加答兒諸症。恆將患部冷却。認爲必要。反之在和漢醫法。則認冰囊（卽冷却身體者）爲使病內攻之法。大爲禁忌。按此說誠可爲殷鑑。如我邦（日本）歷代文部省留學於獨逸者。若患腸窒扶斯時。依彼邦之治方。皆用水藥治法。若此邦人必死。蓋彼國人與本邦人於其體力與心力雖大有優劣。要之內攻之說。甯可深信爲正當之思慮。蓋內攻非但於小兒痲疹而已也。如上記竹茹溫胆湯。亦是熱性病而特於呼吸器疾病而最適。其高熱誠可謂不障害心臟力理想之解熱藥也。（松園記）

心臟虛弱。本症多由感冒藥、或解熱藥之持續過量招來者。依其藥之種類及其用法。而可別爲非常之幸不幸矣。

如阿斯比林、安知非扶林、安知必林、必拉明攏、弱路知路、酸曹達、等最常使用。皆能損害心臟。減少血壓。且時起中毒症。而頻起苦厭之現象。

數日前曾聞醫師之語云。嘗治一患感冒之壯年男子。與安知非扶林三錠。（以外不知有無服用他起）中毒狀頻陷於死。以此大爲騷鬧。

如此在西洋醫學。則除行カンフル及食鹽水注射於心臟。而增其振動力外。亦無除去中毒之方策。處方若病人自己無保持心臟力至毒氣排除時。則死亡以外。別無方法。茲爲公衆衛生一言。以助斯時應急手當及醫治方法之不足。

在和漢醫學有排除毒氣與解毒排尿之處方。若將此方法豫早實行。則中毒症可全治。且有回生之力。其內最簡單之方如左。

處方　黑豆湯　少炒至外皮破爲度。水五合。入黑豆一合。煑

成二合、桔梗四•〇紅花四•〇大黃一•〇甘草四•〇

右五味煎服(一日量)

又方

黑豆湯　黑豆一合水五合煎成二合、後入桑白皮四•檳榔四•〇茯苓六•〇

四味煎服作(一日量)

以上二方統係用爲解毒藥。故凡中毒時。當須一面講解毒藥。一面講强心臟之方法。由利尿而排其毒。其他有以貴藥卽烏犀角爲解毒方。係確實之處方也。

解熱藥之特長。雖爲解熱之藥品。亦本可放心持續。卽如用量亦不可不愼重注意之。因能由藥品及體質引起非常之事也。此等當於各人不可不注意知之。社會有因些少之經濟關係。致危自己之生命。或失其最愛之子女、及父母者。

先哲程伊川曰、

臥病於床。委之庸醫。當比爲不慈不孝。故事親者。亦不可不知醫也。

後再述之。就於感冒在和漢醫學甚有硏究。而藥品亦爲理想的。且決無劇藥。非只此也。卽其用法亦實精細。於禁忌亦甚有注意。而西洋醫學。可謂未嘗望見其背。　(完)

按本篇之首原有編者導言因其過長當列入下期敎員作品中望讀者注意　(王潤民)

名著介紹

日本大醫 吉益東洞醫案建殊錄

（導言）吉益東洞爲日本大醫。生於二百年前。專攻仲景之學。排五行說。廢運氣說。破補氣說。爲主張古方學派之最力者。生平治諸病無不奇驗。建殊錄一冊。乃門第子嚴恭錄其生平治驗之書。（治驗之一斑。）中多難治之大症。皆能一一處之裕如。奏治愈之偉效。而記之者又能據事直書。不稍隱諱。觀於清兵衛及東洞子千之助等案。可斷篇中決無不實不盡之處。大醫之技術及精誠。皆躍然紙上。足傳千古。此種醫案。吾敢謂爲漢土古今醫籍中尋不出者。

吾於此有連帶之感想二。焉試述之。（一）卽近日少數荒謬之西醫。誣國醫之治驗爲倖中。夫仲景之書。憑脈辨證。人苟遵其法用之。無不效如桴鼓。東洞之所以成爲一代卓絕之大醫。卽由其能遵此法則也。夫據一定之脈證。設一定之藥方。而得一定之效果。則其治效。不得謂爲倖中。彼西醫之言。其誣甚矣。錄此篇以鉗若輩之口。兼以見東方古醫學之眞精神也。（二）日人之於漢醫。所得實較吾國人爲多。吾國醫人。方以爲仲景之方。祇可以治傷寒。不可以治溫病。祇可以治北方之病。不可以治南方之病。仲景方之用。蓋亦甚狹矣。而東國醫學家則不然。謂仲景之書。足以治萬病而有餘。觀於東洞之案。可見矣。此不能不令人興感者也。

嘗考東洞著作。載於「東洞全集」者。（東洞全集爲醫學博士吳秀三及富士川游所編。吐鳳堂發行。）共有十二三種。然其精華。不過下列數種。（一）方機。（二）方極。（三）醫事或問。（四）藥徵。（五）建殊錄。（六）家塾方及醫方分量考。內惟醫事或問爲日文。餘皆漢文。書定價約國幣六元。貧者或不易購備。本刊擬將以上數種。陸續披露。本期先登建殊錄及家塾方醫方分量考。下期刊方機方極。俾讀者以至廉之代價。而得讀此不易見之異書焉。幸各寶之。

又本篇抄錄者爲同學項恕其勞績有足多焉亦並誌之（王潤民）

建殊錄序

君子行而言焉惡利口之覆邦家者仲景之歿也醫異其學滔滔乎天下唯理是鑿經礎乎唯論之爭後之讀其書者亦朦然也愈探愈遠書曰靜言庸違信有是也巖生恭在余左右也疾人句治者於是居多恭執管以記之堆而成卷曰建殊錄蓋謂其效之殊於論理之人也余頃者將梓類聚方方極也恭請剡其書余善推功之實審事之情以結狡兒之舌以刮朦士之目使與吾同志者憤然起也遂許就工云

寶曆癸未孟春　　東洞主人撰

建殊錄序

夫醫之爲職也固人生之所恃則其於術豈不大乎然上古邈遠其事靡聞周官列其職其人無傳矣戰國之時有越人者而後世傳其籍亦皆妖妄非其眞也及東漢之時有張仲景者身爲長沙太守憂道之長廢博朮古訓選述方法自著論降及後葉無能傳其道者矣於是唐有王孫元有李朱紛然迭起各自論駁惑陰陽之理溺五行之說則末義徒務而至吾道遂熄矣嗚呼孰能力撥其軿蒙復之其初者乎我東方之盛也文運鬱興鴻澤沛溢四海欣欣黎首與仁於是有我東洞先生者出焉憂凡民之固廢原長沙之遺蹈潛心焦思覆硏推究者三十年於茲矣蓋其在初年也人尙抱疑鮮能信者而及今論益篤也凡四方之士皆莫不造其門者於是古道大闢榛蕪盡除矣則上古之不詳周官之無傳越人之籍之亂其眞斯皆可以推知而無後疑矣嗟呼先生之業不亦偉哉不佞恭曩者寓先生之塾蓋有年矣有來請治者則先生必命我輩誌其證候於是恭竊錄其治驗之最著明者輯爲一卷間者上梓欲傳之同志蓋余聞之巧其言虛其行者其論雖美未足與權矣昔趙括學兵法云兵事以爲天下莫能當而及其自率兵與秦戰也一旦亡數十萬之衆身以傾覆以此觀之醫徒誦方籍守脈候空論以誇其伎非要之治驗徵之實效則安足定其優劣亦徒不免爲趙括耳是乃先生之所持論而恭之所以有此舉也

寶曆癸未之秋　　播磨　巖恭敬甫撰

凡例

往者。恭寓先生之塾。竊睹其治驗卓絕。心欲錄其方證。輯成一書。以備後進之龜鑑矣。而先生則以務在濟世。不屑瑣瑣錄其蹟。凡其既往之事。皆已茫昧。無所準據。加之恭謁先生已晚。得執杖履僅六年。且其中間又數歸省。疏闕之日居多。無奈其所茫昧與不可得而知者。故今第從恭耳目所及。抄成此一冊子。然此僅僅者。固屬豹文之一斑。尚且快然不慊吾志。願待他日旁叩審問。補其缺云。

先生之術。專述長沙。不自立方。雖一藥增減。必據仲景。而其有實驗者。宋元諸家固無論。雖俗間所傳。不必擯棄。務在于取實效。何必拘名之爲乎。故雖爲仲景之方。或徵之治驗。而未見其效者。亦皆斥之。不妄收錄。凡若此類。先生別有論述。今不具贅。

凡閱此篇。如或擬取法者。必先審方主治。別藥眞膺。然後可以施其治。一不精較。或恐誤人。師塾亦有藥徵方極之諸書。未閱此類者。請且勿妄談。

先生諸治。唯從見證。不取因脈。乃此篇止錄證候者。以此故也。學者幸勿爲疎漏。

居處性名。雖不雅必記之。而如狂癲癇風人所隱忌。故至此二病。率皆除之。其他一二準之者。又以有所避。凡每條亡性名者。皆倣此。

先生嘗謂經穴病名。多是後人妄撰也。此眞發千古之夢夢。可謂確言矣。而此篇或猶用之者。蓋欲人易曉。姑仍其舊耳。非敢矛盾也。幸勿譏乖戾。

此篇諸治。率每診一病。並用三方。蓋其先後進退。各有定法。今茲詳錄。備左券。凡欲取法者。咸閱本文。遇不知其用度。須按此例。知其準的。曰某湯者。曰必三服。曰某丸若散者。臨臥必服一錢。曰時攻之者。十日若二十日必一用之。而其欲用之時。須必止他劑。獨別用之。次日即復故。

諸湯劑量輕重雖不同。大抵以三錢爲一貼。有時至十錢二十錢之重者。別於方名下注之。

此篇方名。有長沙及諸家方書所未載者。此皆係師家舊傳之禁方也。然有懇請者。則不必靳祕矣。故唯錄其目。至其藥劑。不復開列。

附錄一卷。長門儒官鶴台先生者。行餘用志於濟世之術。錄其無治驗者。正諸我先生。先生乃因其證候。考其主方。論之當否。所往復者。總若干篇。雖未涉其實。誠能悉長沙之祕奧。無復遺憾矣。學者或熟之。未必無少補也。因附錄于後云。

建殊錄

東洞吉益先生門人　播磨嚴　恭敬甫輯錄
田榮信愿仲校閱

山城淀藩士人山下平左衛門者謁先生曰。有男生而五歲。瘂而癇。癇日一發。或再發。尪羸㥲旦夕待斃。且其悶苦之狀。日甚一日矣。父母之情。不忍坐視。願賴先生之術。幸一見起。雖死不悔。先生因爲診之。心下痞。按之濡。乃作大黃黃連湯飲之。百日所。痞去而癇弗復發。然而胸肋妨張。脇下支滿。瘂尙如故。又作小柴胡湯及三黃丸與之。時以大陷胸丸攻之。可半歲。一日乳母擁兒倚門。適有牽馬而過者。兒忽呼曰。牟麻。父母喜甚。乃繈負俱來告之先生。先生試拈糖菓以挑其呼。兒忽復呼曰。牟麻。本邦甘美之味。總謂之牟麻。父母以爲馬亦謂牟麻。國語相通。過願。踊躍不自勝。因服前方數月。言語卒如常兒。

越中二口誓光寺主僧某者。請診治曰。貧道眼目非有外瘴碍明。然但望物不能久視。或强之。則無方圓大小。須臾漸殺。最後如錐芒輒射。目中則痛不可忍。如此者凡三年。先生爲診之。上氣煩熱。體肉瞤動。爲桂苓朮甘湯及芎黃散服之。數十日。其視稍眞。無復錐芒。於是僧歸期已迫。復謁曰。越去京師也殆千里。且道路艱嶮。度難再上。病尙有不盡。願得授方法以歸也。因復診之。前證皆除。但覺胸脇苦滿。乃書小柴胡湯之方以與之。僧歸後信服之。雖有他證。不復他藥。一日俄大惡寒。四肢戰栗。心中煩悶。不能氣息。弟子驚愕。謀延醫治。病者掩心徐言曰。寧死無他藥矣。更復爲小柴胡湯。連服數劑。少焉蒸振。煩熱汗溢。腹背至是舊痾百患。一旦頓除。四體淸快。大異于往常。僧乃爲之作書。走一介。謝先生云。

雲州醫生祝求馬。年可二十。一日忽苦跟痛。如錐刺。如刀刮。不可觸近。衆醫莫能處方者。有一瘍醫。以爲當有膿。刀劈之。亦無效矣。於是迎先生診之。腹皮攣急。按之不弛。爲芍藥甘草湯飲之。一服痛卽已。

京師御幸街賈人菱屋五郎兵衛妻。年可三十。分身之後。通身洪腫。腫已則腰脚委。不能起居。而陰中有二骨突出。左右相支。百治不收。遂不去蓐者凡七歲矣。聞先生之名。求診治。心下痞硬。臍旁有塊大如覆杯。其脊骨戾曲。右挑腰眼上者寸許。爲硝石大圓飲之。十餘日。陰中大下臭穢。三日所。痞去塊解。於是脊骨復故。突出之骨忽亦沒失。則能起居。

浪華士人某者。患腹痛可三年。性素嗜茄子。嘗大食之。其痛益甚。殆不自勝。爾後每食必然。以故不復食。謁先生求診治。時適夏天。乃養熟茄子數枚。强飽食之。已而心腹果大鳴動。痛倍於前日。極吐下而後已。如是者凡三次。能食茄子而不復痛。

膈所侯臣服部久左衛門女。初患頭瘡。瘳後兩目生翳。卒以失明。召先生求診治。先生診之。上逆心煩。有時小便不快利。爲桂苓朮甘湯及芎黃散雜進。時以紫圓攻之。障翳稍退。左目復明。於是其族或以爲古方家多用峻藥。雖障翳退。恐至有不諱也。久左衛門亦然其言。大懼之。乃謝罷。更召他醫服緩補之劑。久之。更復生翳。漠漠不能見。於是久左衛門復謁曰。嚮我女賴先生之庇。一目復明。而惑人間阻。遂復失明。今甚悔之。幸再治之。先生之惠也。請甚懇。先生因復診之。乃服前方數月。兩目復明。

京師界街賈人井筒屋播磨家僕。年七十餘。自壯年患疝瘕。十日五日必一發。壬午秋大發。腰脚攣急。陰卵偏大。欲入腹。絞痛不可忍。衆醫皆以爲必死。先生診之。作大烏頭煎飲之。每貼重八錢。斯須瞑眩氣色。又頃之。心腹鳴動。吐出水數升。卽復故。爾後不再發。

某生徒讀書苦學。嘗有所發憤。遂倚機廢寢。七晝夜已而獨語妄笑。指摘前儒。罵不絕口。久之人覺其狂疾。先生之診。胸肋妨脹。臍上有動。上氣不降。爲柴胡姜桂湯飲之。時以紫圓攻之。數日全復常。

豫州今治林光寺主僧某上人。積年患癇疾。先生診之。心下痞硬。腹中雷鳴。爲半夏瀉心湯及三黃丸飲之。三十日所。諸證全退。

京師東洞街賈人大和屋吉五郎。每歲發生之時。頭面必熱。頭上生瘡。瘙癢盛。搔之卽爛。至凋落之候。則不藥自已者數年。來求診治。先生診之。心下微動。胸股支滿。上氣殊甚。爲柴胡薑桂湯及芎黃散飲之。一月所。諸證全已。爾後不復發。

京師郊外西岡僧有良山和尚者。年七十餘。其耳聵者數年。嘗聞先生之論百疾生於一毒也。深服其理。因來求診治。先生診之。心胸微煩。上氣殊甚。作桂苓朮甘湯及芎黃散服之。數月而未見其效。乃謝罷。居數日。復謁曰。謝先生來。頗得通聽。意者上焦毒頗盡邪。先生診之曰。未也。試再服湯液。當復不能聽。然後更得能聽。其毒信盡也。因復服前方數月。果如先生之言。

京師室街賈人升屋德右衛門家僕宇右衛門者。年二十有餘。積年患癎。一月一發。或再發。或不發。然間三月必發。先生診視之。胸腹微動。胸下支滿。有時上衝。乃作柴胡薑桂湯及滾痰丸飲之。時以梅肉散攻之。出入一歲所。不復發。

京師烏街賈氏泉屋伊兵衛。年二十有餘。積年患吐血。大抵每旬必一動。丙午秋大吐。吐已則氣息頓絕。迎衆醫救之。皆以爲不可爲也。於是家人環泣。謀葬事。先生適至。亦使視之。則似未定死者。因著纊鼻間。猶蠕蠕動。乃按其腹。有微動。蓋氣未盡也。急作三黃瀉心湯飲之。每貼重十五錢。須臾腹中雷鳴。下利數十行。卽寤。出入二十日所。全復故。爾後十餘歲不復發。

京師麩屋街賈人某者。患天行痢。一醫療之。雖度數頗減。猶下臭穢日一再行。飲食無味。身體羸瘦。四肢無力。至其年月益甚。衆醫無效。先生診之。作大承氣湯飲之。數月全治。

丹波青山候臣蜂太夫。疾病而胸中煩悶。短氣有渴。且其脊骨自七椎至十一椎。痛不可忍。衆醫皆以爲虛。作獨參湯飲之。凡六日無其效。先生診之。作石膏黃連甘草湯飲之。每貼重十五錢三盞一服。痛卽已。入出五十日。所全復常。

京師河原街又兵衞者。年八十餘。恆以賣菜出入先生之家。嘗不來者數日。使人問之。謝曰。頃者病慍鬱。以故不出居。數日復問之。臍上發癰。其徑九寸許。正氣乏絕。邪熱如燬。先生愍其貧困不能藥。乃作大黃牡丹湯及伯州散飲之。數日膿盡生肉。矍鑠能行。

京師丸田街刀屋平八者。壬午秋。左足發疔。瘍醫治之。後更生肉莖。其狀如蛭。用刀截去。無知所痛。隨截隨長。朞年別復發疔。治則如初。爾後歲以爲常。生肉莖者凡五條。上下參差。並垂于脛上焉。衆醫莫知其故。進藥亦皆無效。先生曰。我亦不知其所因矣。然至其治之。豈不能乎。因診之。心胸微煩。有時欲飲水。脚殊濡弱。爲越婢加朮附湯及伯州散飲之。時以梅肉散攻之。數日莖皆脫下而愈。

京師士人某妻。善憂恚。甚則罵詈不絕口。如此者十有餘年。某醫療之無甚效。更迓先生求診治。先生診之。心胸煩悶。口舌乾燥。欲飲水。作石膏黃連甘草湯飲之。數月。諸證皆除。前醫聞之嫉其效。謂士人曰。婦人久服名膏。則絕子種矣。余非不能爲之。惡其不仁也。士人亦因其言大惑之。來詰先生。先生咨曰。夫婦人之孕與不孕。固非人事之所及也。況乃草根石屑。何能制之。且彼於積年已然之疾。猶不能治之。焉知其未然乎。士人嘆服而去。明年其妻始娠。

江州大津賈人錢屋七郎兵衞男。生而五歲。病瘂癇。癇比日必發。且其骨體委弱。不能自凝坐。先生診之。胸肋妨張。脇下支滿。作小柴胡湯及滾痰丸飲之。時以紫圓攻之。數月。稍能用手足。癇不復發。先生曰。更服之。瘂亦可治。然而賈人以其瞑眩頗甚。而疑懼不能决。托事故謝罷。

京師麩屋街賈人近江屋嘉兵衞男。年十有三。患天行痢。裏急後重。心腹刺痛。噤口三日。苦楚呻吟。四肢撲席。諸醫無效。先生診之。作大承氣湯飲之。每貼重十二戔。少焉蒸振熱煩。快利如傾。卽愈。

越中醫生某男。年三十所。發狂。嘷叫妄走。不避水火。醫生頗盡其術而救之。一無其效矣。於是聞先生之名。詳錄證候。懇求治方。其略曰。胸膈煩悶。口舌乾燥。欲飲水無休時。先生乃爲石膏黄連甘草湯及滾痰丸贈之。服百有餘劑全復常。

丸龜候臣勝田九八郎女弟患痿躄。諸治無效。先生診之。體內瞤動。上氣殊甚。爲桂苓朮甘湯飲之。須臾坐尿二十四行。乃忽然起居。

京南東福寺塔頭松月軒某長老病後肘骨突出。不能屈伸。先生診之。腹皮攣急。四肢沉惰。有時上逆。爲桂枝加附子湯及芎黄散飲之。時以梅肉散攻之。數十日肘骨復故。屈伸如意。

一賈人面色紫潤。掌中肉脫。四肢痒痛。衆醫皆以爲癩疾。處方亦皆無效。先生診之。胸肋妨張。心下痞鞕。爲小柴胡湯及梅肉散雜進。數十日。掌肉復故。紫潤始退。

京師生洲松屋源兵衞妻胎孕二三月。腰背攣痛。四肢沉重。飲食無味。先生診視之。爲桂枝加附子湯飲之。時以十棗湯攻之。每攻諸證漸退。及期母子俱無損傷。

大炊相公臣田太夫憂慮過多。久而生熱鬱。四肢重惰。志氣錯越。居常不安。灸刺諸藥並無效。先生診之。作芍藥甘草附子湯飲之。數十日。更又爲七寶丸服之。如此者凡六次。而全復常。其父中州君年已九十餘。生來不信醫藥。以爲無益。至是大祟先生之術。謂家人曰。予如有病。其所賴唯有東洞而已。（東洞者先生別號也）後數年。患傷寒。心胸煩熱。譫言妄語。小便不利。不進食者凡六日。家人乃召先生視之。心胸煩滿。四肢微腫。乃作茯苓飲飲之。吐出水數升而愈。初甲州君自年及六十。雖盛夏重衣猶寒。以爲老而衰也。自是之後。更服綺綈與少壯之時不異矣。以此視之。蓋病也。非老衰也。

一婦人患黴瘡。差後結喉上生血腫。大如梅子。自以爲若急腐潰。則呼吸漏洩。恐至性命。來求診治。先生乃作七寶丸飲之。一劑其腫移者寸許。再服至天突。三劑則至華蓋之上。乃腐潰而愈。

京師智恩街紙舖政右衞門者。病後怯悸。畏障戶之響。其所牴觸皆粘紙條防之。居常飲食無味。百事皆廢。然行步不妨。但過橋梁則乘輿猶不能過。百治無效。如此者凡三年。先生診之。上氣殊甚。脇下拘滿。胸腹有動。心中不安。作桂苓朮甘湯及芎黄散飲之。數日上逆稍減。又爲柴胡薑桂湯飲之。數月諸證皆除。居二三日。家召蓋匠政右衞門正出廡下。自抨揮脩葺。過有不如意。走而上屋就之。而不知其蹈梯之易焉。久之自覺。語之家人。余聞之其家人云。

一京人。素剛强。臍下發癰。使瘍醫治之。無其效矣。乃自用刀刎之。且灸其上。汗出而愈。而按之硬如石。無何之東都。道經諏訪浴溫泉。卽大疼痛不可忍。於是自以爲初刎猶淺。而其根未盡也。更又刎之。灸其上數十壯。少焉腸燒爛。血水迸出。然其人能食。食則淸穀出。故常以綿縶其腹。先生診之。乃爲大黃牡丹湯及伯州散飲之。數日全愈。

京師油街界屋新七。通身浮腫。脚氣上衝。心胸熱煩。甚則正氣乏絕。晝夜倚壁不能臥。進湯卽吐。衆醫皆以爲必死。先生作越婢加朮附湯飲之。吐尙如故。而益飲之不止。居五六日。心胸稍安。藥不復吐。於是復作十棗湯飲之。吐下如傾。諸證傾退。

京師四條街賈人三井某家僕三四郎者。四肢懈惰。有時心腹切痛。居常鬱鬱。氣志不樂。諸治無效。有一醫某者。以先生有異能。勸迓之。賈人曰。固聞先生之名。然古方家多用峻藥。是以懼未請爾。醫乃更諭。且保其無害。遂迓先生診之。腹中攣急。按之不弛。乃作建中湯飲之。其夜胸腹煩悶。吐下如傾。賈人大驚。懼召某醫責之。醫曰。東洞所用非峻劑。疾適發動耳。賈人尙疑。又召先生。意欲無復服。先生曰。余所處非吐下之劑。而如此其甚者。蓋彼病毒勢已敗。無所伏。因自潰遁耳。不如益攻之也。賈人乃服其言。先生乃還。翌早病者自來謁曰。吐下之後。諸證脫然。頓如平日也。

有恕首坐者。伯州人也。游京師。與我鬣善。首坐一日謁先生曰。頃者得鄉信。貧道戒師某禪師者。病腫脹。二便不通。衆醫皆以爲必死。將還待湯藥。願得先生備急圓者而往矣。乃作數劑與之。比及首坐還。禪師僅存呼吸。卽出備急圓服之。下利數十行。腫稍減。未及十日全愈。於是其里中有患癩疾者。見其有奇效。謁首坐。求之診治。首坐乃謝曰。京師有東洞先生者。良醫也。千里能瘳疾。無所不治。嚮所進禪師固其藥也。今又爲汝請之。其人亦懇托而退。首坐後來京師。則輙謁先生。詳告其證侯。且懇其治。先生乃作七寶丸二劑贈之。其人其人服之而全治矣。其明年來京師謁先生。則已如未病者焉矣。

京師岩上賈人某者。患黴瘡。差後鼻梁壞陷。殆與兩顴等。先生爲七寶丸飲之。其鼻反腫脹。三倍於平人。及盡二劑。則稍縮收。再見全鼻。

越中僧僕者。病後失明。先生爲芎黃散飲之。僧喜其快利。乃不論量度。日夜飲之。久之大吐血。而性素豪邁。益飲之不已。卒以復明。僧語於人曰。當服藥之時。每剃髮必聞芎藭之臭。蓋其氣能上達也。

笹山候臣河合九郎兵衞者。一日卒倒。呼吸促迫。角弓反張。不能自轉側。急爲備急圓飲之。每服重五戔。下利如傾。卽復故。

先生門人備中足守中尾元彌。覺脚弱之狀。自服平水桃花之輩。而其脚益弱。然尚服前方不止。遂以委弱不能起居。於是先生診之。爲十棗湯及芍藥甘草附子湯雜進。（芍藥甘草附子湯每貼重十五錢）時作礬石湯浸脚數月。未見其效。生猶服前方不止。出入一歲所。全愈。

越中小田中村勝樂寺後住。年十三。生而病瘂。其現住來謁曰。余後住者不敢願言語能通。幸賴先生之術。倘得稱佛名足矣。其劑峻烈非所畏懼。縱及死。亦無悔矣。先生診之。胸肋妨張。如有物支之。乃爲小陷胸湯及滾痰丸與之。月餘。又爲七寶丸飲之數日。如此者凡六次。出入二歲所。乃無不言。

一男子患黴瘡。差後。骨節疼痛。不可忍。先生診之。爲七寶丸飲之。喘沫如流。齒縫黑血出。已而牙齒動搖。遂以脫落。其人患之。無何血止疾瘥。其齒復生。哺啜健於前云。

京師烏街賈人菊屋清兵衞者。年可三十。雅崇先生之術。而其家人無一肯之者。賈人嘗病。心中煩悸。飲食不進。先生治之。數日未見其效。於是家人固諭清兵衞召他醫。則病勢愈加。心悶肩息。旦夕將死。清兵衞乃嘆曰。死則命也。棄先生之術。死于世醫之手乎。嗚呼已矣夫。如斯豈天哉。於是復召先生。時者余亦從往。先生診之。出而謂余曰。死生有命。吾非所知也。非駃藥救之。則彼不足安也。而家人知之。必復難之。夫清兵衞者信乎我者也。余豈可以家人而已乎。乃爲走馬湯飲之。下利數十行。氣息稍安。飲食隨進。然而翌早復迫。其後三日竟至不可救矣。然家人因知先生能守義不拘名利。大信先生之術矣。嗟呼。如清兵衞者。可謂能盡人事者矣。

京師河原街賈人升房傳兵衞女病。衆醫皆以爲勞瘵。而處方亦皆無效。羸瘦日甚。旦夕且死。賈人素懼古方。然以不得已來求診治。先生既往診之。知其意之不信。卽謝歸矣。踰月其女死。其後二年。其妹亦病。賈人謁曰。僕初有五子。其四人者皆已亡。其病皆勞瘵也。蓋齡及十五。則其春正月。瘵必發。至秋八月必皆死矣。嚮先生所診此其一也。亦已死矣。而今者季子年十七。亦病之。夫僕固非不知古方有奇效。懼其多用峻藥也。然願緩補之劑救之。不見一有其效矣。願先生瘳之。縱死復無所悔矣。先生爲診之。氣力沈溺。四支懶惰。寒熱往來。欬嗽殊甚。作小青龍湯及滾痰丸雜進。其歲未至八月。全復常。

京師木屋街魚店吉兵衞男。年十四歲。通身洪腫。心胸煩悶。小便不利。脚殊濡弱。衆醫無效。先生診之。胸脇苦滿。心下痞鞕。四肢微熱。作小柴胡湯飲之。盡三服。小便快利。腫脹隨減。未滿十服而全愈。

京師富街賈人堺屋治兵衛妻。積病五年。首疾腹痛。諸證雜出。無復定證。其族有醫某者。久療之。未見其效。最後腹肚妨脹。倍於平日。醫以爲必死。因謝退。於是召先生。先生爲大承氣湯與之。其人未服。某醫復至。聞先生之主方。因請賈人曰。嗟呼。如此殆速其死也。夫承氣之峻烈。譬猶發火銃於腹內。懼之不已。而賈人以其初久無效。竟不聽。醫退。連服數劑。坐廁之後。心腹頓安。而胸中尚覺喘滿之狀。先生又爲控涎丹與之。其人未服。醫復至。謂賈人曰。承氣尚恐其不勝也。況此甚於彼者乎。必勿服。再三叮囑而去。賈人復不聽。其夜輒服之。翌早吐下如傾。胸腹愈安。醫復至。見其如此。嘆服去。後數日。全愈。初治兵衛者。患腹瀉。恆非希粥不能食。然未嘗服藥。以爲無益。見先生殊效。始知醫藥可信。乃嘆曰。先生良醫也。豈可病而不治乎。遂求之診治。爲半夏瀉心湯飲之。數月腹瀉止。而能喫飯。

越中僧玉潭者。病後左足屈縮。不能行步。乃爲越婢加朮附湯飲之。時以紫圓攻之。每攻其足伸寸許。出入三月。所行步復常。而指頭尚無力。不能跂立。僧益下之不止。一日遽起取架上之物。已而自念其架稍高。非跂立不能及。因復試爲之。則已如意矣。

京師木屋街伊賀屋久右衛門家婢。患痘。布根稠密。起發不快。煩熱痒渴。無少安。已而痘窠黑陷。無復潤色。衆醫皆以爲必死。先生診之。爲紫圓飲之。下利數十行。翌早盡紅活。諸證皆退。

京師界街儒生會內記男。生而三歲。痘前大熱。喉乾口燥。有物自臍下上。已衝心胸。則咬呀喘渴。不勝悶苦。痘亦灰色無光。衆醫皆謝去。先生爲紫圓飲之。坐廁之後。忽發紅澤。諸證頓退。

凡患惡疾者。多由傳繼。而有其身發之。而詬辱及祖先者。江州一賈人患之。謁先生求診治。先生診視之。面色紫潤。身體處處爛。按其腹。兩脇拘急。心下痞鞕。先用小柴胡湯和解胸腹。後爲七寶丸飲之。半歲所。諸證全退。

豐後光西寺主僧某上人。一身腫脹。小便不利。心中煩悶。氣息欲絕。脚殊濡弱。一醫爲越婢加朮附湯飲之。數日無其效。先生診之。按至小腹。得其不仁之狀。乃爲八味丸飲之。一服心中稍安。再服小便快利。未盡十劑而全愈。

某士人。惡寒發熱。四肢困倦。熱日彌盛。心胸煩燥。已而絕食。不坐廁十餘日。按之腹皮攣急。有物如柱。自橫骨達鳩尾。乃爲大承氣湯飲之。以芍藥甘草湯雜進。（每貼重各十錢）五日三日僅一行。久之大快利。諸證頓退。

泉州佐野豪族食野喜兵衛家僕元吉者。年二十餘。請治曰。噦噎二年所。十日五日必發。頃者胸腹脹滿。擧體愈不安。衆醫皆以爲不治。無一處方者。蓋聞先生之論。死生者天之所命。疾病者醫之所治也。等死。願死於先生之治。幸爲療之。先生爲大半夏湯飲之。飲輒隨吐。每吐必雜粘痰。居八九日。藥始得下。飲食不復吐。出入二月所全愈。

奥州仙臺長井屋甚七。積年患哮喘。大抵每月必發。其疾苦甚。則熱煩怔忡，絕食廢寢。喘咳殊甚。先生診之。爲小青龍湯及滾痰丸飲之。時以紫圓服百有餘劑。全治。

勢州白子久住庄石衞門。伏枕可三年。其爲疾也。口眼喎斜。四肢不遂。居常唾涎。語言難通。先生診之。爲桂枝湯加朮附各三兩飲之。時以平水丸雜進。出入半歲所。全復常。

京師郊外並岡法金剛院主僧六千長老。有時左臂上忽痛。俄頃紫筋凸起、益痛甚。射指頭。晝夜廢寢食。殆不自勝。或五日已。或三日已。已則筋隨散。如平人。患之三十餘年。謁先生求診治。先生診之。爲桂枝湯加朮附各三兩飲之。時以梅肉散雜進。久之雖頗奏效。而未全治。已爲每屎必頭眩。幾欲倒。又爲桂苓朮甘湯飲之。一月所頭眩止。筋不復發。居無何。有升嵜屋幸助者。室街賈人也。聞長老疾已治。謁求診治。其證候雖率類長老。而當其發時。生血色瘤。紫筋不起。乃爲大黃牡丹湯及伯州散飲之。凡服一百劑全治。

浪華提木街賈人尾路屋傳兵衞女。患腹滿。浪華醫盡其術救之。一無其效。於是就于先生于京師。先生診之。爲大承氣湯飲之。二月所。腹全減如平人。爲按之。臍傍有塊。尚未解。以故與前方不已。賈人乃以爲無所病。托事故謝罷。居六月所。大便漸燥結。飲食頗減。一日忽腹痛。連嘔吐。於是始服先生之明。更求診治。爲大半夏湯飲之。數日痛止。不復吐。乃復爲大承氣湯下之。十日五日僅一行。塊尚如故。久之陰中下臭穢。下利日十餘行。如此者三日所。利止塊解。頓如平日。

先生令子千之助。四歲而患痘。證候甚急也。爲紫圓飲之。雖頗奏其效。病勢轉迫。卒至不可救焉矣。後數年。其妹四歲亦患痘。瘡窠概密。色亦紫黑。呀咬喘鳴。不勝悶苦。先生亦爲紫圓飲之。於是族人某者諭曰。嚮者或訾先生曰。東洞之方地也。不論內外諸疾必下之。是以竟殺其子矣。而今亦下之。如有不諱。則得無不慈之譏乎。先生曰。方證相對。其毒盛死者。是其命也。豈拘毀譽而變吾操乎。益飲之不休。諸證皆退。全愈。

附錄一

東洞先生家塾方目次

東洞先生家塾方

肥後 村井杶 校定

第一方大簇丸。 乃八薓大黃丸。治復滿心下痞鞕飲食停滯大便難。

大黃 四十錢　**黃芩**　八薓 各二十錢

右三味擣篩爲末。糊丸。如梧桐子大。每服三十丸。白湯下之。

第二方夾鐘丸。 乃硝石大圓。今去當歸。治腹中有結毒或心下痞鞕者

大黃 二十四錢　**硝石** 十八錢　八薓　甘草 各六錢

右四味。各別杵。爲散。以苦酒三合。先內大黃。煑作二合。內諸藥。如飴狀。下火。冷。內硝石。杵之。爲膏。丸如梧桐子大。每服三十丸。飲服之。

杶按。今古方家稱用硝石。以煙消之硝石者。非也。此硝者水消之硝石也。

第三方姑洗圓。 乃控喘丹。治諸痰飲水毒。

甘遂　大戟　白芥子 各等分

右三味。杵篩爲末。蜜丸。如梧桐子大。每五十丸。以生姜湯服之。

第四方仲呂丸。 乃如神丸。治水毒大小便不通者。

大黃 六兩　甘遂　牽牛子 各三兩

右三味。杵篩爲末。糊丸。如綠豆。每服二十丸。白湯下之。

第五方甤賓丸。 乃平水丸。治脚氣腫滿不大便者。

商陸 四兩　甘遂 二兩　芒硝　芫花　吳茱萸 各三兩

右五味。爲末。蜜丸。如梧桐子大。飲服三丸。日三。

第六方林鐘丸。乃甘連大黃丸。治心煩不大便者。

大黃六兩　甘草　黃連各二兩

右三味。杵篩爲末。糊丸如梧桐子大。每服三十丸。白湯送下之。

第七方夷則丸。乃海浮石丸。治腹不滿其人言我滿者。

海浮石　大黃　桃仁各等分

右三味。杵篩爲末。糊丸。如梧桐子大。每三十丸。白湯服之。不知稍加之。

第八方南呂丸。乃滚痰丸。今以甘遂代沉香。治諸痰飲咳嗽大便不利者。

黃芩四兩　甘遂　靑礞石各二錢　大黃八錢

右四味。杵篩爲末。糊丸。如梧桐子大。每服二十丸。日三。或至三四十丸，溫水下之。

製礞石法。靑礞石焰硝合等分。土器中煅過。以金色爲度。研。飛。晒乾用。

第九方無射丸。乃牡蠣角石散。治諸瘡瘍膿出不止者。

牡蠣　鹿角霜各一錢　輕粉五分

右三味。杵篩二味。爲末。以輕粉合。治雞子白煉爲膏。粘瘡上。

第十方應鐘散。乃芎黃散。治諸上衝轉變不治者。

大黃二兩　川芎六兩

右二味。杵篩爲末。每服六分。酒或湯送下。不治稍加一錢。以至下爲度。若有結毒癎疾者。每夕臨臥服之。

第十一方黃鐘丸。乃三黃丸。治大便難煩悸而心下痞者。

大黃四十錢　黃芩　黃連各二十錢

右三味。杵篩爲末糊丸如梧桐子大每服二、三十丸。白湯送下。以下爲度。若急下之。則酒服之。

第十二方大呂丸。乃備急圓今以糊丸。

大黃 乾姜 巴豆 各等分

右三味。先杵二味爲末。別研巴豆。合治。糊丸。如綠豆大。每服一二丸。以下爲度。不知稍加。

以上十二方先師家塾嘗以十二律命方。銘皆是塾生憾方名之不著而命之者也。恐非先師意。雖然海內通稱而以律呼之。故今仍舊以爲目。冒以第一第二分之。井梔記。

紫圓。本以蜜煉之。今糊丸之。或蜜丸用之。治胸腹結毒或胸滿大便難有水毒者。

代赭石 赤石脂 巴豆 各二十錢 杏仁 四錢

右四味。先杵二味爲末。別研巴豆杏仁。內中。合治。糊丸。如綠豆大。量病證淺深服之。一二分至一錢爲度。若有不差者。每日服之。或五丸或十丸。若無赤石脂。則以鹽藏鐵粉代之。

製鹽藏鐵粉法 上鐵屑二錢。食鹽二分。攪之。密器貯之。封藏十日。置諸床下地上。取出。研之。水飛。晒乾。以代赤石脂。

梅肉霜。治諸惡瘡結毒及下疳毒。

梅諸鹽藏者燒爲霜 梔子霜各七分五釐 巴豆 輕粉各二分五厘

右四味。別研巴豆。作泥。內三味。爲散。每服二分或三分。病重者服一錢。熱湯送下之。

伯州散。乃大同類聚方伯耆藥。治毒腫又有膿者。

蝮蛇 蟹江河中生者 鹿角 各等分

右三味。各燒爲霜。合治。酒每服九分。

七寶丸 治梅瘡結毒及痼疾骨節疼痛諸不能治者。

牛膝 輕粉 各二錢 土茯苓 一錢 大黃 八分 丁子 五分

右五味合杵篩爲末糊丸如綠豆大一日八分分爲二服每四分朝夕白湯服之凡六日又七日詰朝服後方

後七寶丸

巴豆　丁子各二分五厘　大黃四分

右三味先丁子大黃爲末別研巴豆內中合治糊丸如綠豆大凡服前方六日乃至七日詰朝服此方一服一錢白湯下之

製丁子法　丁子一錢內粳米六七粒別研之悉爲細末不然粘不能末之

桃資見今稱古方家者用七寶丸之法凡六日而至七日詰朝不用此方後而唯用紫圓或備急丸以取其瀉下爲法是大不然也夫巴豆大黃雖取其瀉下亦乾姜何有所預乎況又三味等分則於其分兩亦有不然者且丁子之取輕粉之毒人未知其妙用唯以紫圓或備急丸取其瀉下亦後方所誤多矣口舌腐爛飲食不下咽者皆是粉毒所致也此後方者唯取下輕粉之毒而已豈有他乎

續七寶丸　今多用之

水銀二錢半　消石　礬石各六錢　鹽二錢

右四味先碎消石礬石乃合四味內瓦盆中以茗盌覆之以泥封之安架火而自下燒之半日許既而取其所竭脊茗盌之霜以棗肉爲丸服之如前七寶丸之法至第七日服後方丸亦如前

承氣丸　治腹滿或燥屎不通者

大黃八錢　消石十二錢

右二味爲末糊丸如梧桐子大以枳實厚朴湯服之每服八分

枳實厚朴湯

枳實一錢二分　厚朴一錢八分

右二味以水一合五勺煮取六勺送下承氣丸八分

礬石大黃丸　治無名毒腫及癜風疥癬。

礬石　大黃各等分

右二味。杵篩爲末。每一錢。以溫湯服之。一日。

滑石礬甘草散。　治淋痛小便不利者。

滑石　礬石各六兩　甘草三兩

右三味。杵篩爲末。每服一錢。溫湯下之。

鐵砂散。　治黃胖病。

鐵砂　蕎麥粉各十二錢　大黃六兩

右三味。杵篩二味爲末。和蕎麥粉。以水煉之。丸如綠豆大。每服一錢。以清酒下之。日三。

桃花湯。　治浮腫大小便不通者。

桃花二錢　大黃一錢

右二味。以水二合。先內桃花。煑取一合二勺。內大黃。煑取六勺。頓服。

小瘡摺方。　治諸疥癬及膁瘡。

巴豆去殼　卑麻子各一錢　大黃五分

古三味。先研二味爲泥。內大黃末。繇包。浸溪酒中。攝之一日五度。至七日而止。八日詰朝浴溫湯。一日七回。愈。若不愈。如前法。

薏苡人圓　治小兒頭瘡及胎毒諸瘡。大人亦得治。

薏苡人十錢　大黃五錢　土茯苓二十錢

右三味。杵篩爲末。蜜丸。彈子大。每一丸。日三。

以上二十三方。先師東洞翁家塾方也。余嘗受之。而試之十數年。無一方不效者。然海內傳方之人。唯受其方。而分兩服度。無所考定有錯誤者。今詳校索之。以傳永世。入門之士。宜秘之耳。

安永九年庚子仲夏　　肥後　村井椿謹識

附錄二

醫方分量考

藝陽　吉益爲則公言甫　撰

夫古今度量衡。其說班班。雖不一定。其起以黃鍾黍也。古今一也。黃鍾管容千二百黍。然黍品有多種。且土地有肥瘠。年有豐凶。故黍不一。不一則所容。因黍律管違。律管違則樂亂。樂亂則度量衡皆亂。度量衡亂。則天下無規矩準繩。無規矩準繩則天下不治。宜哉。正一黍一毫矣。如豎不然。唯知古今分量之大概。乃可矣。班固曰。黃鍾之重一龠。容一千二百黍。重十銖。兩之爲兩。二十四銖爲兩。十六兩爲斤。三十斤爲鈞。四鈞爲石。是古書所謂五權也。而雖世世所校。因黍有違。豈有米與黍之重違哉。然此一千二百黍。以今日本秤計之。有八分五厘。假令大而多。不過一錢目。然則漢一兩者。本邦二錢目也。明矣。或說千二百黍。明秤三錢目。則漢一兩者。今六錢目也。何有今黍三倍者也。明秤疑有與本邦之秤違。故隨而一兩爲二錢目也。且淮南子說。蔈爲粟。則黍無大異。可以知矣。

秦半兩錢。前漢書曰。秦兼天下。銅質如周錢。文曰半兩。重十二銖。由是觀之。半兩無疑。然古半兩銖。集之正之。往往重於本邦秤八分強。則漢一兩。爲二錢目。可以知矣。尤雖其後半兩有種種。非今作度量衡。只爲醫分量。則大概乃可矣。鄭世子律呂精義曰。分者。初出于全方。然仲景方中有分。是後人攙入也。漢書曰。五權之制。漢無分錢之名。可以知矣。

藥有輕重三等。一曰石膏與穀相等。二曰果實。三曰果葉也。

分量考

百黍者。　一銖。　今八厘三毫三拂也。

六銖者。　一分。　今五分也。

四分者。　一兩。　今二錢目也。

十六兩者。　一斤。　今八兩也。

水一升者。　今一合五勺也。(一本作一斗者今一升也)

粳米、一升。　今一合强而今四十二錢也。

小麥、一升。　今一合强而今三十二錢也。

薏苡仁半升。　六兩而今十二錢也。

半夏半升。　同。

膠飴、一升。　十六兩。　今三十二錢也。

薤白、半升。　八兩。　今十六錢也。

五味子、半升。　六兩。　今十二錢也。

瓜子、半升。　五兩。　今十錢也。

酸棗仁、一升。　十二兩。　今二十四錢也。

香豉、一升。　十六兩。　今三十二錢也。

滑石、一升。　二十兩。　今四十錢也。

杏仁、半升。　六兩。　今十二錢也。

蜀椒、二合。　一兩半。　今三錢也。

石膏、雞子大。　八兩。　今十六錢也。

戎鹽、彈丸大。　一兩。　今二錢也。

葶藶、彈丸大。　半兩。　今一錢也。(一本作二錢)

代赭石、彈丸大。　一兩。　今二錢也。

栝蔞實、一枚。	二兩。	今四錢也。
大棗、十二枚。	三兩。	今六錢也。
皂莢、一枚。	一兩。	今三錢也（一本作二錢）
梔子、十四枚。	二兩。	今四錢也。
附子、一枚。	一兩半。	今三錢也。
大附子、一枚。	二兩。	今四錢也。
枳實、五枚。	五兩。	今十錢也。
桃仁、五十箇。	二兩。	今四錢也。
竹葉、二把。	三兩。	今六錢也。
葱白、四莖。	二兩。	今四錢也。
厚朴、一尺。	八兩。	今十六錢也。
蜜、一升。	八兩。	今十六錢而今一合也。

右所舉三十餘品。他當倣此。其詳細者。固不可知。則專合立方之制而已。

醫林雋語

衡之

余雲岫謂太炎先生曰。中國醫學非不可研究。但只有日本人配的。現在的中醫是萬萬不配的。太炎先生曰。君言誠是。吾爲君下一轉語。如何中國醫學有些地方是應該反對的。但是只有于國醫用過功的余雲岫夠得上的。其他西醫是萬萬不配的。

哭謙兒　有序

鏡水堂詩鈔

余屢抱西河之痛。謙兒周歲。患傷寒。汗瀉久而成慢脾證。投以六君子湯加薑附。慶更生矣。時醫誤投回春丸。服下立死。後問陳醫丸中藥味。惘無頭緒。余恨庸醫殺人。自恨愛兒適以殺兒。

光緒乙酉春。正月元旦節，聞兒患傷寒。數日心不悅。歸家視兒容。面慘愁眉結。熟知寒入脾。腹中痛欲裂。兒我益悲啼。有口不能說。寒極熱反生。身常如火烈。久汗元陽亡。久瀉脾除泄。兒啼漸低聲。兒口漸短舌。外雖身體涼。內已精神竭。我閱幼科書。云是脾將絕。參附速回陽。方可救垂滅。一劑下咽喉。喉間尚能噎。面色漸生黃。手足漸生熱。呻吟終夜間。生機將萌蘖。悔招庸醫來。殺人不持鈇。一粒回春丸。頃刻成永訣。犀黃與膽星。其冷如霜雪。冰片與麝香。通關走百穴。陽氣盡驅除。霎時便收血。掌上珠忽沉。眼前花頓折。未達不敢嘗。古聖言最切。我雖不殺兒。兒死由我決。內子更情痴。思兒日夜徹。白晝哭號啕。黃昏泣幽咽。兒豈宿世寃。兒豈今生孽。口雖作强辭。心痛如火爇。割愛人所難。況我無遺子。殺人藥與刀。二者有何別。勸世作醫生。方書須透澈。勸世養嬌兒。莫蹈吾覆轍。

右為四明汪定洋先生詩。痛詆回春丸之誤人。回春丸非不可用。惟以回春丸欲應付一切。則為患之烈有不可勝言者矣。世人每多以丸名萬病回春。真以為可以凡病用之。醫事豈如是其簡單乎。說詳吾幼科講義中。

衡之誌

上海國醫學院院刊

第二期

民國十八年七月出版

定價大洋二角五分

定價表

每學期二冊　一年四冊

零售每冊大洋二角五分　郵費在內

定閱長期　每四期大洋一元　郵費在內　郵票

代價九五折　限一分至四分

編輯者　上海國醫學院

發行者　上海國醫學院

印刷者　華豐印刷鑄字所
發行所上海浙江路三四一號
總工廠滬西林肯路一〇〇號

發行處　上海國醫學院
上海霞飛路華龍路口
電話三二二四二號

· 白 页 ·

國醫學院院刊

章炳麟署

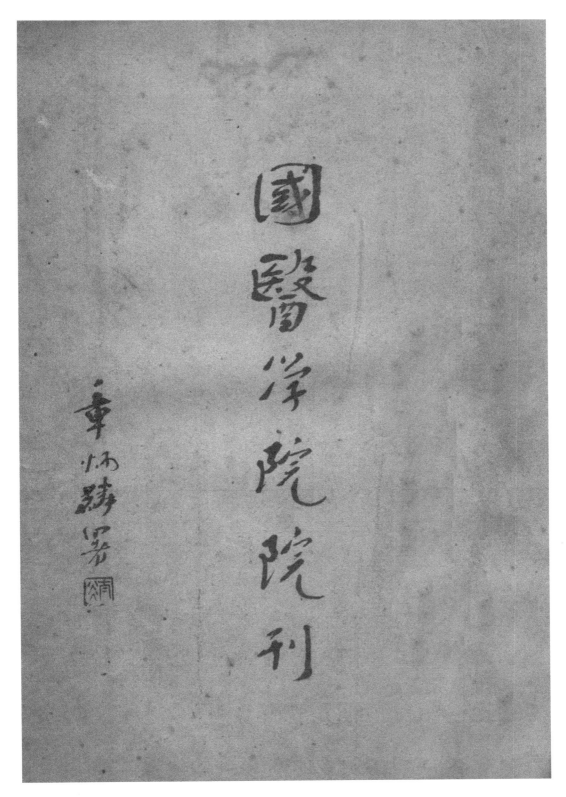

·白页·

上海國醫學院第三期院刊目錄

章太炎先生少年造相

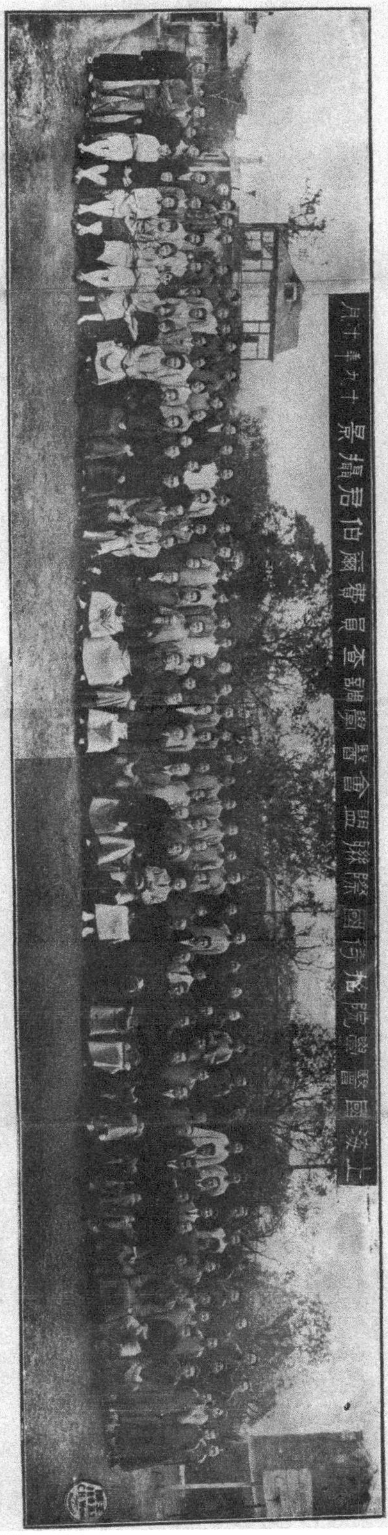
上海國醫學院招待國際聯盟會醫學調查專員爾伯君攝景 十九年十月

評壇

國醫之新建設

利貞

在過去之二十年。中醫已成了時代之落伍者。雖然因其有歷史上之關係。不致完全失信仰於整個的社會。却一般上等社會。已大半瞧不起中醫。轉而欽佩西醫去了。其咎並非在中醫學術之本身。乃由於醫藥界不肯負建設之責任。

縱然在以往之十餘年內。醫界不乏先覺有為之輩。出來創辦二三中醫學校。為沈醉之中醫納喊幾聲。到底受人材經濟的限制。及政府社會之漠視。卒少進步。

藥界比醫界更少覺悟。能毅然明大義解囊興學者。幾如鳳毛麟角。目前。幸而由一般醫界名宿及熱心分子奔走呼號。另由一般有識醫家努力創造醫學上之新生命。居然博得了國府最後的承認與提倡。將中醫的地位提高起來。這正值得歡欣鼓舞的。但我們須明白政府提倡中醫之本意。不是為國醫界謀飯碗計。乃是給與我們一個輔助的機會。叫我們醫藥界共同負起新建設之責任。

新建設之意義。須從精神上一方面來說。以往的中醫。固然缺乏有組織的共同研究之精神。就個人而論。亦缺乏相當的學識訓練。與完善的人格脩養。本來我國最近的既往。一切都未上軌道。如政治經濟實業等。均落人後。何況荒蕪已久。勢成垂絕之中醫學術。當然更不堪聞問。現在正值革命時期已過。百業待舉建設時期來到之際。我中醫亦不先不後。一面反抗一二無聊淺學的西醫洋奴之壓迫。一面自己鬧翻了以前的不良的怪象。當然。我們唯一所急於要繼續進行的。亦為新的建設了。

新的建設。在我雖然算得個理想。或者在掌國醫藥界威權諸公。是會使他在中央國醫館成立之後。不久就可漸次推行的。

我所理想的。即新的社會心理建設——就是。假如一個人患上了疾病。他會願意進一個中央國醫院。或市立省立的國醫院。那個醫院的建築是宏偉的。設備是完善的。分科是詳細的。又如空氣陽光一定充足。新鮮器具用品有嚴格的消毒。地板光可鑑人。來診病的醫生有充分學識與經驗。並具有新時代的思想與研究之精神及學者之態度。醫生自己不會吐痰在地板上。醫生的牙齒不會比老前輩的秀才儒醫的還黑幾層。醫生不會大抽其鴉片煙……醫院格外派來有笑容可掬帶着西方基督敎服務的精神。能唱歌。能說故事給病人安慰的國醫女護士。她們的經驗與學識。是由國醫女護士學校給與訓練的。她們的資格不過與醫生略次一級。但切不可巧借保守國粹為名。保守以往的及現今上海各地所謂某某中醫院的老腔調——凡來看護病人者是幾位粗魯大漢平常代醫院拭地板刷糞桶者或者在廚房裏當火夫的老頭兒來隨隨便便兼任五分鐘的職務罷了。

假如中醫實在要想增高自己的地位並勿須再喋喋不休同西醫去計較治療的長短。專致力於我所主張之新的社會心理建設好了——因為我們的治療好像一隻已熟了的美國加州的金色蘋菓。祇要再添上一張有美術意味的花紙包。自然合了人人的心理。尤其當今之廿世紀一般科學社會的心理。

的確若能從此種理想實施下去。我想將來掌中央國醫館諸公必有一番新的計畫。新的努力。預定十年內至快五年內。必能有新的成績貢獻於學術界及社會。那末我此種理想。才不致於成為一個——烏托邦。

以上均為鄙人所欲言者。王生能暢言之。其可喜為何如。

衡之

讀書小志

徐衡之

今之為醫者。率鄉曲鄙人。學不成。又無以自致於仕宦。略讀湯頭歌括。遂提囊為餬口計。於古醫概乎未或聞也。故常以活人之道殺人。中醫遂為世所詬病。

右周樹模校正黃帝內經太素序

專著

論溼溫治法

章太炎

濕溫名見難經。爲五種傷寒之一。病多見於夏秋之時。其候朝至日中身熱甚微。晡時身熱稍增。亦潮熱類也。熱初不甚。二七三七日間其熱以漸而高。遠西謂之腸窒扶斯。彼說小腸黏膜、寄生微菌。漸至生瘡。故腸部多雷鳴疼痛。病經二七日。則熱漸張。弛脈亦細微、譫語昏瞶。有下血而愈者。亦有腸中出血穿孔以至死者。故於下藥畏之如虎。如彼所言。雖於濕溫之義。稍異。而於太陽病之名轉爲眞切。病果有菌。要之非濕亦無以滋其毒。則二說相爲因果矣。其云小腸生瘡者。卽大論所謂太陽隨經瘀熱在裏。應以抵當湯丸下之者也。其自下血而愈者。則猶大論所謂熱結旁光。血自下下者愈也。此土治濕溫者。術雖未工。然非經誤治。則絕無下血出血之候。蓋時醫於此。無不以黃連主療。黃連性能解毒厚腸胃。則腸中自無生瘡之患。乃所以遷延時日者。祇以最初不敢發汗。其次治之又無定術也。下血蓄血之候。此土非誤治不常見。而西醫治療者多有之。夫以病在小腸。窟穴深阻。邪毒外行。則延於經脈。上行則薄於胸府此其分殺之機也。不能乘其出而迎擊之。又不能因其雷鳴而圍攻之。小腸聚毒展轉益厚。幸以生理自然之機其血自下。毒得宣泄而愈。醫於此則可謂至無術也。若至小腹鞕滿。血不得下。非以抵當丸下之病何由去。苟患穿孔而先養癰。迨潰爛日甚。穿孔果可免耶。抵當之與承氣厥用不同。下之而腸穿孔者。未之有也。假令下血不止。自有芍藥地黃湯治之。安用臨事迟橈爲。且夫焦頭以救燎。不如曲突而徙薪。治苟有法。則抵當湯丸亦無用矣。案大論痙濕暍本在太陽篇中。王叔和無故移編。而濕溫之治遂不可見。其陽明病之瘀熱發黃。與太陽病之瘀熱蓄血。但見其末。更無其本。活人以濕溫無下手處。撰用白虎加蒼朮湯治之。夫蒼朮之燥與白虎之潤。用正相反。自非渴欲引飲。無用白虎之理。若果渴欲引飲。則是濕已去而熱獨在也。但用白虎已足。安取蒼朮之蛇足乎。誠欲濕溫兼治。仲景自有梔子厚朴湯。近觀濕溫之候。至四五日。無有不患胸滿者。則梔子正爲對證。而白虎非病勢傳變以後不用也。濕溫固多自汗。亦自有無汗者。仲景有麻黃杏仁薏苡甘草湯。今拘於脈經重暍之說。雖微發汗亦禁不用。此又所謂因噎廢食者矣。若乃自汗不止。白斑出手足冷者。此爲邪盡而正亦衰。又當以寒濕法治之矣。今錄仲景十一方。小品一方。以爲治濕溫之準繩。而秘要所載熱病匿瘡諸方。學者亦可互攷焉。

太陽病。發熱。日晡所劇者。此名風濕。夏秋間氣溫。其風卽溫風矣。宜麻黃杏仁薏苡甘草湯。

每服四錢。今人夏日不敢用麻黃。以香薷代之亦得。

濕家自汗出。胸中窒腹滿者。宜梔子厚朴湯。

胸滿腹中雷鳴者。宜半夏瀉心湯。半夏生用

服半夏瀉心湯已。若但發熱渴欲引飲者。此濕已去也。宜白虎加人參湯。微者。但與煖水。次與五苓散。五苓散不可作湯

以上正治法

濕家誤治致發黃者。宜梔子蘗皮湯。劇者宜茵陳蒿湯。

濕家誤治。或發黃或不發黃。但脈沈微或沈結。小便自利。小腹鞕滿。其人或昏瞶。或發狂者。此小腸有蓄血也。宜抵當丸下之。每服三錢

以上救逆法

濕家服抵當丸已。瘀血得下。若下不止。血淡紅者。宜小品芎藭地黃湯。通名犀角地黃湯

以上幹旋法

濕家。自汗出不止。白斑出。手足冷者。宜白朮附子湯。微者但與防己黃芪湯。

濕家。病十餘日。熱暴下。身冷脈微細。無少腹鞕滿候者。雖自安臥。一二日必自尿血而絕。此非欲愈。心弱腎不能泌別故也。急與白通湯。甚者乃三四服。寒厥之與熱厥昔人所難辨今以寒暑表探口量取辨之甚易曾見有體溫降至九十度者

以上急救法

復次。遠西於腸窒扶斯。慎其飲食。雖糜粥亦不得與。此蓋過甚之論。凡熱病將息。生冷魚肉麪酪五辛臭惡之物。皆不得食。大論桂枝湯方下具之。非獨腸窒扶斯也。今人多食膏油。病亦當戒。飲食不愼。醫藥之功不過及半爾。

問者曰。腸窒扶斯。遠西以其無特效藥而不能治也。今子云服黃連者無下血出血之患。豈黃連爲此特效藥耶。曰猶有苦參焉。据本草別錄。苦參主心腹結氣。黃疸。溺有餘瀝。逐水。除伏熱、腸澼、癰腫、療惡瘡、下部䘌、則殺菌除熱利水之效。過於黃連也。千金療天行熱病五六日以上。宜服苦參湯。（苦參黃芩地黃三味）張文仲療天行熱毒垂死破棺千金湯。直用苦參。文仲或以是爲吐劑。千金蓋以是爲寒劑。若用諸濕溫。視諸溫病當更效。昔人治熱病狂言。有以苦參爲末。每服二錢。用煑散法服之者。今用仲景法。則自微發汗後。尚有諸方。必欲直攻病本。則一味苦參亦足爾。以病態多變。故不欲執言也。

問曰。吳有性溫疫論。以爲邪氣舍于募原。故首用達原飲導之。觀其以檳榔厚朴草果治濕。以知母黃芩治熱。知其所謂溫疫者。實亦濕溫而已。顧吳氏以爲寒劑。沮遏熱勢。用之則其熱愈甚。故傳胃以後。果於用承氣。而懲於用黃連。又稱溫疫裏證。神色不敗。言動自如。忽然六脉如絲。或至於無。皆緣應下失下。內結壅閉。氣逆于內。不能達于四末。此脈厥也。若更用人參生脈散輩。禍不旋踵。宜承氣緩緩下之。六脈脈自復。今所論與吳氏有異。其說可得聞耶。應之曰。治濕溫者。其藥必寒溫相間。是以梔子必叅厚朴。黃連必叅半夏乾薑。而直用白虎者甚希。雖世之習用黃連者。亦未嘗不與厚朴相參也。其云脈厥應以承氣緩下者。濕溫之候。至少腹鞕滿。昏瞶發狂。脈雖沈微至結。猶應以抵當丸下之。（用承氣則不中病）大論之法固然。若少腹如常。溫度暴下。斯則急當救心。豈猶有下之之法乎。至吳氏所見身冷如冰。指甲青黑。六脈如絲。服附子湯而甦者。其外候咽喉腫痛。內候心腹脹滿。渴思冰水。此自熱厥之候。大論所謂厥應下之也。觀其指甲青黑。則瘀血徧于周身可知。下之亦應用抵當。不應用承氣矣。今之治法。亦非與吳氏立異也。

西名腸窒扶斯。即此名濕溫。羣醫驗證皆知之。日本人譯爲傷寒。據五種傷寒言之。亦得然。非麻黃湯證之傷寒也。其腸中生瘡及出血證。此所未悉。余謂即太陽隨經瘀熱蓄血者。蓋以其小便自利。知太陽决爲小腸而非膀胱也。傷寒論本兼論五種傷寒。自得及此。余又驗濕溫自下血而愈者。血或成塊。未見有瘡痂間雜其中。如豆瘡倒靨然者。是則生瘡之說。猶須詳究。而蓄血則的然不疑矣。嘗以是說授武進徐衡之。衡之後治一濕溫。爲前醫誤用生脈散。熱不得泄。十日後發狂腹鞕。先以涼膈散與之不效。次與大劑桃核承氣湯。狂雖少蘇。血不得下。明日停藥。則其狂如故。其家轉求西醫。醫量其溫度。已如平人。

以爲病在神經。鍼之不效。病家又返求衡之。乃與抵當丸二錢。下血或碧或紫或如淤泥。下後腹緩狂愈。衡之喜甚。歸以告余。余謂焦頭爛額。誠易見功。與其開此法門以圖急救。不如廣開步驟。使進藥順序。則血不得聚。瘡亦內消。所謂上工治未病也。因整齊長沙遺術。爲正治救逆斡旋急救四法。如此民國十九年八月章炳麟識。

教員論著

金匱札記

曹穎甫

心中堅爲心下之誤

痰飲留於膈間。則心下堅滿。痰飲篇所謂雖利。心下續堅滿。膈間支飲。其人喘滿。心下痞堅。寒疝篇脉緊大而弦者。必心下堅。則此云息搖肩者心中堅。亦必爲心下堅無疑也。心爲君主之藏。豈能容留外邪。惟心下爲膈與胃相逼處。痰濕留於膈間。則氣爲之阻。而息出不順。至於兩肩用力搖動。則心下之堅滿可知矣。若夫息引胸中上氣者欬。即後篇欬而上氣之證也。張口短氣者。肺痿吐沫。即後篇肺痿之證也。三者皆痰濕爲病。惟肺痿則有寒有熱。三證皆出於肺。肺爲主氣之藏。辨鼻息最爲切近。故類及之。

論防己黃耆湯加減治驗之譌謬

脉浮爲風。身重爲濕。汗出惡風。爲表氣虛而汗泄不暢。此亦衞不與營和之證。防己泄濕。黃耆助表氣而托汗暢行。白朮炙草補中氣以勝濕。此亦桂枝湯助脾陽俾汗出肌腠之意。方與證初無不合。惟後文所載。不無譌謬。白朮下曰七錢半。漢人無此劑量名稱。若改錢作銖。似又太少。譌謬者一。既云汗出惡風。則此證本非無汗。乃云服藥後坐被上。又以被繞腰以下。溫令微汗。差。則未嘗有汗矣。譌謬者二。本方四味俱和平之藥。非責汗猛劑。何以服之便如蟲行皮中。且何以腰下便如冰冷。譌謬者三。且陽明久虛無汗。方見蟲行皮中之象。爲其欲汗而不得也。欲汗不得。爲熱鬱於皮毛之裏。此證本有汗。何以服湯後反見此狀。譌謬者四。此必淺人增注。特爲訂正。以免盲從。

論白朮附子湯後說解

商書曰。若藥勿瞑眩。厥疾弗瘳。旨哉言乎。篇中大劑每分溫三服。獨於白朮附子湯下。詳言一服覺身痺。夫痺者麻木之謂。凡服附子後。不獨身痺。即口中亦麻。否則藥未中病。即爲無效。予嘗親驗之。後又繼之曰三服都盡。其人如冒狀勿怪。卽朮附並走皮中。逐水氣未得除故耳。夫所謂冒者。如中酒之人欲作嘔狀。其人頭暈眼花。憒憒無可奈何。良久朦朧睡去。固已潰然汗出而解矣。此亦余所親見。獨怪今之病家。一見麻木昏暈之狀。便十分悔恨。質之他醫。又從而痛詆之。卽病者已愈。亦稱冒險。吾不知其是何居心也。

病者脈數無熱節爲瘡癰腸癰浸淫篇脫簡

文曰、脈數無熱。微煩。但欲臥。汗出。夫無熱脉數。此謂腸中有癰。自汗出爲膿未成，腸癰條下。已歷歷言之。惟膿將成之狀。瘡癰篇初無明文。此云初得之三四日。目赤如鳩眼。熱鬱之象也。又云。七八日目四眥皆黑。若能食者。膿已成也。四眥黑爲內癰已腐之象。此當是諸癰腫欲知有膿節下脫文。傳寫者誤錄於此也。赤小豆當歸散。治腸中所下之近血。則此條固當爲腸癰之正治。婦人腹中痛用當歸散。亦以其病在大腸而用之。與狐惑陰陽毒決不相干也。尤在涇叢殊夢夢。

補三瘧方治

瘧之輕者日發。正氣略虛。則間日發。正氣益虛。則間二日發。世俗謂之三陰瘧。然此證仲師既無方治。俗醫又不能治。故常有一二年始愈者。予丞年卽好治病。有鄉人以三瘧來治。診其脈遲而弱。予決其爲正氣之虛。爲之擬方。此鄉人愈後。將此方遍傳村巷。愈十餘人。後於李建初書塾。診其任克仁之子。脈象略同。卽書前方授之。二劑而愈。名常山草果補正湯。

常山(四錢)　草菓(四錢)　生潞參(五錢)
茯苓(四錢)　生白朮(四錢)　炙草(五錢)
大川芎(三錢)　全當歸(八錢)　赤白芍(各三錢)
熟地(八錢)　小青皮(三錢)　知母(二錢)
製半夏(三錢)　生薑(八片)　紅棗(九枚)

論桂枝芍藥知母湯證

此開泄腠理皮毛。使寒濕外解之方治也。寒濕凝於關節。故肢節疼痛。疼痛者。陽氣不通於肌表。寒濕冱於關節。所謂不通則痛也。身體尪羸者。統血之藏久虛。不能營養分肉也。腳腫如脫者。寒濕下注之象也。頭眩爲血虛。(此證亦有見於歷節治愈之後者。予曾親見之。)氣短爲濕瘀。獨胃中尚有浮熱。故溫溫欲吐。溫溫如釜中冷水。被炭火蒸化。釜底時有一泡上浮也。方治之妙。不可言喻。予嘗治一中年婦人親驗之。特病因却與仲師所舉不同。其始以死胎在腹。累日不下。既下。則已黑腐。妊婦本屬血虛。下胎後未經善後。則濕毒留頓腹中。久乃旁溢支節。死血與寒濕併因病歷節。手足拘攣。入夜四肢節骱劇痛。旦晝較緩。其爲陰寒殆無可疑。予因用原方。以每兩折爲二錢。用熟附塊四錢。二劑。絕不應。復診。改用生附子。汗乃大出。兩劑。肢節便可屈伸。足腫亦小。獨手足發出大泡，有膿有水。將成潰爛。予用丁甘仁法。重用大小薊丹皮等。以清血熱。二劑而痂成。四劑而痂脫。遂與未病之人無異。以爲可無患矣。忽然陰癢難忍。蓋濕毒未盡而下注也。予令用蛇牀子煎洗。良瘥。未幾。卒然頭眩。至於倒地。諸恙退而血虛之眞象見。予乃用大熟地一兩。生潞參五錢。川芎當歸各四錢。凡二十餘劑而止。今則代人浣濯購物。不復頭眩。並生子矣。

面色白時目瞑爲勞之爲病下脫篇

上節言腎陽之虛。面色白時目瞑。則爲陰虧之證。當在後文勞之爲病下，本條小便不利，與少腹急爲連文。與下小腹拘急小便不利同。面色白爲失血之證。失血爲陰虛。固不待言。至於時目瞑。則爲予所親見。予詩友吳葦青名希鄂者。詩才高雋。出陳茗柯秦謙齋上。嘗患房勞證。畏陽光。雖盛暑之時。必以黑布幕其窗櫺。與人對語時。忽然閉目良久。亦可信爲陰虛而陽外浮也。手足煩爲手足心熱。脾陰虛也。春夏不勝陽熱。故劇。秋冬陽氣伏藏。陰虛之人不受煎迫。故瘥。陰虛則相火不能伏藏。而宗筋易舉。隨舉而隨泄。而少陰愈虛。故陰頭冷。少陰虛則髀肉日削。而一步三折搖矣。

脈浮弱而濇爲無子精氣淸冷

易始乾坤。生生之義大矣。繫辭傳曰。夫乾其靜也專。其動也直。是以大生焉。謂宗筋也。夫坤。其靜也翕。其動也闢。是以廣生焉，謂廷孔也。古聖人莊重以言之。後之人以爲穢褻而諱之，生生之義。所以不明也。其靜也專爲無二偶。無二偶則精氣壯而腎陽充。故其動也直。此卽大生之義也。若男子之脈。以陽氣不足而見浮弱。以精血不充而見濇，則其腎藏元陽必虧。而交感之時。精冷而不能有子矣，此證惟羊肉當歸湯足爲療治，方用當歸四兩。生附子一枚。生薑十兩。羊肉三斤。酒半斤。冬令濃煎。並羊肉而食之。二三劑。後其陽氣自轉，雖婦人有痛淋者。亦能生子。屢試而效。閱者倘能傳佈。功德莫大焉。

論桂枚龍骨牡蠣湯證

失精之情不同。始則有夢而遺。是尙有相火也。至於不夢亦遺。而腎陽敗矣。又其甚則醒時亦遺。而腎陽益敗矣。少腹弦急。濁陰下注。而小便不利也。陰頭寒者。腎藏之陽氣虛而不達於宗筋也。目之瞳人爲腎水所養。水將竭。故眩也。髮者血之餘。故少年血盛者黑。而老年血衰則白。至於腎藏虛寒。胞中血海之血。乃不能合督脈上行於腦。腦氣不濡而髮爲之落。脈失精則虛。亡血則芤。下利清穀則遲。勞之所以失精者。相火之不能蟄藏也。所以失血者。腎藏既虧。房事不禁。血海之血。隨眞陽而上脫也。所以下利清穀者。胃藏膽汁。以相火妄動而日消也。浮陽下竄。眞陰不守。在男子則爲失精。在女子則爲夢交。於是脈芤而見動。脈微而見緊。泄之愈甚。則陰寒愈急。若更以滋陰降火之劑投之。則陽氣愈不得升。而精氣益無統攝。故用桂枝湯以扶表陽。加龍牡以固裏陰。獨怪近世醫家專用生地石斛麥冬知母玉竹黃柏一切陰寒滋膩之品。將毋畏古方猛峻。專取其不遽殺人乎。試問病家延醫。將欲其起死囘生乎。抑第欲其不速死乎。吾不知其是何居心也。

馬刀俠癭

馮刀之爲狀。若長形之小蚌。生於腋下。堅埂如石。久乃成膿潰爛。俠癭生於頸項。連連如貫殊。初起用旱煙管中煙油塗之。三日卽消。外科小金丹亦可服。以消爲度。此證雖起於失志鬱怒。究與陰疽相類。其中必有寒濕結毒。小柴胡湯無濟也。按小金丹爲華元化烏龍串。見串雅。

肺癰

癰之言壅也。肺絡爲外邪壅塞。鬱而生熱。熱傷血滯。因而成癰。風襲於肺。則欬。血鬱成膿。故胸中隱隱作痛。初起之時。可用桔梗甘草湯試之。服之小愈者。卽是始痛之時。幾與痰飲之內痛難辨。惟脉必滑數。至膿已成。卽爲危證。膿之將成。所吐之痰。必如米粒。必腥臭。方其始萌。葶藶大棗瀉肺湯可以立破壅塞。熱重則千金葦莖湯亦可參酌用之。惟犀黃丸一方。最爲消毒上品。初起之時。服至一料。無有不愈者。又有俗傳單方。用隔歲鹹芥滷。每日半杯。冲豆腐漿飲之。胸中上下梗塞。頓之吐出癰膿。日進一服。吐至無膿爲度。而癰卽愈矣。此皆補經方所未備。錄而存之。俾有心濟世者。資採擇焉。

附犀黃丸方

犀黃（五分）元寸（五分）製乳香沒藥（各一兩）先將乳沒研極細末。然後和入犀黃元寸米飯五錢。搗和爲丸。如秫米大。每服三錢。

驚恐發奔豚治驗

奔豚。腎積也。先有痞結於少腹。隨氣上衝。氣不上衝。則仍在少腹。仲師以爲從驚恐得之。實爲精確。與難經所云從季冬壬癸日得之者。奚啻鄭昭宋聾之別。予嘗治一平姓婦。其人新產。會有仇家抵其門。入戶卽毀物。惡聲達戶外。婦大驚怖。嗣是卽少腹有一塊。時衝動。數日後。大小二塊。時上時下。作痛。予初投以炮薑熟附當歸川芎白芍等。二劑稍愈。後投以奔豚湯。二劑而消。惟李根白皮爲藥肆所無。幸其人於謝姓園中取得之。竟得痊可。殆亦有命存焉。

論括蔞薤白白酒湯證

凡人勞力則陽傷。耐夜則寒襲。二者相因。胸痺乃作。然有採芙蓉膏澤。一榻明燈。冒城郭星霜。五更寒柝。卒不病此者。蓋以臥者陽不散。行者陽獨張也。惟勞力傴僂之人。往往病此。予與門人王慎軒蓋親見之。嘗助同仁輔元堂施診。有病者。至胸背痛。脈之沈而濇。兩尺大。

雖無喘息欬唾。其爲胸痺則決無可疑。問其業。則爲衣工。問其病因。則爲寒夜製裘。傴僂良久。裘成。稍覺胸悶。久乃作痛。予卽授以此方。以不知白酒也。令用高粱酒一杯。二劑而痊。數日。復有病者至。問其業。則亦衣工。其業同。其病同。其脈同。固知傴僂之爲害。授以原方。亦二劑而痊。蓋傴僂而胸膈氣凝。用力而背毛汗泄。寒乃從之也。

按之不痛爲虛痛者爲實

此陰寒宿食之辨也。宿食則按之而痛。不按亦痛。陰寒亦有時而痛。按則痛止。予嘗與門人丁濟華治肉鋪范姓一證。始病腹痛。按之卽止。既用四逆湯溫之矣。明日痛甚。劇按之益甚。濟華曰。此爲大承氣證。乃如其言而用之。明日。病家不至。問病者之侄。則既愈矣。後與門人陳中權黃彝鼎診葉姓小兒。腹滿不食。大渴飲。不寐。既下而愈矣。翌日。其家人至曰。病者熱甚。乃乘夜往診。其脈則虛弦。審其面則戴陽。因用附子理中小劑。覆杯而卧。病已愈矣。可見腹滿一證。固有始病虛寒。上僭得溫藥而轉內實者。亦有本爲實證。下後陰寒乘虛而逆行者。倘刻舟求劍。正恐誤人不淺也。

蒲灰散治驗

蒲灰散一方。今人不用久矣。世皆譌傳蒲灰爲蒲黃。其實不然。卽錢太醫以厥而皮水之厥爲皮水潰爛。以水傷陽氣而厥冷。尤爲背謬。此厥字卽上文身腫而冷之冷。傷寒金匱中。從未有以厥爲潰爛者。此陳脩園淺注之盲從。不可爲訓者也。蒲灰卽水中大葉菖蒲之灰。味鹹能降。味辛能開。去歲王一仁在廣益醫院診病。有錢姓男子。腹如鼓。股大如五斗甕。臂如車軸之心。頭面皆腫。遍體如冰。氣咻咻若不屬。見者皆曰必死。一仁商於劉仲華。取藥房中乾菖蒲一巨捆。熾炭而焚之。得灰半斤。卽於藥房取滑石和研。用麻油調塗遍體。以水調服一錢半。日三服。明日腫減大半。一仁見其有效。益厚塗之。令服二錢。日三服。三日而腫全消。飲食談笑如常人。乃知經方之妙。不可思議也。予前數年在家鄉治謝姓小兒。亦用之。莖及睾丸明若水晶。令製而服之。一夕。得小便甚多。其腫卽消。惟腹滿不減。後以急於赴滬。不復知其究竟矣。庚午秋。治海潮寺前宋姓小兒。水腫。亦用之。但其人手足不冷。小便清。內服麻黃附子細辛湯。佐以五苓冬葵子車前子。外敷蒲灰散。早夜調服各一錢。五日而腫全消。每一日夜。小溲十七八次云。

水腫下法治驗

吾鄉孫梓材嘗論治水腫證。服五苓五皮者半年矣。加服木通。則小溲莖痛。腹大而股腫。如牯牛狀。診其脈弦急。孫無如何。告病家曰。今但有一法可以一試。但生死未可卜也。病者曰。無論何藥。均願服。雖死亦不悔。孫於前醫方中加黑白丑末各五錢。服後。一夕下半淨桶。小便亦多。腹與股小如原狀矣。此雖僥幸成功。然當危急之中。何嘗非起死回生之一助也。

十棗湯治驗

予先慈邢太安人患痰飲。有年。矣丙寅春。忽然昏迷。若癲狀。延醫診治。皆曰危在旦夕。予不得已製十棗湯進之。夜半而利下痰無數。明旦則清醒如平人矣。後在陽湖惲寓治張癡山門人祥官。祥官本無病。癡山以其累逃塾。使予診之。予診其脈左脈弦。問其所苦。曰胸中痛。予曰此眞病也。以十棗湯付之。明旦大下痰涎冷甚。以爲愈矣。翊日來診。弦如故。仍令服其方。下痰更多。繼以薑辛五味而愈。不更病矣。丙辰冬。無錫強鴻培病痰飲。人皆目爲肺勞。欬而上氣。胸滿而痛。無大小便。叠被而高臥。喘息達戶外。費繩甫告不治。予診其脈弦急。因令服十棗湯。每服六分。日一服。每進一服。則其痛漸下。由胸而中脘。而臍下。而少腹。服至四劑。始下。衝氣乃平。又能治小兒痰病。俗稱馬脾風。不出七日見血卽死。其狀喘欬氣逆。予嘗用之以治其孽姪。時方三歲。又治潘姓小兒阿煦。皆以瀉痰得愈。此可見猛峻之劑。益人甚於參苓也。

讀書小志

章成之

握靈本草八卷。清康熙嘉定王翊翰臣撰。書倘簡潔可取。王與喻西昌友善。握靈本草之命名。卽出之喻先生。此書、中醫大辭典未載。

診餘隨紀

朱少坡先生遺著

春間有孫普周者。痰飲浮腫。發熱氣急。前後胸脇以手摩之。漉漉有聲。經中醫十餘人。均難奏功。余治兩日。用小青龍加減。亦無効。爲薦西醫譚君以禮視督至再。曰此肋膜炎也。然爲日已久。祗有去脇骨三寸。將黏水取出。或有希望。舍此已無治法。若水未黏。可用空針抽去。至於用藥。則上不通口。下不通腸。科學治療。別鮮可治之法。譚去孫復來請。謂剪斷肋骨。家人俱不願。商議至再。乞公盡力施治。雖死亦感。余爲疏控涎丹壹錢五分。吞後。至晚上九時。復遣人來請。云藥入約一小時。即瀉。瀉至第二次。忽神昏似厥。刻尚未醒。急待設法救援。當即同車前去。到時人已清醒。惟倦怠殊甚。爲擬參苓朮各三錢。甘草五分。桂枝五分。囑服二劑。至第三日去診。脈息弦滑。已減。精神頗暢。雖臥床上。轉側已便。胸脇響聲。十去其八。痰出每日十餘罐。亦漸轉濃。氣亦平。納較增。復投控涎丹一錢。則連瀉五次。響聲止。而諸恙均除。連與六君子合星香散等。服十餘帖而瘳。昨晤譚君，談及此症。據云西法尚未發明。然控涎丹之功。令人莫測。因上下不通之處。所伏之涎。何能從大便而出。誠屬奇事。然我中醫於飲病治法尚多。此其一也。中法重氣化。路雖不通。病亦可出。且有上病治下。下病治上。寒因熱用。熱因寒用等法。不能盡述。衛生局必欲中醫根據科學治內病。則束手待斃者。恐不止孫君之病一種已焉。

余與西醫最交好者。惟譚公以禮。其學問余雖不知。然其治病與經驗。有非尋常西醫所可及。十年前譚子女病欬。四月不愈。治欬之方藥。同道之討論。均無辦法。病不劇而不愈。則奈何。余與彼外舅陶梅生。係三十年老友。梅夫人堅持乞治於余者已久。後因西藥已遍。始來請。先診次者。係屬開泄太過。擬用白芍北五味沙參於朮熟地附子等三帖。病瘥。復約余治其長者。始晤以禮。彼謂病頗相似。時間長者略短。按其脈弦緊頗甚。寒邪尚在肺絡。彼欲服以前方。余應爲不可。即疏北細辛四分。麻黃四分。百部錢半。宋半夏甜瓜子茯苓枳殼各三錢。橘紅甘草等一劑。效減大半。復投半劑。效止。即以苓桂朮甘加參。皆旬日告瘳。後與徐小圃弟結爲寄親。互相研究。往往奏功。蓋中西醫學。各有長短。邇來爲外商推銷西藥。竟行消滅中醫。思想頗凶惡。然我中醫流行四千年。豈眞無存在價值。徒見其喪心病狂。若竟倒行逆施。恐將引起全國之反對。因以上海一埠而論。民衆信仰。相懸尙遠。萬不能以勢力打倒。當道者其勉旃。

昨診沈姓溫毒症。係南翔人。身熱至百零六度。舌腫滿。鮮血從兩腮流出。舌尖紅紫。大便不行。神情恍惚。余至則似睡非睡。診脈洪數殊甚。當在一百十餘至之間。即擬犀角地黃加生軍五錢。鮮首烏鮮沙參各三兩。紫雪丹錢半。今日復診。舌已能出口。其色紫黑。脈轉減至九十八。神識亦清。乃母欲其返翔。爲擬一方如左。鮮金斛一兩。鮮生地沙參各一兩。桑葉三錢。湖丹皮三錢。銀花三錢。甘草八分。板藍根六錢。川貝三錢。括蔞五錢。生軍五錢。絞汁冲入。並用蘆根十二兩煎湯代水。服後。大便暢行。去生軍。身熱解淨。可加西洋參五錢。天麥冬各四錢。可服三帖。因余外埠概不能應診。實力有所不逮耳。

凌君銘孜公子。年九歲。强陽不倒。發則刺痛狂哭。雖西法嗎啡。亦不能減。每日四五作。纏綿七月。計窮無策。始來余處求治。按脈左弦勁而數。右洪大殊甚。持來諸醫舊方。俱以養陰清熱爲主。余曰。此肝胃熱極。相火熾甚。乃實邪非虛症。焉爲擬極苦之藥。服六日而瘳。方用龍膽草胡連川連各五分、蘆薈一錢。羚羊片八分。黃柏三錢。細生地一兩。生川軍二錢。赤苓四錢。生甘草七分。昔年治同鄉萬建生子。曾服陳達舫前輩十餘方。勢稍減而不能愈。惟右脈不洪。不用生地川軍。餘亦類此。不及十劑。其病若失•至第二年冬。復發一次。來函乞方。囑服知柏八味數兩。即平。後亦不發。

顧君子岩得一病頗奇。每至電燈開後。即不能耐。心煩欲嘔。頭項痛不能俯仰。離開則愈。家中俱改油燈。雖坐車於馬路。閉目凝神。至電燈開處。其痛立作。中西醫遍治。無有能識其病根所在。按脈兩尺緩大。左手空大。決爲腎陽浮越。上冲腦部。至電燈下即發者。乃人體之電相感也。姑用溫納法試之。果效。調治月餘而愈。最效之方。用黑附子三錢。大熟地二兩。羚羊角錢五分。龍骨六錢。左牡蠣二兩。石決明二兩。淡吳萸一錢。二帖之後。病已十去其六七。後加入淮山藥於朮沙苑子兔絲子等。後二月又來。鄭姓係新聞記者。與顧君同病。知余所治效而來。然脈小數。不能治。來二次無效。不知如何

有粵嫗郭姓。發熱腹大堅痛拒按。甚則痙厥連作。脈細濇。舌黃底白。此屬蓄血無疑。爲擬桃仁承氣湯加蒲黃生地歸尾姜黃。下瘀至數斗。熱解而瘳。

故院董朱少坡先生。以醫鳴海上數十年。學識經驗。在前輩中允推巨擘。著有診餘隨紀若干卷。聞嗣子叔屏先生。方從事整理。刊行有日矣。徐衡之志

痙癇驚風辨

徐衡之

古無驚風之名。千金少小篇。則以驚癇並論，宋錢乙始有急慢驚之稱。自是以降。痙癇驚風。遂無定論。喻昌則主只有痙病。而闢驚風之謬。劉完素則謂千金之陰陽癇。卽後世所稱之急慢驚。宗此說者亦多。他如王念西兒科準繩。及醫宗金鑑等書。則又以千金之陰陽癇。及風驚食三癇。別於驚風爲說。因此兒科諸書。乃聚訟紛紜。莫宗一是。夫幼科之書。最古爲顱顖經。是書亦無甚精意。求其次。則爲錢氏之書。但錢氏所論。亦未有明白界說。夫如是則千金尚矣。千金論曰

「少小所以有癇病及痓病若。皆由藏氣不平故也。故生卽癇者。是其五藏不收斂。血氣不聚。五脉不流。骨怯不成也。多不全育。其一月四十日以上至期歲而癇者。亦由乳食失理。血氣不和。風邪所中也。病先身熱掣瘲驚啼叫喚而後發癇脉浮者爲陽癇。病在六腑。外在肌膚。猶易治也。病先身冷不驚掣不啼呼而發病時脉沈者爲陰癇。病在五藏。內在骨髓。極難治也。病發身軟時醒者謂之癇也。身強直反張如弓不時醒者謂之痓也。諸反張大人脊下容側手。小兒容三指者。不可復治也。……小兒癇病有三種。有風癇、有驚癇、有食癇。然風癇驚癇時時有耳。拾人之中。未有一二是風驚者。凡是先寒後發熱者。皆是食癇也。……凡小兒所以得風癇者。緣衣暖汗出。風因入也。風癇者初得之時。先屈指如數。乃發作者。此風癇也。驚癇者。起於驚怖大啼乃發作者。此驚癇也。驚癇微者。急持之勿復更驚之。或自止也。其先不哺乳。吐而變熱後發癇。此食癇也。早下則差。」

右爲千金之論。癇僅稱少小有風、驚、食三癇。而並無驚風之說。但觀其所詳證狀。爲掣瘲驚啼叫喚。及其致病之因與後世所稱驚風之證狀病因。正復相同。於以知千金所稱之三癇。卽後世所稱驚風無疑也。及觀錢氏之書。則有傷風發搐。傷食發搐。急驚因聞大聲大驚而發搐。及熱極雖不聞聲及驚。亦自發搐之分。而無風驚食三癇之稱。但其所論證狀病因。與千金之三癇。亦復相同。於以知錢氏所稱

之發搐。卽千金之三瘈。亦卽後世所稱驚風者無疑矣。

然則錢氏不以瘈稱而別以發搐名之者。又何故耶、曰、古人名病類多分界不清。以其證狀有相似處、往往卽混稱一名。譬之受熱暈倒。失去知覺運動者。名之厥、受大刺戟而暈倒失去知覺運動者。亦名曰厥。胃擴張腹胸部分隆起者。名曰痞塊。婦人歇士的里球亦曰痞塊。古人名病往往如此。「西醫疾病名詞多從病理國醫疾病名詞多從病狀。此亦中西醫立場不同處也。」夫少小有風驚食之三瘈。然而又有癲瘈五瘈之病。亦稱曰瘈。蓋其病狀有相似處。故亦混稱之。殊不知其證狀固略同。而其病因乃大相懸殊。少小之三瘈。爲驟發之猝病。癲瘈五瘈。乃頻發之痼疾也。錢氏之不稱瘈者。蓋恐後人之易於混淆故也。

或曰、千金少小三瘈。吾亦知其爲卽錢氏所稱之發搐。亦卽世俗所謂驚風者是矣。然而千金與痙病並論者。又何故哉。應之曰。少小之時易病痙瘈。此兩證證狀極相似。亦極易混淆。但此兩證之病因。乃大異。其安危亦迥殊。恐後人之不察。故並論之。觀千金所論瘈證。則詳其病因治法。而論痙證。則未言其病因。亦並無療方。僅言「身强直反張如弓。不時醒者。謂之痙也。諸反張大人脊下容側身。小兒容三指者。不可復治也。」觀此數語。則可測知痙病危篤難治。非可與瘈病同日語矣。

或者又曰。子言謬矣。千金少小篇之痙。雖未出方。其他篇中痙病療法亦數見不鮮。且金匱傷寒書中。痙病數條。有病因。有療方。烏得云無治法哉。應之曰。子未聞吾前言古人名病類多分界不清。以其病狀有相似處。卽以一種病名混稱之言歟。葛根湯可愈之證曰痙。括蔞桂枝湯可愈之證。亦曰痙。而用大承氣湯之痙。則曰可與。蓋此證已較前兩種爲難治矣。至於搖頭馬鳴須臾十發。則尤難治矣。千金痙瘈並論之痙。其證爲角弓反張不時醒矣。其病危篤。可以想見。於此種痙病實難與治法也。故同稱曰痙。有可以治愈者。有不可治愈者。喻昌謂只有痙病。而關驚風。卽是指可愈之痙病而言。徐靈胎訓痙爲惡疾。十難療一者。是指難愈之痙病而言。吾前業師惲先生以金匱葛根括蔞桂枝決不能治痙。而一例以痙爲不可愈之證。亦爲未達一間之言。蓋未知病名混淆之故。不能以千金及金匱有難愈之痙。而廢葛根括蔞桂枝可愈之痙也。

今日西醫有所謂腦膜炎者。近年且流傳甚多。其治法多用穿刺。其病源爲各種病源菌所致。其驗病法。非抽脊髓驗菌不可。吾醫對於此病。有謂卽驚風者。有謂卽痙者。有謂卽溫病者。又有謂卽陽明病。迄未有明白界說。甚且亦揚言於衆曰。吾治愈腦膜炎多人矣。吾有特效藥丸治腦膜炎矣。吾聞此言。常默而思之。夫西醫診察腦膜炎。非驗菌不爲功。吾醫竟不欲驗菌。三指一按。便可知其爲腦膜炎。衡之不敏。實未敢深信。然則吾醫不解驗菌。將無以識此病歟。則又非也。吾意西醫驗菌要亦無多用處。吾醫不解斯術。要亦不須斯術。吾醫貴察病之形能。詳其證狀。即可用藥論治。無須乎驗菌之煩瑣。于病無補之事也。「西醫驗菌。國醫辨證。此兩方立場不同處也。惟西醫在未驗得病源細菌之前。不敢忘投藥餌。國醫之辨證不清。任意用藥。危險亦殊甚。」

少小痙癇之痙。吾謂即今之腦膜炎。何以知之。以其證狀相同也。其言身強直反張如弓者。是言其證之重者。抽搐竄視。項強反折。是應有見證。略而不言也。然則既言與癇病易於混淆。則將何以別之。曰癇之為病。雖同有抽搐竄視項強反折。而無身強直反張如弓等證。有之。言不過為時甚暫也。千金曰病發身軟時醒者。謂之癇。其言身軟者。別於身強直反張如弓言之。其言時醒者。別於痙之不時醒。發作則有一往不返之勢。言之故曰不時醒者。謂之痙也

讀書小志

徐衡之

釐正按摩要術四卷。清寶應張振鋆著。此書除論按摩各法。於兒病證狀。分辨明顯。非其他幼科按摩書籍所能幾及。後附鬻嬰提要。痧喉正義各一卷。中國醫學大辭典未載。

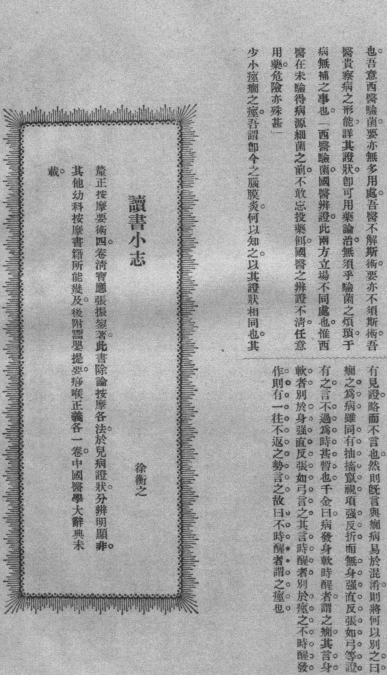

章太炎先生論醫筆記

徐衡之

論語。康子饋藥。拜而受之。曰丘未達。不敢嘗。劉寶楠論語正義。達。猶曉也。言不曉此藥治何病疾。恐飲之反有害也。按使藥不可飲。直當卻之。何以受爲。余謂達者鍼也。與春秋左氏傳在肓之上膏之下攻之不可。達之不能。之達義同。凡病恆有先鍼刺而後服藥者。仲景傷寒論太陽病。初服桂枝湯。反煩不解者。先刺風池風府。卻與桂枝湯則愈。是其證也。意者孔子適病中風。康子饋以桂枝湯。孔子以未施鍼。故不敢遽嘗。鍼後仍是可嘗。故受之不辭。

治病當精究生理學固也。然凡治療有效。而以生理學解之。輒不可通者有二事焉。跌仆之傷。手足皮膚瘀血外現。紫黑斑紋粲然可見。中土傷科治以攻瘀藥。如紅花桃仁大黃水蛭䗪蟲。其瘀血從大便而出。而傷處愈矣。試問手足瘀血。以何得從腸出。此生理學不可解者也。謂所下乃是脈中良血。則是誅伐無過。體當愈虛。而何以遂愈耶。又脇下有水氣。欬逆引痛。仲景名曰懸飲。西籍謂是漿液性肋膜炎。證須手術抽水。然仲景之十棗湯。三因方之控涎丹。服之痰涎從大便出。而脇下之水除矣。其水從何而下。亦生理學不可解者也。若謂十棗湯控涎丹所下者。非肋膜之水。但使水分減少。則肋膜之水被分泌於外者。自然吸收入內。說雖成理。然西說固謂肋膜炎之病因於菌毒。是雖吸收其水。而病菌毒素仍在體內。病何以遽愈哉。或者今之生理學尚未造極。其不能恃之解釋者。恐不僅如上述二者已也。

婦科學講義

沈芝九

沈先生累世婦科。淵源家學。積驗自多。復工文詞。故識解亦迥異時流。讀此章講義。亦可見先生蘊蓄之一斑矣。　衡之

導言

夫所謂女科者。不外調經種子。胎前產後而已。其他雜病。初無二致。吾國醫籍。素稱繁博。而女科則尤有汗牛充棟之感。就中除內難甲乙中藏金匱千金肘後聖惠外臺而外。如時賢產經。產生婦人良方。李師聖產論。楊氏產乳集驗方。稽中婦人方。產育寶慶集。體仁外編。廣嗣要略。女科正宗。女科心鏡。螽斯廣育。女科撮要。玉機微義。產寶新書。便產須知。女科家秘。等等。不勝舉。他若傅青主女科。爲家喻戶曉之書。張景岳八陣。乃時人喜用之藥。皆不佞所勿喜。而與徐衡之先生同調者也。武叔卿之濟陰綱目。綱舉目張。頗便稽閱。蕭賡六之女科經綸。但集各家議論。而不載方。可供參考。達生編奉生化一湯。爲天經地義。王孟英痛詆之。朱丹溪以炮姜一味。爲產後至寶。吾斯之未能言。總之。典籍繁富。雖皓首亦難窮讀。不若西醫之從大業畢業。以某藥治某病。千篇一律。萬方皆同。且無寒熱溫涼之別。吾謂中西醫學之高下。即在乎此。蓋吾中醫雖同是一病。涼藥可愈。熱藥未嘗不可愈。同是涼藥。有甘寒苦寒之分。同是熱藥。有燥熱甘溫之別。必須辨別微茫。是以攻之可。補之未嘗不通。惟欲於此等所在。得相當之判斷力。則務在多讀多看。蓋古人著書立說。雖極偏僻者。亦必自有一種見解。如廖宜亭之喜用飛禽走獸蛇蟲之類。雖似好奇。然彼

固認定草木無情。不如血肉之有情也。且能著書立說者。其文學必優。故其文過飾非之處。一時不易察也。若爲一家之言所蒙蔽。卽墮入魔道。而難出。是以讀書要記得。而尤貴在渾忘。何以言之。蓋書者法而已矣。猶匠氏之規矩準繩。規矩雖同。及其成器。則各運巧思。無復雷同。若泥法以從事。則膠柱鼓瑟矣。日昨胡適之博士。在讀書運動演講。謂「書是基礎。讀書就是承受遺產。所以多讀書。就是多見識。遇事可得決斷。」又謂「讀書三十五年。所得的經驗。覺得經史如雜貨店。絕少系統。」吾謂此論。無異爲吾醫家說法。醫書如舊貨攤。其中亦雜有寶物。苟不精別鑒。則碔瑕是寶矣。

女科方法萬殊。代有名言精論。而大致終不出四物湯一方。蓋四物湯有所謂表虛六合。表實六合。風濕六合。升麻六合。柴胡六合。大黃六合。人參六合。朴實六合。梔子六合。石膏六合。茯苓六合。附子六合。膠艾四物。四物大黃湯等。種種加減之法。驟觀之。直似女科之萬能全方矣。而試之診治。則殊不盡然。不佞事婦科有年。覺適用此方之時頗鮮。良以無論調經胎產。莫不有兼見之症。而一有兼症。則此方遂覺鑿枘難合。地黃之滋膩。當歸之烈。白芍之酸收。川芎之徹上徹下。皆屬不易駕馭之品。不佞則但以治雜病之法治之。故不佞謂能治雜病者。無不能事女科。女科之理。固無所謂專科也。顧亦宜知其規矩準繩。所謂規矩準繩。如調經以理氣爲先。暴崩宜溫。久崩宜清。胎前清涼。產後溫補等說而已。此種論調。實際上愼毋執而不化。仍須着眼於虛實寒熱四字。分清經臟。尋着源頭。自無不愈之理。蓋有病則病當之。經所謂有過無殞也。不過禁例。亦須留意。譬諸產後不宜過汗。而微汗之則不妨。常有氣滯而汗者。不可遽用黃芪等固表以止之。此理近代張聿青先生知之。謂氣滯爲液。液泄爲汗。理其氣而汗自止也。吾家所傳方法。恆以煨草菓仁炒知母以治往來寒熱。以一能制太陰獨勝之寒。一能勝陽明獨勝之熱也。小柴胡湯雖爲往來寒熱主方。而柴胡一物。動竭肝陰。亦須審愼耳。

中西醫比觀餘論

許半龍

半龍自印發中西醫比觀一書以來。面詢函問。日有數起。乃綜合答語。纂爲餘論。陳言未去。絕無當意。惟賢者敎之焉。

十九，十二，於上海嵩山路半龍醫藥書社

國醫(即中醫下同)與西醫。大同而小異。其學說之精到。每不謀而相合。其有國醫相傳之理。語也不詳。而西醫却委曲窮源。瞭如指掌。以其說考之則益明。有爲外國發明之事。詡爲新奇。而本國則習用已久。視爲故常者。又以本國之法理證之而益信。是故醫者之工作。在現代。不徒能爲人治病而已。必也用歷史的眼光。擴大國醫之範圍。用系統的思想。整理國醫之材料。用比較的研究。輔助國醫之發展。中西醫藥。兼收並蓄。不襲前人故智。不受偶像(非神非佛)迷信。本科學的訓練。爲客觀的研求。其有忠實於自己的思想而敢用自力去進展之諍友乎。半龍雖不敏。願執鞭以從焉。茲姑就懷疑國醫無學理者。略述如次。

(一)生理方面

(甲)心——在胸部中央。爲行血之總機關。與主要之血管相通。故素問曰。心主血。又曰。心爲血之海。又曰。諸血者皆屬於心。

(乙)肝——西醫向以肝臟爲消化機官、近時始知肝臟於分泌膽汁外。尙有種種複雜之化學作用。血液中、使糖分與養素化合之物質。實爲肝臟所分泌。靈樞本神篇。謂肝藏血。未始無理。國醫又言肝主怒。膽主決。西醫雖無此說。然人當憤怒驚懼之後。往往發黃疸病。則肝膽之關係於精神狀態者。固有確證也。

(丙)脾——國醫以脾臟爲消化機官。西醫則以爲脾與消化無關。而不明其作用。或則以脾爲全身最大之無管腺。在胃之左下方。卽素問云脾與胃以膜相連。近時西醫始知脾臟缺損。則脾臟之液變其成分。而不能消化蛋白質。

(丁)肺——肺臟與胸廓之伸縮。而爲吸氣之動作。空氣卽經氣管而入於肺。故素問云肺藏氣。又曰。肺者氣之本。又曰。諸氣皆屬於肺。又空氣每由鼻孔吸入。卽素問云。肺主鼻。又曰。其竅在鼻。

(戊)腎——官能及新說。詳見拙輯內科概要。

(己)經脈——靈樞經曰。經脈者。常不可見也。脉之見者皆血絡也。又曰。經脈爲裏。支而橫者爲絡。絡之別者爲孫。蓋動脈深藏於內。目不能見。靜脈之淺露者。最易分別。其謂經、絡、孫者。卽西醫之所謂動脈管、靜脈管、微血管也。

(庚)其他——靈樞經曰。泌糟粕。津液。化其精微。上注於肺脈。乃化而爲血。以奉生身。莫貴於此。是言食物化血。西醫則無此確論也——外國自發明內分泌以後。始知臟器生活之複雜。則本國醫藏而不瀉之義。證諸西說而無疑。

(二)病理方面

(一)氣——國醫所謂氣。不僅指吸氣之養氣。由肺入血。周行百脈。與炭化合。成炭酸氣而呼出。蓋周於一身。通乎表裏。靈妙而不可測。殆卽西醫之所謂神經。推此義以讀本國醫書。則凡所謂氣逆、氣滯、氣結。氣虛、諸症狀。肺氣、腎氣、肝氣、胃氣、諸名稱。理氣、補氣、順氣、散氣、諸方劑。皆可迎刃而解矣。蓋神經興奮則鎭靜之。沈衰、則刺激之。一切病狀與其療法。莫不與神經作用有關係。此稍習西醫者。無不知之。不過譯外籍者。謂之神經。意在指實質。而本國古來所謂之氣。意在示其作用而已。吾人平日於喜怒之表示。亦稱之曰喜氣。或怒氣。其他神經作用。以氣呼之者甚多。故稱人之精神狀態。謂之神氣。又本國初譯醫書時。亦稱神經曰腦氣筋。可知氣之本義。實含精神作用。不僅指空氣及其他氣體而已矣。——推之氣動則成風。風之云者。指神經之變態而言。(1)或神經過於興奮。致痙攣。或癲狂者。如肝風、驚風、瘋癲、(瘋古作風)等是也。(2)或神經過於沈滯。致痺麻或萎縮者。如中風、風濕、等是也。(3)或因神經之刺激。過於敏銳。致感痛覺者。如痛風、頭風、等是也。

(二)血——既知氣卽神經。則氣血並稱。殊有至理。蓋普通常見之病。由於血液循環。受局部之障礙而起者居多。腸胃病中之食傷、下痢。呼吸器病之欬嗽痰喘。及其他一切炎症熱症。皆由於此。然其障礙之所由生。則因其局部之血管或收縮。或擴張之故。動脈擴張則充血。動脈收縮。或靜脈擴張。則貧血。靜脈收縮則鬱血。病名不同。症狀斯異。而病理則不外乎此三項。惟血管之或擴張。或收縮。主於神經興奮則收縮。沈滯則擴張。神經之變調、影響於血液者甚捷。至其所以變調。或受外物之激刺。(如寒熱及器械藥物之類)或因內部之衝動。(如喜怒哀樂之類)原因於血液成分之改變。或含有毒素者亦多。

總之。神經之興奮與沈滯。影響於血液。而血液之清潔與否。亦影響神經。國醫所謂氣以行血。血以養氣。二語實包括外國病理學之大半部。其所謂血陰而氣陽者。陽爲能動性。陰爲所動性。陽動而陰靜。陽生而陰長。證以今日生物學之理。實爲顚撲不破之論。且國醫之所謂氣。就局部言。則指神經作用。就全體言。則指精神作用。如元氣、精氣、等之氣皆是。故氣者。無形之精神。血者。有形之物質。宇宙萬有。皆此精神與物質相合而成。故天地爲陰陽交合之局。人身即萬有中之一。亦精神與物質相附麗。國醫謂人身爲一小天地。實與今日哲學之理相當。

(三)藥理方面

國醫論藥有入氣入血之分。外國之藥劑分類法。雖有種種。如臟器分類法。臨牀分類法。皆非十分完全。研究藥物作用者。分之爲局處作用。及吸收作用。局處作用者。不必吸收入血。任何局處皆現其作用。如腐蝕藥之類。常用於外科而少內服。吸收作用者。於吸收入血之後。或於一定之臟器中。現其作用。此種作用。不外使神經中樞。或神經系中之某部。增進其機能。或消退之而已。此即可謂之(氣分藥)

又或吸收之後。於神經之特殊機能。毫無障礙、惟改變體液之成分。使組織中之新陳代謝機能增進。或減退。如强壯藥。變質藥、清涼藥、及解熱藥中之一部。即可謂之(血分藥)

或謂國醫藥理。固不如西醫之明晰。然數千年中。經無數醫家之實驗。其效用亦復明確。試取外國之藥物書細勘之。其所言性質。與國醫相符者。殆居十之四五。他如麻黃發汗。半夏止嘔。外國所未知。而其效則甚著。如此類者。亦復不少。又如阿膠生血。爲德醫所發明。而本國早用以治經產勞損。鐵質補血。爲外人之新說。而本國久用以療黃疸。古人研究之精深。殊令後人驚異。近時日本醫生。就漢藥中析其成分，加以精製。以爲新藥。我之國粹。乃爲他人利用。殊可惜也。

五行考上

章次公編

醫學源流講義之一

五行在古代僅是一種學說。與人體臟腑，并無何等關繫。近代治醫者。率多粗鄙少文。古今學術源流本末知者絕鮮。唐宗川登第成進士。且言天有五氣。地有五行。人受其氣。而有五臟。臟者藏也。藏天地之精氣者也等語。追論時下名醫識字不多者耶。今欲同學略知五行梗概。作五行考。此篇乃上古至先秦之五行說也。

史記歷書第四　蓋黃帝考宗星歷。建立五行。起消息。正閏餘。於是有天地神祇物類之官。是謂五官。

次公按　崔適史記探源。史記歷書乃妄人錄漢書律歷志所爲。然則五行起於黃帝之說。難爲信史矣。

尙書甘誓。有扈氏威侮五行。怠棄三正。

餘杭章先生檢論爭教篇。以爲禹伐有扈。乃以武力宣揚五行之教。其言曰。夫五行者。裁制於人。何威侮之有。黃帝起消息。則設五官。利器用。財隸于攷工。自禹之行九雒。始以聲味顏色。曁於人事。皆籠以五行。以是燿民而擅其威。故五行者。乃禹之亂教也。

新會梁先生。此文不知作何解。頗難臆斷。後世注家。多指五行爲金木水火土。三正爲建子建丑建寅。然子丑寅三建。分配夏商周。甘誓爲夏書。則時未至子丑二建。何得云三正。且金木水火土之五行。何得言威侮。又何從而威侮者。竊疑此文應作威侮五種應行之道。怠棄三種正義。其何者爲五。何者爲三。固無可攷。然與後世之五行說。絕不相蒙。蓋無疑也。見東方雜誌。

儀徵劉先生。五行者、古之宗教也。國粹學報四十四。古代醫學與宗教相雜。

尙書洪範。我聞在昔。鯀堙洪水。汨陳其五行。

次公按、　五行既爲禹創始宗之教。何以鯀反汨陳其五行。此條實不可解。若曲爲之說。蓋禹治洪水有功。故五行之教在禹可以成立。鯀治水無功。故箕子言陻鯀陻水。汨陳其五行也。

又。一五行。一曰水。二曰火。三曰木。四曰金。五曰土。水曰潤下。火曰炎上、木曰曲直。金曰從革。土爰稼穡。潤下作鹹。炎上作苦。曲直作酸。從革作辛。稼穡作甘。

梁先生曰。此不過將物質區分為五類。言其功用與性質耳。何嘗有絲毫哲學的或術數的意味。鯀堙洪水。汨陳其五行者。言堙水之故。致一切物質。不能供人用。若謂汨亂五行原理。則與堙水何關耶。

劉節曰。五行兼五味而言。與呂覽八紀。禮記月令。淮南子時則訓之說適合。月令孟春令曰。其味酸。盛德在木。春日草木萌發。故此云木曰曲直。曲直作酸。孟夏令曰。其味苦。盛德在火。夏日烈炎屬火。故此云火曰炎上。炎上作苦。月令云。中央土。其味甘。故此云土爰稼穡。稼穡作甘。孟秋令曰。其味辛。盛德在金。秋日肅殺。故此云金曰從革。從革作辛。孟冬令曰。其味鹹、盛德在水。冬日天氣上騰。地氣下降、故此云水曰潤下。潤下作鹹。八紀及時則訓之說。同呂氏春秋。引洪範篇名。惟此不言。可見五行之說。在戰國秦漢時頗流行。不能著一家說。而其說未必遠起於夏周也。見東方雜誌二十五卷二號

墨經　「經」五行毋常勝。說在宜。「說」五。合水土火。火離然。火鑠金。火多也。金靡炭。金多也。合之府水。木離木。若識麋與魚之數。無所利。

梁先生墨經校釋、經說本條有譌奪。未敢強校。勝者貴也。或以五行生剋說解之。非是。生剋說出鄒衍以後。墨子時無有。孫子虛實篇云。故五行無常勝。即引此經之文。古書除公孫龍子外。引墨經者絕少。因此亦可證孫子非孫武書也。

張子普墨經注。五行金勝木。木勝土。土勝水。水勝火、火勝金。此其常也。然亦。未。可。據。為。定。論。故曰五行毋常勝。

欒調甫曰。我以為古人的五行。講生克是原始最古的。不過這種學說中。還有兩個派別。應當分別言之。一是常勝派。這派自鄒衍的陰陽家。一直到現在的醫卜星相。幾乎無一家不講說的。這是盡人皆知。用不着細說。二是非常勝派、這派是反對常勝而產生。為五行進一步的學說。我雖不敢斷定這是墨子的創作、或是為墨子以前所已有的。但我知道墨子是發明五行變化者、五行有變化。就是生克不常、要講明生克不常。還須取證本章的經與說。經文的宜字。當作多。照王引之俞樾校書的法子。可說宜乃多字之譌。古文宜與多字形近。又因下章有宜字。故校者改多為宜。又轉而為宜・經說下。火鑠金。火多也。金靡炭。金多也。二多字是其證。這多字就是墨子或非常勝派破常勝派學說最要的理由。因

為常勝派說五行的相生相勝。是一定不變的。他們拿五行來統萬物。無論如何變動不居的東西。他們總是用這個常生常勝的定理來統轄。他這種錮蔽人心。跼蹐物理的學說。實在是我這幾千年知識上的妖魔。但古人如墨子。及非常勝的人。却很能打破這種荒謬的學理。另創出一種新學說。他們的意思。是說五行相遇。固然不免相勝。但他相勝。却不是一定不移的。而且他們的相勝。因這種種機遇。且能生出變化來。譬如常勝派所說的五行相勝。是說火勝金的。但火能鑠金。必非一星之火。反過來說。金也可以勝火。這是金與火之間。有一種當值之量。金過此量。金能勝火。火過此量。火能勝金。金火二者。更迭相勝。只是能過此量者為勝。不能過者不勝。過者其物必多。不過者其物必少。這是五行相勝因於多方勝少方的緣故。並不是一定不變的常勝。

荀子非十二子篇。　案往造舊說。謂之五行。甚僻違而無類。幽隱而無說。閉約而無解。案飾其辭而祇敬之曰。此眞先君子之言也。子思倡之。孟軻和之。

楊倞注。五行。五常仁義禮智信也。

餘杭章先生。五行之義。儁矣。雖子思始倡之。亦無損。荀卿何訊焉。

尋子思作中庸。其發端曰。天命之謂性。注曰。木神則仁。金神則義。火神則禮。水神則智。土神則信。孝經說略同。此是子思之遺說也。

沈約曰。表記取子思子。今尋表記云。今父之親子也。親賢而下無能。母之親子也。賢則親之。無能則憐之。母親而不尊。父尊而不親。水之於民也。親而不尊。火尊而不親。土之於民也。親而不尊。天尊而不親。命之於民也。親而不尊。鬼尊而不親」此以水火土比父母於子。猶董生以五行比臣子事君父。古者洪範九疇。傳人事。義未彰著。子思始善傅會。旁有燕齊怪迂之士。侈摭其說。以為神奇。耀世誣人。自子思始。宜者荀卿以為譏也。

左傳昭二十五年傳。吉也聞諸先大夫子產曰。天地之經。而民實則之。……用其五行。氣為五味。發為五色。章為五聲。

梁先生曰。此與後世所謂洪範五行者。甚相類。此文如可信。則是孔子之先輩子產時。已有此說矣。然左傳眞偽。在學界久成問題。籍曰非全偽。然其作者。最早應為戰國時人。且最少有一部分為漢人竄亂。此殆無可諱者。謂子產有是言。吾以當時所有學說旁證之。不能置信也。

左傳昭三十一年。火勝金。故弗克。

管子　伏犧因夫婦。正五行。始定人道。

次公按。　此條五行與五常同。

史記論鄒衍。稱引天地剖判以來。五德轉移。治各有宜。而符應若茲。

胡適之曰。這是陰陽家的學說。大蓋當時的歷史進化的觀念已很通行。但當時科學根據。還不充足。故把歷史的進化。看作了一種終始循環的變遷。。鄒衍一派。又附會五行之說。以爲五行相生相勝。演出五德轉移的學說。

次公曰。讀者尋予以上所集。則五行之說。大致起源夏禹。但未有生尅之說。直至春秋末季。始露端倪。至戰國而大顯。至鄒衍出。遂大放厥辭。成立一種學說。儒家道家。靡不受其影響。故鄒衍者。誠學術界之罪人也。

周禮論疾醫。禮記月令管子幼官篇。含有五行臭味之處頗多。以其末及五行字樣。故不備述。讀者宜參閱焉。

讀書小志

徐衡之

魏玉璜一貫煎治脇痛。。——肋骨神經痛。——此方中醫大辭典未列入。藥爲沙參、麥冬、生地、歸身、枸杞、川楝子、口苦燥加酒連。

柴胡

章次公

原植物　繖形科。柴胡屬宿根草。

性味　苦平。

主治　本經主心腹。去腸胃中結氣。飲食積聚。寒熱邪氣。推陳致新。別錄除傷寒心下煩熱。諸痰熱結實。胸中邪逆。五臟間遊氣。大腸停積水脹。及濕痺拘攣。元素除虛勞。散肌熱。去早晨潮熱。寒熱往來。瘅瘧。婦人產前產後諸熱。心下痞。胸脅痛等。時珍治陽氣下陷。平肝胆三焦包絡相火。及頭痛眩暈。目昏赤痛障翳。耳聾鳴。諸瘧。及肥氣寒熱。女人熱入血室。經。水。不。調。小兒痘疹餘熱。五疳羸熱。藥徵主治胸脅苦滿也。旁治寒熱往來。腹中痛。脅下痞鞕。

近世應用　寒熱往來　婦科　痘疹　解肌

入藥部分　根　稍

方劑名稱　北柴胡、軟柴胡、春柴胡、柴胡稍、

用量　小量八分　中量錢半　大量三四錢

炮製　清炙　醋炒　鱉血炒

驗方　曹拙巢先生。治跌打損傷。用柴胡草烏毛薑紅花各四錢。煎洗神效。丁譯醫界鐵椎自序。柴胡配梹榔常山草菓治瘧神效。與西醫金雞納霜同。

古籍記載　是以心腹腸胃之間。無結不解。無陳不新。仲景著小柴胡湯之效曰。上焦得通。津液得下。胃氣因和。身濈然汗出而解。以是知柴胡證。皆由於上焦不通。上焦不通則氣阻。氣阻則飲停。能通上焦者。其惟柴胡乎。故寒熱往來。為小柴胡主證。而寒熱往來、悉本於上焦不通。特仍有不往來寒熱。不嘔。用柴胡湯者。亦終有上焦形象。為

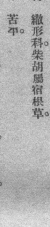

據。如心下滿。脅下滿。胸脅滿。脅下鞕滿。心下支結。胸脅滿微結。心下急。鬱鬱微煩是也。乃仍有非上焦不通。而用柴胡湯。如陽脈濇。陰脈弦。腹中結痛之用小柴胡。少陰病四逆。或欬或悸。或小便不利、或腹中不痛。或洩利下重之用四逆散。則又當揣其義者。節鄒澍本經疏證。

劉曜曦曰。柴胡之藥學成分。今日尚無一定。此藥可用之於痛風。及熱性諸病。據近藤氏之研究。則謂此柴胡確有解熱及泄下等作用（藤氏只就解熱一項研究之）節國民醫學雜誌

宗人太炎先生嘗謂編者曰。本經論大黃有曰推陳致新。柴胡亦然。夫大黃之盪滌腸胃。排除宿垢。其爲推陳致新。固顯然易解。柴胡亦具之者。則或爲今人所不知。嘗考仲景之用柴胡。證多胸脅苦滿。少陽症亦以小柴胡湯疏解之。少陽、蓋手少陽三焦也。胸脅則爲人身上中二焦。以近日生理學對勘之。所謂上中二焦。卽是淋巴管胸管之一支。夫淋巴幹左曰胸管。由下而上。右曰右淋巴管。由上而下。故所謂胸管。卽是上中二焦無疑。內經言上焦如霧。中焦如漚。下焦如瀆。又曰三焦者決瀆之官。水道出焉。生理學論淋巴系統之功用。與內經之論三焦不謀而合。總之、三焦是淋巴腺。似屬可信。凡人病發熱。血液未有不熱者。其熱高張。則淋巴分其熱勢。淋巴壅熱。水液失流行之常。此胸脅苦滿之所由起。亦口苦咽乾之所由成。蓋水液壅於胸脅。則有不能布於口咽也。以柴胡治少陽病。卽是疏導淋巴。使淋巴不致淤塞停留而已。傷寒論服柴胡湯。有曰上焦得通。津液得下。胃氣因和。故濈然汗出愈。此正柴胡疏導淋巴之力。非柴胡眞能發汗也。

編者按　宋元以後。本品之記載蓋至夥。總合之可得根本觀念凡三。（一）「以時令定其功用」自陰陽五行之說盛行以來。論藥者動以藥物產生時令而附會其功用。柴胡生長春初。春初爲少陽司令。遂附會柴胡得春初少陽之氣以生。自有此語橫梗於中。致生許多曲解。夫柴胡既生長於春。春氣發揚。故謂柴胡性升而散。肝旺於春。故謂柴胡入肝。肝主鬱。鬱則生火。內經曾以木鬱達之火鬱發之爲言。柴胡既能入肝。性又善升而散。以之疏肝散鬱。升陽散火。是舊學理勢所必然者矣。又柴胡爲近世婦科要藥。蓋女子善鬱。「鬱爲肝氣不能條達而成。」柴胡入肝解鬱。既成定例。故柴胡爲婦人情志要

藥。因柴胡入肝之說。遂又附會柴胡能引清陽之氣從左上升。蓋內經謂肝生於左也。按之近日生理學。肝臟實偏胸膈之右方。然則柴胡能引清陽之氣從左上升一語。不攻自破矣。(二)「以柴胡爲升提藥」余嘗根本否認藥物之作用。有升降浮沈之說。蓋藥物所起之生理變化。皆屬於化學現象。其變化不過對細胞分子間之結合。上呈其作用。而無所謂升降浮沈也。彼以柴胡爲升提藥之理由。無非因柴胡生長春初。得少陽之氣。氣味俱薄。因斷定具升散之性。於是張元素謂其氣味俱輕。升也陽也。東垣謂引陽氣而行陽道。又謂能引胃氣上行。不求眞理。徒尙空想。此金元四家所以爲藥學罪人也。夫既認定柴胡具升散之性。後世從內經清氣在下。則生飧泄。悟及柴胡具升清之能。故柴胡有時遂爲大便泄瀉之副藥。甚至謂止瀉劑中。不用柴胡升提。病必不除。東垣補中益氣湯之用柴胡。實屬駁雜。張石頑勉爲之說曰「迺引肝胆清陽氣上行。便升達參芪之力耳。」近世補劑中每以柴胡爲使。職此之由。痘疹瘡瘍亦用柴胡。此亦根據其升散之理。謂其發散諸經血結氣滯。夫柴胡之發散諸經血結氣滯。則於柴胡功用之眞像。誠相去不遠。若因柴胡散諸經血結氣滯。遂推論具升提之用。則於義無當矣。(三)「以柴胡入少陽經」自張仲景以柴胡爲少陽篇寒熱往來之主方。後人遂以柴胡爲少陽藥。遂倡麻黃入太陽經。葛根入陽明經。柴胡入少陽經之說。夫藥物僅可言其能治何種疾病。而不可言其能入某臟某腑也。「入」如作假定字用。原無不可。奈後人頭腦顢頇者。以詞害義。視「入」當作實有其事解。故支離穿鑿之理論。因之發生。故近人張錫純氏。有瘧邪伏於脅下兩板油中。乃是少陽經之大都會。柴胡能「入」其中。升提瘧邪。透膈上出之語。張氏在近日著作界中。負有聲譽。猶作此僞生理僞藥理之語。其他更無論矣。既認定柴胡爲少陽藥。遂生「病在太陽。早用柴胡。將引賊入門」之邪說。夫病爲藥所誤。必致傳變。傷寒論中。原有其例。夫柴胡仲景以之治胸脅苦滿。而往來寒熱者。病在太陽。無柴胡證。謂無用柴胡之必要則可。若太陽病而早用柴胡。遂變而爲少陽病。就吾經驗所得。殊不爾也。

結論

或曰。金元以後論柴胡之功效。既不足置信。則柴胡之主治。究何如耶。曰。編者根據千金用柴胡方六十五翼方三十五、外臺秘要五十四。本事方十一。用攷證方法。研究其功用、再益之以個人經驗。所得結論。其用有三。一祛瘀。二解熱。三泄下。

柴胡有祛瘀之效。何以言之。在昔仲景用小柴胡湯。治熱入血室。與桃核承氣湯相對待、桃核承氣之治熱入血室。以祛瘀爲鵠的。則小柴胡湯之治熱入血室。非祛瘀而何。小柴胡湯之藥品。非柴胡能祛瘀而何。不特此也。千金方治癥瘕之方用柴胡、治月經不通之方用柴胡。夫能治癥瘕。能治月經不通。又非祛瘀而何哉。此藥不但疏導淋巴。水液壅滯。并能疏導血液瀦凝。故本經謂其具推陳致新之效。自今世束本經於高閣。而柴胡祛瘀之功。亦湮沒不彰矣。

逍遙散近世婦科之套方也。方中柴胡甚重要。以爲柴胡疏肝解鬱。夫曰肝鬱。其原因多起於情志不舒、其症狀至多。多兼神經性。如肝氣痛（即胃神經痛）。氣鬱血滯之經閉。（即月經困難）等、然柴胡於神經系無功效可言。所以可用柴胡者。緣肝氣痛胃中或者瀦停水毒。柴胡能疏導淋巴。故治之。氣鬱血滯之經閉。柴胡能疏導血液。故治之。時醫用逍遙散。而不知柴胡之用。蓋

爲宋元以後、玄言空論。痼蔽久矣。

柴胡有退熱作用。何以言之。昔張元素謂柴胡散肌熱。後世以柴葛解肌。仲景以柴胡治寒熱往來。近代以柴胡治瘧。是柴胡之具有退熱作用。知之者衆。至柴胡之退熱藥理。吾嘗用推論之法。研究之。考西醫籍論退熱劑、條件有二。一放散體溫。二減低體溫。金鷄納治瘧即屬第二種。若以柴胡之治瘧言之。則柴胡之退熱。當是減低體溫。此爲編者想像之詞。或者大致不謬耳。

沈存中謂柴胡能去骨熱。張元素謂柴胡去虛癆。他如羅謙甫之黃芪鱉甲散。秦艽鱉甲散。直指方之秦艽扶羸湯。均用柴胡治骨蒸癆熱。攷骨蒸癆熱。即西醫所謂肺癆病。其說由於肺結核菌產生之毒素。輸入血中。刺激體溫中樞而生者也。夫骨蒸癆熱。既因結核菌爲祟。則欲退骨蒸之癆熱、勢非撲滅結核菌不可。柴胡僅能減低體溫。何以能退骨蒸癆熱。意者柴胡有疏導血液瘀凝之效。則血液中蘊藏之結核菌毒素。以能疏導而排泄之歟、故用柴胡退骨蒸癆熱。必配苦參青蒿等。殺菌清血熱之品。始有效也。

至於柴胡之泄下作用。吾非根據近藤氏之研究而始

知之也。蓋太炎先生亦嘗論及此矣。先生之鄉人。有病經閉者。有老醫傳一方。令單煎柴胡半斤。分數次服。病人以一服二服不泄下。遂并其賸餘者頓服之。乃瀉血幾殆。幸參湯得免。吾自聞先生之說。欲試諸實驗。會或會來一病人名吳敦仁者。患腎囊水腫。下肢亦腫。日服逐水之劑。如硝黃等。漸次退減。吾乃暫停上藥。令服柴胡二兩。凡二日。服之亦瀉。但不如硝黃所瀉之多而已。徐衡之先生。治濕溫症。遇在表症未罷而大便閉者。恆用柴胡。蓋認定柴胡為通徹表裏之妙藥也。吾於濕溫症將愈未愈之頃。身熱纏綿不退。大便燥結。亦用柴胡。人以為吾用柴胡退熱。不知吾用柴胡為瀉藥也。小兒傷食停滯。入夜發熱。吾亦用柴胡。人以為用柴胡退熱。不知吾用柴胡所以消導也。

讀者準吾以上所說柴胡之作用。不外三端。則近代謂柴胡能激動肝陽。非陰虛之人所宜服。柴胡性升竄散。非江南之人所宜服。種種邪說。不啻如痴人說夢矣。

備・註

小柴胡湯用柴胡八兩、古之一兩。準今三錢許。當得二兩四錢。古方日三服。則每服得量八錢。今人用柴胡多不過二錢。日二服。每服得量錢許。以今例古。毋乃太輕。

本篇歡迎批駁　章次公附註

讀書小志

徐衡之

楊堯章字芝樵。清咸豐長沙人。著溫疫論辨義四卷。此書據吳又可溫疫論而辨明是非疑是。故名辨義。中醫大辭典未載。

科學化整理脈學芻議

章巨膺

▲說明血行與脈搏之生理　▲闢分配藏府於寸口之說
▲說明診脈於寸口之理由　▲採用脈波計定脈形標準
▲詮解何脈應何證之理由

總說

國醫治病爲效至良。而說理則非是。陰陽五行之說。盡人皆知不合科學。而脈理之說。亦復空中樓閣。不着邊際。古人本以望問聞切爲診病之四大法門。而切脈居末。其不專重在脈可知也。仲景傷寒論亦先言證。次言脈。詳言證。略言脈。乃國醫之陳腐朽庸者。每診一病。舍望問聞弗由。着手寸口。合目搖頭。屏氣勿聲。病家咨詢。竟若罔聞。裝腔做勢。無非矜奇炫能。一若三指所到。萬病盡已瞭然。江湖伎倆。獨擅勝場。顧其所診得之脈。書之方案。又復模糊影響。尤可異者。一病人之脈。數醫診之。各異其名。甲曰滑。乙曰動。丙曰弦緊。丁曰弦滑。必不能不謀而合。釐然劃一。此則脈學不合科學。遂無標準。有以使之然也。

原脈之初起。諒必先知其人之病證如何。而後診得其脈象如何。驗之於人人皆同然。後得其確證。載之冊籍。訓何種脈爲何種病。日本湯本求眞論脈引中神琴溪之言。可以左證余說非謬。其言曰。

譬如已知經閉之病。藉知經閉之脈。已知懷胎之人。藉知懷胎之脈。無論何病。可以由證以知脈。又由變異之脈。考其病之歷證。與脈互相發明。留心習慣之。終必達於以脈知病之域。豈讓扁倉專美於前哉。

前賢徐靈胎曰。

病之名有萬。而脈之象不過數十種。且一病而數十種之脈。無不可見。何能診脈而即知其爲何病。此皆推測偶中。以此欺人也。

右論誠至理名言。可見恃經驗診脈以知病。皆妄也。即以經閉與懷孕而言。瀕湖訣脈言經閉滑脈。脈調而滑爲懷胎。仲景言婦人手少陰脈動甚者。妊子也。同一滑脈而證候不同。且滑與動。相差毫釐。而證則懸殊千里。設事先不知證狀如何。驟以無標準的指端觸覺。下以斷語。若不能幸中。遂貽笑柄。且懷胎之脉。竟有四五月不見動滑之象者。或兼有他證。亦不見動滑脈者。數遇不鮮。故專恃脈以診斷者。直自欺欺人耳。

向之學者。研究脈學。惟王叔和之脈經。李瀕湖之脈訣。李書有詩以狀脈形。爲訣以言主病。費詞盈尺。而空虛浮泛。不合實用。學者終日埋首於此。不啻蛋中尋骨。緣木求魚。譬如浮脈。浮在表層。不用重按卽得。只此二語。盡人可喻矣。而瀕湖脈訣博考諸籍。以叙其狀。

浮脈舉之有餘。按之不足。(脈經)

如微風吹鳥背上毛。厭厭聶聶。如循榆莢。(素問)

如水漂木(崔氏)

如捻葱葉(黎氏)

浮脈法天。有輕清在上之象。在卦爲乾。在時爲秋。在人爲肺。又謂之毛。太過則中堅旁虛。如循雞羽。病在外也。不及則氣來毛微。病在中也。

讀以上許多形容詞。令人頭昏腦脹。復綴以詩曰。

浮脈惟從肉上行。如循榆莢似毛輕。三秋得令知無恙。久病逢之卻可驚。

浮脈爲陽表病居。遲風數熱緊寒拘。浮而有力多風熱。無力而浮是血虛。

寸浮頭痛眩生風。或有風痰緊在胸。關上土衰兼木旺。尺中溲便不流通。

論一浮字。而用如許文字。卻無一語着邊際。學者縱能讀得滾瓜爛熟。究竟有何益處。明得理否。何以浮脈爲陽病在表。何故浮遲爲風。浮數爲熱。浮緊爲寒。何故寸浮主頭痛。或主風痰聚在胸。關上見浮脈。何故主土衰木旺。尺中見浮脈。何故主溲便不流通。凡此諸緊要問題。皆不見片言隻字論及。遂以浮脈法天。有輕清在上之象。在卦爲乾。種種虛无漂渺之說爲理解。無怪爲人詬病。

雖然古人所言者。按之實驗。卻信而有徵。浮爲陽。主表病。久病見浮脈者危。事實確是如此。惜乎但言其然。不能言其所以然。想以限於時代學力。不足爲古人病也。設王叔和李瀕湖輩生於今日。必有新穎之貢獻。決不醉生夢死於豆豉豆卷中。效市醫之所爲也。

惟是吾儕生於今日。若熟視脉訣脉經爲脉學。甘心落伍。委實可恥。當發奮以求進取。續前人之經驗。用科學方法。說明其所以然之故。不佞不自量。欲爲此工作。顧題目太大。而學力淺短。未敢輕易下筆。爰先言其大綱如左。

說明血行與脈搏之生理

今而後。研究脉學。當屏除王李之書。另闢新途徑。脉何故搏動。搏動何故有差別。盡人皆知脈動本乎血行。血行本乎心動。故論脈當先說明血行之循環。心藏之動作。瓣膜之作用。動脈之系統。進而研究脈學。然後言下有物。指下無疑。

血液周流於全身。無時或已。無處不到。其運行本乎心動。其來源出自心藏。復歸於心藏。謂之血行循環。循環有大小之別。

心藏爲中空肌質。其中有縱膜。隔爲左右二腔。各腔又有瓣膜。隔爲上下二腔。左腔瓣膜曰三尖瓣。右腔瓣膜曰二尖瓣。右上腔曰右心房。下曰右心室。左上腔曰左心房。下曰左心室。大動脈肺動脈口有半月瓣。開口向動脈。

心藏本體自動。有收縮性與開張性。因其收縮。心房內壓力勝於心室。則三尖瓣二尖瓣之尖端分開。血液卽自心房擠入於心室。瓣膜卽復其原位。將心房閉鎖。使血液不得逆流還入於心房。次則心室血液既充盈後。室內壓力勝於大動脈及肺動脈。則半月瓣開放。血卽流入於大動及脈肺動中。半月瓣卽復其原位。將動脈口閉鎖。防止血液逆流入心。心藏開張。則中空而受肺靜脈中之血輸入。斯時肺靜脈口之脈瓣膜閉鎖。所以使血不逆流於肺也。其開張與收縮。停勻有序。繼續不息。

大動脈幹發自左心室。分支上行者。緣頸項分布於頭部。有頸項動脈。頸動脈外側又各分支由兩肩而達於兩腕。其下行者。由脊骨至臂。分二支以達於兩脚、各分支漸分漸細、至於毛細管分布於全身。從以上各節。乃知心房之弛張、激血運行。血壓增進。遂成脈搏之波動。此波動在大動脈中最強。達動脈末梢。離心藏漸遠。漸次減弱。至頭項兩旁左右兩腕左右兩脚等處動脈。皆有顯著之搏動。乃知以上各處。皆可診脈。不僅左右兩腕地位也。至於脈動之遲數。關係血液流行之快慢。脈搏之軟硬。關係心藏弛張之強弱。脈波之頓挫。關係心藏瓣膜之啓閉。皆可從此數節得其梗概。由此途徑而研究脈理。庶合科學方法。脈書汗牛充棟。脈訣車載斗量。視爲糟粕不足惜也。

說明診脈於寸口之理由

內經診脈之所。或爲三部九候。或爲人迎氣口。甚至遍及周身。傷寒有寸口脈趺陽脈各診。迄今歷世相傳。宗難經獨持寸口。夫人體全身脈之跳動。其遲速起落。皆本乎心之動。何以診脈獨取寸口。當有正當之理由在也。李士材言。脈總會之處在寸口。夫寸口左右手六部皆肺之經脈也。何以各處之脈皆在此。肺爲華蓋。居於至高。而諸藏府皆處其下。各經之氣無不上薰於肺。故曰肺朝百脈。而寸口爲脈之大會也。

信如所言。寸口左右手六部皆肺之經脈。用爲候全身之所。何以又分藏腑於寸口。以肺支配於右寸。是其解說非特不合科學。抑且矛盾。李瀕湖以寸口脉爲各藏氣所到之處。故診脉獨取寸口。此亦抽象之言。不足爲訓也。從前節之說。頸項兩腕等處。皆有動脉顯著之搏動。則按切兩腕。取其便捷耳。無神祕作用也。

闢分配藏府於寸口之說

診脉取寸口一段動脉。不過爲便於按切。别無神祕的意義。脉搏於此寸許地位。却有些微差異。故各分爲寸關尺三部。此亦無神祕作用也。而以臟府分配於寸關尺。則神祕而虛玄。不足爲訓矣。

素問脉要精微論曰。

尺內兩旁則季脇也。尺內以候腎。尺裏以候腹中。中附上。左外以候肝。內以候膈。右外以候胃。內以候脾。上附上。右外以候肺。內以候胸中。左外以候心。內以候膻中。前以候前。後以候後。上竟上者胸喉中事也。下竟下者。少腹腰股膝脛足中事也。

經文所言如此。其大要在前以候前。後以候後。上竟上者候上。下竟下者候下。所謂候。是懸測其象。其言雖不合科學。徵之於事實。尚有可驗。乃後人根據此段。變本加厲。鑿空妄談。支配臟府於兩手寸許地位。曰某藏如何。某府如何。儼若藏府居於兩手地位。可捫而得。自欺欺人。幾何不令人齒冷。而分配法自王叔和而降。又復各異其說。試列舉之。

王叔和之分配

左寸(心小腸) 左關(肝膽) 左尺(腎膀胱)

右寸(肺大腸) 右關(脾胃) 右尺(命門三焦)

李瀕湖之分配法

左寸(心膻中) 左關(肝膽) 左尺(腎膀胱小腸)

右寸(肺胸中) 右關(胃脾) 右尺(腎大腸)

張景岳之分配法

左寸(心膻中) 左關(肝膽) 左尺(腎膀胱大腸)

右寸(肺膻中) 右關(脾胃) 右尺(腎小腸)

李士材之分配法

左寸(心胞絡) 左關(肝膽) 左尺(腎膀胱)

右寸(肺胸中) 右關(胃脾) 右尺(腎大腸)

右各家之說。皆持之有故。言之成理。取舍抉擇。莫知所遵。乃陳修園作調和之論。尤屬可笑。其言曰。

大小二腸。經無明訓。其實尺裏以候腹。腹中者大小腸與膀胱。俱在其中。王叔和以大小二腸。分配於兩寸。取心肺與二腸相表裏之義也。李瀕湖以小腸配於左尺。大配腸於右尺。上下分屬之義也。張景岳以大腸宜配於左尺。取金水相從之義。小腸宜配於右尺。取火歸火位之義也。俱皆近理。

我國醫學不欲求進步則已。苟不甘自棄。謂四千年國粹絕學。當保存而改進者。不當沈溺於此類學說之下。刈榛莽。啓坦途。當闢除此類謬說。至內經之說。尺內兩旁則季脇也……內以候膻中一段。不足信。上竟上者以下數句可從。患肺癰者脈寸口弦數。婦人姙子。少陰脈動甚。所謂上以候上。下以候下。信而有徵。倘能有科學的理解，則鐵案如山。莫之能易矣。

採用脈波計定脈形標準

西法診斷。不重視脈。偶亦持脈。所注意者。不過至數調節性狀三種。至數者。候脈動之幾何至數。調節者。候脈搏之勻整與否。性狀者。候脈象之强弱如何。相當於國醫所言者。不過遲緩數疾濇促結代軟硬細弱數種。顧其所言雖粗。而其測脈波之方法甚精。以器械描爲曲線。名爲脈波計法。最普通者。有 Marey 氏脈波計及 Jaquet氏脈波計兩種。

Marey氏脈波計較簡單。便於敘述。其法手臂平放。以該器械置於寸口。有槓桿一根。甲端切按於脈動處。乙端尖細貼緊於塗有烟煤紙片旁。藉發條之力。桿槓甲端因脈動而動。乙端亦動着於煙煤紙上。煙煤脫落處。遂成曲線之形。是謂脈波形。

此脈波計法在臨床診斷不適用。然習脈學而有此。免却模糊影響。毫無標準之苦。使採用此法。各種脈象得畫爲圖表。腹從圖表而學脈搏之象。從目視之形。介紹於指端觸覺。研習既久。自能於臨床俄頃之間。手到知形。勝如舉之有餘按之不足如水漂木如捻葱葉之

說萬萬也。

國醫脈書。不患不詳盡。而患無標準。往往一狀而衆醫異名。或殊形而混爲同候。使能不謀而合。斠然劃一者。竟不可得。以前脈書既空浮無標準。負笈從師。師口不可得而言。筆不可得而述。惟在以意傳之。學者亦以意會之。更無標準。長此以往。終不能競存於科學時代。借他山之助。採用脈波計。畫爲圖表。以定標準。不亦可乎。

詮解何脈應何證之理由

脈訣已言浮遲爲風虛。浮數爲風熱。浮緊爲風寒。浮緩爲風濕。假定承認爲眞確不錯的。但言其然。不言其所以然。不足爲訓。若欲以科學方法整理之。必須逐款言其理由。何以浮脈主表病。浮數爲風熱。有理則著爲定案。無理則存疑。或竟刪廢。顧此非專書不能盡。更非本文篇幅所能容。當約舉其例。譬如言浮脈。當言何故浮。浮脈生理上如何應象。然後再言浮脈何故主何病。茲按節述如次。

觀生理之形能。脈之所以浮沈。其理由可得而言者有五。脈卽血管。載血之管也●血管壁有神經。能使血管擴張收縮。神經興奮則血管擴張。反是則收縮。擴張則脈浮。收縮則脈沈。試觀憤怒及酒醉者脈浮。畏葸頹唐者脈沈。此其一。動植萬物。春生夏長。傾向於積極方面。秋收冬藏。傾向於消極方面。人類生理。亦不外此方式。積極者神經興奮。消極者神經收縮。故春夏脈多浮。秋冬脈多沈。此其二。人體凡

百構造。比例必相稱。譬如身軀偉大者。頭大手大足亦大。從可知其藏腑之構造亦大。復可知其血管亦大。血管大者脈浮。反是則脈沈。男子之脈恆較女子爲浮。亦同此理。此其三。肌膚瘦削。皮層組織薄。血管顯露在外。則脈浮。反是血管裹孕在內。則沈脈。故瘦瘠者脈浮。肥胖者脈沈。此其四。脈管所以載血。血液充旺者。血管湛滿。則脈浮。反是則脈沈。故壯健血液富充者脈浮。羸弱貧血者脈沈。此其五。綜言此五者。神經興奮。生長時令。體質粗大。皮層質薄。血液充旺。皆見浮脈。根據此五個原理而研究浮脈所主之病。可以迎刃而解。

吾師惲鐵樵先生著脈學發微言。

病在軀殼。則脈之搏動。其地位恆近於皮層。病若在藏府。則脈之搏動地位。恆近乎附骨。此惟體溫起反射則如此。其不關體溫反射者則否。近乎皮層者浮脈也。證之病證。太陽病之已發熱者。其脈浮。所以然之故。太陽爲軀體最外層。太陽感寒。體溫起反射動作而集表。故發熱。如此則浮脈應之。故病之在軀壳者其浮脈。

究竟發熱屬表證者。何故脈浮，仍未明瞭。根據本節所言第一個原理。可以不繁言而解。蓋熱則神經興奮。血管擴張。故脈浮。續貂之言。與惲師所論。原理不二致也。故病在表。則脈浮。其理由如此。

久病或勞損者。形神萎頓。虛而不足。其脈應沈。若脈反浮。則精氣外越。燈火將盡。餘燄反熾。是臨命光景。故脈訣言久病逢之却可驚句。是事實。其理由在是。

何夢瑤曰，「春夏氣升而脈浮。秋冬氣降而脈沈。」根據第二個原理。可以解釋此二語。連帶而可悟脈浮主風之理。內經春爲風。夏爲火。長夏爲濕。秋爲燥。冬爲寒。故春病風熱。風濕者脈浮。脈訣浮數爲風熱。浮緊爲風寒，是事實。亦有理由可得而言。

無力而浮是血虛。有可商處。根據第五個原理。血液充旺者。血管湛滿。則脈浮，則浮脈非血虛之診也。假令是血虛。其脈應沈。與無力而浮是血虛句。立於反對地位。經驗所得。此二說者。並不矛盾。其理由可得言。脈沈血虛。血虛由漸。浮而無力。血虛失血由暴，脈經有芤脈者。是失血之脈。按之浮大而軟。與浮而無力。意義重出。然則失血血亦虛矣。何以脈不沈。曰。在未失血之前。其人血管本來擴大。本來脈浮。及失血之後。脈管未收縮。故按之浮而無力。浮是脈管素大之故。無力是失血心弱之故。

從浮而無力句知是失血之診，則浮而有力多風熱句非是。浮而無力是病脈，有力當是血旺之診。不足爲病。若謂浮而有力多風熱，何以解於浮數爲風熱，句是故此句當删。

右所論者。皆係空談。末節所舉之例。又極平庸。不佞不藏拙。草述此篇。欲以引起同志討論。倘蒙海內外宏達。正其謬誤。匡其未逮。敬謹拜嘉。

鼻淵

王潤民著

諸君請了。在下今天所以做這篇「鼻淵」的原因。是因爲世上患這種病的人很多。而這朦裏朦懂的社會。因見病者往往終年鼻流黃膿。淵淵不已。氣味腥臭。以爲是從腦中流出的。就替牠定一名稱。叫做腦漏。自從這種荒謬不通而且足以嚇得死人的名稱普及於社會之後。於是一般患此病者。因受精神上的打擊。心中抑鬱。有如宣布死刑。終至一事不能做。成爲廢人而後已。在下因動了一點惻隱之心。所以將此病之原因治法及我自身的經驗一一述出。看看我們的腦袋是不是會漏的。現在閒話少講。言歸正傳。

卻說在下在二十一歲時。因環境的關係。常常悲傷惱怒。那時我的右鼻孔內（左鼻孔在那時毫無現象。不過後來也漸漸的有些流膿起來。同右鼻孔一樣了。）忽然流出黃色而且腥臭的膿來。每日之間，所流甚多。人家都說是腦漏。於是送丁福保大醫生診治。無効。又用松花粉吸入鼻內。也無效果。最後看見某驗方書內說紫菜煮食極效。但是我吃了約一個月。其結果也終於使我失望。以致十餘年來。時發時止。直至去年九月還沒有全愈。每逢到發作得利害的時候。所流出來的膿。似乎還有些血絲在內。鼻根亦隱隱作痛。我總以爲這病是與我偕老的了。誰知時來運到。在十月間偶然讀到一部什麼皇漢醫學。是日醫湯本求眞做的。中間有這麼一段。現在讓我錄在下面。

叢桂亭醫事小言曰。腦漏者非鼻病也。是作膿於頭腦中。由鼻漏下。此人頭痛隱隱。淚膿交出、若鼻淵亦與是病同因。然患鼻淵之人。有他病時可愈。鼻淵與腦漏證同而輕重異。病由風寒者爲多。酒客患者多輕證。僅有惡臭無膿氣也。感冒時則發。風邪去則其證退矣。勞心之人、受其障大也。方用葛根湯。五物解毒湯等。加辛夷有效。

（湯本求眞評）此說雖駁雜。然上顎竇蓄膿證。用葛根湯、卓見也。原氏云加辛夷。然余以爲加桔梗石膏。或加桔梗薏苡仁爲優。

我起初因爲醫事小言說什麽「是作膿於頭腦中……」的話。認爲荒誕無稽。不肯相信。纔因湯本先生說「上顎竇蓄膿症用葛根湯。卓見也」於是我抱着一試之心。處方如下。（葛根三錢。桂枝二錢。麻黃四分。赤芍三錢。桔梗三錢。薏苡仁三錢。甘草一錢。牛生姜三片。大棗四個。）此方共用四劑。果然出我意料之外。十年痼疾。一旦霍然。直至現在。無論怎樣吹風受寒或精神激動。從未一發。好了好了。

中醫論此病。大概離不了「風熱」或「風寒」的話。我現在就把人人曉得的湯頭之歌中的蒼耳散。拿來說一說。這蒼耳散是現在的時醫公認爲治鼻淵的唯一的方子。所用的藥品。是蒼耳子炒二錢五分。薄荷辛夷各五錢。白芷一兩。末服。論起這方的效果。據老於行醫的說。鼻淵初起是狠有效的。若是年深月久、那就靠不住了。現在姑且不論。單看牠的註解好了。本方下註解兩行。說是

凡頭面之疾。皆由清陽不升。濁陰逆上所致。濁氣上爍于腦。則鼻流濁涕爲淵。數藥升陽通竅。除濕散風。故治之也。

其中所說的清陽呀。濁陰呀。濁氣爍腦呀。風呀濕呀的一派玄虛想像的話。簡直是與醫事小言同一鼻孔出氣。同一不可靠。

中醫的說法是如此。反過來看西醫的說法是怎麽樣呢。現在也讓我來引證一段西醫的說話。以便與前頭中醫的說法對照對照。以下爲社會醫報上姚孟濤君著的「腦漏淺說」。

社會上有一種疾病。他底發生非常緩慢。他底原因比較複雜。於是一般神秘的醫者。就給他起了一個渾名。叫做腦漏。患這種病的人。也以這種病是神秘的。無可治的。不怨醫生無能。反怨自己命蹇。以致坐失時機。不可救藥。這是多麽可憐。可是多麽可笑的事情呢。

我們做醫生的。治病在次。防病在先。欲達防病之目的。必須要將那種疑難雜症的來踪去跡。根據科學的方式。公開地獻出來。使得未病的有所戒備。已病的可以獲治。不致呼籲無門。束手待斃。這纔是我們研究醫學的本旨。

要說明這種病的情形。首先要將這些神秘的名詞。根本删除。

腦漏這兩個字照字義看來。已覺不通。學理上更加不用講了。腦爲何等貴重的臟器。爲何等精巧的組織。他那有這樣的大方。可以隨隨漏漏。所以實在沒有解釋的餘地。現在根據解剖學的理由來證明他命名的誤謬。

古醫說五官七竅。似乎一個頭顱。祇有七竅。其實照我們說來，何止這些。應該有十四竅。不過有明七竅暗七竅之分。明七竅大家都知道耳目口鼻。但是附近於耳目口鼻的地方尚有幾個竇隙。因爲表面上看不出。所以就不能知道。於是憑空杜撰。造出這種無意識自誤誤人的名字。這豈不是荒唐嗎，

現在將這暗七竅的解剖地位與致病的關係。再說一說。

在兩眼窠的上部。卽前額部。有兩個小竇。我們叫做前額竇 Sinus frontalis。在兩眼窩內側一帶。各有一簇小孔。形如蜂窠。故名蜂窠竇 Sinus elhmoidalis。在此竇稍後方中央也有一竇。叫蝴蜂竇 Sinus Sphenordalie 又在上顎骨的兩傍。有兩個大竇。叫做上顎竇 Sinus moxillaris。這幾個竇都是由骨壁造成。中空。有菲薄的粘膜覆着。而且各竇均有一個小門同鼻腔交通。

鼻腔是司臭覺及呼吸的器官。他的職務在生理上是占了重要的地位。各竇既與鼻腔交通。就是間接的與外界交通。若鼻腔一日發生病變。各竇均有致病的可能性。我現在可以下個斷語。腦漏是不成立的。腦決不可以漏的。腦漏了起碼要預備後事。那裏還容你緩緩地去找醫生呢。原來腦漏就是暗七竅的病。醫學上定名爲副鼻腔病。

副鼻腔病之發生　大都由於鼻感冒而起。此外各種傳染病。如麻疹，白喉。猩紅熱，等病後。亦可發生。鼻腔受着感染。鼻內粘膜就起紅腫。傷風時先要打噴嚏和鼻塞。就是這個緣故。以後各病勢減退沒有問題。若是增進或持續。那末就發生頭痛。這時候前額竇或上顎竇內的粘膜多少點有被傳染而腫脹了。若不卽加適當治療。病勢就進行。粘膜分泌液體或分泌膿汁。這種液汁。一時不能暢快排出。就留瀦在竇內。待炎症稍退時。慢慢的從小孔流到鼻腔排洩於外。此時滴滴點點，形同乳汁。帶有臭味。所謂腦漏。就此成立。

副鼻腔病之種類　視其被侵犯之地位而不同。有上顎竇炎，及蓄膿。前額竇炎及蓄膿，其他類推。又有因蛀牙的傳染而使上顎竇蓄膿者。特稱曰齒性上顎竇蓄膿症。這種臨床上也常見。

副鼻腔之症狀及經過　可分急慢性兩種。急性的症候雖稍劇烈。但是他的經過到狠短促。因爲僅僅粘膜發炎而已。若用

適當治療。不致蓄膿。且就能治愈。慢性症狀。痛苦較少。但因蓄有膿汁。狠能遷延歲月。日常僅有少量膿汁排出。頭痛腦脹精神萎頓。對於看書習字。非常厭倦。試用手指壓蓄膿的竇上。有壓痛。如前額竇蓄膿時。有合併上眼窠、神經痛。蝴蝶竇蓄膿時。後頭部作痛。試用X光檢查。凡蓄膿之竇。均現黑暈。

副鼻腔之療法　如為急性型者。最好用光線療法。已蓄膿或粘膜肥厚時。則須行手術排除之。若僅用藥石。則見効甚少。

以上所述。不過一種類乎此者。恐怕正多。惜我學識淺陋。所見不廣。不能一一臚舉出來。加以解說。實為抱恨。但願同道博學之士。將類乎這種疑難雜症。而附有類此的渾名時。提出來加以釋明。不知要為一般社會減去多少痛苦。多少魔障。實在造福不淺呢。

明白極了。我們看了此文。可以知道鼻淵就是前額竇或上顎竇等的蓄膿症。而不是什麼從腦中漏出來的了。大概可以放心了吧。不過我說至此。卻還有一點感想。就是西醫對此症。說理雖精。而治法重在手術。倘不能說是盡善。其治療成績。恐亦未必十分可靠。倒不如老老實實用中法葛根湯。有藥到病除之妙呢。這就叫做西醫識病而無藥用。(此處當然專指此症)中醫有靈方而不識病。各有缺憾。如能研究西醫的學理。而運用中醫此種靈方。那纔真是盡善盡美呢。

再此方。又經上海國醫學院丁成萱、張德正二同學試用。皆有效。惟方中之麻黃四分。分量頗輕。如在鼻淵的初期。(急性時)不妨多加數分用之。(七八分乃至一錢)又麻黃桂枝二味。我想用薄荷、蒼耳、連翹等藥代之。或亦有效。但主藥葛根。絕對不可代以他藥。

又同學某君告余。鼻淵一症。用玉蜀黍鬚風乾後。裝在水烟筒上。代烟吸之亦效。此法余未之試。但因其無害。姑存之以待患者之試用。

(完)

此篇前曾發表於醫界春秋。但不完全。加以排印時顛倒錯亂。至於不可認識。實為缺憾。故特重行發表於此。俾讀者得窺全豹。且不負著者「傳布良方救人疾苦」之微意焉

十九年十二月十日

學生成績

臨診一得凡十六篇

四年級生

臨診一得十六篇本院第三班學生之試卷也。諸生肄業於本院既二年。其由中國醫學院轉學者。則先從次公一年。從予半年。由上海中醫專校經中國醫學院轉學者。亦先從予一年。從次公半年。次公與予。皆宗師仲景。力排蘇派淡泊之方。又皆喜以科學說醫。不言五行運氣。諸生從遊稍久。亦能脫略時醫積習。壁壘一新。世皆謂中醫學當整理。顧實行者何人哉。本院所敎學。雖不足以言整理。要非承譌襲謬。昏焉不知自反者。觀此十六篇。可見其崖略焉。諸生實習臨診。就紅卐字會醫院。次公爲之指導。予信次公之學力。不信其荒率落拓。懼諸生怠忽。思一檢校之。憶庚午歲。予初膺醫校講席。學者耳目乍新。嘆爲得未曾有。同儕諸君。慮其過信。乃謂陸某能空言。不能治病，以警惕學者。一時陸某不能治病之聲。喧騰海上。予雖不敢自辯。然使學者從予稍久。亦漸以不能治病。則予之罪大矣。去冬年假時。諸生實習既半年。乃令各錄治療經過若干則。限期交閱。命曰臨診一得。欲以補次公之荒率。勉諸生用力實際。勿務空言也。交卷畢。觀其治療實效。或且駕乎時下名醫之上。豈特勝予而已。予是以知次公指導。未嘗不力。而諸教授循循善誘。其功皆不可沒也。於是爲之評注。以實院刊。諸卷皆從原作。不加增損。間或點竄一二字。則潤色其文。非更易其醫方也。議論識見。推王利貞卷爲首。以其舉案不多。且文不雅馴。故退居第六。全班凡二十一人。內一人以喪服假歸。四人逾限未交卷。故得十六篇。二十年一月。陸淵雷記。

其一

沈濟蒼

臨診以來。瞬經半載。自問才疏學淺。未能觸類旁通。故無心得之可言。既負師長訓導之誠。又背家庭屬望之殷。清夜自思。良用愧恧。惟學問之進步與否。非久後之回溯。無明顯之察覺。今日果自知懞懂。若能因之發奮搜求。安知非將來成功之階。茲就實習簿所載。而知其結局者。不論是否的當。擇錄於下。謹求哲政。亦聊以塞責云耳。

（一）風水

十一月十四日。往紅卍字會臨診。有孫姓孩。年約十餘歲。患周身浮腫。就祖裳同學處求診。診後不敢決。乃徵求各同學意見。共同研究。咸主越婢加朮附湯。生適診畢。亦趨視之。各同學請爲診斷。見該孩周身浮腫。表熱甚壯。惡寒。無汗。越婢證云續自汗出無大熱知非其對然若脚弱者越脾猶爲可用淵雷附注二便。如常。苔薄。白。脉浮。緊。生乃曰。無口渴。煩躁。證。不必。用。石膏。無心。臟。衰。弱。證。不必。用。附子。家法森嚴淵雷附主則麻黃加朮湯。倘稱對證之方。盍用之乎。時章指導實習指導員章次公也至。聞言頷首報可。乃爲處方如下。

周身浮腫。表熱甚壯。惡寒無汗。二便如常。苔薄白。脉浮緊。此名風水。擬麻黃加朮湯。

淨麻黃（錢半） 光杏仁（五錢） 粉草（一錢） 川桂枝（二錢）

生白朮（四錢） 麻黃意在逐水故錢半不爲多惟白朮改蒼朮爲是淵雷附註

十五日覆診。病大減。復爲處方如下。

藥後得汗。身腫漸退。寒熱亦減。仍宗前意增損。

帶葉蘇梗（二錢） 川桂枝（錢半） 木防已（二錢）

帶皮苓（四錢） 光杏仁（三錢） 廣陳皮（二錢）

生白朮（三錢） 大腹皮（二錢） 粉甘草（八分）

生姜（二片）

十六日三診。病情向愈。處方如下。以後未來覆診。

胃納大增。熱退腫消。惟面部腫退較緩。更當扶助陽氣。使達頭面。

前方既有效力。毋庸改絃易轍。

潞黨參（二錢） 帶皮苓（五錢） 川椒目（卅粒）

川桂枝（錢半） 帶葉蘇梗（錢半） 車前子（二錢）

生白朮（三錢） 廣皮（錢半） 福澤瀉（三錢）

炙草（八分） 生姜（二片）

（二）痘

十一月十四日。晚餐後。同學胡劍華來云。舍間僕婦。有一女。發熱咽痛。予清解劑二服。更甚。請往診斷。生問其病情。尚有胸悶。難受。之證。麻疹猩紅熱等共有之證金鑑度與淵雷附注乃曰。恐將。出。痧。痘。矣。至則病孩身面固已推出痘點。惟點。疏。色。淡。微熱。不。寒。咽喉梗痛。而胎脈尚佳。因思痘症宜溫托。若此咽痛屬虛火。用藥可並行不悖。麻痘猩紅熱等常併發咽喉炎此是副證棄置亦得淵雷今脉證參考。則無虛火現象。當防疫喉與痘症並發。只有兩顧附注之法。辛涼與溫中同用。以觀動靜。自知以藥試病。有充分學理不妨自我作古淵雷附注但亦別無良法。處方如下。

痘疹。。以透達。。爲佳。。用藥。。宜辛。。溫。。補。。托。。惟咽喉腫痛。當防其糜爛。棘手亦在此處。熱微汗少。胸悶難受。苔薄脉緩。姑擬辛溫透達。佐以涼解。當否請政。

紫背浮萍(二錢)　象　貝(三錢)　肉桂心(五分)飯丸吞
牛蒡子(三錢)後下　光　杏(三錢)　橘紅絡(八分)各
薄荷葉(八分)　雲　苓(三錢)　佩蘭梗(二錢)
苦桔梗(錢半)　生　草(八分)

十五日往診。藥後痘點。增多。色轉紅。活。咽痛覺亦稍愈。乃武斷咽痛屬於虛火。但未見虛火之證。至今不解。所以當爲處方如下。囑服二劑。

藥後痘點透達漸多。色轉紅活。胸悶隨之而減。佳兆也。咽痛爲虛火。當引之下行。處方仍宗前意。增用溫托補陰。得灌漿充足。便是順症。

炙黃芪(二錢)　炮干薑(八分)　象　貝(三錢)
肉桂心(四分)飯丸吞　佩蘭梗(二錢)　雲　苓(三錢)
乾地黃(三錢)　清炙草(八分)

十七日。據胡君報告。痘點透達。胸悶咽痛盡除。僅抛漿不足耳。閱前方。專事補托。而少流通疏達之品。宋人所謂活潑潑地固不必執成方也淵雷附注乃照原方加味。處方如下。囑服三四劑。

痘點透齊。胸悶咽痛盡除。用藥已經應手。可保無虞。漿足尚望蒸乾落屑。欲成大功。舍溫補無由。當云溫托淵雷附注

炙黃芪(三錢)　乾地黃(三錢)　蘇佩梗(錢半)各
潞黨參(二錢)冲　炮干姜(八分)　炒荊芥(錢半)
肉桂心(四分)　雲　苓(三錢)　炙　艸(八分)

服此方。日得胡君報告。一劑漿足。二劑蒸乾。三劑漸漸落屑。三劑後雖未服藥。然不數日已屑盡起床矣。且聞落屑後毫無斑痕。可見世人之患痘疹後往往瘢面者。恐皆爲庸醫恣用涼藥所造成。外人皆稱予喜用溫藥予豈喜用溫藥哉特時醫喜用寒涼耳淵雷附注得免夭折。已屬萬幸。司命者可不慎哉。又生用此法。全從莊在田遂生篇得來。即治痘疹。亦屬破題兒第一遭。結果之佳。實出意外。益信古人之不我欺也。莊氏書推兒科正宗自錢仲陽創小兒純陽之說千年沿訛微莊氏誰與正之淵雷附注

(三)食滯

十一月二十一日。門房之母。因前夜雀戰後。海上雀風之盛乃及於門房太太爲之一嘆淵雷附注食冷糕糰二枚。不能消化。遂致停滯。胃中疼痛拒按。泛噁不食。大便祕結。生見其有上冲之勢。擬用吐法。而不敢妄用。且腹診後度其食滯。並不在食管。此言誤矣食滯未有在食管中者吐法亦治胃非治食管也梔子豉湯治食管病乃非吐法淵雷附注而確在胃中。乃爲處化滯消積之方如下。

傷食停滯胃中。胃失消化之機。胸脘作痛。拒按。嘔吐清水。積滯後未曾納穀。大便祕結。舌苔厚膩。脈象沉弦帶濇。照理可以吐下。惟高年體弱。慎重爲宜。用備急丸亦復猛峻（但量少耳淵雷附注）

蒼白朮（各二錢）　青陳皮（各錢半）　萊菔子（三錢）
製川朴（一錢）　仙半夏（二錢）　焦查炭（三錢）
眞建麯（三錢）　炙鷄金（三錢）　備急丸（三分）吞

門房因節省費用起見。持單至紅卍字會配藥。服後不吐不下。毫無動靜。翌日依然如故。門房來問故。生亦爲之愕然。試再爲診察。則覺痛處較昨下移。乃曰。此因藥力不足。並非處方不中。囑將原方持往藥舖出資購配。服後病當立除。（若非平時留意臨事見不及此淵雷附注）彼果遵言而行。一劑而便下雜物。所患頓失。可見藥之道地與否。關於醫家名譽至重。（由是觀之。諸生實習時藥量甚重。未致僨事者。亦因卍會給藥。藥力較薄故也。讀此當凜然矜愼矣淵雷附注）所以古人有入山採藥之風。然在今日豈易言哉。

以上數節。較有端倪。故錄之。其餘臨診時錄出者固多。然皆不知結果。想其中誤診者、亦必不少。惟無法爲之證明。先生其勿笑生之專於揭長沒短是幸。

有十分學力而用其七分。故能緩不傷鈍。急不傷峻。初學治病。不當如是耶。從此心隨經驗以俱細。膽値經驗以俱大。無患不成良醫。若效時醫心法。名愈高而藥愈淡。則非我徒也。

此生從遊最久。受予大論要略之課最深。然漢時虜瘡始入中國。仲景固不言治法。衡之所授兒科。亦以牛痘簡效通行。於天花不甚措意。然予常語諸生。當自動讀書。不當專恃講堂功課爲已足。嘗見沈生鈔錄課外諸效方。裒然成帙。果能用莊氏法愈天花。殆記所謂離經辨志者歟。往年生交遊中或有惡少言動隨而傖荒。予嘗切戒之。邇來頗恂恂儒雅。蓋學行俱進矣。

淵雷

其二

趙錫庠

焉姙婦。面色不華。來就診。指近其臍。冷如握冰。脈亦微細不揚。詢以怯寒否。曰。然。並呈前方。方爲桃仁芍藥川芎丹皮炮薑等攻瘀之藥。方末有大黃䗪蟲丸一兩。另吞九字。（一兩頓服即不虞其峻腹亦飽矣淵雷附注）蓋該婦少腹有痞塊。月經初則凌亂。繼乃閉止不行。醫者見痞攻痞。而不顧其全身症狀之何若。亦不知攻法之有等第差別。一味蠻猛耳。（肌膚不甲錯但面色不華何得與大黃䗪蟲丸淵雷附注）乃謂之曰。痞固當攻。然症見虛寒。溫之爲急。攻痞爲緩耳。予以桂枝二錢。炮薑三錢（前方只八分）全歸三錢。桃仁二錢。紅花八分。川芎一錢。杭芍二錢。艾絨二錢。囑服一貼。二日復診云怯寒已止惟痞仍如故診其脉亦稍有神仍以原方將歸桃各加重一錢予之三日來診色欣欣然曰昨日下血頗多痞亦隨去予曰主病已去此後祇調理耳方爲炮薑二錢桃仁二錢、全歸四錢川芎八分艾絨三錢仿生化湯法也囑服二劑當重調養後並未來蓋已愈矣

按前醫以大黃䗪蟲丸峻品攻痞而痞不去予只用尋常溫通之劑乃得捷效以藥力之輕重推功效此事豈非出乎理之外耶曰不然以實深切乎理也此理維何曰虛實寒熱也怯寒脉微虛寒症也大黃䗪蟲丸治痞見熱症之法也以攻下投於寒症其爲不合明矣不合故令不愈非大黃䗪蟲丸投於寒症即無攻痞之力乃寒症者之自然療能不欲大黃䗪蟲丸生效以防其全身之生理工作於是而起救濟之抵抗投而痞不去是病者之自然療能尚健幸也若自然療能不足以救濟則痞將自去而體溫脉搏將愈見不可收拾其不崩漏不止以致虛脫者鮮矣（此理昔賢未有能道者而我黨之小子道之淵雷附注）虛寒之痞以溫經活血法治之宜也藥合雖輕亦靈此予之所以效也是故醫者當于症情上敲分毫以求藥症適合而不可迷信藥力之雄大視常法如敝屣也偉矣哉虛實寒熱之學說也然不可爲西醫道也大論之法大熱症而裏實者當攻之寒症兼表者當溫之是熱症以攻爲急寒症之溫爲急推以痞症亦何莫不然事後尋思如此爰筆于末（聞一以知二淵雷附注）

倪涵初有瘧疾三方陳修園收而輯之驗方新編亦收入三方中尤以第一方爲最效愚常用之茲錄奏效最捷之一例於下

第24號張左住局門路十月三日二診（此案錄之實習存根簿初診該簿未錄亦不能追憶矣）先寒後熱每日下午必發一次瘧也舌苔白膩且厚不思飲食胸中窒悶此中焦有濕濁也當化之

厚朴（錢半） 姜半夏（三錢） 神曲（三錢）
蒼朮（三錢） 雲茯苓（四錢） 焦山查（三錢）
陳皮（三錢） 細青皮（二錢） 威靈仙（二錢）

再診來云當日寒熱未來原方加佩蘭三錢

按此方非任何瘧疾、皆可治也以愚之經驗當以本案見證爲準蓋此方乃二陳平胃合方而加味也

第一案惡寒膚冷蓋因痞塊初成自然療能集中裏部以救濟又須抵抗丸藥誤攻故令體溫不得達表在舊說則爲瘀氣阻遏經隧陽氣不得外伸初非亡陽之比故不用附子而奏效此理作者似未見到爲補出之第二案倪氏原方更有柴胡黃芩檳榔生姜等味而無神麴山查若胸脅苦悶者柴胡在所必用本案云胸中悶窒蓋其悶當胸脘不在兩脅也

又按。作者思想精銳。文詞鬯達。平日問難。頗有起予之感。特性疏懶而體多病。此篇蓋不甚經意之作。優伶所謂不肯賣力歟。一笑。淵雷

其三

女生沈本琰

暑假之後。同學實習於紅卍字會醫院。指導師章次公先生。命吾儕自動處方。若無大刺謬。輒不予糾繩。吾儕女生羞怯之性。未能免俗。當病人之前。亦不敢多所請益。且嘗謂之。病人服藥。心理作用足以增損藥效。若稟命而後處方。將何以立信用。起病人之心理乎。於是內懷忐忑。外作安詳。切脈審證。叙案處方。儼然與大名醫無二。讀之解頤然大名醫之技未必高出汝輩汝輩尙肯虛心大名醫則岸然自足所異在此耳淵雷附註 自知未學。操刀而宰割。當然流弊百出。不意一二病人。竟有服藥得愈。感謝不忘者。不知是其病自愈而貪天之功乎。抑眞藥力愈之乎。若云心得。則吾豈敢。且篋中故方。多首尾不全。難以憶補。檢出完具者二則。錄其原方案。惟先生誨政是幸。

其一

張右　年約二十餘歲　十月十四日

發熱。惡寒。無汗。皮中煩熱。頭痛。項强。骨節疼痛。四肢隨重無力。心胸窒悶。脈浮數。而舌潤。是表證兼濕者。宜葛根湯加苓朮。舊守家法不作浮詞脫盡時醫科臼淵雷附注

葛根（三錢）　麻黃（一錢）　桂枝（錢半）
赤芍（錢半）　茯苓（三錢）　茅朮（三錢）
杏仁（三錢）　甘草（八分）

十六日復診

雖得小汗。而發熱惡寒如故。皮中煩熱依然。且頭項强痛。全身痠疼。四肢無力。胸口窒塞等。均未稍減。大名醫復診方案必先之以病勢輕減等語而殿之以防變防其昏厥等語因嘆作者天眞未鑿淵雷附注 想必汗出不徹所致。雖舌紅脈數。證則仍在太陽。當再汗之。有見識故能堅定自與始終豆豉豆卷者不同淵雷附注

麻　黃（錢半）　桂　枝（三錢）　赤　芍（三錢）
葛　根（四錢）　雲　苓（三錢）　茅　朮（三錢）
杏　仁（三錢）　製香附（三錢）　薏苡仁（四錢）
甘　草（八分）　生　姜（三片）

十八日三診

表證已解大半。故皮中煩熱已除。惟項强胸悶。全身酸痛未痊。易麻桂爲苓連者蓋因表證已解其人胸悶苓連主心下痞故也淵雷附注

葛　根(四錢)　川　連(五分)　黃　芩(錢半)
雲　苓(三錢)　白　朮(三錢)　杏　仁(三錢)
穭豆衣(三錢)　製香附(三錢)　苡　仁(四錢)
桂　枝(錢半)　穭豆衣次公先生所謂蘇派醫之無聊藥也方中羼此一味乃似佛頭著糞惜哉淵雷附注

翌日。其姑攜與俱來。云所天患黴毒。傳染後。髮落幾禿。向以憚於自白。未告也。今病勢已愈泰半。若終諱之。設有後患。則噬臍無及矣。幸細爲診治。婦姑同感無涯。生甚愧不識其有梅毒。然因此。悟一事焉。梅毒。有。病。原。體。西醫。證。明。成。爲。鐵。案。而古。人。但。謂。之。濕。生亦見此人始終兼濕。故方中始終用苓朮。今乃知梅毒之見證固屬濕也。如桶脫底淵雷附注　於是復加詳詢。爲疏方如左。

十九日四診

向染濕毒。繼病太陽。投葛根湯。已汗出表解。今裏證轉急。心胸煩窒不可言。經行一日即止。腹脹腰酸。髮脫神疲。當下瘀消毒。桂枝茯苓丸加味主之。

桂　枝(二錢)　雲　苓(三錢)　丹　皮(三錢)
赤白芍(各三錢)　桃杏仁(各三錢)　歸　尾(三錢)
製香附(錢半)　炒烏藥(錢半)　鬱　金(錢半)
白　朮(三錢)　生石膏(四錢)　梅毒有熱者當清熱用石膏亦是然質重之藥一錢何濟於事殆鈔寫筆誤耶淵雷附注
令服二劑

廿一日五診

服藥二劑。經水復行甚暢。髮亦不復脫。此佳兆也。前方中背不必更張。但兼治胸悶即得。

桂　枝(二錢)　雲　苓(三錢)　桃杏仁(各三錢)
丹　皮(三錢)　赤白芍(各三錢)　製香附(三錢)
淡黃芩(錢半)　川　連(三分)　白　朮(三錢)
鬱　金(錢半)

令仍服二劑。越日不復來。後一月餘。此婦伴送一媪求診。自云幸賴先生妙手。賤恙已告肅清。視其面。則白淅肥腯。容光煥發。兩目尤流盼有神。言時笑靨常開。喜溢眉字。視前之語言斷續。面目黧黑。氣急鼻扇。方中屢用杏仁殆以此故淵雷附注　愁鎖春山者。判若兩人。生於是大有小兒得餅之樂矣。其實得意淵雷附注　初其姑告梅毒時。以形瘦面黑。擬用大黃䗪蟲丸。轉思表證雖解。餘熱未盡。不可專事攻下。欲用少量桂枝。加入行瘀藥中。忽憶暑假前金匱考試。嘗擬作桂枝茯苓丸條講義。得其用法甚詳。聽講不如自讀道爾頓制所以可取也淵雷附注　適與此證相對。他方無勝之者。遂毅然與之。然不意其二服經通。四服病除。停藥一月而健碩。取效若此之神也。因知仲景佳方。後學者霑丐無窮。

其二

又一婦人面黃微腫。手一紙書云。產後喜嚼乾茶葉。日夜不停。小兒已於產後三月夭殤。今面目浮腫。四肢墮重。最可慮者。晝夜嚼茶不停。爲量極多。不知是否濕病。請細察爲治。其書狂怪。學板橋。大類章先生。乍讀之。疑先生以此相試。問之。先生則殊不爾。乃診察而詢之。知此紙係乃夫所書。又知嗜茶爲歷次妊娠之習慣。每孕則食飲不能下。咽亦不知飢。日惟嚼茶。至產後自止。今則產逾數月。嗜茶如故。飲食不下如故。加之浮腫。始惶遽求醫云。乃問章先生曰。據生愚見。其夫謂爲濕者不誤。惟產後浮腫。其脉證又甚虛。此病殆虛濕。參朮者乎。章先生頷首示可。生又問曰。如此則用藥難矣。利其濕則虛虛。補其虛則助濕。若欲虛濕兼治。淺學實無從措手。章先生爲之莞爾。立書方案云。（原方失去）大略如下。產後嗜茶成癖。小兒已於產後三月夭殤。今母體浮腫。血虛挾濕。晝夜嚼茶無間。而目黃色。飲食不稍進。日惟茶葉自賴。當參耆補虛。朮附燥濕。書已。擲筆竟去。生既驚章先生舉重若輕之量。又懼副藥不能得當。沈思有頃。以其人吸呼不舒。時有嘔噁。身體隋重而瘥惡寒。心悸。念茯苓既治心悸。又云利濕。杏仁既舒呼吸。又主浮腫。薏苡仁既治身疼。又療濕痺。半夏既能鎮嘔。亦主濕痰。泛應萬病者。絲絲入扣。以視大名醫持數首套方。相去幾何。（淵雷附注）得此四味。方既成。而證亦對矣。遂書方於案後。時十一月四日也。

太子參（三錢）　生黃耆（三錢）　白朮（三錢）

生附子（三錢）　雲苓（三錢）　杏仁（三錢）

姜夏（三錢）　薏仁（四錢）　炙草（錢半）

仲景方用人參治心下痞鞕者。易以黨參。反致脹滿。用太子參乃效。仲景多用人參。予亦以此。多用太子參。朋輩至戲呼爲陸太子。本案依通例。當用黨參。今亦用太子參者。篤守予法故也。（淵雷附注）

翌日復診。其夫與俱。云服藥得效。特來瞻仰先生。爲何許人也。先生一弱女子。乃非長袍方褂之大名醫。（淵雷戲注）生爲之微赧。細詢藥後情形。並知本有微利一證。昨未說出。因爲書方如下。

十一月五日復診

嗜茶之癖稍已。夜間已不須嚼茶。且覺茶味帶苦。此向愈之象也。惟頭項稍覺強痛。而微下利。當於前方中稍加桂葛。俾下注之津液轉而上輸。則下利止而項強除矣。（隨手拈來。却是本院家園貨。淵雷附注）

太子參（三錢）　生黃耆（四錢）　生白朮（三錢）

生附子（三錢）　川桂枝（一錢）　煨葛根（二錢）

雲茯苓（三錢）　姜半夏（三錢）　薏苡仁（四錢）

炙甘草（一錢）

十一月六日三診

茶癮大減。夜間絕不需此。晝日亦所嚼無幾。惟面目浮腫未減。下利雖止。而項仍微強。此液少故也。仍宗前法。濕去虧復。則腫痛自去。

於前方中加小朴（一錢）。令服二劑。

十一月八日四診

服藥四五劑。茶癮悉除。惟面目四肢浮腫不減。舌淡紅。脈細緩。虛證仍在。朮附殊未可已。

潞黨參（三錢）　生黃耆（四錢）　生白朮（三錢）
熟附子（三錢）　川桂枝（二錢）　煨葛根（錢半）
全當歸（二錢）　山萸肉（錢半）　雲茯苓（三錢）
生熟苡仁各（四錢）　炙　草（一錢）　金匱腎氣丸（三錢）吞

慢性病用熟附為是亦可用原附片前數方用生附非也若非急病亡陽則不須生附淵雷附注

令仍服二劑

十一月十日五診

胡柴浮腫已去大半。面黃亦轉紅活。宜仍守前方。　於前中去桂葛。加腎氣丸至五錢。

又另書腎氣丸一紙。囑令常服。至腫退黃去。為度。夫婦笑謝。相掖而去。後不再來。蓋已愈矣。

此生年最稚。而從予最久。故書案但記證候。用藥多使經方。其偏執與予無異。惟師法之外。未能旁蒐博取以自廣耳。先是文筆艱澀。每苦辭不達意。近年指示其讀書作文之法。進步甚銳。此篇經予點竄數字。遂明順可誦。列之當代醫林。宜不多讓。

淵雷

其四

謝誦穆

數月來臨診實習。時獲以所學證諸實驗。顧穆以愚陋。終鮮所得。承夫子明問。愧無以對。偶檢敗篋。則方紙纍纍焉。因擇其倖中者若干首。及失治者一則。錄之。求正。

大吉里陳氏子。病脚氣。可兩月。來診時。脚腫漸消。而脹犯胸腹。面及腎囊俱腫。聲啞。氣急。審為衝心之候。為處方如下。「生附子（五錢）乾姜（三錢）黃芪白朮（各四錢）桂枝（三錢）赤苓（六錢）吳茱萸木瓜防己檳榔（各三錢）」一（方中桂枝為衝逆非為表散恐滋讀者疑故注出淵雷附注）服後。胸。腹脹減。氣急平。而腎囊增大。易方為「熟附塊（五錢）乾姜（三錢）（二錢）細辛（五分）桂枝（二錢）赤苓（六錢）猪苓（四錢）白朮（四錢）木瓜（三錢）木香（一錢）金匱腎氣丸（八錢分二次吞）」一翌日腹脹消失。陰囊亦僅微腫。云藥後得溺甚暢。卽以原方再令服。則腎囊縮小全復故。（附子鷄鳴散是脚氣效方本案第一方卽其加味故奏捷效然生附子用五錢予歷記生平亦不過一兩次茱萸檳榔用三錢亦似太多雖獲效不可為訓又脚氣有兩種予別有說淵雷附注）

有楊姓士人。居製造局路。患身體痲痺。無力。頭目暈眩。胃不思食。約半年許。以其身體。痲痺。故為。黃耆。五物湯。飲之。兩劑。諸症悉去。（仲景遺法嘉惠後人如此淵雷附注）

一賈姓老翁。病瘧月餘。日作寒熱。僅食糜粥合許。歷進小柴胡何人飲達原飲諳法。無其效。窮詰所苦。則謂左脇下有塊。時時痛。祖而察之。知為瘧母。以藥肆無鱉甲煎圓。因與嚴用和鱉甲飲。（鱉甲（四錢）柴胡（二錢）黃耆（一錢）厚朴（一錢）檳榔（二錢）草果（一錢）烏梅（三錢）川芎（錢半）白芍（四錢）炒蒼朮（三錢）姜半夏（三錢）陳皮（錢半））出入五日。所塊解痛已。爾後瘧不復發。得活變之法淵雷附注

三官堂王翁。臍下大痛。而血隨便出。日五六行。殆不自勝。先予大黃牡丹湯加味以攻之。（大黃（錢半）丹皮（三錢）冬瓜子（三錢）元明粉（三錢）桃仁泥（三錢）當歸（四錢）白芍（三錢）黃連（六分）炙甘草（錢半））翌早云藥後下黑血塊。痛益劇。乃從原方去大黃元明粉冬瓜子黃連桃仁加地榆（五錢）灶心土（一兩）。服後血止痛減。再劑而愈。攻之下黑血塊則先攻為不誤然痛益劇得止濇之品而安必別有故惜敘證候太簡末由知已淵雷附注

西門老婦張氏者。寡而貧居。恆鬱鬱。氣志不樂。初得感冒。日久欬益劇。胸部隱痛。有腥臭氣蒸鼻。處千金葦莖湯與之。（生米仁（二兩）冬瓜子（一兩）桃仁（八錢）蘆根（二尺））病者求兩劑。從其請。三日後來。謂時咯濁痰。各症俱減。四劑後遂不復至。葦莖湯固要略之附方也熟讀大論要略則隨證授方自有神效省力無比而市醫不知淵雷附注

時嫗。年五十許。家於局門路。下赤白痢十餘日。不能食。虛尫羸憊。背負而來。乃飲以葛根芩連湯加味。（葛根（三錢）黃連（五分）黃芩（錢半）桃仁（錢半）紅花（一錢）炒扁豆（三錢）米仁（八錢）石菖蒲（三錢）石蓮子（三錢）白芍（三錢）地榆（二錢）炙甘草（錢半）生薑（三片））兩服則痢減而有寒熱。以方去葛根黃芩黃連桃仁紅花扁豆米仁生姜。加柴胡（二錢）姜半夏（錢半）厚朴（錢半）熟附塊（錢半）藿香（錢半）秦皮（錢半）炒蒼白朮（各三錢）。藥後寒熱腹痛均去。胃能食。痢益輕減。易方為「白頭翁（三錢）秦皮（錢半）炒黃芩（錢半）黃連（五分）白芍（三錢）地榆（二錢）石菖蒲（三錢）石蓮子（三錢）炒蒼白朮炒扁豆（各三錢）木香（八分）炒米仁（五錢）」越六日復來。則飲食大進。腹尚微痛。下痢轉為瀉水。再與葛根芩連加味。（葛根（錢半）黃芩赤白芍（各二錢）黃連（六分）厚朴炒枳實（各錢半）生米仁炒白朮石蓮子（各三錢））而瀉水愈。但云赤白痢十餘日不能食而脈舌腹候一無所詳則病雖愈而其所以愈者不可知謂之倖中亦無不可淵雷附注

石灰港王婦。左肋部刺痛。欬則益甚。身似熱非熱。似寒非寒。疑為肋膜炎。乃與苓桂朮甘湯加味治之。（桂枝（二錢）茯苓（四錢）白朮（三錢）炙甘草（一錢）柴胡（錢半）生石膏（四錢）姜半夏（三錢）細辛（一錢）干姜（八分））一服痛減。再劑痛大減。得力在柴胡半夏諸味以其痛在左也淵雷附注 而痰出不爽。投以加味三子養親湯。（蘇子（三錢）白芥

子(二錢)萊菔子(三錢)桂枝(三錢)遠志(三錢)姜半夏(三錢)陳皮(錢半)甘草(五分)) 服後欬頻痰多。更以鎮欬方與之。(百部(三錢)杏仁(三錢)炙蘇子(三錢)桑白皮(錢半)橘紅(一錢)萊菔英(二錢)) 而愈。予治欬每苦不能得心應手讀此案有慚色淵雷附注

斜橋少年陶姓者。氣喘不已。晝夜倚壁不得臥。面足皆浮腫。心臟性喘息鬱血性水腫也淵雷附注 凡去痰如芥子菔子遠志等。納腎如蛤蚧尾熟地杜仲肉桂等諸法。輒其效矣。前醫以風濕法治之。益劇。乃作小青龍湯加味與之。(桂枝(錢半)麻黃(三錢)白芍(錢半)細辛(八分)姜半夏(三錢)五味子(錢半)熟附塊(一錢)炒蒼朮(錢半)白前 (三錢) 赤猪苓(各三錢)生姜(三片)腎氣丸(六錢吞)。若其證不過如首行所云則方中膩藥正多次方亦然淵雷附注 一劑喘平。易方(仍要桂枝(錢半)麻黃(一錢)白前(三錢) 白蔻仁(一錢)柴胡(錢半)姜半夏(三錢)熟附塊(錢半)赤猪苓(各三錢)金匱腎氣丸(九錢)兩服所苦悉已。前醫者終身不敢用麻桂之流宜其不效也然麻黃三錢予不敢施於江浙人淵雷附注

工人潘姓。住石灰江。常吐血。勞力則血餅雜青水而出。胃部痛。此殆胃多酸兼胃出血者淵雷附注 進四君子湯加味。(黨參(二錢)白朮(四錢)茯苓(四錢)阿膠(四錢)白芍(三錢)當歸(三錢)炙甘草(一錢)) 一服痛減。易醫謂其有瘀。案紅卍會醫師頗多諸生亦同時臨診故多無故易醫者 以桃仁大小薊大黃茜草根等攻之。痛大作。懼而復來診。仍與前方而安。亦嫌敘證太略案阿膠止血在東醫不曾家喻戶曉本經云主心腹內崩女子下血時珍云療吐血衄血淋尿血腸風而市醫但知其養陰淵雷附注

一朱姓小兒者。生八月。苦欬。欬則連聲不止。面作青色。至嘔乳。此西醫所謂百日欬也俗名頓欬淵雷附注 治以鸕鷀涎丸法。(麻黃(一錢)杏仁(三錢)石膏(四錢)桔梗(錢半)青黛(錢半)天花粉(一錢)細辛(五分)射干(一錢)甘草(五分)) 一劑欬減。次日病家就章先生所。章先生改麻黃為八分。石膏為三錢。桔梗為一錢。餘藥仍舊。再與之而愈。章先生殆亦慮諸生藥量過重特減輕以示意歟案百日欬有宜鸕鷀涎丸者有宜左金丸者予欲辨其異宜之故至今未得他日幸得便公布之淵雷附注

潘其成者。以九月十九日入紅卍會醫院。初下痢。差後兩月。復便血。便血瘥。則續得足腫腹脹。腹之左有堅痞塊。亦不痛。其腹若鼓皮。急而鞭。扣之有聲。兩足浮腫。按之沒指。頗類所謂皮水者。其唇爪慘白。脉細數。食慾敗。溲短赤。先與附子理中湯加味。(生附子黨參黃耆桂枝白朮茯苓當歸(各三錢)炮薑炭陳皮(各錢半)砂仁甘草(各一錢)棗(三枚)) 藥後如圊二次。各症如舊。因進下方。(生附片白朮(各二錢)當歸(四錢)桂枝厚朴(各二錢)榔檳枳實 (各錢半)防己赤苓(各三錢)赤小豆(一兩)木香(一錢)) 病自若。乃更予溫通以療之。(炒黨參(五錢)熟附塊白朮當歸(各三錢)茯苓(四錢)肉桂(五分)陳皮(二錢)乾薑甘草(各一錢)) 無進退。以其口不渴而溲短。治法側重逐水。(生附子桂枝(各錢半)白朮

（三錢）茯苓（四錢）葶藶子杏仁五味子（各三錢）細辛生軍乾薑甘草各一錢）（水不在胸中則葶藶非其治也雷淵附注）如故。操九月二十三日章先生來診。以其胸膈亦脹滿。乃側重逐水。處方爲柴胡生半夏（各四錢）生白芍（八錢）檳榔（八錢）細辛（三錢）炙草（錢半）連皮生薑（一塊）服後下利數十行。腹皮微爲軟。翌早曹拙巢先生至診視畢。謂病者小溲短。亦有痞。是水無去路可知。但水性本從下。趨所以停蓄者。必有黏膩之惡物爲之阻也。水停蓄、則惡物更不得行。因而成痞。脉弦滑而數。中有水氣與積並居之象也。乃更從章先生方。加攻滯之藥。（柴胡細辛（各四錢）桃仁檳榔（各八錢）赤白芍（各一兩）生半夏（五錢）生附子芫花三稜莪朮（各三錢））一劑。洞泄竟日。腹皮較軟。而精神頗覺疲憊。遂重與附子理中湯加味。（生附子黨參白朮黃耆（各三錢）赤苓薏仁（各四錢）乾姜（一錢）大棗（三枚）兩劑後。再與攻下。（生附子（六錢）牛膝（二兩）生軍（四錢）細辛乾姜（各三錢）間與溫通。（熟附塊（五錢）黨參（四錢）干薑（錢半）細辛（三錢）半夏柴胡（各四錢）出入三日。所無動靜。以重感於寒。腹痛。寒熱。乃予解表。外證除。復攻其裏。兼用腎氣丸。（生附子桂枝白朮半夏（各三錢）砂仁木香干薑（各一錢）腎氣丸八錢）亦無其效。而病者以迭經瞑眩。諸證猶存。遂托事故謝罷。

末案似已成鼓脹。予治風勞鼓膈已成者。未嘗獲效。頗自媿技窮。埋首求之。三年而未得也。近讀東醫所著先哲醫話。知彼邦名家。對此亦無治法。今人乃有昌言善治此等病者。別有祕方歟。大言欺人歟。我不得而知之矣。此案先患下痢便血。皆在院治愈。初未出院。當其初脹未成鼓時。想亦服藥。此時所服藥。必有可商者。否則不致遂成鼓脹矣。倘舊案可稽。宜有研究之價值。

次公與予。學理上彼此傾倒。無間言。獨於藥量未能苟同。予頗慮次公膽大。次公當亦嗤予膽小也。此案次公用檳榔八錢。取下利數十行。予則豈敢。然諸生從陸從章。不免誰適之歎矣。此卷作者。卽教務雜記所謂謝姓一生也。文辭脩潔。爲人亦粹然淵懿。故方案之外。不雜議論。轉嫌其敍證太略也。　淵雷

章次公。按予從江陰曹拙巢先生受經方之學。先生至反對葉派醫生處方用藥之倚輕靈雜湊。主張一方之成。藥品不可太多。每藥分量則不可過少。予頻年應診。一遵先生之敎。予之母校。既稱先生爲野郎中。遂并及予。先生與予。非敢以大膽自豪。意欲力矯時風。爲仲景學派振聲威。不得不爾也。

予嘗謂諸同學。醫生之用藥。須有强盜手腕。菩薩心腸。强盜手腕。言用藥之當神速悍厲。菩薩心腸。言辨症之當小心諦審。儒辨症則粗心浮躁。用藥則重劑妄投。則是膽大而心不細。鮮有

不僨事者矣。

又凡用重劑。當注意服法。古方分三服再服頓服。實不可忽略。譬如檳榔、錢。藥三服。則每次三錢。不足。亦甚尋常。若頓服之。則八錢之量。誠屬悍峻。用之不當。危險殊甚。予用經方。服法恪守古人成規。否則令病家以藥頭煎二煎。煎好貯以器皿。囑其「分幾次慢慢的喫。」深恐藥力發作。起瞑眩作用。病人不能支持故也。至於病人年齡之長幼。體質之強弱。藥量因之而有差別。此為醫者必具常識。又無待贅述焉已。

其五

女生王志純

臨診所得甚多。實難億紀。居之不疑可見性情直率淵雷附注今姑擇其尤者以錄之。

九月十九日。在紅卍字會醫院。診得一王姓婦。年約五旬餘。病氣喘頭眩。骨節痠楚。腰疼。不能轉側。脘腹痞滿。此證實者多虛者乃僅有淵雷附注脈沉微。苔薄白。肥人脈必沈非病甚則不浮作者豈未聞耶淵雷附注脈症相參。顯係肝腎虧損。肝腎之氣上逆。此非本院學說殆上海中醫專校之積習未忘耳淵雷附注是以腹痞而氣喘頭眩。腎主骨位於腰。執此等單詞隻義則何處不可傅會舊說之誤人如此淵雷附注故腎虛者必見骨楚腰疼。遂投以溫補攝納之品。如當歸續斷杜仲兔絲首烏熟地牡蠣五味腎氣丸等。連進三劑。非惟不效。病益以劇。心竊異之。既屬肝腎虧損之症。未有投補納而不效者。今投補納而病反劇。則必別有原因在焉。後詧其體質豐肥。乃恍然大悟。莫非痰濕為患也。所以投補納而病反增劇乎。蓋體豐則多痰。體肥則多濕。體質豐肥。痰濕必盛。阻塞於胃中。則胃囊膨滿。而作腹脹。胃既膨滿。則橫膈膜之推動發生障碍。是以呼吸困難。而見氣喘。痰濕上乘。腦神經受其影響。而發頭眩。胃腸之病往往影響其腦驗之病者或屬自家中毒或屬高熱薰灼而理由不明者猶秦牛為淵雷附注痰濕凝結於絡道。血行為之不暢。故脈形沉微。肥人脈沈苓桂朮甘證脈亦多沈緊淵雷附注血行不暢。筋骨失其營養。是以腰骨痠疼。然則骨主腎云不足為立論之大前題矣然此是副證或由自家自毒耳淵雷附注統詧諸症。均屬痰濕為患。痰濕不去。諸症不瘳。於是投以導痰湯導痰外出。加蘇子苡仁順氣利濕。迭服兩劑。得吐稠痰兩碗許。而病竟霍然。噫。是正所謂大實如虛者矣。此言未是真正大實如虛則難認多矣淵雷附注疑似之間。最難辨晰。毫厘千里。可不慎哉。此係苓桂朮甘湯證甚顯明可隨證加厚朴枳實半夏若舌白甚者加乾薑今用導痰湯藥味相去不遠故效淵雷附注

又九月二十三日。予嫂妹之同居秦姓婦者。來院就診。年可二十餘。患欬嗽。病起產後。乞將一載。咯痰不爽。痰甚稠黏。形瘦骨立。入夜發熱不寐。寐則盜汗。口乾咽燥。脈細弦數。舌見光紅。詧其症狀。是陰虛虛勞已至中期。即與育陰平肝潤肺化痰之品。如生地石決沙參白芍桑皮貝母陳皮竹茹等。五劑而不效。後據病者云。自覺有一物阻

塞於胸中。臥則上攻喉際。飲食下咽。輒被隔住於胸口。不得直入胃中。予聞而疑之。其所謂阻塞於胸中之物者。未知瘀耶。痰耶。抑膠痰耶。意瘀則有形質而不能移動。痰則能移動而無有形質。今有形質而又能移動。則非膠痰而何耶。（精勘入細淵雷附注）胸有膠痰。補亦徒然。不如先化其膠痰。待膠痰得化。然後再事調補。但久欬肺傷。又不勝攻逐。故凡十棗控涎礞石滾痰等滌痰大劑。均不相宜。乃用柴前連梅煎（此方予未詳甚愧腹儉淵雷附注）合瀉白散與之。藥後至夜半。忽欬嗆大作。吐出一物。大如拳。形若敗肺。血絲滿攀。稠膩不堪。病家大駭。以爲肺眞敗矣。急速予往。予至而慰之曰。是非眞敗肺。乃膠痰也。膠痰得化。病有轉機矣。乃詢其吐後胸中若何。曰較前稍舒。惟未盡除耳。予曰。然則膠痰猶未清徹。再當進服原方。是夜仍吐如前物。但較前者爲小。自是胸中舒適。不復有物阻塞。欬嗆頓減。夜得安寐。發熱盜汗。亦不復作。（此證予沈思久之竟無把握不圖作者一夜中起此沈痼後生正復可畏淵雷附注）痰實已除。正擬進補其虛羸。蘘成大功。不意病者因開支不敷。竟旋返原籍矣。

兩案皆一擊不中。易轍乃中。治病之難。學力之到。彼此不相掩。

作者向在上海中醫專門學校。曾受予內經課半年。至第三年後學期。始轉入本院。爲人率直而好勝。平時論病施治。頗信服予說。記嘗治一奔豚證。持脈時。病人自訴胃氣痛。予方搖首示不謂然。生適在傍。卒然曰。此奔豚耳。是其識力亦已不弱。乃此篇兩案。殊不類鄙人家法。蓋三年中浸漬舊說深矣。予嘗默察時醫治病之法。當持脈望舌時。胸中必先下斷語。曰此肝氣不舒也。此肺失清肅也。知是判斷已。始命藥處方。並世諸師。殆無不由此道者。雖然。其所謂肝氣不舒。肺失清肅云者。是否合於事實。已不能無疑。其所用舒肝肅肺之藥。是否具此性效。亦無從證實。以無從證實之藥。效治不能無疑之病情。西醫詆爲渺茫。倖中。亦非純乎客氣之言矣。故此等治病法。予未敢從同。予之治醫也、先孰精大論要略用諸方之證候。復體認寒熱虛實氣血水之大綱。其於藥也。但知某藥治某證候。與其宜忌。而不知其入肝入肺也。疾病當前。視其具某證候。則投某方。亦不知其臟腑有若何變化也。經方不足。然後求之時方。時方又不足。則度其證候。自製方藥與之。如是治病。往往病已愈而不自知其病名也。非不欲知也。自問診察檢查諸法。不逮西醫。不敢以疑似臆測之病名。自欺而欺病家也。至於素靈八十一難諸書。雖嘗誦習。不使留渣滓於胸中。有所研索。則據生理病理藥理。以求古方之證候。或時神與古會。偶有一得。知大論要略以及素靈諸書之片段。本自闇合科學。而宋元以來。愈說愈遠。則爲之疏通講明。以授諸生。此卽鄙人所稱科學化之中醫學。而夫己氏詆爲不中不西。非驢非馬者也。今姑置學理而言治病。如本篇第一案。病者氣喘頭眩。而醫者有素靈之言存乎胸中。則意爲肝腎之氣上逆矣。病者骨楚腰疼。而醫者有素靈之言存乎胸中。則意爲腎虛矣。夫醫家立案。引素靈單詞隻句。以決病情。豈有異於王生哉。然據以投藥而不效。則素靈之單詞隻句。果不足以決病情。而先決病情。果亦無裨於治術也。若從鄙人之法。則逕與苓桂朮甘湯可矣。奚事問其爲肝爲腎耶。何以言之。大論云。心下逆滿。氣上衝胸。起則頭眩。脈沈緊。苓桂朮甘湯主之。要略云。心下有痰飲。胸脅支滿。目眩。苓桂朮甘湯主之。又云。夫短氣有微飲。當從小便去之。苓桂朮甘湯主之。合而觀之。與此案之氣喘頭眩。脘腹脹悶。脈沈微。有以異乎。故從鄙人之法。則熟讀大論要略。治病已綽有餘裕。加以臨診一年。至足矣。予嘗謂學中醫二年可成。非虛言也。時賢不知此義。謂學醫須從內難入手。於是童而習之。白首而未能盡通。寃哉王生之在上海中醫專校也。第一年卽讀內經。今雖不遠而復然。治病一擊不中。實受內經之賜。本院課程。列內經於末學年。爲研究參考之課。初不據以治病。前年有所謂中醫學教材編輯委員會者。予嘗以此建議。爾時夫己氏自以內難名家。劇不謂然。今見其所賣某醫指導錄。亦謂內經當俟學力稍充時研究矣。

淵雷

其六

王利貞

自在斜橋紅卍字會醫院實習臨診。迄今忽逾數月。時在去年九月至十二月之間。其中經過之時期甚暫。所逢之各類病症有限。大凡與春夏二季有關之疾病。更受時間上之限制。未嘗一識。至於痢疾瘧疾咳嗽三種。竟佔數月來數千診號之半。他若雜病之類。則濕溫。吐血。黃疸。脚氣。破傷濕。浮腫。白濁。尿血。心胃氣痛。白帶。關節炎。下利嘔吐。痲痺。善饑。陰瘙。奔豚。腰痛。鼻衂。臌脹。癲疝。痧疹。疳積。足痿等均已見及。在此短促之經過中。雖然不敢自信有多大心得。而當每日應付病家時。不時已將自身學識之弱點露出。及累累受經驗缺乏之試探。此爲實習期中所不免之事。固不足爲恥也。例如咳嗽一門。種類繁多。約統計之。不下三十餘種。而此三十餘種之咳嗽。在金匱傷寒兩大醫籍內之方劑。亦有不能完全圓滿應付之感。因此思及時方之訓練太少故耳。予爲亡羊補牢計。寒假中發憤補讀章次公先生所編之藥物學。實與我以不少之幫助。其餘則湯頭歌訣一書。勢必以爛熟爲妙。（深知甘苦之言淵雷附注）按此書雖爲有識之醫家所不取。予則認爲有必讀之價值。而且有熟誦之必要。其理由及利益。固非專恃一本湯頭歌訣之江湖醫生所知。亦非專爲學醫而不行醫之醫學生所能洞悉。我院在課表上雖無是項功課。而徐衡之先生在幼科講堂上固嘗稱道之。予早先未能完全相信。乃者渙然深信其重要矣。雖然。予又不得不奉勸時下醫生對湯頭歌訣專門倚重之爲可鄙也。蓋湯頭歌訣爲一種雖有效而卻死呆之模範方劑之公式。假如無充分醫學智識爲後盾。則失其指揮之力量。假如有了充分之醫學智識。而不熟識方劑之重要配合。加一減一。均足以減損其治療功效。有時可以完全失效。此種經驗。老醫生輩常談及之。鄙人嘗作此論然非市醫所知淵雷附注 當此國醫方劑學未能用學理分析及解答其眞理之際。當奉勸同道。宜絕對服從方劑之有效配合。並記憶之。退一步說。縱然不作背誦之死功夫。最低之限度。亦須將各式方劑配合之原理。懂得清楚。此則較背誦尤難決非市醫所能辦淵雷附註 但怪可憐者。我們之方劑學。正未得適當之人。來加以學理之整頓也。有識才難之嘆淵雷附注

診斷一科。實爲要務。而診斷學上所可靠者。不過十分之五六。大半診斷學亦當以經驗爲依歸。望聞問切四診法。確實重要。腹診法亦有相當之幫助。凡能醫者。皆類能依樣畫葫蘆。可以照辦。但醫生各個之閱歷感覺智慧。則不相同。如醫生不能一時運用其靈巧之心機。往往判斷力隨之薄弱。于是所擬成之方劑。隨之錯誤。斯言深得我心謂名師良棱之所教盡人而爲良醫我斯之未能信淵雷附注 如望診問診。皆有眼有口可憑。大致無機巧矣。但有時亦不得不憑醫生之細心與方略。例如我院門房之妻兄。年三十。在十一月間患梅核兼傷風咳嗽。聘某醫診之。因其鼻孔時流下濁血。乃用一派清涼之菊花桑白皮知母瀉火之品。及生大黃下之。病遂轉劇。告我。觀其舌苔白膩。乃反對前醫診斷爲火之說。非是。再詳細盤問診查其鼻衄之證狀及原因。乃多年鼻瘡也。予乃改擬半夏厚朴湯合桂枝湯與服。未竟二帖愈。古方之效對證如響奈市醫之不用也淵雷附註 按前醫之錯。由於根據鼻衄之證狀。故遭失敗。凡於診斷時。必須注意痼疾與新病之分辨。若有不相同之證狀。同時發生。尤當注意觀察審問。否則往往易被一種特殊或忽然之證狀所蒙混。而施以偏誤之治療。孺子可教淵雷附註 醫生之錯覺神經。往往利用此時格外發展。偶一不愼。結果則判斷力衰弱。對於診斷上大有不利。此種經驗。非可以從書本上得來。醫生平日精神上修養之功夫。固屬大半不可缺乏者。

於診斷上。予覺以舌診爲最可靠。舌非心之苗。實爲味覺神經與消化腺唯一表現集中之場。而就口腔而論。除舌以外。無一能代表消化器之生理及病理之常態與變態。古人以其代表心者。妄也。謂其間接能代表循環系之變相。猶未嘗不可。若以之直接當心臟之代

表不如讓寸關尺為之妥也。(但作者祇承認脉搏並不相信眞有寸關尺——申明。)（發聾振聵之論殊有出藍之概淵雷附注）

用藥之分量。在我輩初習醫者皆漠視之。不免有過重過輕之弊。有喜用重量者。每惑于書上有謂共用大黃數十斤。或每次桃仁八十餘粒。或麻黃五六錢。才起攻下發汗之作用。于是羣起懷疑。或仿效之。胆大如初生之犢。如某同事常用柴胡七八錢。附塊五六錢。黃連三四錢。（斯何人我當夏楚之淵雷附注）殊不知自然界無奇不有。有反常之人。有反常之病。不能以一二例外而定為公例也。況且藥有眞僞優劣之分。不可不計及之。僞者劣者。重用之固不起反應。良者眞者。當以普通之成例為好。不可不防。在我輩同事中。重用分量者屬多。却用輕量者極少。因我等既為醫藥革命份子。平日每以勿效滑頭醫生之慣技為戒。但輕至對於病情無足輕重。固當可恥。總以輕至有效之分量。才可稱善。況且藥中肯。則分量輕而有効。不中肯。則重用反足以加禍。此又涉及醫生學識之優劣問題矣。

在先曾有一得之遞。及今特言一失治之事。當作我之懺悔錄。某次予診一打撲損傷。受拳擊之處在胃部及胸膛。而患者素又係虛弱之體。予急於下其瘀血。遂擬桃仁承氣湯加乳香沒藥。服後心胸部位旋起縮攣緊張而痛苦加劇。予不敢再診。乃延同事沈君濟蒼診之。改用炮姜及散瘀止痛行氣諸藥而安。（不沒人善醫界中能有幾人淵雷附注）予方悟失治之由。在於未按病者之體質及病情之部位。妄信書上之下瘀血。而不以經驗為依歸。今後始知凡陳久之瘀血（桃核承氣所主者不必陳久淵雷附注）集聚于下腹部者。攻之可也。凡新血集聚於上膈者。溫散之可也。又實者攻之。虛者溫之散之。

以下為我本身患病得來之經驗。予素有胃病。(但非慢性者)間常患胃內停水。發作時嘔吐。手足厥冷。惡寒。飲熱即汗出淋漓。予前不識其故。每喜以黃耆附子之類投之。曾遭一次最大之失敗。旋復漸能明瞭胃炎之證狀。有類似虛寒者。正與附子黃耆證大有區別。而對於黃耆之認識。從此亦知其祇能適應於盜汗及大病後之勞汗。黃汗。及皮膚組織疏鬆。及氣虛而起之皮膚病。黃耆之誤用。不特我一人。同事某在醫院實習者。曾于一打撲損傷證之方中。添黃耆一味。結果愈而復劇。按黃耆附子大黃石膏芒硝為中藥中有力之藥品。苟不善用之。貽害非淺。（芒消單用雖誤尚無大害淵雷附注）

又凡帶有炎性機轉之症。莫不與水毒有關。如胃炎(指急性者)腸膜炎(指心下有水氣之肥氣)腎臟炎(指慢性者)肺炎(指漿液性者)等皆因所患之部位停水。凡水毒所聚之處。亦如瘀血所聚之處。必刺激其附近之組織外膜面。使發生炎竈。試觀中醫有價值之驅水毒方劑中。莫不暗合科學。加入消炎之品。如治翻胃之左金丸中之黃連。治肺炎之痲杏石甘湯中之石膏。治復膜炎方中之大黃。(按附子大黃湯治心下肥氣)治腎炎八味丸中之丹皮。皆能以消炎之本能。佐驅水毒之藥。——含刺激性之藥品。而收全效。蓋一方面利用有刺激性之藥品(指熱藥)以促使組織之吸收及還流。一方面又利用消炎之藥品(指涼藥)以控制熱藥之猛烈。兼消炎。其神妙。其作用。其原理。殆舊醫書上所謂寒熱反佐之意歟。此理之闡明。乃由予自身此次胃炎之試驗結果。予於本月大雪後患尿閉。以致胃內停水。復誤食辣椒。又過于投姜附半夏肉桂砂仁劑。兼用利小便之藥。小便雖利。嘔吐不止。腸鳴腹痛胃痛。(按服肉桂後。祗停痛數小時。因揮發油有暫時鎮痛之功。但不能持久於水毒症。)此因水毒之刺激。復加藥力之刺激。以致炎性蔓延之結果。最後由陸淵雷先生改擬一利水兼消炎止嘔之方。(方為除附桂。加入消炎最有力之黃連黃芩。但用溫和之除水藥乾薑半夏二味。以為輔助。)藥入口約三時之久。數天大病。霍然告愈。小便快利。大便轉鞕。痛止嘔亦止。予思之良久。遂悟出古人所謂寒熱反佐。或上熱下寒。陰陽調和之理。實則除水毒兼消炎之理由也。予又悟出暑假患濕溫腹膜發炎。亦因過于服桂附。幾頻於危。後由敝戚杜醫師改用利濕兼消炎之黃芩澤瀉豬苓等。然後收全效。可見濕溫病之解釋。則亦水毒兼發炎之意也。

讀書治病。則沈潛體認。出言持論。則平正通達。精要處。大可作時醫楷式。後生可畏。正謂此輩。

戊辰之春。予任上海中醫專門學校教職。王生在該校一年級。聽予講內經半年。誠篤好學。予深器之。其後予去斯校。生亦輟讀。及庚午春。本院開辦。已第三學期。生乃自請插入三年級後學期。云雖輟讀。習醫之志未懈。平日讀醫報上諸師論著。尚能領悟云云。遂許之。今受課一年。成就如是。頗喜昔年眼力無錯。惟生喜讀新文學書。故其文不中不西。非驢非馬。眞如夫已氏之誹本院醫學者。此則人各有嗜。固不能悉强其似我矣。諸生喜用重量藥。一因涉淺膽粗。一因責任心太重。亦是賢者之過。然其最大原因。則因熟視乃師次公之法故也。章院長嘗評衡次公與鄙人之優劣。謂衡之經驗多。淵雷思想邃。次公膽略大。惟其膽略大。故用藥重。且次公所治。多師旅間赳赳者。藥輕則不足去病耳。然非常法。王生之言。同學當深思焉。

生所病胃炎。屬半夏瀉心湯證。證尚顯明。不難認。生特未貫熟。故自療之不效耳。予所處方。乃半夏瀉心合五苓散也。 淵雷

其七

張壽山

負笈歇浦。年又將半。恨學術之無進。嘆韶光之易逝。駑駘十駕。進步殊難。幸先生灌吾以知識。培吾之根荄。獲益非鮮。日後有成。見流思源。皆先生所賜也。半年來臨診。愧無所得。特驗得小柴胡湯可以治濕溫。（市醫聽者傷寒方果不可治江南之溫熱病乎淵雷附注）以供臨診一得之塞責記載也治驗載記於下。

七月八日。一中年男子來應診。原籍鎮江。現住西門。來時係彼之親人抱扶而進。注目觀其面垢污。流汗。苦楚異常。起病已有五六日。診得脈濇而不流利。問其所最苦。為胸悶、頭痛、發熱。又問其親人熱有定時否。曰、夜晚益甚。（熱病常例不足為異淵雷附注）熱時欲飲水否。曰雖渴不欲飲。即便要吃亦要熱的。大便溏。小便短赤。時有呃嘔。此時一面診察一面想擬治法。於是歸納病者之症狀、而私議之。日晡、發熱。胸悶。呃嘔。口渴。不欲飲。凡此種種。斷定濕溫無疑。（不詳舌色是大缺點淵雷附注）然後立一方案。

濕溫一候。身熱不退。日晡益甚。微汗不暢。胸悶呃嘔。渴不欲飲。大便溏。小便短赤。據證確是濕溫。後世治濕溫之法雖是多端。然總不如仲景小柴胡湯。（不可概濕溫之全經過而言淵雷附注）

軟柴胡（三錢）　姜半夏（三錢）　六一散（三錢）包
淡黃芩（二錢）　川小朴（錢半）　生甘草（八分）
生　姜（三片）　大　棗（三枚）

明日來復診。自言較昨日好些。於是仍進原方。過一日又來診。病者之親人言。服此藥後加病。反劇。壯熱更甚。乃重寫一方投之。

濕溫症。服小柴胡湯頗中肯。昨日再服。病非但不減。壯熱反增。大論云。服柴胡湯已渴者。屬陽明也。今病者所患。與此髣髴。以治陽明病之石膏加入小柴胡湯治之。（依通例仍當用軟柴胡不當用銀柴胡淵雷附注）

銀柴胡（三錢）　姜半夏（三錢）　生石羔（八錢）打
淡黃芩（二錢）去節　川小朴（錢半）　生甘草（八分）
鮮蘆根（尺許）

明日復診。病症無大出入。仍進是方。服二劑後。熱勢減。諸症亦稍差。乃以整個小柴胡湯服三劑而愈。

小柴胡湯可愈濕溫。上學期看漢法醫典。即發見之。初看極詫異。然屢聞先生言。漢法醫典上方子極靈。想先生不能欺我。故知小柴胡湯可治濕溫也。久然未得以治驗證之。今驗之病者。信然。嗟乎。小柴胡湯乃治少陽病、瘧疾、胸脇苦滿之方也。而今移以治濕溫症之胸脅苦悶而效者。出於古醫派之意外。而世醫所夢想不到者也。故仲景傷寒論中之方。可治萬病。時醫何可狃於書名。謂治寒不治溫也。病發熱自汗胸悶。舌胎垢膩者。江浙一帶市醫謂之濕溫。西醫驗其血。則什九是腸窒扶斯也。腸窒扶斯之病。遍天下。有之濕溫則獨行於江浙一帶。且東邦所稱漢醫者。咸以漢醫之傷寒。

當西醫之腸窒扶斯。予是以知濕溫卽是傷寒。亦卽是腸窒扶斯。特西北高燥之地。病腸窒扶斯者。不若江南人之多兼濕證。故江浙獨得濕溫之名耳。仲景所論。雖不專指腸窒扶斯。腸窒扶斯當居大論之一大端。則無可疑也。勝清初年。葉天士以吳儂謏詐之術。揭櫫溫熱。欺世盜名。其方藥淡泊。有如蠟槍錫劍。三尺豎子。持之以嬉。不虞傷指流血。於是葉氏之風大行。謂傷寒從皮毛入。溫熱從口鼻入。傷寒乍感卽發。溫熱伏久乃發。謂仲景方治傷寒。不治溫熱。寖假而傷寒重證。悉稱濕溫。惟太陽輕證。專經不傳者。猶蒙傷寒之號。又寖假而傷寒濕溫。一律以豆卷豆豉爲治。服藥等於飲湯。死生委之天命。當此之時。西醫挾科學萬能之重。藉政府權衡之威。以與豆卷豆豉較其高下。中醫有不雪消瓦解以澌滅者乎。東邦漢醫。導源中土。至寬政與嘉永之間(當中土乾隆至道光)而極盛。民間醫則吉益氏之流裔。繑憍跳盪。所向無前。醫官則丹波氏父子。閎肆博覽。無所不窺。上自素靈仲景。下至迴溪拙吾諸子。無不采擷論列。而葉氏溫熱之論。中土方風靡草偃。欲以上躋仲景者。東醫乃不一掛齒頰。丹波元堅云。近來舶齎醫書。大率蹈襲陳言。未有所發明。而其序跋。徒極稱揚。顧不讀古書者之所爲。要之。優孟衣冠。不過追時習。釣名利耳。(淺田宗伯先哲醫話引)其敝屣葉氏之徒如此。故彼邦醫家。知有傷寒。不知有溫熱。及西法流行。迻譯者亦以傷寒譯腸窒扶斯。不譯爲濕溫也。故中醫與東醫。其源則同。其流則異。譬之食馬者。東醫食其肉而棄其肝。中醫食其肝而舍其肉。取舍之際。智愚之辨。若此其遠也。東邦維新已後。漢醫幾於絕滅者五十年。及今頗有復興之勢。此無他。馬肉之至味存焉耳。我中醫今日之處境。豈有異於彼邦維新之日哉。不知肉味。而大嚼馬肝。則亡而後存。猶不可得。倘冀其不亡耶。予治世所謂濕溫者。方案未嘗稱濕溫。用藥雖兼滲濕。未嘗不以仲景方爲主。苟非久服豆卷豆豉之壞病。亦未有病過兩候而不愈者。然而市醫評我案方。猶謂誤濕溫爲傷寒也。以爲夏蟲不可與語冰。則亦置而弗辨。今因張生之治驗。一吐我骨梗焉。小柴胡湯者。仲景治傷寒之方。漢法醫典者。東人之習西醫曰野津猛者所著。其書以小柴胡湯治腸窒扶斯之始期一週間。舌有白胎。如感冒狀者。張生聽予講習久。宜知傷寒濕溫腸窒扶斯者。固一病而三名也。

淵雷

其八

女生葉蓁

鄰人陳志江之母。年已七十矣。體盛。行緩。朝夕念佛。一日忽以病聞來邀診。見其嗇嗇惡寒。頻頻作嘔。胸悶納少。四肢痠楚。頭眩。舌胎白膩等證。卽與厚朴苓夏藿梗茯苓等味。若用經方可柴胡桂枝湯加苓朮淵雷附注服二劑。霍然起矣。蓁方私慶中藥有靈。乃間日江又以母微跌右足痠軟來告。蓁曰。小跌足痠。外敷可愈。與以川烏乳沒細末開酒敷之。又間日來言敷處縱愈。然痠楚延及胸脅肩胛。蓁疑跌傷。當不如是。恐有他故。再臨其床。診其胸。腋。隱隱有汗。方在凝想。而陳兄某忽邀一國醫趙姓者至矣。蓁乃退避。侍診。趙言係風濕骨痛。其所處方為白蒺藜木瓜木通等味。味各以兩計。連服趙方三劑。病勢加劇。識病未嘗不是用藥未嘗不多然而病加劇者以其不讀仲景書不用仲景方故也淵雷附注初則。半。身。次及。全。體。初則。下肢。次及上肢。疼痛倍於初時。不能轉側。乃棄湯藥。而延推拿。行針灸法。於虎口、肘關節、肩胛關節、大臂、等位。各針一針。訖未見效。遷延多天。束手無策。非病家之束手無策實時醫之束手無策淵雷附注重辱見詢。蓁本學識淺薄。臨床尤寡。安能治斯駁雜之證。第一次雖告小愈。實因病狀未著。誠非識力所及。當二次臨診時。見其胸腋汗出。且聞趙醫言係風濕。立憶歷節黃汗之為狀。擬欲自薦。未便唐突。只能默自省察而已。殊料日復一日。病家又來過問。蓁乃診細診察。見其怕冷發熱。舌胎白膩。厭食。口渴。自汗。時師敢與麻黃否淵雷附注關節。疼。痛。屈伸。不得。初在一肢。後延四肢。其為歷節黃汗證狀。完全顯著。疏桂枝芍藥知母湯與之。因病者有溫溫欲嘔之證。故雖有汗。不與烏頭湯也。此證腹不絞痛病勢不偏重於下部則烏頭湯中與也又嘔吐者忌烏附舊有此說今驗殊不爾且桂芍知母湯亦有附子而證云溫溫欲吐也淵雷附注但服藥後身出臭汗。而諸證頓減。再服一劑。已愈八九。繼以活血行氣去濕之普通藥。命其再服。不一旬而慶免藥。可見古方靈驗。不亞昔時。蘊藉含蓄而調侃時醫不少淵雷附注蓁臨證無多。忽遭奇驗。亦云幸矣。

予治病喜用經方。人或嗤其不合時宜。然若此案者。非經方則不效。效亦不能如此其速也。醫家執匕調藥。將求其合時宜而已乎。抑必求其愈病乎。要在人之自擇已。葉生粵產。僑居海上。其外子翁君子光。予之道義交也。過往雖疎。相契甚深。附記於此。

淵雷

其九

馬伯孫

膀胱欬

居姓少年來院求診。悉觀其精神非常衰弱。一手扶腰。一手倚杖。有不勝困苦之感。診其脈微而濇。舌胎絳而無華色。據述欬嗽旬日。初起惟欬而夜眠不安。近三日欬嗽次數增加。欬時小溲從尿道淋瀝而出。欬劇。小溲遺出亦多。頭重。目眩。兩脚輭弱。行走欲仆。苦不勝言。也。愚思此即內經所謂膀胱欬也。然少年之人患欬嗽。何以有此等虛象疊見。故詳加詢問。固由穎悟然近年醫報如雪片類皆大談手淫遺精以投時好生殆以此生心歟然則雖下乘野狐未始非刀圭之助爲之一笑淵雷附注過三四分鐘始曰尙犯手淫日必四五次。犯已年餘或因此亦未可知。愚則頓憶『夫失精家……目眩清穀。亡血失精。……男子失精女子夢交桂枝加龍骨牡蠣湯主之』不全之經文。而悟失精爲桂枝加龍骨牡蠣湯所主者。屠姓少年亦因失精而致欬。則遺尿脈現微濇。可知精血消耗過多。蓋精血消耗既爲素因。且感風邪。則病欬嗽。液枯而氣管燥者亦令欬淵雷附注手淫年餘。尿道必受其損。既有素因。故尿道之內。外括約肌失養而痲痺弛緩。每欬則小溲淋瀝而出矣。內經大家釋膀胱欬者無此嚴實淵雷附注蓋疊見之虛象。亦似桂枝加龍骨牡蠣湯證。欬而入夜不眠。頭痛目眩。即所謂上衝證也。仲師曰。氣上衝者。可與桂枝湯。遺尿治當斂之。則治以龍骨牡蠣。故此方投於屠姓病者。尙感適宜。且東人以此方治久年遺尿症。常得効。故決斷用之。爲吾之試驗。顧慮周詳少年老成淵雷附注尙恐藥力不足。再以他藥助之。故擬方案如左。

膀胱欬病。延旬日。初惟夜眠不安。近今欬則遺尿。精神困頓。頭痛目眩。腰酸脚弱。行走欲仆。脈微而濇。舌絳無華色。若在時醫舌絳者敢用桂枝耶淵雷附注病屬手淫過度。句欠斟酌凡人生應有之事而恣縱無節則曰過度飲食男女是也手淫決不可有之事而何有於過度哉當曰誤犯手淫淵雷附注精血消耗。尿道括約肌失養。且感外邪。無表證殆非外邪淵雷附注故欬則遺尿。擬桂枝加龍骨牡蠣湯加味。

川桂枝(錢半)　花龍骨(四錢)打先煎　原附片(三錢)

大白芍(四錢)　左牡蠣(八錢)打　熟地黃(四錢)

生白朮(三錢)　五味子(三錢)　麥門冬(三錢)

炙甘草(錢半)　干　姜(八分)　五味子三錢其酸當戟咽用錢半至足矣淵雷附注

服藥二帖。復診。遺尿已愈。欬嗽略減。惟夜眠不安仍然。於原方加酸棗仁(三錢)。則未來復診。結果未知。過月餘。介紹友人來院診治。始知服藥四帖。病勢全愈。調養半月。精神恢復如常。可知仲景方之妙。在乎變化而運用適當也。其後愚家女僕之甥。年五歲。每夜亦必遺尿。愚亦作整箇之桂枝加龍骨牡蠣湯與服。連服五帖。病症若失。因知此方治遺尿。隨證而加減之。確有奇效。亦愚認爲臨診以來。最得意之方也。

此生年稚。其文字亦饒有稚氣。然考試每列前茅。固由聰慧好學。亦因家世業醫。工治之子。易爲箕裘也。認金匱一方爲最得意。將家學所傳歟。抑本院之教歟。　淵雷

其十

女生凌九雲

光陰如白駒過隙。倏忽之間。本期學程又復告終。回溯開學之初。因本學期有臨診實習。滿冀對於實驗方面。可獲無窮之益。乃半載以來。自問資質愚魯。幸同級諸姊皆飽學之士。生日積月漸。略有微得。今先生以臨診心得垂詢。無以塞責。爰就平日實習所錄。擇其知有結果者。筆之於下。惟鼯鼠之技。飲河不過滿腹。若蒙先生爲之斧正。俾獲遵循而資矯正。則幸甚矣。

(一)血痢

十月廿四日紅卐字會來一徐姓婦。身體羸瘦。面色皖白。而顴骨兩旁隱隱泛紅色。生初以爲勞熱骨蒸之類。及問病情。則知血痢已延匝月。經數醫無寸效。索閱前方。以未帶辭。乃細爲診察。其症月前發瘧。瘧後轉痢。所下純紅色。鮮腹痛裏急。自覺身熱。不惡寒。頭不痛。按其脈。弦細無力。舌質光絳。此身熱顯非外感。經云腸澼身熱。蓋即指此而言。乃告其同伴曰。此血痢延久。陰分大傷。而腹痛裏急。則又不能廢塞通利。顧此失彼。殊屬棘手。暫擬一方。以覘動靜。乃處金匱白頭翁湯加味與之。

月前發瘧。瘧後轉痢。所下純紅。日下七八次。腹痛裏急。身熱顴紅。按脈弦細。舌光絳無苔。雖未見不食嘔噁等象。下痢不食嘔噁者未必危噦逆乃危耳淵雷附注 亦已屬危候。經云腸澼身熱者死。方案中當避不祥字面雖世俗之見亦醫師開業術所當知宜慎之也淵雷附注 方用當加阿膠以止血不嫌膩也淵雷附注

白頭翁（二錢）　川黃柏（二錢）　廣木香（一錢）
北秦皮（二錢）　川雅連（六分）各　油當歸（三錢）
鮮生地（三錢）　赤白芍（三錢）　炒丹皮（錢半）

廿五日來覆診。據云服藥後毫無動靜。生以無甚把握。擬謝絕之。繼思此症非一藥可愈。既未增劇。試再與之。乃囑再服原方。明日病者因路遠不來。其家人持方來院云。昨服藥後。腹痛稍減。乞原方改一號碼。院中給藥規例也淵雷附注 生乃囑其再服二劑。越日來院。腹痛裏急均減。次數亦稀。身熱十減四五。乃於原方去木香。加阿膠三錢。至此始用阿膠。蓋猶有世俗之見淵雷附注 囑其多服。此後來診。用藥仍照原意出入。病竟逐漸向愈矣。此症前後約服藥二十劑。未曾一變原意。可見藥既對證。便不可朝三暮四。若病家不肯耐心服藥。專任一醫。亦無如此良好結果也。

(二)黃疸

十一月十一日紅卐字會來一少婦。觀其服飾。頗中等之家。其人身體肥胖。而面目萎黃。自謂於未嫁前已患黃胖病。延數載。醫藥少效。

近更時時惡寒頭暈胸悶。手足酸麻小便不利。身亦發黃云云。生診之。舌淡潤。脈沉緊。全屬陽虛濕盛。而成陰黃之象也。乃謂此症非一時可愈。當耐心服藥。且此症非重用熱藥不爲功。前醫之所以不效者。恐皆畏投熱藥之故也。少婦聞言。似有信仰之意。爲擬一方如次。

陽虛濕盛。身面兩目發黃。時時惡寒頭暈胸悶。手足酸麻小便不利。舌淡脈緊。脈證合參。全是陰黃之象。若不速治。恐有虛厥之變。

虛則然矣。何致便厥。作者蓋熟視時醫方案中。必有防變防厥之文。不覺默化耳。淵雷附注

亟擬茵陳五苓散合逆湯複方圖治。以冀振動腎陽。

不似吾黨小子之言。淵雷附註

通調水道。俾毒有出路。始可慶幸。

此方用藥合當好處惟秦艽可商淵雷附注

綿茵陳（六錢）　炮干姜（一錢）　福澤瀉（三錢）
原附片（二錢）　川桂枝（錢半）　生苡仁（五錢）
生白朮（三錢）　赤猪苓各（三錢）　北秦艽（二錢）
炙　草（八分）

前方服三劑後。小便復常。胸悶亦除。胃口頗佳。惟終感體溫不足。非厚絮不能保暖。身黃退而面目未退。生以藥已對證。乃予原方。囑其多服。並照方分量加重十倍。加進黨參。令往藥舖合丸常服。

藥須多服者作丸服最便淵雷附注

此婦後未再來。十二月中旬。此婦因介紹別一病人同來診治。詢得丸方已服一料。諸症悉除。精神亦佳。惟面目終略帶黃色。生乃勵其再服一料。以冀斷根耳。

（三）虛損

有遠房嬸娘。家住本鎮。生自校中回家。得悉叔母有疾。乃往訪之。問其狀。則曰。自產後四五月來。時常腰痛。頭暈耳鳴。眼花。手足酸軟。神疲乏力。比至近日。覺病漸增劇。鄉下經數醫無速效。聞上海城內三牌樓陳某之名。遂求診。初服無甚出入。越日復往。轉方。距服後至夜。反寒熱交作。致不能起床。迄今熱猶未退。頭痛甚劇。想爲陳醫所誤矣。汝既來此。當爲我一診也。生閱陳醫之方。爲腎水虧耗。龍雷之火上升。用藥則石决牛膝杜仲枸杞子藕節爵金查炭谷芽之類。生乃曰。陳醫脈案雖舊。尚與實際不背。蓋此病全由產後血虛內分泌功能不健。全神經呈虛性興奮所致。藥能對證。不難治愈。然其用藥則太無謂。雖服其藥千百劑。亦無效也。

不宜恣議名醫自取怨尤淵雷附注

但亦不至反增寒熱。此寒熱係途中感冒風寒所致。純屬表證。今當先去其標。後治其本。

此雖我黨之常識能辨亦已不易淵雷附注

遂處疏散之方如下。

產後血虛。身體羸瘦。時覺頭暈腰痛。耳鳴眼花。近復感冒風寒。遂致發熱惡寒。頭痛鼻塞。無汗脉緊。病勢側重太陽。治宜解表宣肺。所謂急則治其標也。標去然後治本。

當云先治其卒病後乃治其痼疾淵雷附注

淨麻黃（六分）　光杏仁（三錢）　大川芎（錢半）
川桂枝（八分）　北細辛（四分）　全當歸（三錢）
青防風（錢半）　苦桔梗（錢半）　生　草（五分）

按太陽表證。無汗脉浮。例宜麻黃湯劑。惟此症來自產後血虛。腠理不密。脈雖浮緊而帶虛細之象。故寓補於汗。不使大洩。此方芎歸。一以安護神經。一補養血液也。方好得虛人汗法。若市醫則決不用麻桂。亦決不能一服中病也。淵雷附注

二十九日覆診。據云昨夜得汗。表證竟除。僅頭痛未清。然腰痛耳鳴等固有之證反大著。生慰之曰。風寒已除。是第一步計劃業已成功。欲除固有之證。自不能見功於一日。今後用藥。當單刀直入。專治其虛矣。幸安心靜養。勿再勞動冒風耳。

藥後表證已解。虛證乃著。此當然之理。不足慮也。肝腎陰虧。腰痛乏力。神經呈虛性興奮。故頭痛耳鳴眼花。夜不能寐。脉沈弦而弱。舌質紅黯。治宜左歸飲加減。以養血柔肝。育陰潛陽。

大熟地(四錢)　川斷肉(三錢)　大川芎(錢半)
雲苓神各(三錢)　山萸肉(一錢)　生杜仲(三錢)
全當歸(三錢)　大砂仁(八分)研　敗龜版(四錢)
淮山藥(二錢)　枸杞子(二錢)　磁硃丸(三錢)包

此方囑服三劑。迨一日往診。則耳聾已除。諸證亦漸減。乃於原方去磁硃丸。囑再服三劑。越三日又往診。則病者因不能久臥。已起床操作矣。惟胃納不振。四肢乏力。病者本擬不再服藥。生堅請勿過勞動。並為處健胃之方。即四君子加陳皮砂仁建曲之類。現胃口漸開。精神亦好。此最近之事實。故亦記之。

並不矜奇炫異。却動合規矩。此生向從私家師臨診。入本院不過一年。未脫從前蹊徑。如藥方三字一味。三味一排。三排一方。方案亦饒有時下名家氣息。蓋楚人之子。置之莊嶽一年。竟未能齊語也。　淵雷

其十一

郭鴻傑

生以海外俗子。負笈申江。得沐時雨。曷勝感激。無如性鈍質弱。弗克步趨。有忝宮牆。時深抱恨。今命試作臨診一得又愧未有一得可陳。惟責無旁貸。謹將在紅卍字會醫院半年來之臨診概況。節錄一二。以求斧正。

九月十六日。臨診開始。鴻傑與謝君誦穆合為一組。於上午九時抵醫院。由章師指定。先在病房診察住院病人。初經余澤霓同學引視原有病人六名。并略述其治療經過情形。留院就醫。多在半月左右。亦有逾月者。中一人為欬逆帶血之肺癆。餘皆屬傷寒類。多有形寒發熱。胸煩腹痛。腰痠骨楚等症。生等初試用藥。有幸而效者。亦有不效者。惟是日適新來一病人。名張景芳。年二十五歲。軍人也。其治療

經過。頗堪探討。據稱起病已二十餘日至院時之證狀。脚痛乏力。不能舉步。指掌麻木。亦難握物。胸腹脹痛而胃鈍。日僅能食稀粥少許。大便二三日一行。所下甚少。小便微黃。舌胎薄膩。又時盜汗惡寒。不渴。脉象浮滑。神色不華。正如金匱所謂身體不仁、如風痺狀者，傑本擬投黃耆五物湯、旋商酌處方如下。（方中赤芍用白芍爲是　淵雷附注）

黃耆（二錢）　桂枝（三錢）　木瓜（二錢）
赤苓（三錢）　赤芍（二錢）　防已（三錢）
厚朴（一錢）　牛膝（三錢）　炙草（一錢）
半硫丸（五分）

服上藥後。脚痛腹脹惡寒頓愈。胃亦稍醒。十七日復診。乃進黃耆五物湯加味。

黃耆（三錢）　桂枝（二錢）　赤芍（二錢）
白朮（三錢）　附片（三錢）　厚朴（一錢）
雲苓（三錢）　大棗（三枚）　生薑（三片）

此方連服二劑。各症均除。但四肢仍乏力耳。經方功效。神速如此。實出意外。以爲病既日久。當非旦夕能占勿藥。四肢仍乏力者。抑亦藥力有所未逮耶。仍宗原法。加川芎、當歸、牛膝等。又連服四五劑。其精神雖日佳。而步履仍未健。或者以爲軍人、每有借故留院之弊。於二十四日、即令停藥。乃逾五六日。病又劇。再進黃耆五物湯二三劑。則又減。此時傑等已轉至門診部。聞此人因加新感。覺不能全愈而出院。計在病房、三星期。先後診察病人十餘人。最後九月三十日。有張耀廷者。亦軍人也。年將不惑，患胸脇疼痛。痛在心下偏左。牽引肩胛，不得臥。正似金匱之胸痺。且痛時、溫溫欲吐。發熱惡寒。手足厥冷。其痛得按則稍舒。脉象微數。證狀頗劇。即宗括摟薤白半夏湯意。加以强心救逆之劑。

附片（三錢）　桂心（五分）　炙乳沒（各錢半）
干薑（一錢）　薤白頭（三錢）　吳萸（錢半）
砂仁（錢半）　厚朴（一錢）　白芍（三錢）
半夏（三錢）

此劑一投。各症頓減。二診仍於原方中去桂加黨參。惟左肋部、疼痛尚未盡除。三診乃加柴胡爲治。

柴胡（四錢）　黃芩（二錢）　炙乳沒（各錢半）
赤白芍（各三錢）　薤白頭（三錢）　少朴（八分）
砂仁（八分）　附片（三錢）　姜夏（三錢）

此藥後。精神乍復。調治數天。安然出院。由是可見仲師因證用藥之大法。信不我欺。惟若上叙張景芳之病。數服溫補而步履未能健全。究係何故。爲傑等當時所不解。故敢錄之以冀解釋。（恐須兼服腎氣丸　淵雷附注）至於門診。以傑與誦穆一組。統計之時間將三閱月。當秋初病人最多時。每日診至二十餘號。其中爲診者、有十之四五。證候方案。不能盡述。但以經驗所得。大概言之。運用成方加減而有效者。以小柴胡湯。葛根芩連湯。小青龍湯。苓桂朮姜湯。五苓散等、爲最多。我亦云爾 淵雷附注以單味藥效言之。凡遇胸痞脇痛。用柴胡。小腹攣痛用芍藥。胸煩肌熱用山梔。初感風濕。用荊防。身體虛寒用薑附。證必輕減。足以證明醫籍記載。實各有標準。不可忽也。

此生人甚木訥。文亦稱之。後幅論成方與單味藥之用法。雖舉例不多。已見平時學養。蓋院中功課。予授大論要略。所重在成方。次公授藥物。所重在單味藥。每與次公會診。予刻意選方。次公刻意選藥。此亦心力所聚。結習使然也。諸生得次公選藥與予選方之法。又得諸教授陶冶薈萃。衆長出藍者當不在少數。今則學力經驗尚淺。姑拭目以觀其後耳。 淵雷

其十二

何劍華

華習醫數年今始臨症於紅萬字醫院。然後知書爲書。證爲證。各異其形。而不相契合。書不能隨天下各證之變移而盡載其證。病之變移其證。亦不必節節如書中所記者。然而不讀書。則臨證時如失嚮導。無所適從。不臨證。則讀書時茫無頭緒。難知所指。是二者之外形。雖若南轅北轍。其精神則又如珠穿一線。不可或離。華乃以爲苟能合其形而求其神。庶幾可矣。茲者時屆寒假。校中紛紛考試。陸師亦命臨證一得一題。並限期交卷焉。題固闊大。然華苦少於臨證。且醫院中祗章師一人。因院務紛繁。亦殊無暇指敎。如此固難有所得也。無已。將往日治而得效者。錄呈一則於左。亦聊以塞責耳。何敢云得。

一小兒生後四月。忽發痧症。至第三日。突然氣急下利。痧點盡隱。下午尤甚。以致鼻扇身涼。四肢厥逆。脈飄忽似有似無。雖重按至骨不

可得。昏睡不醒。先一醫治而不效。已謝絕矣。華有友與病家爲親戚。力主招華往。既至其家。見兒面唇色紫暗。氣息微微。而急促不堪。以爲肺鬱血所致。然因證象險惡。不敢擬方。祇促病家速請名醫診視。病者之[illegible]乃謂前所請者固名醫也。然已自辭矣。先生既言爲肺鬱血。望爲寫方。如服而得愈。當厚謝。即服而不效且死。亦不怨也。華見情不可却。乃勉書甘草三錢。西河柳[illegible]錢。紫蘇葉錢半。桃仁泥二錢四味。而歸。蓋意以甘草緩其急迫。(說見藥徵)西河柳以強其心。章次公先生藥物講義謂本藥爲阿斯披林之主要成分。阿斯披林有強心及發汗作用。因思本藥或亦能強心。且又能透發痧疹。因用之。蘇叶以擴張血管。暢血流。桃仁泥以逐鬱血。仿通脈四逆之意也。至晚九時許。突有人聲門聲甚急。華心中怦怦。意謂殆矣。兒其已殤乎。然來人曰。已好矣。請先生再往診。華不得已隨之去。見兒已厥回脈

復。氣息平穩。人亦醒矣。乃轉升麻葛根湯加朮附。又兩劑已全愈矣。

右案雖得效。然初不意其竟能一劑已也。誠爲天下之大樂事。因思人之所以能生。固賴細胞之新陳代謝。然細胞之行此作用。實血液是賴。息息相通。故無論何病。無不影響於循環系。中醫以脈斷病。具有深理。惟難得其奧耳。王清任醫林改錯。所以十方有九方用桃仁紅花者。良有以也。

第一方頗具巧思。合病理藥理。斯非幸中。然實非通脈四逆之意。復診用升麻葛根湯。亦是痧疹套劑。惟朮附之加。未言其故。似贅耳。　淵雷

其十三

陳元熙

先祖龍標公少時。嘗跌仆傷手骨。聞北鄉王家寺住持僧、高靈師精醫。因去求治。不數日所患即愈。舉動如常。於是先祖羨醫道之能救人疾苦。從而師之。三年。盡得其傳。師弟之情怡如也。先祖得此經驗。遂懸壺問世焉。斯時家君方設學教授。叔父則務農耕。父子三人。各盡一道。祖業自不能承傳。迄乎今日。已歷數十載。又遭洪楊之亂。故所藏舊籍。十不存一。今所存者。僅一二驗方。病狀既無學理證明。治法更鮮系統。於是不得不置之高閣。埋沒無聞。年來父兄鑒於祖業之飄零、不能無繼。乃命生入學、重習岐黃焉。顧入校以來。歲月追人。徒增馬齒。自愧才疎學淺。不能與諸同志並駕齊驅。今雖忝列最高學年。無異濫芋充數。所以在此臨診時期。不過敷衍塞責。問心多疚。實無半得之可言。惟生在今春患病時。於呻吟無聊之餘。偶檢舊籍。覓得驗方清帶一則。初亦淡然置之。詎此次在紅卍醫院實習。遇患者。即用此方處治。每服一劑。輒不復來。然未知其果效否也。近以治愈唐君危病。其嫂山氏。知生稍識醫學。亦要求治其暗疾。據云患赤帶病已二載。屢經鄉醫診治。毫無效果。自嗟命途使然。絕不咎諸醫士。但以夫弟之沉疴能起。不覺自己之暗疾可憐。若能一旦霍然。未始非畢身之幸福云。生於婦科一門。苦鮮研究。惟嚴孟丹先生敎授婦科時。猶憶一二。惜當時諸同志以先生學說陳舊。致半途中輟。不得已。投家傳清帶一方治之。一劑而後。竟告痊愈。誠初料所不及也。患者喜甚。四處揄揚。於是生在國醫學院之名。遂聞諸遐邇。無奈患者回里後。勤於操作。因之復發。此無他。想係血管粘封未固。經劇烈之勞動。血液妄行。以致新固之處。血管破裂耳。越旬餘。患者又來滬覆診。並述經過情形。至此生亦責有攸歸。蓋當時未言明藥後之不可過度勞動也。前方既得效機。自不必改弦易轍。再進原方。其病又

愈。翌日按其脈。遲緩而細、知其陰血內虧。故又補其肝腎。詎料服藥後症又發作。但脈象甚佳。再進第二方。始收其效。難矣哉。爲醫下藥之不可不愼也。自後得此般證。當亦不致再覆前車。觀乎斯方。似有可取之價值。今以原方三紙。錄之如左。

右　唐　初診　十一月廿二日

三陰不足。濕熱下注。赤帶頻頻。二載於茲。因而面色失榮。肌膚失澤。昔人謂漏之久者。宜補宜攝。漏之暴者。宜清宜通。今擬膠艾四物湯。方乃非膠艾四物。淵雷附注　調攝衝任。而固奇經。

阿膠珠(二錢)　生山藥(八錢)　生龍骨打(六錢)

茜草炭(三錢)　生地炭(四錢)　苦　參(二錢)

生牡蠣打(六錢)　百草霜包(錢半)　杭白芍(三錢)

粉丹皮(錢半)　烏賊骨(三錢)

二診　十二月十四日

前投調攝衝任之劑。多年赤帶。一旦霍然。而患者不愼。勤於工作。以致舊病復萌。前方既得中肯。毋庸改弦易轍。

阿膠珠(二錢)　生熟地各(三錢)　茜草炭(三錢)

生龍骨打(四錢)　廣艾炭(一錢)　懷山藥(六錢)

烏賊骨(三錢)　生牡蠣打(四錢)　白歸身(二錢)

粉丹皮(錢半)　苦　參(二錢)

三診　十二月十五日

二進固攝奇經。多年赤帶。藥後全消。但今按其脈。遲緩而細。是屬病久血虛故也。擬繼補肝腎。以善其後。

炒阿膠(三錢)　山萸肉(三錢)　左牡蠣(三錢)

黑荊芥(錢半)　全當歸(三錢)　生熟地各(三錢)

益母草(二錢)　炒黃柏(三錢)　杭白芍(三錢)

懷山藥(四錢)　車前子(三錢)

四診　十二月十六日　照第二方再進

右列事實。較有系統。其中失酌之處。亦自知不免。今但以驗者言之。本證病理。由程編婦科講義得來。加味由嚴著婦科講義推演。所列四診。不過幸中。非敢爲後來者津梁。不過聊供諸同志之研究云耳。方亦婦科之常例耳。帶下久不已者。得此補澀。自宜得效。此卷文頗枝蔓。首數行略與刪潤。婦科教授之人選。本院極感困難。學術粗疏者無論已。即此道專家。或因學說陳舊。或因不善講說。或因文不達意。或因時間衝突。歷聘三四人。迄未一當。至今物色未得也。淵雷

其十四

劉文浦

秋季開課。爲時無何。幾臘鼓催殘。歲暮又至。功課告一段落。惟念暑假至今。時適半載。雖日往臨診。但文志質愚鈍。兼之溺于嬉戲。所以在製方時。藥果能中肯否。則不問也。今校中將結束功課。乃陸師題出臨診一得。竟使我忐忑心中。馳如奔馬。但題既出。不能違也。然我何以應之。惟有將平日臨診時所記之病證及用藥。摘錄一二。獻醜于吾師。寥以塞責。好在師生。倘不拋醜于外。錯誤之處。望吾師斧正。

金左。年四十餘歲。住方斜路。患濕溫五天。身熱。日輕暮重。入夜神識模糊。譫語妄言。欬嗽痰多。氣喘。口渴欲飲。（淵雷附注 恐是不欲飲）胸脇苦滿。診其脈弦數。苔白膩。余擬辛開苦泄豁痰之劑。柴胡葛根黃連厚朴半夏瓜蔞枳殼雲苓蔻仁杏仁菖蒲。與服。二診。熱勢稍遠•有汗已解。譫語亦止。脈與舌苔亦減。喘欬依然。原方去葛根黃連。加南星橘紅苡仁。令服二劑。三診。熱盡退。但濕未化。故仍有粘膩之痰。兼喘欬。改方用滌痰化濕降氣淸肺之劑。南星半夏川朴乾薑竹瀝橘皮苡仁砂仁甘草生薑汁。次日未來。後遇見於途中。乃知全愈。

王左。年二十餘。住斜橋。患鼻淵已二年餘。醫治多時。無寸效。適治于余。其人鼻流濁涕。點滴不乾。氣味腥臭。余姑試之與辛散之劑。辛夷細辛白芷川芎藁本升麻桔梗苡仁防風木通生草等。翌日來診。無稍效。當時窘急萬分。百索不得之際。偶思及皇漢醫學四逆散之治驗。遂改方。用四逆散加薏苡仁。合用當歸芍藥散。使服二劑。隔三日來診。果得大效。源源不絕之濁涕臭水。已減去大半。令仍服原方。後此人竟不來。想已全愈矣。余益信古方之靈驗。誠不我欺也。蓋此證自古以來均作肺部之病。多用辛夷細辛白芷之類。又有云成自風邪後之餘邪者。均誤也。是乃蓄膿證也。

朱左。年十六歲。住蘆家灣。患虛勞。面色萎黃。肌肉消瘦。問其得病之由。云自勞役過度。兼之先後天俱不足所致。其證寒熱似瘧。已有旬日。夜寐盜汗。手足倦怠。便溏洩赤。診其脈虛而無力。舌絳。此乃脾胃兩傷。榮衞循環失常。因於內傷處著眼。依損者益之。虛者補之之法。用補中益氣湯加茯苓芍藥甘草。令服二劑。後又來診。諸恙已十去七八。原方去柴胡升麻芍藥。加穀麥芽米仁。令調理之後。果不來矣。

首尾兩案。不過通套治法。末案必是藜藿之體。故得補易效。鼻淵案偶記藉籍。遂奏奇效。醫家所以貴博聞强記、拙著傷寒金匱今釋。於每方下記前賢之用法治驗。所以特詳也。市醫看得師傳幾首套方。欲以應付萬病。難矣。 淵雷

其十五

（上略）所幸半載之內。診治千百病人之中。亦偶有一二病藥相對而致愈者。隱藏於腦海特深。今書其經過。詳其病證用藥。聊以塞責而已。當否有待教焉。

十月十九日。在紅卍字會臨診。來一勞工。年約四五十。氣息躍躍。句不典雅方書中無此辭氣淵雷附注持方乞余覆診。視其方。乃整然一射干麻黃湯也。爲同學某君診治。問其藥後如何。曰不覺有效。審其證狀。答曰。咳嗽痰多白沫。已三四月。久病則不宜麻黃劑淵雷附注動則氣喘頭暈。尤見虛證淵雷附注納減乏力。謂飲食爲納村夫掉文之惡習淵雷附注咳引心下隱隱作痛。乃思咳嗽氣喘。症如肺脹。投以射干麻黃湯。祛痰定喘。頗爲對症。不效。想藥力不彀耳。仍以原方加味。囑再服。翌日又來就診。詢之。仍言依舊若此。於是疑竇莫明。但定知用方之不確。乃詳加診視。按脈軟而少力。視其面目。黃而光澤。兩目無神。一望而知爲勞傷過度者。既是一望而知何以初診不知必待再診詳視乃知耶辭之不修累如是淵雷附注其病者言至苦爲心下痞痛。咳引更劇。夜有盜汗。手足倦怠無力。解衣按其腹。心下臍上攣急。緣此乃悟決非肺脹病之主證。不在咳嗽。而射干麻黃湯當無效。諸證參合。是虛勞裏不足之症。咳嗽乃其旁證。虛勞裏急。諸不足。當予黃芪建中補虛和榮緩急。遂書黃芪三錢。生白芍三錢。桂枝一錢。炙甘草錢半。生姜三片。大棗四枚。飴糖一匙。濃煎。屬服兩劑。以觀其後。越二日果來告云。病差大半。腹痛咳嗽均減。於是于心更爲恍然。再予兩劑。而病漸漸向愈。精神健旺。前日之倦怠如忘云。黃耆建中之神效有如斯者。回思前日。但知讀古人書。記其成法方意。於臨診時不知活用。只知見病治病。不詳病原。不明主客。如初診用射干麻黃湯者。其失爲當然耳。於此宜知所戒矣。

蔣止軒

癇瘋一症。社會上病者殊屬不少。患者多不樂。認爲不愈。醫者亦目爲無法治療、中西棘手之一症。譚其病因。西醫謂是神經性官能病。由於神經性遺傳。他如兩親之飲酒。及梅毒難產。亦易罹此。但對於治療。亦無相當效藥。中醫則諸說紛紜。或謂肝腎龍雷上升。或謂由於痰與熱。或起於鬱悶過度。各說各理。莫衷一是。用藥則安神滌痰。對證療法。特慣常亦有相當治效也。生今歲治一癇症。雖未全愈。但效果頗佳。書其經過。亦作患者一得。

鄰居湯某。在童蒙時卽病癇。今纔十七歲。發無定時。數月數日一發。或一日數發。作時卒仆倒地。不省人事。兩目上視。兩手痙攣。口流涎沫。四肢厥冷。面色蒼白。逾時則醒。醒後如常人。祇精神困頓。食慾減少。平時胸部稍有悶滿。餘無他苦。在今年夏發作加多。幾一日數次。

暑假居家。來舍乞方。病者自言不求其除根。但望能少發卽幸。竊思治癇與癲不同。癲可鎭靜。癇則當興奮。所以古人有芳香開泄痰濁之法。且此病平時有胸部苦滿之證。尤當開泄痰濁。弛緩神經爲主。遂與石菖蒲錢半。遠志二錢。竹瀝製半夏四錢。天麻二錢。甘松三錢。炙殭蠶二錢。川芎一錢。滾痰丸每次服錢半。囑此方可常服。持方去後。久未檢校。今冬年假返舍。又來診。告余服該方甚佳。飲四劑後。胸部亦覺寬舒。其後每旬日一服。半載至今。僅發一次云。余遂將原方加當歸茯神。以安神活血。囑常服當更有效。其人笑容滿面。持方道謝而去。旋自思該方之有效。在於半夏遠志滾痰丸之能開胸滌痰。重用甘松天麻殭蠶之力。能鎭靜痙攣。藥後病雖未全愈。但此沉疴惡疾。獲效亦云幸矣。（照此情形可以除根淵雷附注）

臌脹者單腹腫也。患者多不起。中醫用藥多攻瀉。（何嘗如此淵雷附注）西醫則行腹腔穿刺。放水外出。取効一時。結果皆復腫而死。憑吾所見者。如族叔允惠。去冬自遠道歸。舟車勞頓。水土不服。病臌脹。大腹便便。小便不利。延近鄉中醫診視。用藥多攻水破氣。方如十棗控涎承氣舟車神佑丸舊藥。後必瀉下二三次。腹腫少退。寬舒旬日而復腫。余亦曾診治。予以牽牛、大黃、遂戟、芫花、木香青皮腹皮以攻之。（如此大攻病人不堪淵雷附注）當時思使瀉。令水有去路。結果仍退而再腫。不知愈攻愈虛。神色萎頓。手足浮腫。臍突◎腹現◎青◎筋◎（皆死證也淵雷附注）氣喘不食而死。自治此病失敗後。關於臌脹之方論。格外留心。後見某書論治臌脹。由脾腎失運化。排泄水濁之機能而起。用方宜附子理中。以溫補脾腎。扶助運化之機能爲主。大忌攻水。以耗元氣。致愈攻愈腫而至死也。於是始覺前日之大謬矣。旋於十月間。友人母在滬亦病臌脹。該友（何得用該字淵雷附注）與吾自幼同學。知吾學醫。故來延往治。視其腹如覆箕。足股亦腫。氣喘。小便短少。據述病由七月間患痢。愈後而得。按脈搏沉微。舌苔淡白。神色尙佳。夫起自痢後。其脾失吸收之能。腎失排泄水份之職可明。以致水無去路。日積月累。而腹腫矣。足腫爲心臟衰弱末部起鬱血之見證。用攻水法。前車之覆。可爲殷鑑。遂投附子理中湯一試之。方用附子三錢。白朮三錢。乾姜一錢。潞黨參二錢。茯苓四錢。甘草八分。服二劑。越四日。來延復診。往視之。腫勢稍退。氣喘亦減。小便漸多。病家喜爲佳兆。是乃脾腎漸見運化。水濕有暗泄之象。仍將原方增白朮爲四錢。以助吸收。茯苓爲五錢。令小便通利。更加木香白蔻破故紙。大辛大溫。化其陰氣。散其壁壘。使水道無阻。服三劑後。果腹腫全退。小便通利。但食慾仍不振。飯後覺有飽滿之感。繼用理中合六君子湯。健脾養胃。并囑淡食。二月而竟全愈。追索前後用方。未及一味耗氣攻下之藥。而沉疴能起。回念往日、於族叔用攻水藥之失敗。更形黯然。心傷於斯。可見臌脹本係虛症。當宜溫補。於攻法。亦知所警愼矣。此生臨診以後治臌脹症。一失一得之經過也。

以上三條。不過舉臨診以後、治病之經過。有良果者、記之。聊作臨診之一得云爾。

欬嗽雖常見之病。然種類極多。施治極難。恆當射干麻黃湯又極難用。無怪其用之不效也。予試用此方。亦未一效。覺未得其主療證候。要略云。喉中如水雞聲。此但狀其欬聲不絕耳。凡劇欬多如此。難以據爲證候。蓋其證本不具也。痼則活用之方甚多。散引於傷寒金匱今釋者。頗堪取用。雖痼疾尙不難愈。

風勞鼓隔之成者。實無治法。鼓脹包括甚多。不僅腹水。篇中兩案。似皆腹水也。腹水急性者。必須攻利。但水去後。急宜溫補。乃無反覆。若慢性病。固是當補者多。可攻者少。此又不獨腹水爲然矣。

作者能治虛勞。能治痼。能治鼓脹。此其術已高出時師十倍。但遣辭用字。絕無鍛鍊之功。遂令終篇不見精采。予支配本院課程。初年級國文時間最多。諸生乃覷爲無足重輕。何耶。　淵雷

其十六

林維鏞

醫者仁術也。無恆不足以言醫。必也志在濟人。朝斯夕斯。可學醫。蓋醫以和元氣。正性命。大哉言乎鄙人則不敢自居淵雷附註　然臨症施治。貴乎化裁變通。又須愼重精詳。圓融活變。不妨沉會。以期必妥。沉疴于是乎若失。略將經驗所得。臚陳一二。以作研究之助云爾。黃某二十三歲、于國歷八月十一日來院治療。先曾在外延醫服藥。旬日無效。診脈弦大而數。舌苔薄膩。舌質色紅。口渴欲熱飲。頭眩而痛。寒熱有汗不解。遍體骨楚。大便曾經濟泄。小溲短赤。此證宜小柴胡湯加石膏苓朮淵雷附注伏邪濕熱內蘊。非吾黨之言淵雷附注　濕遏熱伏。症勢非輕。姑與宣邪化濕。參以淡寒滲熱之品。

淡豆豉(三錢)　炒山枝(二錢)　連翹殼(三錢)

硃赤苓(三錢)　薏苡仁(二錢)　包六一散(四錢)

生石羔(四錢)　淡黃芩(錢半)　天花粉(三錢)

鮮竹葉(卅張)　川通草(一錢)　白茅根(二札)

甘露消毒丹(三錢)

服藥後尙覺獲效。仍守原意加減。以粉葛根金銀花活蘆根荆芥知母生穀芽生茅朮等出入調之。叠進涼辛清解法。殊爲獲效。適于二十夜十一句鐘間。倉卒病變。固雖逆料。然服甘寒藥十日其病不除則時方不足恃也淵雷附注　忽變吐血盈盆。神識恍忽。兩目無神。大汗如雨。甚致四肢厥冷。診脈細數。舌乾

紅。苔乾黃。雖是溫邪伏火（非吾黨之言 淵雷附注）劫傷血管所致。際此所急在命不在症。須乎急症急收矣。勉擬復脈回陽加減以冀一幸。

生黨參（一兩）　炮姜炭（錢半）　側柏炭（三錢）
煅龍骨（一兩）　清炙草（八分）　熟附塊（三錢）
地黃炭（四錢）　五味子（錢半）　煅牡蠣（一兩）
十灰丸（六錢）

進回陽復脈法。明日四肢漸轉溫和。汗出漸止。惟脈象虛大。寸關重按無神。形肉大削。神識痿疲。濕熱之病。劫傷血絡。血溢氣耗。仍慮節中生枝。再擬原意。參入氣血雙補之品。和三甲復脈之法加減主之。如清炙黃耆。自敗龜板。炙鱉甲。麥門冬。杭白芍。眞阿膠。元參。紅棗等味。增損治之。漸漸向愈。月餘安康出院。（用溫補止澀膠粘之品而病愈向之所謂伏邪者固從何道而潰退邪可見舊說之謬 淵雷附注）夫用藥之法。貴乎明變。于此足見一班矣。

又張某。二十七歲。于七月間。腹痛滯下。一日夜二三十次。糞色粘白帶黃。裏急後重。脈弦。苔膩。濕熱膠滯腸胃而成。急與大承氣湯下之而痊。次日誤食猪魚等肉。痢又復發。仍宗前法治之。乃獲痊癒。

鄭某。脈象弦洪。苔膩黃。舌邊紅。胸悶不舒。大腹疼痛。按之則甚。納穀減少。大便祕結。邪滯內阻。脾胃不和。氣機不調。（三句畫蛇添足 淵雷附注）治與加味大承氣湯主之。

大　黃（三錢）　川　朴（一錢）　炒只殼（錢半）
焦查炭（三錢）包　廣木香（四分）　京赤芍（二錢半）
硭　硝（三錢冲）

使邪滯瘀阻盡去。而正氣可復。譬之寇盜不剿。境內亦終不得靜平也。

李某。脈弦而數。苔膩而黃。口乾欲飲。頭內眩暈。先寒後熱。四肢痠楚。邪伏少陽。陽明樞機不調。（兩句或以爲必不可少予以爲必不可有 淵雷附注）治以柴胡桂枝白虎湯。瘧疾若失。

謝某氏。產後卽進同德醫院治療。無效。每日昏厥一二次。氣息奄奄將斃。乃轉入敝院。脈虛細。苔薄膩。口渴大飲。頭眩。寒熱。神識痿疲。產後氣血空虛。邪瘀交阻。治與培補氣血。溫經透邪。

高麗參（錢半）　蜜黃耆（四錢）　全當歸（七錢）
大川芎（二錢半）　單桃仁（五分）　炮姜炭（五分）
炒荊芥（錢半）　明天麻（錢半）　軟防風（錢半）
抱茯神（三錢）　清炙草（五分）

外另用補血湯代茶。

蜜炙黃耆（一兩）　全當歸（三錢）

服藥後。乃獲大效。再守原法。增損治之。不旬日。康健出院。人徒知藥之神者。乃藥之力也。殊不知乃用藥者之力也。

林生。粵人。人甚誠摯。習醫已久。曾懸壺問世。插入本院三年級後期。同時任上海潮州和濟醫院診務。和濟之主任醫卽丁君仲英。實際上由文郎濟華庖代。仲英父子固善用時方者。林生耳目所漸。不免同化。觀以上數案。殊不見本院家法。次公謂林生之術。乃鎔合粵派醫蘇派醫而成。信然。時方治雜病。亦頗有得效者。獨時行熱病。終遜仲景法耳。　淵雷

譯述

公開狀

日本 德國醫博士 松園渡邊熙著
中國 內科醫士 松年沈石頑譯

此篇譯自東洋和漢醫學實驗集此書沈君已譯成行將出版問世云 編者

排除極端模仿西洋之現代醫學而企圖改造之

近世科學物質的文明。征伏一切。誠爲科學萬能之世界也。卽現代之醫學。亦有非常進步處。但所惜者僅爲偏面的純粹的科學之學問治療方面。亦只獲得皮層之觀察而已。所以彼等治療人羣之醫術。其權威也。畢過爾爾。更欲仍依其今日所行之方針而謀幸福之進步。其成功與否實難斷言之。雖然。西洋醫學之外科手術。及血清療法等。亦有頗優秀可取者。但可靠者僅一二種而已。不足以代表一般之現代醫學。且尚未脫離試驗時期。治療方面。時有採用反乎學理之手術。並亂動器械。益增歧路迷津之慨耳。余求學德國時。適値西曆一千九百年。爲彼邦最隆盛時代。及世界醫學之叢淵也。卒業後。十許年中。仍於國內外之各醫科大學內實地試驗。研究各種微菌學。血清學。藥物學等之動物試驗。及專心探討純正科學之病理學。解剖學組織學等。卽臨床時亦維以此類爲標的。而不敢一刻忘懷者也。預期將來天下。當無不治之病。不意入世後。當爲人治病之時。始知天下竟有不能治療之病在也。爲十年來意料以外之事實也。至此方覺予輩已日暮道遠。一切青年時代之理想。溟然夢醒矣。回顧依據所謂科學實驗而得之學位者。維求一紙論文之通過而已。且所學者當治病時。百無一取。因之輾轉之間。對於學問眞價實際上之疑竇漸滋長也。更有專務智識及名利之輩者。如斯氏（スコーダ）曰。先哲以爲病在必治。其實病之治與不治。非醫之問題也。吾人之目的。僅求智識慾之滿足而已云云。此種論調爲余平生所最疾惡者也。與東方醫術之精神。適成爲反比例也。雖然。理智與情感本難兩立。但醫者爲人治病時。設不傾注其心血而欲收良好之效果者難矣。現代一般之潮流。維知求名求利。而不知情之爲何物也。然則其治療之著想及方針。均已根本錯誤。故肯煆煉其治療實際上之技術者甚少。唯圖外觀虛張聲勢。求名利之外。更不知其他學派之有勝己處也。甚或嘰罵他人。以長自己之威風。行爲之卑陋。無可言喻。至於東方歷代傳統而來之仁術的古醫法。竟如宗敎徒之視異宗敎者然。讀彼等之歷史。未見有一人投身此項技術之範圍中者。完全置身此道之外。自尊爲最高之學府。亦僅知自派極端之科學而已。絕不知有由哲學出發之醫學在也。其本身一外之眞理。永未覺察。且卽以此等法敎人之子弟。誠屬遺憾。事蹟昭然。難逃天下之公論也。習西醫如我者。在未學漢法之前。竊度和漢醫學。必爲極簡陋之學問而已。甚輕侮而嘲罵之。及今略得漢法醫學之長處後。實覺漢法有令人信服之價值。其方術之意味。咀咬較久。遂發生東西學說有無可以通譯之點。歷五年來之經驗。確信漢法醫術。可爲科學研究無上珍貴之材料。故此積極用科學之法翻譯。證明其意義。及改良本草。實爲天下之偉舉也。本邦多山岳之地。藥草優良。可以西洋研究藥物學之法研究之。不可破壞其有效之成分。（譯者按據松園云凡無論何種植物質天然之生藥。均不可製成X狀態。及結晶體。因倘使製成此等狀態時。必須經過長時間或強熱之蒸發也。然則被製品之蛋白質或脂肪性物質等。可以因蒸發之故。立刻昇騰飛散。以至於無有。故一切之生藥。什九不可蒸發太過。且製成流質之後。亦常因天氣、地理、時間之關係而易於酸化也。宜注意之）證明其醫治之效用。獎勵國內外之國產品。以建設驅逐有名無效輸入之化學藥品之基礎。現時中國之國民。對其祖國傳流之醫術。信賴之心甚厚。凡有識階級。皆知其效果之優遠勝洋醫藥。故雖遠渡歐美時。亦必攜其祖國之藥品。以備急需。但彼國之醫學。自明以降。皆爲後世學派所繼承。（恰如佛敎小乘敎之爲後世派。及我國德川時代大乘敎之發達者然）古方醫學爲漢法之源泉。醫學之本宗也。其確切可靠之治法及處方。不可勝計。所以不由不令人感嘆驚服也。古方醫書中。雖多極不易解之文辭。其技術獨到之處。磐竹難書。和漢醫學除雜派外。無不須依正規師承之口傳面命後。始得醫學之蘊奧。今後此等明哲漸絕。眞諦亦將凋零矣。欲求如上古聖賢之具有偉大天才者。再世難得矣。史多數賸餘之書籍。今後欲使現代醫學者能充分了解而應用之繼承者。亦恐難得矣。我邦漢法最後大醫家淺田栗園之門人。至今亦唯殘餘一二人而已。若此等再去世之後。則和漢醫術之精華。其運用之妙盡失古法亦恐難保不絕滅矣。平時研究和漢醫學。以科學的解釋之。或企圖對照研究之。我知於公私之各大學中。若設和漢醫學之講座。着手科學的研究。則德國學派出身之醫師。及其他各派之醫師。必望風而來。世界之醫界中立現新波紋也。以和漢醫學之全科就外來及入院患者。實地指導。以爲科學研究之材料。採哲學的意匠。爲科學研究之資料。類此之問題。不勝枚舉也。冀祈諸君議示設立和漢醫學講座之高見。伏乞明鑒。

渡邊熙頓首

黑燒編

日本　日野五七郎著
中國　梁東洲譯

定義——黑燒者。與歐美各國治療上所應用之炭類相等。唯不同之點。乃製造之際。遮斷空氣之流通。使熱灼炭化耳。

有稱黑燒爲霜者。以其質輕鬆。研和爲微細之粉末。故名霜也。（學者參照百草霜條可也）

製法——以植物體之一部或全部。入於瓦器之火消壺。或以二枚之炮烙被覆。於其接合之處。以泥土塗塞。並以銅絲纏縛。後埋於炭火中。受熱之後。有焦臭之烟噴出。待其噴烟已盡之時。即從火中取出。埋於土中使之冷却。

此外對於黑燒之製法。諸書尚有所記載。香川修德氏所著一本堂藥撰云。

合歡木霜（植物黑性燒）

合歡木。即俗稱模訥古者是也。用幹連皮。切破四條。燒之成炭。研粉入丸料內。若燒過候。則成白灰。無效。古人用合歡木皮。今用幹連皮燒成霜。

鼷鼠霜（動物性黑燒）

取新鮮鼷鼠。入土器中。蓋定。以繩扎縛。鹽泥密封。用炭火逼燒。以烟清爲度。取出開視。存性爲佳。俗呼烏穀祿木窒者是也。

小泉榮次郎氏所著黑燒之研究中有云。

黑燒者。乃取動植物納之土器。蜜閉其口。嚴防空氣之侵入。而蒸燒之。其蒸燒之程度時間等。由採取物之含水量、動植物之關係、形態、容積及燒成量等。各有差異。

容器之大小及形態等。亦由品種而異。凡扁平之物。用炮烙。高厚者。用火消壺等。至其大小。則有種種。

容器與蓋之間隙。以防止之瓦斯放出。常塗布粘土。唯蒸燒之際。往往有發生多量之瓦斯。使其密閉器破裂者。所以有不塗粘土於其間隙。以防破裂。又容器之上。以銅絲作十字形縛之。不使其蓋離開。。蒸燒之谷。藉此銅絲。可以便於取出也。

黑燒製造者。其蒸燒之方法。各家不同。又其蒸燒之程度等。一切密不示人。雖販賣者。亦多不知之。然其製造法之概梗。係用製造木炭之竈。亦有用類於土釜燒之灶者。其法先敷籾於灶內。而後將銅絲所縛之容器納入。再以籾覆其上。點火而密閉之。漸次使熱度上昇。蒸燒殆與製造木炭無異。又成燒之程度。概由竈中所發生瓦斯之色。及瓦斯之濃淡。並臭氣等。以判定之。燒成后撤火或密閉其灶。待其冷却。取出容器。

木田藏右工門氏所著烏類黑燒之解說書中。有云。

用小斧砍落烏類之頭。納之於今戶燒之沙鍋。（經一尺五六寸深一寸五六分者但由品類之大小而有異同）密閉其蓋。以銅絲縛成十字形。將黃大津土和於水。塗布蓋之合際及全體。曝於日中乾之。然後入炭火於方三尺之石爐。將沙鍋置其上而燒之。猶恐其既燒之後。白泥封之間隙噴出烟氣。故先塗泥數回。凡燒四時許。然後除火。以水浸濕之木綿裂取出之。置於土中三十分時許。俟其冷却。然後取出。以鐵製之彎刀。除去泥土。以繩束子擦淨。解開銅絲。取出鍋中之頭。研爲粉末。小獸類之製法。概與前同。然如牛馬等巨大之物。必入最大之熄壺以燒之。以上之品。悉爲病者對證之藥而用之。

大阪每日新聞（大正十三年一月八日夕）刊云。

蠑螈之黑燒。係江州捕蛇專家蒲生郡武佐之佐藤榮藏君。（年五十一）專門製造。近年銷路之廣。令人咋舌。隔年定貨者踵相接。一箇年約有十二萬匹。每年一二月捕手十二人着手搜捕蠑螈。以八日市町爲中心。迄於附近之河川上流山間。據云非小寒大寒內所捕者。功效薄弱。大抵一箇月之中。捕獲一年所用之品。黑燒之方法。於蛇燒灶蒸燒二十時間。凡行銷各地治小兒之胎毒者。用藥船研爲粉末。而行銷都市供惚藥之用者。仍爲赤黑燒。每頭以一角七八分（日金）之比價。移於經售者之手。經售者將雌雄各一。綴於棉上。作人形之狀。非五元之譜。不能買也。又聞善捕者。一日能捕七八百頭云。至其效果之有無。迄無保證。故今年關東之定貨頓絕。然關西方面京都大阪神戶等處之定貨。頗有應接不暇之勢。此係出雲之神樣本之榮藏君所云。

對於治小兒之胎毒。及惚藥之用。蠑螈、黑燒爲必要之品。唯夏季所獲之蠑螈、非特功效較薄。且易生蟲。難於保存。若夫踐踏冬雪而搏取。頗爲困難之舉。加以蒸燒亦多費時候。而易破碎。則於緣結上似不相宜。必須熟練者。方能製作也。蓋蠑螈之黑燒。最爲難製。如果燒成普通黑燒之狀。則功效殆歸烏有。必也燒之使成可愛之色。故亦煞費苦心也。當此之世。文化雖稱發達。而惚藥則尙能暢銷。眞莫名其妙。嘗見年輕之人。辟人目而買惚藥者頗多也。

性狀——植物性之黑燒。爲黑色無味無臭之固體。或爲粉末。買之水中。則失無機性成分之一部。其餘概不溶解於諸種之溶解劑。動物性之黑燒。呈褐黑色或灰黑色。能發曇金屬樣之光澤。並帶有極微之焦臭。以之附着於濕潤舌端。有歷數時間剝脫者。應用——尚未聞有遂精密之研究者。然恐與動植物性炭類相同。由其吸着作用。而顯治療之效果。如近世醫學上所載醫學士向影井一氏以炭末爲藥劑之記事於黑燒之研究者。大有裨益。爰錄之於左。

述藥劑之炭末

由來

動物炭（獸炭）既爲古來所用。較之植物炭。（木炭）其吸收力之强盛。亦爲世人所認矣。

一八四五年。茄洛特氏。始以獸炭爲抗毒藥。而應用之。對於蛇毒、狂犬病毒及黴毒等。則用骨炭。至一八五七年。顯門氏對胃腸障碍。即嘈囃、心嘔吐、胃病、皷脹及下痢等之症候。力主應用木炭。且對於頑固便祕。則以之爲胃腸管之刺戟藥。又對於腸窒扶斯。主張應用木灰。以爲防腐藥者。雖然。爾後一般醫家。對於治療上應用獸炭及木炭。完全忘却。記述是等之藥物學書。亦甚鮮云。

一九〇〇年。富林開氏。對於結核性關節炎。常以骨炭治之。戎墨氏（一九〇五）嘗稱應用木炭。得有好結果。一九〇九年。韋考斯堪氏。試驗動物。確定凡被吸於炭末之毒物。於生體中不能發揮其毒力。其後該氏及阿特連、愛克斯丹、施托根士丹、濮革士諸氏。皆述曾臨床應用於種種之中毒下痢等。而得好結果。克羅斯、巴拔拉兩氏。報告爲液體之滅菌。而得好成績。於是炭末對於治療上復得應用矣。

炭末之種類

夫炭末大別爲二種。（一）植物炭。（二）動物炭。（獸炭）而屬於動物炭者。即（A）骨炭（B）血炭（C）肉炭之三種類也。以下對於此等。略述其製法性質等。然後再述其作用及醫療上之應用云。

（一）植物炭（木炭）

木炭者。德國則以櫸、山毛櫸、松（松之一種）等木材製之。通常所用之品。俱爲松材所製。較之槲山毛櫸等堅固木質所製之炭。其質爲鬆。故易爲炭末。又於化學作業室等。用爲燃料之際。燃非常旺盛。且能發生高熱也。

良質之木炭。非唯使其表面。凝著濕氣（安母尼亞）炭酸等。通常尚有不充分炭化之所。故每含有有機物質。若欲供藥用時。更須灼熱一次。

製法——木炭之製法。略之。茲就藥用木炭末之製法。述之如左。

以鬆疎質之木。切成木炭適當之度。約大如拳。投于通風爐。燃燒之。迨呈赤熱之時。遂蓋其爐。於是熱之木炭。竟至不出烟或蒸氣。乃止通風。以消其火。或取出之。置木炭於金屬板或石上。使之冷却。密閉於土製之壺中。消滅其火。然後除去其表面附着之灰。於木炭尚未冷却之時。研爲粉末。密閉於容器中。而貯藏之。若欲得微細之粉末。可以上述之粉末篩於篩中篩之。

成分——木炭非純粹之炭素、含有里石炭土、硅酸、燐酸鹽等之灰分。(平均約二%)此外並常含有水素及微量之酸素。與炭素之化合物。且含有自大氣中吸收之酸素、窒素、炭酸「安母尼亞」等之瓦斯。

性質——木炭末爲黑色無味無臭之粉末。無論如何之溶解劑。亦不能溶解之。以水抽出之時。失其所含無機成分之一部。以稀鹽酸之時。殆一切悉能抽出。又以酒精之時。則一切皆不能抽出。若置於白金板上熱之。斯時不發火焰而燃燒。僅剩極小量之灰。精製之木炭末。其中所含八%之苛性加里液。或苛性「那托倫」液。皆被灼熱之後。其濾過液當爲無色。若帶有褐色之時。其木炭末。尚含不能炭化之物質。木炭末有最要之性質。即係一般所謂炭（動物炭並木炭）所有之物理的性質。亦即使吸着瓦斯、臭氣、色素等之性質也。然此性質。唯新鮮而不帶濕氣等之木炭末有之。又粉末越微細者。越能現此吸著作用。其詳於後章一般炭末作用之條下述之。

(二)動物炭(獸炭)

(A)骨炭

製法——骨炭者。以大動物(牛馬)之骨。浸於「佩丁」硫化炭素。或加水煮沸。除去肪脂分。分爲適當之大小。納於鐵製之圓筒或「利托脫」。溜乾之。舉骨中所有之有機組織。悉爲炭化。於是將其骨炭。製爲粗粒。或研細末。若欲製小量之時。以骨密閉於坩堝中。灼熱至瓦斯不生爲度。

精製骨炭之製——如上所述之尋常骨炭。其百分中含有炭素十分。燐酸「鈣鹽」約八十分。(但合算燐酸「麥格納叟」之小量)及炭酸「鈣鹽」八分。而精製骨炭末。乃尋常骨炭中除去燐酸「鈣鹽」及炭酸「鈣鹽」。當其精製之時。先以骨炭爲細末。約加五倍之水。注入鹽酸(粗製者爲佳)至呈酸性反應爲度。數時間溫浸以後。加沸湯或水。洗滌晒乾。投於坩堝。閉蓋熱灼。乘其微溫。貯於密閉之器中。

性質——粗粒狀之骨炭。如豌豆大至指頭大。其緣銳。甚良好之骨炭。爲純黑色。其斷面無光澤。斷面呈玻璃樣光澤之骨炭。對於色素之吸著力薄弱。故其脫色作用不佳。以粒狀骨炭。插入一里得爾量之容器。其分量當有七三〇至七八〇瓦。無論如何之狀體。決無八〇〇〇瓦以上之事。

化學的組織。——骨炭所含炭素之成分約有一〇%。他之九〇%。爲無機性分。今示明良質骨炭之組成。炭素及窒素與炭素結合之物。其爲一一%。燐酸「鈣鹽」並燐酸「麥格納叟」八〇%。炭酸「鈣鹽」。八%硫酸「鈣鹽」。二%「亞爾加利」鹽〇・四%。酸化鐵〇・一%。及硅酸〇・三%是也。而燃燒其骨炭之時。僅剩約八〇%之白色灰。骨炭之物理的性質。有吸著作用。與木炭相同。唯其力較木炭更强耳。述於後。

骨炭之良否檢查法。——購求骨炭之際。要注意檢查。有製法不良。功效鮮少者。或有生意外之結果者。亦曾經使用者。又有褐色而不堪用者。是等皆爲不良骨炭所生之結果。良好骨炭之體質如左。

(一)眞黑色而光澤。其斷面亦爲無光澤之黑色。凡斷面若玻璃狀者。其吸著力薄弱。若褐色或帶赤黑色者。爲其炭末會充分炭化之證。灰色或白灰色者。乃炭化過度。因之缺乏炭素。又其緣非常磨耗者。爲曾經使用之證。次(二)對水分之注意。即以骨炭之細粉五瓦。于一二〇度。一時間乾燥之。秤量之時。其重量之減損。須在五%以上。(三)搖入於「里得爾」容器之骨炭。其重量爲八〇〇瓦以上之時。即曾經使用之骨炭也。(四)與精製木炭之方法。大抵相同。加入骨炭於八%之苛性加里液。灼熱之。其液靜置之後。當爲無色。若成褐色時。爲不當充分炭化之有機物質存在也。此種骨炭。絕無脫色作用。故能使其物質爲褐色。(五)脫色力者。乃加入骨炭於赤酒「咯拉美」溶液「美基林勃羅」溶液而檢查脫色與否。或於若干時間內可能脫色。(六)其他尙有檢查骨炭之炭素等重量之法。茲略之。

精製骨炭之性質並檢查法

在白金板上灼熱之。僅剩些微之固形物等。若以此骨炭一瓦。投入於水五〇瓦中。煑之。其液當爲中性而無色。又以此粉末一瓦。加入於水四〇瓦與鹽酸一〇瓦之混合液。煑沸之。其濾過液因入安母尼亞之過多。而呈藍色。(含銅質時則爲藍色)或不現褐色(鐵)且其安母尼亞性液。因蓚酸安母紐或硫酸安母紐。亦不變化。若發生變化時。前者含石灰。後者含有鐵也。若僅驗其含有金屬與否。只須於上述之濾過液。加硫化水素水以檢查之。即其液溷濁時。乃明示含有金屬也。

(B)血炭

製法——於一〇〇分之新鮮血液中。加入一二五分之純良炭酸加里。或二八〇分之結晶炭酸「那托流」在鐵釜中。攪拌而使乾燥。然後此乾燥之血塊。入於坩堝中灼熱之。至蒸氣放完而止。乃將其殘留之炭塊研爲粉末。初以以熱蒸留水洗滌。次以稀釋之純良鹽酸。最後以蒸溜水至「克雞爾」淨盡。乃急速使之乾燥。密閉器中而保存之。

(C)肉炭

製法——將犢肉削除脂肪之後。切爲小片。其中混入小犢骨片三分之一。灼熱至蒸氣放完而止。所得之肉炭。不過所用犢肉之約七%。

性質——此種粉末爲黑褐色。有機分之光澤。發多少之焦臭。灼熱之。殆不發燄而燃燒。此物之重量比骨炭較輕。從化學上觀之。燐酸石灰遙少。又其色爲褐色。故亦與之相異。炭肉之成分。燐酸鈣鹽之外。主含有結合窒索之炭素。雖與空氣接觸。而亦不生以認識之變化程度。若于空氣灼熱之。此粉末約殘六〇%之灰而燃燒。以鹽酸抽出此肉炭之液而濾過之。于其所得之液中。加入安母尼亞之時。則生膠樣之沈澱物。於理的性質。此肉炭有極強之吸著力。與骨炭、木炭等。然因其窒素化合物之含量至大。此點又與二者不同。至於無機鹽類之含量。則位於骨炭與木炭之中間矣。

炭末之作用

世人都以炭末有物理的性質。故其吸著種種物質於其表面之作用。就此吸著之現象而述之。此現象即爲生於一般異相之物質界面之現象。其際一物質於他物質之界面被分配不等。例如於炭末之固體氣體或水蒸氣之界面。氣體或水蒸氣。與其氣相之時，有相異之濃度。又於炭末與溶液之界面。溶質與其溶液有相異之濃度。即氣體或溶質多集於界面。界面大則集於其所之溶質量。因之而大。溶液即減少。故其際溶液之濃度較原濃度爲小矣。非特此也。溶質全部。幾有被自溶液中除去者。特於稀薄溶液之時。殆常有此種之現象也。

如上述之吸著作用、爲界面之現象。故其大與界面之大相等。然物質越小。則其表面之比越增加。今試從反面觀之。設有某容積之物質。由小而大之時。容積縱以三乘之比增加。而其表面則不過以二乘之比增加。即表面比較的爲小。故吸著體之粒子愈微細。其界面却愈大。其吸著力亦益強大。又吸著體之粒子均乏之時。吸著體之量愈大。則吸著愈盛。普通稱爲吸著者。即如上述被吸著物質。（氣體或溶質等）多集於吸著體之界面。故其濃度有大小。若於溶液。則較其原濃度爲小。然間有反較原濃度爲大者。此爲溶媒因吸著體其被吸著之時。所顯之現象。此稱爲負吸著。前者稱爲正吸著。却說炭末所有之吸著力。因炭之種類而有強弱。一般據韋考斯堪氏之實驗。謂血炭之一部。與骨炭之四部。或木炭之四〇部。其吸著力相當。所以於試驗管內。加入定之美基林勃羅、故欲用使吸著美基林勃羅之上記二種炭末時。若爲獸炭。雖於尿中不能發見美「基林勃羅」。然於木炭。得證明云。即在試驗管內。雖無逆反應。而在生體中。即有此等之差也。此乃獸炭之吸著力大。且其作用永續。不生逆反應也。唯此吸著力因炭末之種類而有差。並因被吸著物質之性質。吸著作用亦受影響。例如被吸著物質中膠質者。例之結晶質容易吸著也。

凡炭末所吸著之物質甚多。大略如次。

(一)種種之瓦斯並水蒸氣

木炭並獸炭。有吸著瓦斯之性。一容之新鮮山毛櫸炭。能吸收九〇容之「安母尼亞」瓦斯。五五容之硫化水素瓦斯。三五容之炭酸瓦斯。一〇容之酸素瓦斯。若炭既有瓦斯飽和之時。殆不得取他之瓦斯。故以空氣飽和之炭。使吸著他之瓦斯。惡臭等時。務必再以其炭灼熱一次。方能驅除已被吸著之瓦斯。而對于水蒸氣。則能吸著相當於其炭重量之一二—二〇%之量云。

(二)有臭物質

對此物質之炭之吸著力。與前所述者類似。同時為防腐防臭作用之原因。此際不僅為吸著腐敗瓦斯之機械的結合。其一部同時因炭對空氣所取之酸素。亦受化學的變化而破壞。傾於腐敗之有機物質。且於炭末中。永不變耳。有惡臭之水。或傾於腐敗之水。以炭濾過後。得供飲用。故炭者往往為消滅液中有臭物質而用之。

(三)色素

炭末能吸著色素。故有脫色作用。此種的作用。特於血炭為尤著。通常之骨炭次之。通常之骨炭。其脫色力為一之時。純良之血炭。則竟有及於四〇—五〇倍也。著色之鹽類溶液。因與炭末之浸出法。或以溶液溫至四〇—七〇度時。即能脫色。含有「安母尼亞」瓦斯之炭末。其脫色力甚弱。

(四)苦味質

「格利葛希特」含水炭素等。遇水飽和以後。與其中某溶液混合之炭末。出其所吸著之水一部。而以相當之溶液代之。是即取被吸著物質之量也。此等物質。若多為容易溶解於酒精之物。則可以酒精浸出。而自炭素抽出之。

(五)難溶解之鹽類並重金屬之酸化物。凡自液體中除去重金屬鹽類者。可以浸出法行之。例如製作舍利鹽之時。其液通常含有「硫酸鈣鹽」之骨炭行浸出法。則此難以溶解之鹽類。悉被炭末吸收。又粗製炭酸加里。雖含有「鐵孟剛」之酸化物。然能由骨炭悉行除去。並且鹽類之夾雜物。若鉛鹽類、銅鹽類、及安的蒙鹽類。亦能同樣除去。而鹽類之難溶于水者。更容易除去。夫金屬鹽之變化。乃由炭所分離之金屬酸化物吸收或還元也。難溶之鑛酸。例如「華爾富蘭酸」「安的蒙酸」「木利布屯酸」亦能由炭末之吸收與其鹽類分離也。

(六)一般的亞爾加利類。亞爾加利土類。炭酸亞爾加利並亞爾加累特。燐砒素等。

由炭末使亞爾加累特溶液脫色之時。因被炭末吸著。亞爾加累特遂減少。若欲防其減少。非用酸性溶液不可。夫如是則用清淨之水。較之將殆無鹽化物之井水。用炭末蒸溜者。毫無所異。井水含有之炭酸石灰。炭酸安母尼亞、硫酸石灰、炭酸瓦斯以及有機質。用純良之獸炭。可以吸著。食鹽之含量僅微之時。獸炭亦能吸著。其濾過液因硝酸重土。銷酸銀。鹽化水銀。過滿俺酸加里等而不變也。亞爾加利土類及亞爾加利類之炭酸鹽。用炭末可以吸著。亞爾性之物質。以鹽酸或以硫酸之類可以分出。

附記　吸著色素或以上所述種種物質之炭末。不能再用。但其被吸著之物質。因性質不同。或由灼熱。或由酸亞爾加利之處置。或由醱酵等能使之破壞或除去。此等炭末可能稍變爲原性質。而堪于使用矣。

(七)細菌細菌毒素及動物性毒素。

炭末對于此等之物。亦有吸著之能力。依克羅士、巴柏拉爾氏之實驗。於一〇〇立方仙米之殺菌水。加入一瓦之動物炭。對於一立方仙米混入一〇〇〇分之一。白金耳之虎列刺培養之時。十五分後遂爲無菌。室扶斯菌較之斯稱。更要三—四倍之動物炭。又對牛乳之滅菌試驗。亦有良好之成績云。細菌毒素。炭末確能吸著之。例如以「必典甬」菌之蛋白質溶解素與動物炭混和之時。其毒素作用即消失矣。

醫療上之應用。

(一)外科的應用

炭末之作用。能吸收液體于其間隙中。使與其接觸之部分乾燥。並有吸著細菌及毒素惡臭等之作用。而對于創傷面等則無吸收之可能。故無害于身體。外科方面以爲吸收劑、而應用於創傷、潰傷面壞疽等。其應用方法。若創傷則先以過酸化水素水。洗滌患處。以殺菌之脫脂綿、輕拭之後。將炭末用器吹於創口。至黑爲度。用包好。是後每換繃帶之時。以過酸化水素水將創口洗淨。再以炭末吹之

對於新創之傷口巨大者。効驗尤著。數日後傷面淸新。生肉等組織而癒。若爲已化濃之創傷。效驗遂較遲。但可以吸收惡臭之創液。而促進治癒之期。深而穿孔性之創傷。難以炭

未蔽創面之時。用二—三%之炭末浮游液洗滌之。亦能速將細菌及其毒素由創傷而除去。

其他於不潔之四肢截斷面及褥瘡等。用炭末有効。又手術後之膿胸。行普通之療法無效者。以炭末浮液游洗胸腔。亦有功效云。

關節結核之治療。亦可用炭末。或用一%之炭末偏利攝林、愛木爾祥。又於諸種之潰瘍壞疽。用爲散布劑。或以脫脂棉包而貼之。皆有功效云。

曾有奧貝罕及許理夫加者。謂用炭末浮游液（以獸炭末五瓦。入於五〇生的邁當之微溫湯中振盪後。每日注入尿道內二次。）爲淋病之局所治療藥。奏效如神。即急性尿道淋。常有漏膿。已可證明其淋菌之夥然。苟用此注入療法。有治癒之望。（但和收斂劑即六〇〇〇倍之過滿俺酸加里液併用時更效之。）

（二）內科的應用。

對於內科的疾患。雖亦能應用炭末。然主以炭末有吸著之作用也。其應用之範圍。自然限於口腔胃腸之疾病或中毒、胃加答兒。或因胃腸管內異常釀酵而呈之口臭。嘈雜、胃痛、（腹痛）鼓脹下痢等症。以獸炭末〇・五—二〇。每日數次內服。

濮革士氏對於因胃病而發之下痢。以飽和鹽酸溶液之獸炭（即含有約一〇%克羅爾水索之獸炭。）一日三回，約內服一〇瓦。有大效。據施托根士丹氏之報告。對於患急性胃腸加答兒。腹中劇痛而下痢者。使頓服約一五・〇之獸炭。或再以硫苦水二五〇・〇使之內服。有偉大之功效云。

（三）小兒科的應用。

其他對於小兒之吐瀉下痢者。夏期之下痢。等。獸炭亦有神效。

（四）對於傳染性患疾之應用。

對於傳染性疾患。凡有關於胃腸者。可應用之。據阿特連氏之報告。以此品治虎列刺。有偉大之效果。氏於虎列刺之患者。身體尚未脫力之時。先以一—三筒之康福注射後。以溫暖之獸炭水。（獸炭約一五・〇和一立達之水混合）約三・五立達。施行胃中洗滌。再以獸炭一五・〇和以約一〇・〇之水注入胃中。然後使患者側臥。以溫暖之獸炭水。行灌腸法。使排便之後。一方保暖患者。更使之服獸炭水。（獸炭水之一日量二五・〇—四〇。〇）對於凡疑似虎列刺患者。宜即施行此法也。

中毒後心臟已呈衰弱之時以三%食鹽水（以水一立達加入一立方生的適當之地茄林及二立方生的適當之康福油）注入靜脈內兼使之攝取多量新鮮之水且行靜脈注入有時可反復施行之（四分之一—四分之三立達）心力恢復後再行前述之胃洗滌法

據奥斯脫利野戰病院之實驗當歐洲大戰之際以獸炭治療之虎列剌患者四〇例中其死亡者竟無一人又據第二項之報告應用獸炭以治虎列剌竟能使其死亡率減至零云

對於赤痢使服以等量白陶土相配合之獸炭水或祇服用獸炭水均有奇效

愛克斯丹氏之舉例謂曾有一〇—一五回之下痢患者僅使服一〇%之獸炭水三〇•〇其後所下之糞即非下痢之便矣濮革士氏亦報告對于多類患者使內服飽和鹽酸溶液之獸炭亦獲良效

窒扶斯症候既現之際病灶存于腸管外故表面雖無甚效果然因服此獸炭病機大為緩和其用量以獸炭三〇•〇—四五•〇考與一五立達之水混和為一日量而服之

（五）對於中毒之應用

對於由口腔而來之中毒可應用獸炭為解毒劑但其他有適當抗毒劑之中毒雖無用此品之必要然中毒物質不明之時亦宜用之特於從來之中毒療法而兼用此不但無碍且收效更大也

於一般的生體中吸着容易分解且易生逆反應故炭末吸着中毒素之後非速排除於體外不可宜與硫苦等之瀉藥併用之特於中毒之際獸炭實為必要之品也

燐中毒之際奥林披格及福爾兩氏已稱賞此獸炭實驗上燐油經獸炭濾過之後其濾過液中不含燐故也

用法不限於燐中毒凡由植物性動物性及其他各種礦物性物質而中毒之際亦可應用其時先使服吐劑再以獸炭水或獸炭加入砂糖水使服之據阿特連氏之報告非限前記之燐中毒且能解重金屬砒石及諸種亞爾加累特之中毒故獸炭之攻效甚大也

菌中毒之原因由菌所含有之亞爾加累特而起者故用獸炭確有功效又肉類中毒之際用之奇效韋孝斯勘氏舉肉類中毒之例謂吐瀉下痢劇甚且眼筋麻痺者使服獸炭經二—三時稱霍而愈

以上所述乃炭末吸著作用之應用獸炭中之肉炭以前應

用於瘰結核。腺病質等。卽以肉炭〇•五—二•〇。一日服三四回。但其作用。雖尙未明。而對症已有效果。則知肉炭並非單是灰分。必含有機質並種種之無機鹽類、(如鈣鹽)故能爲强壯劑而間接奏效。或含有別種之有效成分也。德國之民間療法。於肉炭中最珍重燕及田鼠之肉炭。恰似日本在類於肉炭之黑燒中。以縞蛇之黑燒治肺癆。田鼠之黑燒治痔疾、貓之黑燒治咳病等。爲古來之傳說也。

(附記)骨粉

從來骨炭血炭。雖於醫化學實驗及製劑上。爲一般所用。但治療上應用之人。不過爲少數。而骨炭往往與骨粉混同。余所遭遇此等事。亦不止一次。故就骨粉而進一言。骨炭得如炭末種類之條下。(上記)所述以骨在密閉器中灼熱而成。但骨粉則否。乃以生骨乾燥挫碎之粉末也。而且於應用上與骨炭亦不同。其中含有多量之燐酸鹽類及鈣鹽類等。應用於結核。腺病體質。滲出性體質。蕁麻疹。貧血諸證也。

大阪日日新聞所揭載之黑燒價値理論甚詳。茲轉載其一部分。以供參考。如左。

黑燒屋大繁生——曾訪高津西阪之津田黑燒元祖。据云此處自昔以來。有黑燒老舖二家。雙方皆似爲黑燒元祖

之老舖。黑燒亦有種種。分爲鳥類、獸類、昆虫類、魚類、草木、及果實類等。而各類對於應用上。亦不相同。各有主治之病症。此等材料。內地殊少。關西方面尤然。概由朝鮮方面採辦。製藥之法。在薪火上用炮烙繞之。固可立成。但其間有所謂家傳之祕法。在都市內之人。往買者甚少。然從各地來定貨者頗多。蓋農民等信此家傳之祕藥。爲主要之顧客。黑燒藥有數百種。分爲數類。其中鳥的種類最多。然其價値。每錢自一角起。迄於四五角而止。此等之黑燒有種種之効能。可謂爲藥之覇王。例如小孩。不親暱乳母之時。用蠑螈之黑燒煎飮之。則小兒自能親於乳母云。又如惱戀之時。將此黑燒使所戀人飮之。定能達相愛之願云。數百種黑燒之中。鳥類最多。且其用途較廣。自大鳥鷲、鷹、鶴爲始。以迄梟鳥、鳶、雉、鷺、鳩。而至告天子麻雀等之小鳥。約有三百種。其中鶴之黑燒。最爲高價。一錢可賣三四元。其次爲鷲、鷹、等之鷙鳥類。每錢價格。自一元五角至二元五角不等。斯等黑燒。無論何種。俱爲丸燒。(卽囫圇燒)用以治病。效驗甚多。小鳥類殆無不爲黑燒。大抵小鳥總成黑死骸。以大瓶順序積之。鷙鳥類爲補益精力而用之。小鳥類殊多用於種種之病。頗有效力。銷路甚廣。麻雀用爲

雀眼之藥。極有神效。是等之說。並非今所發見。又有謂朝寢者。以雀之黑燒煎而飲之。卽能早起。尤爲奇突。此種鳥類之黑燒中。肝臟之部分。較他部分價昂。而效能亦著。其次爲獸類。自人間緣近之猿爲始。以及兔鹿鼬鼠貍狐等。皆爲丸燒。獸類總爲治內臟病之藥。凡胃腸腎臟等之病用之。一錢五六角者爲多。至于昆虫爬虫類。其生時之形狀。頗多可怕。乃製爲黑燒。以爲人體治病之藥。眞可謂作者之爲聖矣。昔時著名之鼈黑燒等。無論何種病體。用之莫不有效。與鼈並稱者。爲蝮蛇。蛇之種類甚多。而于黑燒最爲重用者。唯蝮蛇。爲神經衰弱之特效藥。乃在現代醫學之先。所發明之藥材。其他如蠑螈之惚藥。爲黑燒中最所稱道者。上文已述之矣。

論黑燒之功效在於鈣鹽說

日本　小泉榮次郎著
中國　梁東洲譯

黑燒、乃蒸燒動植物而製造之殘骸。故其中含有燐酸、炭酸、珪酸等之石灰、苦土、加里、那篤倫之諸鹽分。頗爲顯明。黑燒之爲物。對於治療上。往往奏效者。其功能多歸於上述之鈣鹽。原來鈣鹽對人體營養上。爲一種不可缺之要素。此種學說。近來盛爲醫藥界所倡導。人體苟常攝取鈣鹽。則可使體內之細胞機能旺盛。以防禦病原菌之侵入。對於傳染病之抵抗力。尤爲卓著。或謂將鈣鹽給與肺結核患者。卽能殺盡結核菌。現在已有學者證明。凡從事石灰業之人。幾無患結核病者。而於燒石灰燒石羔之職工等爲尤然。其死亡率因患肺結核病而斃者。僅示○四•一%。且鈣鹽對於治療上有解毒、制酸、止血、收斂、利尿、鎭痙、消炎等之效。又於營養障礙、佝僂病、皮膚病、潰瘍性疾患等。亦著奇效。此外有稱爲强心藥而用之者。由此觀之。鈣鹽在人體營養上。及治療上。有偉大之效力。所以有謂黑燒在治療上能顯效果者。俱因此鈣鹽之作用。夫黑燒之功用、既然全在於鈣鹽。則可由鈣鹽各種之效驗。以推知黑燒之效能。以下乃就燐酸鈣、炭酸鈣、及石灰等。摘錄其生理的作用及醫治的效用之大要。

燐酸鈣

(生理的作用)——燐酸鈣入胃中。由胃液之作用。一部分變成溶性之酸性燐酸鈣。而被吸收。一部分則和糞便排泄體外。倘久貯腹中。則制限腸液之分液。使大便乾燥而起便祕。

(醫治的效用)——(內用)由骨質成形之缺乏所生之骨軟化病、佝僂病、骨瘍腐骨疽等。用之奏效。下利性之胃酸過多症。腸胃加答兒等。又衰弱症之腎臟出血。子宮出血。萎黃病。少年之腺病性貧血、咯血、盜汗、及由過度之化膿、體液缺乏而致之衰病等用之。亦有神效。

炭酸鈣

(生理的作用)——炭酸鈣入胃中。和胃液混合。卽放出氧氣、其被吸收者。復變爲燐酸鈣。排泄之時。每制限腸液之分泌。而起便祕。一說本品治慢性下利有效者。乃在腸中與脂肪。或脂肪酸化合。由鹼化而蓋被包攝瘡面云。

(醫治的效用)——(內用)併發下利之胃酸過多症。消化不良、胃痛、慢性嘔吐、下利、惡阻、小兒之酸性物吐出、青便下利、及骨質諸症。用之有效。外用火傷、濕疹、潰瘍、糜爛等。則製爲乾燥性粉劑而用之。

煅製石灰

(生理的作用)——其性能奪去水分。以之接觸於皮膚。皮膚之組織卽被腐蝕。若所接觸爲粘膜之時。則其腐蝕作用更形劇烈。又內服之。則其所接觸之胃中諸粘膜。起劇烈之炎症。遂至於死。

(醫治的作用)——(內服)殆無所用之。

(外用)疣贅、乳嘴、母斑等。用之則脫落。又以脂肪合勻治頭瘡。濕症等。又混於水中製成石灰乳。消毒劑用之。

石灰水

(生理的作用)——石灰水入於胃中。與胃液化合。一部分遂爲所吸收。一部分通過胃腸管之時。制限腺之分泌。倘久貯腹中。則食思缺乏。消化不良而起便閉。又石灰水在粘膜及創傷面。與其處分泌之諸成分化合。則生蓋被性之沈澱物。制限分泌而減疼痛。

(醫治的效用)——(內用)由胃酸過多症而起之呑酸嘈囃、慢性嘔吐、慢性下利、小兒下利、胃潰瘍、腸潰瘍、及酸類中毒等。用之有效。此外若慢性加答兒性赤痢、蛲虫驅除等。則以爲灌腸劑而用之。

(外用)對於火傷、表皮剝脫、乳嘴瘡傷、濕疹等。有制止分泌之效用。故常用之。又調和極淡之石灰水。有微弱之收斂性。及義膜溶消之作用。凡口鼻咽喉諸腔之粘膜疾患。無論實扶的里性。(白喉風)粘液漏性、潰瘍性諸症。或用吸入器吸入。或爲含嗽劑而含嗽。皆有奇效。此外對於耳漏及膀胱加答兒等。則以爲注射劑而用之。

將動植物灼燒使成灰分。而其中所含之鈣鹽。卽爲有效成分。由此可知黑燒之效能。奕然而動植物中所含蓄之無機質。乃由品種而異其組成。且其成分量亦不等。特於植物性之灰分中所含鈣鹽之量殊少。所以完全歸黑燒之效果於鈣鹽。亦不能認爲適當。但黑燒之中對於骨質類之動物。每灼燒之使成白燒。是卽其效在於鈣鹽之證。例如燒灼鹿角。使成白灰之鹿角灰。其主要成分。爲燐酸鈣也。

茲據遠西醫方名物考所載之鹿角灰一則。錄之於左以供參考。

鹿角灰

製法——取鹿角置熾炭上燒之。至盡成白色。中心無少黑色。乃取之出。研爲末而貯之。又法。取鹿角精以後。再以其剩於壜底。令燒灰。入於坩中。燒之使成白色。研爲末而貯之。

主治——有收濇性。消胃中之酸敗液。治嘈雜呑酸等症。又能治諸種之出血、漏泄、下利等。强固諸脉纖維之弛緩。治由血液之稀凉酷厲而發生之諸症。(消血中酷厲毒)發汗、殺蟲有效。用量一錢至二錢。

讀書小志

章成之

土牛膝。醫學大辭典謂卽天名精。植物名實圖考天名精別有其物。而以牛夕之不產懷慶四川者。爲杜牛膝。予以爲杜卽土之訛。傳土牛膝。編者曾經一見其形狀。與植物名實圖考牛夕絕相類。故土牛夕與天名精。絕不能混爲一物。

報告

教務雜記

陸淵雷

一 課程

本院現行課程。就現在人才財力可能範圍之內。爲之分配。與鄙人理想中之計畫。相去尙遠。蓋醫學是物質方面事。非精神方面事。是形而下之學。非形而上之學。不若文學哲學。須熟讀古書。（指本國文學）一切從其朔也。鄙人理想中之計畫。除醫化學藥化學解剖生理諸課。悉用西說外。其病理總論。宜取西醫通行順序。與中醫獨有之精要。溝合鎔冶。打成一片。病理各論與內科學外科學。亦取西醫通行之名目分類。惟證候方面側重中醫。亦須與中醫獨有之精要。溝合鎔冶。打成一片。蓋中醫之病名。泛濫無嚴確之定義。古今南北。又參錯不相統一。或一病分爲數名。或數病同冒一名。不若西法有一定之標準。舍短取長。固不必珍其敝帚。自畫其進步也。治療學則取古今方劑之確有特效。確知其證候用法者。彙集成編。仍附西醫療法之大概。以資比較。務使瑕瑜不相掩。則傑出之士。將因此自創新法。而中醫學因此進步矣。診斷學除望聞問切腹診。及辨別死生劇易諸要端外。當兼授西醫之聽診打診觸診。及檢查血液大小便諸簡要法。藥物學則以性效分類。如發表溫裏逐水攻瘀行氣之等。其業已化驗證明者。用新說。否則記其確有效驗之用法標準。諸課皆由教授自行編書。逐年脩改。以臻完善。絕對不用古書原本。何則。古書原本。皆發揮一家之學說。或雜采舊說以成書。初不合於教學方式。若用古書作教本。譬如教幾何學者。用歐几里得原書。教微積分者。用奈端原書。卽大背世界學校之通例矣。猶恐教授者學識有限。不能悉得古書之精華。不讀古書。則寶藏在地。學者或不能繼續開發。是宜將素靈大論要略本草千金外臺。以及金元諸子。下至有清葉派諸書。規定尤要者若干種。由各教授自認研究一部或數部。諸生至後學年。一方面臨診實習。一方面閱覽古書。而就各該教授處質疑問難。或有起予之才。必能繼續發明古書之精蘊。圖書館中仍廣蒐古今中外醫書。悉其涉獵。如此則學與術俱臻上乘。教室功課並不虛糜時間。而諸生仍得自由發展之門徑。此鄙人理想中之計畫。雖未敢謂斟酌盡善。要亦無大變易矣。然此種計畫。直接限於人才。間接限於經費。不知何日能實行耳。

現行課程。則如章程所載。第一期院刊所說明者是已。就中解剖生理。由同濟大學朱君克聞錢君俠倫擔任。胎生學細菌學注射法大意等、亦得相當人才。皆勝任愉快。惟有機化學醫化學藥化學。為專門學問。極難物色人選。且鐘點雖少。代價甚鉅。非本院貧窶所能聘請。從前尚付闕如。今已商請廣濟藥科畢業生黃君勞逸。半義務擔任。本院亦算了此一種心願矣。

病理總論本祝君味菊擔任。去秋。祝君診務大忙。又向有腦病。難以載筆。遂由本院畢業生余公俠繼續。仍時時稟命祝君。不失矩矱。鄙人承乏大論要略之課。凡內科學治療學病理各論診斷學。皆歸納焉。章君巨膺之溫熱病課。許君半龍之方劑課。鄧君和源之西法診斷課。皆能匡我不逮。使學者實際得益。以古書作教本。本非鄙人素願。然欲編病理各論內科學諸書。須有充分時間。非可以隨編隨教。作急就章者。且生平寢饋於仲景書中。姑以此應急需耳。

章君次公授藥物課。搜采最勤。然隨其讀書記覽之便。今日大黃明日人蔘。任意編教。初無分類之序。一日。次公與鄙人相對訴編講義之苦。鄙人戲之云。君何苦之有。牛溲馬勃。任拈一物。即講授一課。有不知者。可以留待他日。我所教傷寒金匱。無從顛倒章節。若有疑義。則徹夜翻書。冥思力索以待旦。斯為苦耳。次公亦為粲然。所積藥味既多。分類編排。亦尚易舉。若欲撤去大論要略。改編病理各論內科治療診斷諸課。斯眞一部十七史。不知從何說起矣。

徐君衡之授小兒科。長袖善舞。自是不凡。惟婦人科教授。極難物色。蓋婦科套話。無非女子主血。肝藏血。脾統血。衝任血海。帶脈繞腰。如此而已。諸生從次公鄙人輩既久。聞此等說。則尋根究底。求疵索瘢。以相問難。必至教者語塞而後已。是以三易其人。莫不學者譁然而教者憤然。至今此座猶虛。無敢受聘。鄙人嘗發憤自矢。俟所注傷寒金匱脩改畢。即專研此科。以安學者反側。譬如優伶倒串。不知能免倒彩否。

鐵樵先生常言。文學不佳者。學中醫一萬年不得佳。此因其長公子不嗜讀。有為而言。然中醫精義。悉在文學。色彩極濃之古書中。文學不佳。醫學自不能深造。縱使學有心得。而不善脩辭。亦不足以行遠傳世。卽退一步言。西醫界攻擊中醫最力之某君。其言論縱橫排盪。中醫莫之能禦。所以然者。半由醫學之不齊。半由文學之不敵也。又如夫已氏者。最善標榜炫鬻。偶見其所撰內經講義。竟於絕無疑義之處。誤破原文句讀。短於文學。其累如此。本院初年級課程。國文鐘點甚多。然諸生自以身入大學院。恥效村塾兒童之咿唔。多不甚措意。教授陳君。督責亦未甚嚴。往往已至高學年。文字猶未通順。此最可慮。鄙人執教二十年。深知文章無他謬巧。惟有諷誦爛熟而已。本學期擬令背誦孟子論語。不特學文所當讀。亦欲諸生稍知義理。無使如時下青年。偏信淺陋謬說。强項不可理喻也，

以上現行課程。就本院可能範圍之內。盡心焉耳已。蓋兼曉中西大意。為本院中心人物者。章院長而外。不過次公衡之味菊亘膺及鄙人。凡五人而已。醫界鉅子。學識十倍吾儕者。固亦有之。然無安車蒲輪之禮。則不足以屈高賢之駕。此所謂間接限於經費也。惟理想計畫及現行課程。無非欲學者得實際技術學問。欲中醫學有實際改良與進步。至於世俗風尚。道路議論。非所計也。戊辰之秋。中國醫學院延鄙人講傷寒金匱。夫已氏謂課表中必須有內經難經傷寒金匱等名目。不然。人將詫曰。何以無內難耶。何以無傷寒金匱耶。如是則來學者少矣。然中院至今以夫已氏之內難為主要課。學者初不加多。本院但以內經為研究參考課。難經偽書。早已廢棄。學者初不因此加少。則知從俗詭隨。固無益於招徠矣。

二　招考

本院開辦兩載。經過四次招考。招考事宜。院長及各主任賦鄙人以全權。鄙人則主張從嚴錄取。甯可目前短少收入。苟功課認眞。成績昭着。來學者不患不多。收錄時愈可精選。庶幾實事求是。得眞人才。然本此主張以招生。來學者初不因此減少。初開辦時。全院僅七十二人。二年內畢業出院者二十人。開除退學者若干人。本學期在院學生一百二十人。人數為滬上三醫校之冠。觀於來學者之踴躍。知社會風氣。漸知中醫之必須革新。未始非中醫學前途之曙光也。

先時。持有他醫校修業證書者。許其插入相當年級。或從私人讀書臨診若干年者。亦許其投考插班。冀其入學之後。自行補習基本科學。成就或與本院全學年生無二也。然兩年來發現此等轉學諸生。對於茫昧顢頇之舊說。先入甚深。聽受本院新學說。多不能領悟。求其腦經清楚易於改化者。十不得一二。蓋其從前所受課業。上焉者為內經難經。此在教者已不能精研細繹。徒取舊注敷衍。學者自不能得益。下焉者。乃為湯頭歌訣醫學三字經等陋書。學者誦習日久。漸以不知為知。滿腦子鶻突概念。不復能推勘理致。辨別是非。素絲之染。墨翟所以興悲也。嘗欲令此等學生專習幾何學一年。磨鍊其推理力。恢復其取得準確觀念之本能。礙於事實。懷念未行。不知此法果可補救否。惟有一事可異焉。文學程度高者。雖無科學知識。插班聽講不半載。即柔順就範。所取謝姓一生。其醫學知識。完全舊說。

亦未學過何種科學。惟在家塾中讀畢四子五經。其文斐然可觀。遂取入三年級後學期。至今不過一年。聽講絕無隔膜。近且自出心裁。運用一二科學。以正舊說。亦饒有理致。鄙人嘗謂四子五經。足以濬發性靈。觀於謝生而益信。教育家廢止讀經。推行白話文。實足致人才破產。大堪痛哭者也。插班生既如此難致。第四次招考時。愈益加嚴甄取。故所取插班生特少。

或見鄙人以科學說中醫。駁斥五行氣化等舊說。遂以鄙人爲中醫界之革命者、以鄙人爲維新人物。此實不然。鄙人特欲整理中醫學術耳。未嘗自稱革命。良以革命字面。出自大易湯武聖王之業。非草野書生所得僭居也。若夫文學倫理禮教。鄙人則篤守國故。不知其他。當今新文化甚囂塵上。實不敢一瞻顧。猶恐來學者沾染時習。流蕩忘返。特於第二次招考題中。微示其意。考題錄如左。方君子觀之。亦足見其志之所在。

凡投考一年級者。試國文一篇。測驗國故常識一。時尚常識一。史地一。凡四起。投考二年級者。加試生理一則。測驗醫學常識一。凡六題。投考三年級者。又加試病理一則。藥物一則。治療學一則。凡九題。向例隨到隨考。若常用一題。則後考者不免關節之弊。若每人易題、則命題又不勝其煩。於是策兩全之法。以九類題目作九號。每號三題。緘封分置九器。命投考者依當考題數。於每器中自拈一封。如是參互拈題。則先考後考者。其題雖不盡異。亦不盡同。以代數排列法計之。考四題者。當得八十一種不同。考六題者。當得七百二十九種不同。考九題者、當得萬九千六百八十三種不同。庶幾免於關節之弊。而命題亦不甚煩。題如下。

■第一號國文題（白話聽便文言更佳。）

其一　道德維舊學術維新說。

其二　救國宜提倡勤儉說。

其三　學中醫並非保存國粹學西醫並非文化侵略說。

三題中。第二題最易作。作此題者。雖文有高下。用意固不相遠。第一題較難。意謂道德當守本國舊說。醫學當用世界新說。各從其長也。作此題者。乃中肯少。不中肯多。第三題最難作。有似乎射策。意謂醫藥所以療病。人命至重。果使中法不如西法。雖國粹亦當廢棄。果使西法勝於中法。雖侵略亦所不恤。何則。事勢有緩急。利害有重輕。國粹雖當保存。不可以人命爲代價也。侵略雖當防禦。不可以有病而弗治也。中醫之當整理闡發。實以中法勝於西法之故、而非保存國粹。防禦侵略之謂也。近年時勢造成之龐然某會。爲中醫呼籲政府。以保存國粹。防禦侵略爲理由。不知誰氏之大手筆。識見淺薄。乃爾題意如是。考卷中肯者僅一人而已。凡國文卷佳者絕少。不特文辭蕪薉、持論亦菲薄之甚。文學之衰落。教育家宜加之意焉。

■第二號國故常識測驗（是則加○非則加×）

其一　文字之變遷先有篆書次有隸書次有眞書次有行書最後有草書。

其二　「古文」是秦漢以前的作品。

其三　本草經是神農所作內經是黃帝所作故醫藥書爲中國最古之書。

第一題草書實先於眞書所謂章草是也考卷中肯者得二人第二題古文之名創自韓昌黎而勝清桐城陽湖諸子大揚其波此實專門名詞不可以望文生義用邏輯法解釋也此題考卷中肯者僅得一人第三題神農時文字未肇黃帝時文字初興亦未有簡冊流傳。內經實出秦漢之際本草經又在其後此題中肯者亦僅一人時下青年之缺乏國故常識如此

■第三號時尚常識測驗（是則加○非則加×）

其一　「性理學」直接研究兩性異同間接解決戀愛問題。

其二　「天下爲公」這句話孫總理以前沒有人說過。

其三　人生之目的不過求滿足慾望。

第一題諸卷皆加○肯定有一卷於下句作×仍於上句作○蓋濂洛關閩身心性命之學時下青年非但未嘗問津抑且未聞名義獨狂且穢褻之說風行一時有心人所爲長太息也第二題知爲孔子之言者得三人知出於小戴禮運篇者僅得一人第三題否定者僅得二人君子觀於青年之知識風尙作若何感想耶

■第四號史地測驗（是則加○非則加×）

其一　晉文公戰勝齊桓公於是齊衰而晉霸　黃河曾在江蘇河北（卽直隸）兩省入海

其二　歐洲之一部分曾入中國版圖　隋唐之時日本人多到中國來留學

其三　歷史上中國曾戰勝日本？次　廣州在粵江？岸　哈爾濱在松花江？岸　襄陽在漢水？岸　天津在白河？岸（每？處填入一字）

三題惟第一題前半當否定餘皆當肯定第三題自有中日戰爭以來中國未嘗獲勝此題欲喚起學者之敵愾心也諸題皆非甚生僻難知者然中式者不多有一人赫然持高中畢業文憑拮得第三題於第一問中塡「一」字餘皆塡「沿」字意者文憑是借來之物不然中等教育不當如是敗壞也

■第五號生理試題

其一　血液有幾種功用

其二　胃與腸皆爲消化器官其功用之不同處何在

其三　何謂淋巴 Lymph.

題甚淺易。試卷亦多中肯。然亦有用素靈舊說答第一第二題者。讀之往往失笑。

■第六號醫學常識測驗

其一　下列諸事。試取中醫書中相對的兩個名詞概括之。

物質與勢力　亢進與衰減　興奮與痲痺

充血與貧血　體溫之昇騰與低落

其二　下列諸事。何者應發揮。何者應打倒。

五行　陰陽　十二經絡　五運六氣　傷寒六經

營衛　表裏虛實寒熱

其三　下列諸書。何者優。何者劣。

素問　靈樞　難經　本草經及名醫別錄　藥性賦

湯頭歌訣　醫宗必讀　傷寒論　金匱要略　千金方

外臺祕要　徐靈胎十三種　陳脩園三十二種　溫病條辨

溫熱經緯　臨證指南

第一題當概括於陰陽二字中。第二第三題。則國內醫家主張本自不一。惟考卷中一律指難經爲劣書。則千年塵封。從此得括垢磨光矣。

■第七號病理題

其一　略說炎症與癌症

其二　何謂「自家中毒。」何謂「自然療能。」

其三　略說傳染病之病原體

三題皆易簡。惟考生但知舊說者。不能道隻字。

■第八號藥物題

其一　貝母遠志杏仁痲黃葶藶半夏。俱治喘欬。略言其異。

其二　略言植物性下劑與鹽類下劑之異同。并舉例以明之。

其三　分配右列之藥物與證狀（空括弧內各塡一數目字。你若以爲桂枝治小便不利。桂枝上是一字。則於小便不利上亦塡一字。餘類推。）

藥物　（一）桂枝　（二）痲黃　（三）黃連　（四）半夏

（五）柴胡　（六）人參　（七）茯苓　（八）芎藥

（九）朮　（十）厚樸

（　）上衝　（　）嘔吐　（　）喘　（　）心下悸

（　）心下痞按之濡　（　）心下痞鞕　（　）胸脇苦滿

（　）腹滿　（　）攣急　（　）小便不利

第一題。稍識藥性者。皆能作答。但識見自有高下耳。第二題。非略知西國藥物學者。不能答。第三題。非熟諳傷寒金匱者。多誤答。

■第七號治療題

其一　病人發熱惡寒。自汗出。頭微痛。頭項痠而硬。脈浮數。舌胎白。

腹部肌肉攣急。應服何方。

其二 病人頭上熱。手足冷。似昏睡而輕呼卽醒。大汗如雨。舌色淡白。脈微細。自訴心跳。按之覺心下痞鞕。應服何方。

其三 病人苦頭重而眩。眼中時見黑星。平日往往赤眼。胸脇下膨滿。脈沈而緊。應服何方。

第一題爲桂枝加葛根湯證。試卷有中肯者。有知爲表證。不能確指主方者。第二題爲茯苓四逆湯證。試卷多知爲亡陽。然知用四逆。不知用茯苓四逆也。第三題爲苓桂朮甘湯證。試卷多指爲肝膽之火上逆。不知是水病。用藥更不著邊際。

三 成績計算

以分數計覈成績。學校之通例皆爾。敎學稍久。學者之優劣。固大概可知。而分數則優者不必多。劣者不必少。蓋考題所命。優等生或偶値忽略。劣等生或偶所熟覽。所謂智者千慮。必有一失。愚者千慮。必有一得。則考分之多寡。不能與優劣勤惰悉合。而況夾帶傳遞之弊。究不能杜絕。則分數與實學。常不相蒙。然欲悉平日之觀察。以評定甲乙。雖宅心至公。猶不足塞悠悠之口。則分數終不可廢也。其始取各科考分之和。除以科目。爲平均分。既而覺其不妥。蓋鐘點較少之課。性質必不甚重要。敎者監考判分。常因此優容以示惠。於是劣等生主要課不及格者。總平均反因此及格。倖進之弊甚大矣。乃於第二學期起。取各科考分。乘以該科每週鐘點數而併之。除以各科鐘點總數。爲平均分。如是計算。則主要課之甲乙。影響於平均分較大。蓋於學年制中寓學分制之意焉。

補白小言

衡之

廢曆歲除。蒙利恆前輩召宴。華筵初展。樽酒相款。舉杯暢飲。縱談醫事。衡之以醫書汗牛。良莠難分。遂有編輯醫書目錄之請。先生因述其編輯中醫大辭典之經過。並謂回溯前事。而今萬無如此勇氣。又以大辭典尚多遺漏爲憾。擬續編補遺以竟初志。醫書目錄。却爲當務之急。苦精力有所不及。只得俟諸來者。爰與如弟成之。集其所讀諸書。大辭典中未載者若干則。值三期院刊付梓之際。遂附爲補白焉。

讀書小志

成之

法于往古。驗于來今。（黃帝內經太素中語）此亦吾院發皇古義，融會新知。之意也。

來函

與章次公書論肉桂

劉子頤寄自瓊州

本經所稱菌桂者即肉桂。以安南產者爲第一。世俗所稱交趾桂者。是安南隨處產桂。尤以清化山所產者爲無上之品。桂質極薄。不必。有油而香氣異常馥郁。泡出水色。有若乳白。有若硃紅。有若新韭綠。乳白者極難得。新韭綠者或可僞爲。硃紅者品斯正矣。本經所稱主百病者。雖未之證明。然一桂而能專治一病。則屢見之。若癧、若痢、若咳、若吐血、便血、若眼目紅腫而痛。所用不過數分。而病已霍然。惟治癧者不能治痢。治咳者不能治血。截然不可混淆。然此等效用。難以意傳。無論如何老桂客。不敢自逞高明。而能識別。必收藏富有之人。任人取求。取求時。問其所患何症。與桂時切囑其效與不效。必須報告。如其效也。則將此桂另行收藏。記明某年某月某日治某人之某病。服若干分而病愈。此後遇此等病症。再與試服。三試不爽。則永無不效者矣。此桂價值每兩須一二百金。海南富戶最喜購藏。猶江浙紳富之藏人參也。民國六年。滇人馬某任瓊山縣知事。據述其父馬維騏。前清時由四川提督以事旋滇。行至河內（安南雲南交界處）小住旅店中。有桂販兜售肉桂一對。長不過尺餘。寬不過寸餘。秤之不及三兩。馬固識者。一見心知佳品。問其價索三千金。馬微哂而往吞雲吐霧。桂販遽携桂就煙榻言曰。軍門欲識此桂之奇乎。取桂貼近燈罩外面。燈內火頭然橫倏下與桂相接。桂左火左。桂右火右。去桂而火炎上矣。馬大喜。立畀三千金。又僕初至廣東。（光緒十二年）在順德與一龍紳交。其見家藏有肉桂一塊。僅三寸長矣。渠寶之。稱爲拉火桂。僕問其稱名之說。渠不答。取燈盞燃火。（爾尙時洋油未甚行用生油盞。）手桂在火頭下約三分。火頭即垂下倒接。去桂火仍炎上。是則目覩眞可爲希世之珍矣。僕流粵四十餘年。僅一聞而一見之耳。是豈非引火歸源之明證乎。惜乎自來藥物書無人加以研求。清時吳江徐洄溪。長沙黃元御。閩縣陳修園。皆於藥物甚有發明。而亦從不提及道地處。是則中國醫學誠有未能貫澈而貽人以口實者也。若東西醫藥精微。當必有大過人者。欲求融合。當先求我之卓然自立。執事既有此藥物學之鉅著。愚者千慮。未識有當於一得否。冒昧冒昧。統希　明鑒。

按肉桂以安南產爲第一道地。雲南蒙自縣產次之。（地界安南質氣相近惜產不多。）廣東欽州產又次之。如今市上通行品。大率廣西潯州產。潯地民猺雜處。出桂山中多猺人。是以俗稱猺桂。性質最下。價亦最廉。藥行中喜其易進易出。故通行。然佳桂亦實不易辨。全在經驗上見眼光。僕有一舊事附錄之。請博一粲。十年前上海三馬路名醫吳菊舫至交也。其叔祖仲山。其父召棠。名與孟河馬佩之費伯雄埒。吳固吾常印墅鄉人。一東一西。世精其業。論菊舫則不如其先人。然在滬上亦不落後乘也。民國七年。僕到滬診病。卽住其隔壁天保棧。見渠體亦虧。少年不謹。勸其服桂。渠答無佳者。次年僕仍來瓊州。寄與一支。長七寸。寬一寸。薄如紙。秤之七錢。渠接桂後。復信並提起肉桂。旋又寄一支。長尺餘。厚一分。一兩八錢。復函云桂已收到。旋又再寄一支。長與二次等。寬二寸。厚二分餘。重十三兩。伊大喜。鄭重感。桂僕則爲冠纓索絕。因爲書正告之曰。第一次之桂。正安南清化產也。每兩須六十元。第二次之桂。安南老山桂。每兩七元。已藏十年。否則每兩兩元耳。第三次之桂。每兩祇五角耳。安南雜山產也。愈寄愈下。轉以愈下爲愈美。殆惑於肉厚油足之說耳。噫。黃壚安在。吳君之宿草離離。已十年矣。可慨也夫。然其門人如孫蓮洲吳其觀。在滬行醫可考證也。大抵醫之爲用。全在藥物。藥果道地。醫之助力偉矣。顧不重歟。

再按肉桂第一道地。第二在陳。除清化產不計油外。然不可無香氣。其餘仍須有油。能收藏至六十年。可爲希世之寶。

服法不可入煎。用時刮去粗皮細皮。截成絲。放茶杯中。如一錢冲極透開水半杯。再用一大碗開水放杯下燉。約半小時。取桂水候冷。俟大劑煎好冲入服之。乃爲盡善。僕每服二錢。普通一錢。從不覺燥也。然桂必陳過十年者。注意卽在此耳。

欲求融合當先求我之卓然自立。鄙人謹受教章次公誌

本院教職員一覽

姓名	字	籍貫	現任職	通訊處
章炳麟	太炎	浙江餘杭	院長	
徐銓	衡之	江蘇武進	總務主任兼幼科教授	上海西藏路平樂里九五號
陸彭年	淵雷	江蘇川沙	教務主任兼金匱傷寒教授	上海南市王家碼頭懋業里一號
祝味菊		四川成都	研究科主任兼病理教授	上海霞飛路振平里
章壽棟	巨膺	江蘇江陰	事務主任兼溫病教授	上海寶山路寶山里
芮昆	達吾	安徽當塗	訓育主任	當塗小丹陽
章成之	次公	江蘇丹徒	圖書室主任兼藥物教授	上海西藏路平樂里九五號
許半龍		江蘇吳江	外科方劑教授	上海法租界八仙橋
姜辛叔		江蘇松江	注射細菌教授	上海南市上海醫院
朱松	勉仙	廣東潮陽	組織胎生教授	上海北四川路明通里四號
朱鳴鶴		浙江海寧	生理教授	上海寶隆醫院
錢俠倫		江蘇無錫	生理教授	上海寶隆醫院
惲福森	季英	江蘇武進	化學教授	上海蒲石路五六號
何川	公度	江蘇金山	雜病教授	上海霞飛路五鳳里一號
陳振	熙民	江蘇武進	國文教授	本院
曹錫嘉	湘人	江蘇江陰	國文教授	上海小西門江陰街

姚堯		江蘇上海	黨義教授	
沈仲圭		浙江杭州	醫論醫學常識教授	本院
唐海屏		江蘇太倉	日文教授	
李廷良		浙江杭州	針灸推拿教授	本院
何雲鶴		江蘇寶山	內經時病教授	上海西寶興路逄源坊八號
程門雪		安徽	婦科教授	
沈芝九		上海	婦科教授	上海城內尙文路
余傑	公俠	江蘇泰興	病理教授	泰興宣　鎭
鄧源和		江蘇上海	診斷教授	上海城內大王廟街平民醫院
張始生		江蘇海門	藥材教授	上海大東門
陶潤田	芳甫	江蘇東台	會計　庶務	上海卡德路善昌里五九一號
戴中龢	兆綏	江蘇武進	圖書室管理	常州西門外湟里鎭轉河頭橋
程季芬		江蘇武進	書記	戚墅堰焦店
涉戟門		安徽壽州	書記	上海陸家浜路實祈里二三號

本院學生題名錄

一年級

姓名	性別	籍貫	通訊處
繆秋珍	女	江蘇武進	常州西門外湟里鎭元隆號

干霞先	女	浙江徐姚	上海山海關路善德里三六七號
嚴蘊華	女	江蘇南通	上海浦東楊家渡市立震修小學校
周宏德	女	江蘇嘉定	上海盆湯弄橋西德安里一千四百九十六號
龔靜君	女	江西樟樹	江西樟樹二井巷三號
陳堃煌	男	福　建	台灣嘉義市嘉義北門外二七
陳燈林	男	福　建	台灣台中州彰化郡秀水庄下崙一四〇
陳恭炎	男	台　灣	台灣岡山郡庄營庄埤子頭市場前養之藥房
曾逢春	男	台　灣	台灣岡山郡庄營埤子頭
鄒秉科	男	江蘇無錫	江蘇宜興丁山鄒萬新行
葛德明	男	江蘇宜興	江蘇宜興丁山
莊國昌	男	江蘇常州	江蘇常州厚餘鎮
郁昌祖	男	江蘇啓東	啓東縣郁家村
張小機	男	江蘇金壇	金壇丹陽門十三號
張嵩高	男	浙江長興	湖州奉勝里德和祥藥號
余文忠	男	安徽懷寧	安慶西門外板井巷八十六號
黃元勳	男	台　灣	台灣新竹郡新埔庄旱溪子一四三號
張秋森	男	福　建	台灣台中州豐原郡大雅庄
彭覺民	男	廣東大埔	大埔縣新街原廬
傅家樂	男	浙江鄞縣	上海東有恆路一千號華德香烟廠

張師永	男	江蘇青浦	南翔紀王廟恆昌公司轉北張闕
李新湖	男	福建	台灣西螺局之由車
汪史賡	男	安徽	杭州法院路六號
盧惠明	男	福建	上海静安寺路華安保險公司蔣國珍收轉
謝景福	男	台灣	台灣新竹州中壢郡觀音庄崙坪
盧榮瑞	男	廣東	上海公平路七百七十七號
汪寶森	男	江蘇如臯	石莊汪萬通號
徐文灼	男	江蘇沭陽	江蘇沭陽高溝廣茂藥號
劉森榮	男	廣東	台灣苗栗郡公館庄
夏儒傑	男	江蘇鹽城	鹽城樓夏莊洪夏莊

二年級

黎燕芳	女	廣東中山	上海寶山路頤福里五十八號
馮錦濤	女	廣東中山	上海北四川路橫濱橋赫林里三十二號
李嘉英	女	廣東台山	上海北四川路一百〇四號冠美帽廠
張樂子	女	湖南醴陵	上海法界巨籟達路同福里內德慶里七號
尹成仁	男	四川巴縣	四川巴縣
陳守廉	男	江蘇東台	江蘇東台富安四盧鄉
陳守默	男	江蘇東台	江蘇東台富安曉肇鄉
黃席豐	男	廣東	廣東汕頭揭陽河婆善濟堂

陳文統	男	台灣	台灣台南州虎尾郡虎尾過溪仔
黃鼎議	男	浙江江山	浙江江山秀峯
錢硯畦	男	江蘇吳縣	上海廈門路衍慶里一百八十七號
葉學睿	男	江蘇松江	江蘇松江楓涇楊家橋
陶乃文	男	江蘇江甯	上海法界南陽橋新樂里五號
陳子鶴	男	台灣	台灣高雄州屏東街
邱應鏞	男	台灣	台灣新營郡白河庄馬稠後
韓炳均	男	台灣	台灣高雄州屏東街
傅葉炎	男	台灣	台灣新竹州中壢郡楊梅庄
陳清奉	男	台灣	台灣高雄市哨舟公町二丁目
陳熊	男	台灣	台灣台南州十斗方郡古坑店古坑
鄭開明	男	廣東潮安	汕頭湖南西平路關帝宮巷吟牋別墅
蕭熙	男	江西南成	上海郵政總局繙繹課蕭靜軒轉
趙績如	男	河北饒陽	天津西門外北小道子協濟仝工廠轉
陳可望	男	安徽懷寧	上海民國路四百四十四號吳薤珠醫生收轉
沈金榮	男	江蘇上海	上海浦東洋涇鎮寶壽堂藥店
徐維炳	男	江西瑞昌	
鍾金丁	男	台灣	台灣新竹郡新埔庄照門字石門四二號
鍾金枝	男	台灣	仝上

楊克强	男	江蘇青浦	泗涇鼎新號
蔡榮華	男	台灣	台灣新竹郡湖江頭一七九號
徐孝彪	男	江西樟樹	江西樟樹鄰溪墟全興齋轉
袁　順	男	浙江新登	浙江新登三溪鎮永裕號轉
許道根	男	福建閩候	上海華龍路中華職業社四〇四號
陳希孟	男	江蘇吳江	吳江城內祥園街一號
徐志勉	男	江蘇宜興	宜興𣏌亭橋堵仁康號交
陳耀華	男	福建惠安	
沈克駿	男	江蘇吳江	上海慕爾鳴路德慶里六三七號
王成玉	男	江蘇鹽城	北江湖墅夾溝同仁堂
蘇豐任	男	台灣	台灣嘉義市總令五二番地

三年級

景如霞	女	浙江餘姚	餘姚周巷景宅
陳　毅	女	安徽正陽關	安徽正陽關小黃巷
南振鏞	男	浙江永嘉	浙江溫州南門外廣師里
沈德培	男	湖北黃陂	上海楊樹浦晉安里魏仁記轉
周冷秋	男	浙江崇德	浙江崇德北大街
唐有岡	男	江蘇南匯	江蘇南匯周浦王家浜路
錢鼎乃	男	江蘇松江	松江東門東大街五十三號

鄧文舫	男	湖北夏口	漢口西馬場袁家墩鄧太記
陳敦厚	男	台灣	台灣台南州斗六郡斗南莊
潘國賢	男	浙江新昌	浙江新昌其昌南貨棧轉丁家園
孫硯孚	男	江蘇無錫	江蘇無錫王莊轉港下
林朝合	男	福建	台灣台中州豐原郡潭子庄大埔厝三一
張碧傳	男	福建	台灣台中州豐原郡大雅莊花眉一百〇一號
張錫堂	男	福建	台灣台中州豐原郡大雅莊花眉八十號
張森林	男	仝上	仝上
梁錬卿	男	台灣	台灣新竹州中壢郡觀音庄崙坪
梁東洲	男	台灣	台灣新竹州中壢郡觀音庄崙坪
趙能穀	男	浙江	紹興廣甯橋
吳景暉	男		同安淚門車加轆五十五號
殷悠澤	男	江蘇武進	江蘇無錫雲堰橋殷廣和藥號
沈警凡	男	浙江	浙江硤石鎭通津橋東首三十九號
王賓清	男	安徽蕪湖	安徽蕪湖馬路福慶里一號高遠英轉交
何靄	男	江蘇奉賢	上海法界西門路西成里八一號
林開智	男	廣東潮陽	汕頭潮陽東門外陞利行
陶俊時	男	江蘇東台	江蘇如皐轉栟茶
宋道援	男	江蘇溧陽	溧陽東門下街彭宅

楊恂	男	上海	上海四馬路書錦里新鹿鳴旅社
許金田	男	台灣	台灣台南州嘉美郡民雄庄東勢湖三〇九番地
汪飛白	男	安徽蕪湖	蕪湖金馬門興隆街十七號
夏昌六	男	江蘇松江	松江莘莊鎮西市金雲樵轉
張德正	男	江蘇寶山	吳淞楊行東市
陳潤民	男	廣東中山	湖北漢陽湖月堤湖新街七十一號
錢一峯	男	江蘇丹徒	上海新大沽路昌運里三弄四二八號
秦肇封	男	浙江瑞安	浙江瑞安南門外項合順魚行
馬善達	男	江蘇寶山	上海英界海甯路一千七百八十七號
田福生	男	江蘇六合	六合北門大街
賀壽康	男	安徽泗縣	安徽泗縣泰合昌收轉
李一飛	男	江蘇江陰	江陰東門外李公茂油廠
李遵堯	男	江蘇高淳	高淳固城
劉淡如	男	浙江諸暨	杭州南星局轉姚公埠恆瑞昌號
范適	男	浙江湯溪	浙江湯溪厚大鎮
黎仲宇	男	江西萍鄉	
汪發	男	浙江建德	建德城內阜民路仁阜里三號

四年級

葉蓁	女	廣東	上海東蒲石路天惠坊北弄三號

沈本瑛	女	江蘇嘉定	嘉定城內萬年春藥號
王志純	女	江蘇蘇州	蘇州皮街七十八號
凌九雲	女	江蘇嘉定	南翔
王　蘭	女	安徽當塗	安徽當塗縣東街
石豈愚	女	廣東潮州	上海大東門江夏里六號
劉子坎	男	安徽當塗	安徽當塗西十字街南首
劉文浦	男	江蘇寶山	滬太長途汽車路羅店鎮乾豐號
沈濟蒼	男	江蘇南匯	上海法界貝勒路杜美路鼎興里
蔣止軒	男	江蘇海門	海門六埏鎮
何劍華	男	江蘇奉賢	上海法界西門路西成里八一號
謝誦穆	男	浙江蕭山	浙江臨浦尖山鎮
王利貞	男	湖南臨武	廣東北江坪石同安書局
郭鴻傑	男	廣東瓊州	瓊州文昌縣南陽市錦興號轉
馬伯孫	男	江蘇寶山	上海英界海寧路一千七百八十七號
陳元熙	男	江蘇松江	上海西鄉七寶鎮東永興南貨號轉張李家橋
張壽山	男	江蘇宜興	宜興無錫和橋棟墅港
趙錫庠	男	江蘇鎮江	鎮江大港西街
林維墉	男	廣東惠來	汕頭潮陽南關內銘利生
張永霖	男	台　灣	台灣台中州豐原郡大雅莊花眉八十四號

丁成萱　男　江蘇如皋　如皋李堡市

黃祖裳　男　江西樟樹　江西樟樹三井巷二號

讀書小志

徐衡之

黃帝內經太素隨楊上善奉敕撰。太素兩字何所取義。今不可知。但與太素脈絕不相蒙。中醫大辭典謂後世言太素脈者所宗之非是。

六軸子

成之

六軸子不見古籍記載。故不詳其性味功用。嘗見傷科用之。服後昏冒。蓋麻醉藥也。本品中醫大辭典未收入。故誌之。

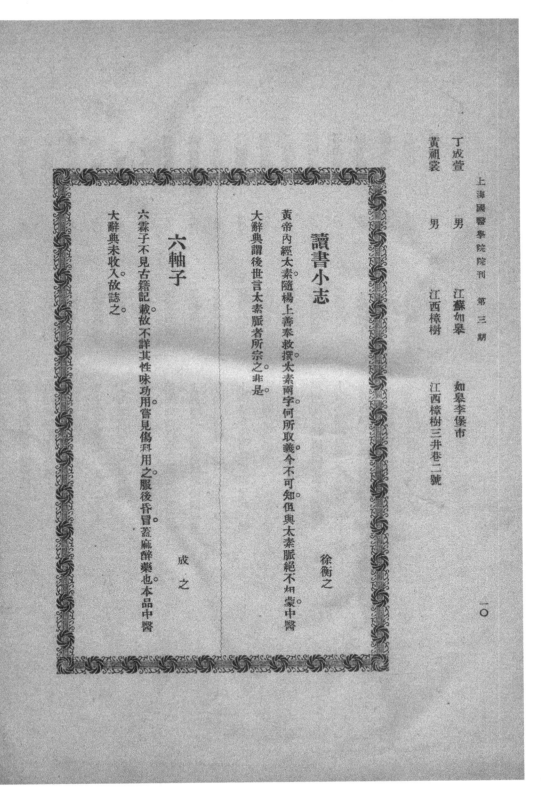

上海國醫學院院刊

民國二十年一月出版

定價表

近因紙價昂貴本刊每本改售大洋三角前此定閱者不加再本刊前爲定期刊茲以定期太呆板此後改爲不定期

第三期

定價大洋三角

編輯者 上海國醫學院

發行者 上海國醫學院

發行所上海浙江路三四一號

印刷者 華豐印刷鑄字所

總工廠滬西林肯路一〇〇號

發行處 上海國醫學院

上海霞飛路華龍路口

電話三二二四二號

中国近现代中医药期刊续编·第二辑

上海国医学院辛未级毕业纪念刊

中華民國二十年八月

國醫學院辛未級畢業紀念冊

章成之

太炎

上海國醫學院

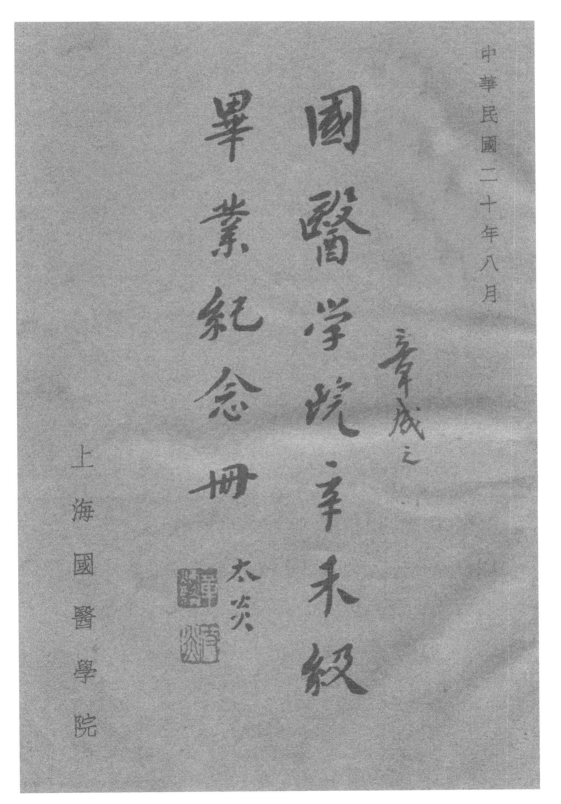

·白页·

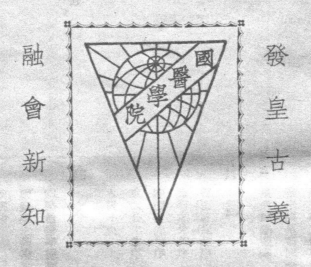

發皇古義

國醫學院

融會新知

上海國醫學院辛未級畢業紀念刊目錄

雜誌

同學錄

巫咸鴻術流傳不朽仲景經方士仰山
斗疾醫分治周官可守降及晚近漸失
傳受國醫開院循循善誘壇遍載杏
功能從御療疾可起鑪錘在手學歷
三歷人才淵藪出焉共同登益壽

馬福祥題

救世活人為國之光

濟濟多士永懷莫忘

民國二十年五月

武功熊易堂題

易堂

靈素金匱確有心得
起死回生上醫醫國
庶東亞之病夫而日
有起色

水梓

恢復我一切國粹之後還要去學歐美之所長

節錄民族主義第六講

陳郁

學術無國界而國多有
其擅長之學術吾國之
醫學其一也以科學方法
整理之願與同志諸君併
力事焉

施今墨

上海國醫學院第三屆畢業紀念

國醫學院
歐化東漸
衷中參西
發揚國粹
畢業紀念
醫醫醫國

全國蜚聲
學說爭衡
相見以誠
嘉惠後生
三屆告成
無量前程

中央國醫館
常務理事 郭受天謹

民國二十年夏師生全體攝影

一

上海醫學院首門景

辛未級畢業同學全體留影

學生籍貫比較圖

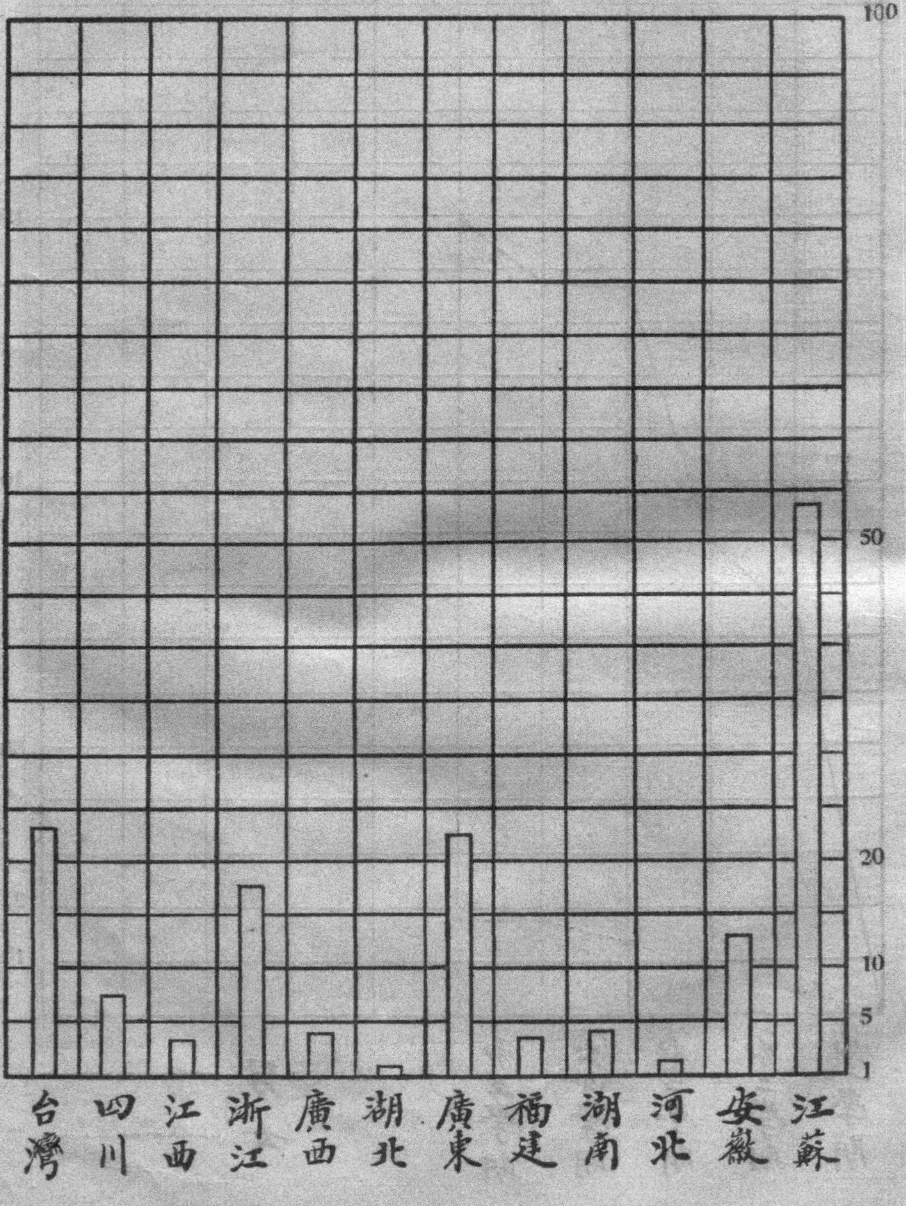

學生人數比較表

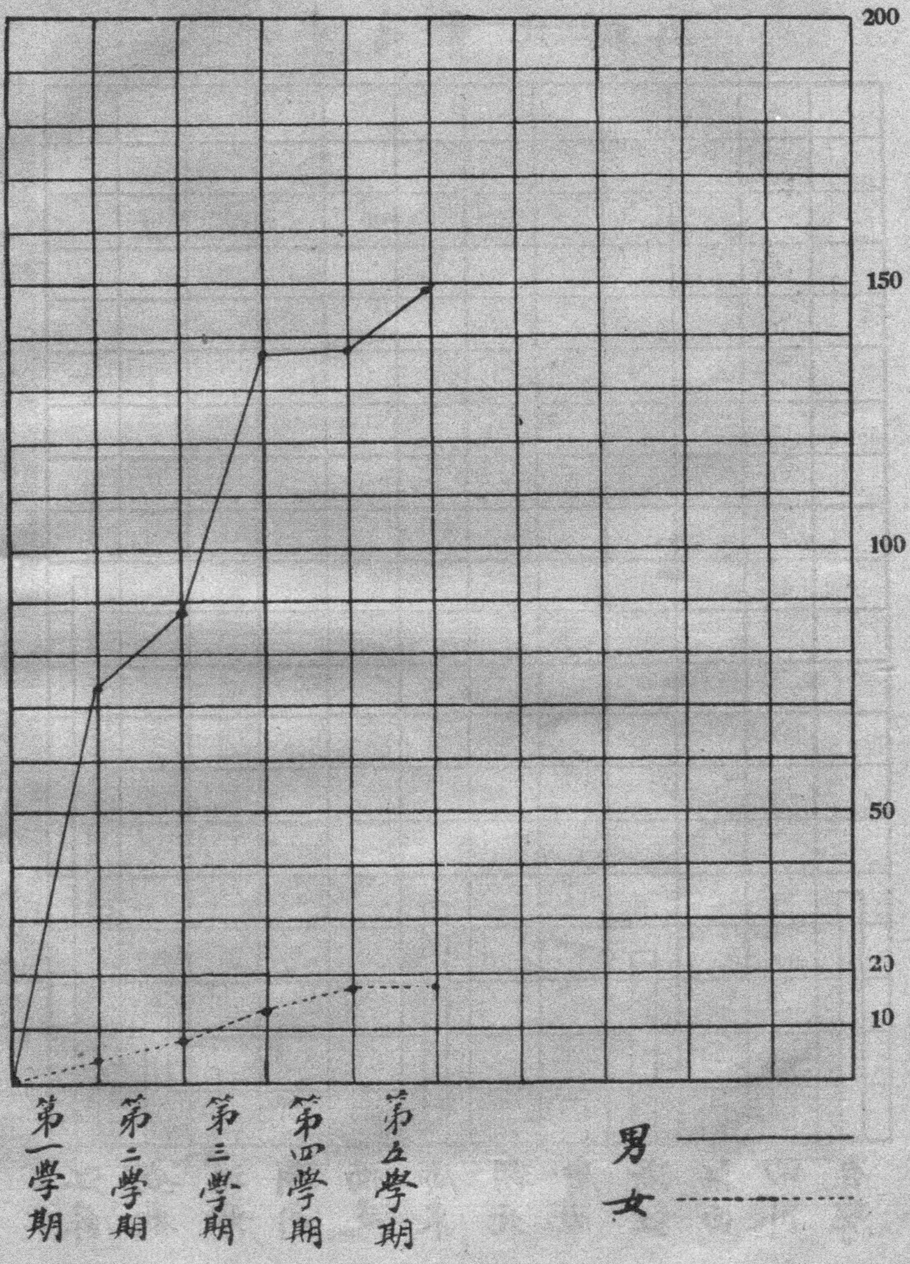

院長章太炎先生近影

教務主任

陸淵雷先生

總務主任

徐衡之先生

圖書館主任

章次公先生

訓育主任

程念修先生

葉蓁

葉女士蓁。字儷光。粵東梅縣醫家子也。少承庭訓。稍長肄業於汕頭市立女子中學。轉入上海人和產科。旋復來學本院。女士性豪品純。其醫有家學爲根基。年來歷經科學研究。異日貢獻。不可限量。又嘗從江甯朱冰如學刺繡。從松江韓少洲學詩詞。皆卓然有樹立。蓋多才多藝之士也。錫庠。

王志純

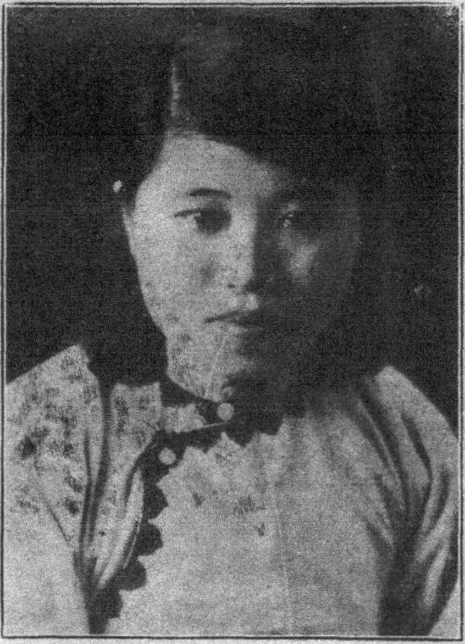

王君志純。籍隸蘇吳。雅性濃厚。敏悟過人。嘗慨然有救世濟人之志。畢業明德中學後。遂攻醫于中醫專校。旣又轉學上海國醫學院。攻讀勤敏。師友交譽之。其造詣之弘。誠非吾輩所能幾之。今已畢業。行將懸壺問世。此不特吾女界之光。抑亦社會之福也。濟民不文。媿不能稱述。謹傳其崖略耳。二十年六月。湯濟民謹識。

王蘭

王蘭女士。皖南名醫王仲寬先生之女公子也。慈和高潔。幼承庭訓。夙諳刀圭。知泰西醫學不無可采。爰入滬上人和產科學校。繼又畢業於國醫學院。兩校考試。皆列前茅。夫中西醫學。宜各取其長。以匯其通。而學者多抱入主出奴之見。互相攻擊。若女士者。學貫中西。鉤玄提要。豈特女界之傑。抑亦醫界之光。人羣之福星也。辛未七月。錢雪漁謹撰。

凌九雲

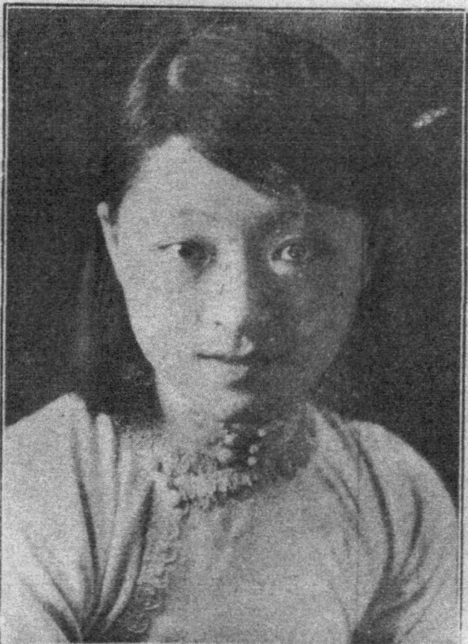

凌子九雲。江蘇嘉定人。初學醫於其舅氏蔡伯英。伯英嘗及予門。過從甚密。因知凌子聰慧沈毅。攻學尤篤。每有問難。輒有啓予之感。昔歲百英殂逝。凌子以學未深造。乃肄業上海國醫學院。學院固以整理醫學。蜚聲宇內者也。凌子熏陶既久。其學孟晉。論議處方。震驚四座。於婦科幼科、尤多心得。嘗倩其代診，病家咸稱誦信仰。殆青出於藍者耶。今既畢業。以肖影索題。爰樂爲記之。張景初。

石豈愚

豈愚女史。生長廣東。蘭蕙之質。柳絮之風。文章既妙。詩賦尤工。書法雄壯。醫學精通。性情高善。志氣昂冲。絕無胭脂塵俗之氣。大有巾幗丈夫之風。僕與女史。時相過從。知之有素。深佩五中。今爲之傳。表其雅風。陳斐然居士題。

沈本琰

沈君本琰。蘇之嘉定人。性恬默。寡言笑。高自期許。不屑碌碌作世俗態。幼與婉琴同肄業於啓良學校。讀書聽講。似不甚經意者。然每試必列前茅。同舍生雖焚膏繼晷。弗能勝也。家本貨藥。以父命攻醫於上海國醫學院。今將畢業。行見今世女扁鵲之譽。傳遍宇內矣。同縣陳婉琴謹誌。

郭鴻傑

郭君鴻傑。沈靜寡言。澹泊淵懿。其治醫也。以提綱溯源。舍短取長爲旨志。尤力主收回醫育法權。嘗曰。倡導國醫。須根據三民主義。以恢復醫育法權。然後改進學術。始有保障。殆所謂夫人不言。言必有中者。以是師友深器重之。今畢業言別。敬誌其小像。以爲紀念。錫庠。

林維墉

林君維墉。嶺南名醫玉齋先生之文郎也。淵源家學。問世有年。曾任潮汕衞戍營部軍醫。棉中醫院醫士。聲譽卓著。君初不以此自滿。以爲國醫亟宜改進。遂於十八年夏。更入國醫學院。以求深造。旁徵博采。剏獲良多。課餘。復兼上海潮州醫院診務。上海美專校醫。其服務社會之熱誠。亦可概焉。鴻傑。

張永霖

張君永霖。字雨蒼。籍臺灣。不遠千里。負笈祖國。慨然以改進臺中中醫自任。於仲景之學。東人之說。鑽研獨勤。院刊中譯著。多出君手。予與君同學久。深知其立志遠大。思想純潔。屏嗜好。耽研究。大有學者態度。今將遠別。謹撰數言以贈。謝誦穆撰。

陳元熙

鄙人世居松江之野。喜治醫。又喜養蜂。初從無錫華繹之先生學養蜂。鄉居小試。成績尚佳。荒村多暇。輒披閱醫籍。雖不得其門而入。自覺趣味盎然。遂入中國醫學院。專攻醫學。及本院成立。復轉學焉。今幸而畢業。將以行醫養蜂。自適其性。雖蟄居蓬戶甕牖。有餘樂焉。陳元熙自傳。

劉子坎

世人輒謂國醫之外科不及西醫。斯不然矣。夫手術消毒。固西醫所擅場。然國醫辨證用藥。備外傅內服諸法。初起則消散。將潰則攻托。已潰則排毒。毒盡則生肌。可以消患於未成。可以縮短其經過。誠能取彼手術消毒以自輔。則治療成績。豈西醫所及哉。劉君子坎。誠謹貞幹。好學不倦。嘗爲予言之如此。蓋深有志於外科者也。鴻傑。

沈濟蒼

沈君濟蒼。字誠美。上海人。精明幹達。敏慧好學。歷任本級代表。師友咸許。其學醫尤沈潛涵泳。每試輒列前茅。平時勤求大論要略。旁蒐金元諸家。外及遠西科學。以此自廣。手鈔方書。裒然成帙。故臨床治病。應付不窮。院中員役患病。不敢勞諸先生。輒就君診治。無不瘳者。亦可見其所學矣。余公俠。

丁成萱

丁君成萱。字北堂。江蘇如皋人。性爽直而富情感。爲學尤勇猛精進。同學四年。每試輒冠吾曹。學說以仲景爲宗。旁參後世方書。凡有可取者。無不一一研求。善治時疫。如霍亂赤痢等。一經診治。皆有把握。前年曾任上海景和時疫醫院醫生。除用中法外。更用鹽水注射等等。救活甚衆。君之天資絕高。心思靈活。故處方尤優秀。將來不難爲大醫也。伯孫。

王利貞

王君利貞　衡湘傑英　不隨塵俗
不苟聞名　歧黃是闡　仲景是遵
剪闢異端　努力維新　折衷中西
學術昌明　臨別贈言　企望雲程

錫庠敬題

張壽山

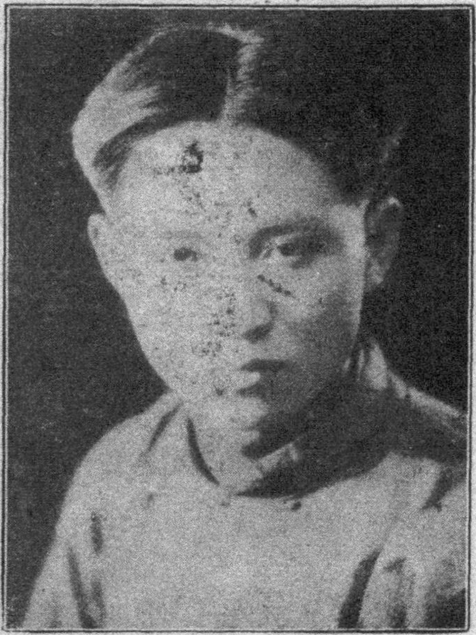

張君壽山。孜孜好學。居常口不絕誦。手不停批。每見儕輩或彷間有奇書。必百計求之。倘屬孤本。則輒轉借來。旦夕抄就。始欣欣色喜。其治醫之精神如此。故辨證處方。湛圓獨到。與彼老醫。殊不多讓。君生平尙友誼。富情感。有晏子風。洵佳士也。錫庠。

蔣止軒

予與君同學凡二年。慕其沈毅不苟。因樂與之遊。今與君同室一年而交益篤。君對於國醫學之革新。夙具識見。嘗曰。凡革命有破壞。乃有建設。政治固然。醫學亦何獨不然。又曰。政治改革。惟有志之青年能之。中醫學之整理革新。舍吾青年亦誰任哉。於此可見君之思想矣。蓋君初習醫於其鄉。坐恨晦濇不能領悟。聞本院以整理醫學爲旨。乃翩然來學。今其歸也。懷本院之所學。負本院之訓示與使命。於其鄉里之醫界必將有一新紀錄矣。君姓蔣。字止軒。海門人。寶山劉文浦謹序。

劉文浦

劉君文浦。江蘇寶山人也。工書。法倘體育。於學尤沉潛好思。偶有疑難輒。瞑思達旦。居嘗慨然曰。今之所謂名醫者。鳩形鵠面。嗜慾薰心。日高三丈而猶不起。當自醫之不暇。遑論醫人。無怪外人譏我爲東亞病夫也。故君於學問外。復從師習武術焉。余與君交旣稔。嘗戲之。曰君身材短小。而精桿逾常人。他日非儒醫相。乃糾糾野郎中耳。濟蒼。

趙錫庠

趙君錫庠。思想精邃。雖小問題。亦能析至微。闡宏旨。我國醫學。代遠年湮。衆說紛紜。羣言淆亂。遍讀諸書。猶難得其要領。君主張以治史方法整理之。近作急性熱病之滋陰療法。歷稽百家學說。鉤奇索隱。辨析微茫。蓋小試其主張也。如此做去。成績必有可觀。敬企而望之。誦穆。

馬伯孫

馬君伯孫。寶山人也。祖逢伯。父少伯。世以喉科鳴海上。君幼承庭訓。克紹箕裘。猶歉然不自滿。負笈本院。以求深造。性穎悟。而好學不倦。除國醫學外。於近世科學醫籍。尤勤加研究。具有心得。發爲論著。皆戛戛獨造。不拾前人牙慧。處方亦穩健。君在本班中年最幼。而造詣已若此。他日成就。殆未可量也。成菁。

謝誦穆

謝君誦穆。短小精悍。聰穎絕人。初畢業於杭垣安定中學。臨平陳蔭軒孝廉亟稱之。居恆。嗜典籍若性命。勇猛精進。治醫宗漢學家法。嘗曰。國醫當科學化。一則以科學方法整理。一則利用自然科學西洋醫學。以融會解析之。平日以此自任。庠謂君之弘毅。必能實踐其言也。錫庠。

畢業刊序言

予性多疑。行醫三十年。偶一不當。輒自咎。或求其生而不得。或發其病。然後藥。病家以爲藥誤。而功敗垂成。或信任太過。病去而正氣不續。危而不持。焉用彼相。嗚呼。此不操刃而殺人之術也。醫固可以立教乎哉。雖然。業患其不能精進耳。語云。前車之覆。後車之鑒。自章生次公。徐生衡之。與陸君淵雷創辦國醫學院。畢業者於今三屆矣。立教大法。以南陽爲不祧之祖。而東洞副之。葉薛以下。不過備病後調劑而已。予自顧生平。以長沙方取效者。不可粒舉而砂算。然遇危急之證。往往中夜彷徨。不勝憂懼。古之人有言曰。知之非艱。行之惟艱。吾願諸生自茲以往。凜乎若朽索之馭六馬。以無負所學者。無負病家。則不特本校校長太炎先生所期望。鄙人亦與有光榮矣夫。辛未四月。　江陰曹家達序。

辛未級畢業紀念刊序言

中土醫學。源於單方。試效經驗之餘。漸傳理論。金元而後。曲說附會。僻論穿鑿。古道廢棄。故方有實效。言多虛設。自西學東來。騖新之徒。病中醫理論之玄妄、幷其效方而棄之。頑固者流。轉恃方效爲口實。以護其五行運氣之說。是皆未爲得也。予治醫十年。重確效之方藥。薄虛謬之理論。思以西說中術。互爲體用。以求其會通之道。嘗謂師循是以教、徒循是而學。則中醫之革新。必有可觀者。陸君淵雷章君成之章君巨膺。同此志者也。由是而共創上海國醫學院。教學數年、略負時譽、辛未之歲。第三屆畢業諸生。出其素蓄。作爲論文。命題雖異。要皆翔實確切。無膚廓籠統之談。予向所夢寐期之者。今乃於諸生見之。因集刊以資紀念。而略書數語以爲序。辛未七月　徐衡之序。

辛未級畢業紀念刊序

識臟腑之形色功用。究疾病之原因傳變者。醫之學。投藥施法。已疾苦而救橫夭者。醫之術。彼西醫之學。極深研幾。可謂精矣。常苦無術以療病。中土之術。鍼膏起廢。可謂神矣。其學乃荒誕而不可信。從吾意術之與學。其分馳而不相及者乎。何中西之不能兼善也。古之賢士大夫。如王刺史蘇長公沈存中及吾遠祖宣公皆喜裒集舊方。用濟急難。其方用之多效。而數公未嘗以醫學名。又有沈痾痼疾。西醫所不能療。中醫所不敢治。而鈴串走方。一藥遂起者。比比然也。吾驚其術而求焉。久之得其書。大抵不出串雅。然塗雅錯繆。不可卒讀。蓋純乎術而不知乎學者也。醫也者。以愈病爲職者也。苟能愈病。雖術而不學何傷。學術者。不以封疆爲界者也。苟取其長。雖術中土而學歐西何傷。彼西醫炫其學之精。不知其術之拙。中土諸工。恃其術之效。不知其學之荒。齦齦然相爭而未已。則其不能兼善也。亦宜。余治醫。爲術主中土。講學從歐西。庸妄者或詆爲非驢非馬。驚新者猶惜其至魯而未至於道。吾皆弗顧。同此志者。章君次公。助其成。使傳之後生小子者。徐君衡之。上海國醫學院。由此其選也。歲辛未。第三屆畢業。諸生相從稍久。頗知趣嚮。故於其紀念刊。序教學之恉焉。間有一二人未脫時師科臼。則入學較後者也。　陸淵雷序。

第三屆業畢紀念刊序

宋元之際。治方技者。人奮其私智。家尙其私學。劉張李朱之徒。逞其異說。蕩而不返。皆明其所長。而昧其所短。矜其所得。而諱其所失。古醫經方之學。絀而不講。迄於淸季。學者悅而嚮之。古醫之眞髓。爲其所蔽。益闇而不明。鬱而不發。而怪奇可喜之論。各師異見者。皆自名家。誕漫於中國。其蔽至今尙在也。余勝衣就傅。卽嗜醫學。涉獵久之。病其蕪雜。余惟本草一書。載藥石之所宜。通閉解結。致之於平。較他書爲差佳。因擷其菁華。汰其浮辭。旁采東人之學。參以遠西之說。凡有抒述。務反世俗玄黃之論。欲以移其風氣。陸君淵雷。徐君衡之。深然余說。共創本院。而後予專授藥物。向所編撰。悉資講肄。而第三屆畢業諸生。相從尤久。諸生旣受本院之薰陶。故其出于辭令。發爲文章者。亦屛虛妄而弗顧。辛未之夏。集諸生論文。爲畢業紀念刊。都二十篇。皆可觀。亦可喜。惜僅爲諸生之論議。而其起廢救疾。以劇爲瘉者。猶未置之紙上也。予曩任臨診指導。進病者於諸生而作壁上觀。目睹其與二豎對壘。發縱指使。多中款竅。不肖者示以方略。亦心領神會。無復扞格。以是知諸生之不徒以論議長也。辛未冬。　丹徒章次公序。

本級小史

趙錫庠
謝誦穆

民國十七年春王一仁章次公諸先生創中國醫學院於上海黃家闕路首次招生成立之一年級卽本級級史之一頁也全級同學約二十餘人本屆畢業之劉子坎趙錫庠丁成萱馬伯孫劉文浦方攻讀其中時院中之標語曰使中醫科學化曰開中醫的金礦其傾向革新可以概見尤以章次公王潤民二先生倡導最力次公先生教藥物學首先揭破五色五味升降浮沉支配藥理之謬誤主張以生理病理說明藥效潤民先生教病理學並司醫論評卷其第一題卽五行之存廢諸同學多以不廢除無以言改進立論一時學說革命之空氣瀰漫全院夏王一仁先生離院秦伯未先生繼執院政同學等亦由一年級升爲二年級插班同學有郭鴻傑沈本淡沈濟蒼張永霖陳元熙諸人斯時有一驚人事跡亦國醫史上重要之一頁卽陸淵雷先生來院教授本級傷寒論是也蓋我同學既立革新之志而國醫則蒙以玄幻籠統之辭枝枝節節障礙正多先生則核其名實綜其精理不別中西一歸於真理與次公先生相得益彰（時淵雷先生論桂枝湯次公先生則論桂枝芍藥至小柴胡湯則論柴胡黃芩）乘桴大海四顧茫茫忽獲指津明燈我同學歡欣無似不自知其手之舞之足之蹈之也斯時師長倡導於上學子屬和於下論者其曰將來醫學革命之泉源必在中國醫學院也孰知執政易人宗旨背變鬨倒車者大有人在思想牴牾學子憤之會武進徐衡之先生鑒國醫之否塞不振蓄志興學與淵雷次公二先生立場既合同氣相應上海國醫學院乃於民國十八年春成立華龍路上我同學數十人亦相偕轉學新同學有張壽山王蘭等數人學院宗旨一致人才匯粹課程設施燦然大備我級有衡之先生之

幼科學淵雷先生之傷寒論次公先生之藥物學章巨膺先生之溫病學潤民先生之病理各論姜振勛先生之微生物學皆一時之選也（尙有生理解剖化學日文醫史國文醫學常識諸科）同時（民國十八二月二十五日）中央衛生委員會議決三案一舊醫登記限止民國十九年底爲止二禁止舊醫學校三取締新聞雜誌非科學醫之宣傳報紙披露後社會震動羣情昂激醫藥兩界奔走呼號函電交馳我同學目擊心危益覺不敢自苟羣以救學相勉勵其印像於我同學者至深也秋升爲二年級插班者葉蓁王志純淩九雲石豈愚王利貞何明謌蔣止軒林維墉謝誦等穆淵雷先生加授金匱次公先生加授雜病姜振勛先生授治療技術許半龍先生授瘍科民十九之秋我同學因已升四年級每日以半日至紅卍會實習以半日受課時何雲鶴先生教內經及時病金久之先生授針灸推拿內經則類次確有此理確有此事者加以科學之說明時病于病原病理推闡盡致針灸推拿以生理解剖稽其部位其有裨於我同學者良非淺鮮實習三人爲一組一診治一寫方一錄副以次遞更共分七組分發紅卍會醫院及覽德軒紅卍會由章次公先生指導覽德軒由陸淵雷先生指導兩地每日平均合二百號每組約診三十號弱每人約診九號一學年以二百四十日計每人約診二千餘號兩先生於辨證處方一一指示疑無巨細必爲之析蔵暮淵雷先生令各錄治療經過若干則名曰臨診一得爲之評註以實院刊一時譽詞交集咸歸功於陸章二先生之指導及諸教授之勤勤善誘也二十年孟夏陸先生令吾儕各撰畢業試卷一期以一月此一月中各同學博涉醫籍旁參西說或專論疾病或研精療法或疏說藥物要皆各具面目卷畢交章院長親加評閱衡之次公兩先生繼之淵雷先生復一一細披錯謬紕漏抉發無遺畢業考試後於六月二十四日行畢業典禮畢業者二十一人

畢業試卷

以年齡長幼為次

畢業試卷皆令學者自擇題。蓋孔門盍各之義也。比而類之。有專論一病者。有專明一義者。有蒐輯排比者。有飜駁舊說者。雖精粗不同。廣狹殊異。其各抒所得則一也。大柢專論一病。專明一義者。題窄則易精密。蒐輯排比者。事勞而難詳盡。至於飜駁舊說。若非經驗學理俱到。則未易勝塲。故善擇題者其卷易佳。以此頗難甲乙焉。此次閱卷者三人。章院長徐總務皆有評隲。予則加以圈點。閱卷者分別記分。折其中以爲畢業考分。此冊以年齡長幼爲次者。所以隱殿最。泯猜忌也。陸淵雷記。

范文正有言。「不爲良相。卽爲良醫。」良相不易爲。良醫豈易爲哉●

國醫治療學提綱

郭鴻傑

治療學者。運用技術與方法。療人疾病。恢復其健康之謂也。吾國近日醫藥。時起中西興廢之爭。淺嘗之西醫。每詆中醫爲五運六氣。空談玄想。且曰有藥無醫。與其提倡國醫。不如提倡國藥。守舊之中醫。亦沈迷於五運六氣之說。不能自拔。又謂仲景傷寒論專用湯藥。所治僅北地冬日之正傷寒。金元四家。別立從徑。各有所偏。吳瑭作溫病條辨。妄欲與仲景分庭抗禮。究其實。皆不能越出傷寒論之範圍。況傷寒論中幷無五運六氣之說。又非專用方藥治外感傷寒病之書。鍼灸刺熨等術。莫不備載。誠爲一切治療學集大成之書也。無如自來醫政失修。學者派別龐雜。因循於六經之傳變。拘泥其方劑之今古。遂使其他技術。次第疏蕪。療法亦隨之而日晦。感慨所及。嘗思有所整理。惟以學力棉薄。不敢從事。今僅於傷寒雜病論中、節錄一二。以爲治療學提綱。先爲列表以便覽觀。

治療學
- (A)技術
  - (一)鍼——溫鍼——燒鍼
  - (二)灸
  - (三)刺（章曰鍼刺一也不可分）
  - (四)火薰——火刼——熨
  - (五)水潠——水灌
  - (六)摩膏——溫粉
  - (七)湯劑——丸——散
- (B)方法
  - (一)病因
    - 內因
    - 外因
    - 不內外因
  - (二)病勢
    - 陰陽
    - 表裏
    - 寒熱
    - 虛實
  - (三)療法
    - 醫療法則
      - 原因
      - 對症
      - 自然療能
    - 用藥目的
      - 汗
      - 吐
      - 下
      - 和
      - 溫

（A）技術

現代治療技術。西醫藉科學之發明。器具之精巧。固非中醫所能比擬。然中醫技術古昔詳備。而今湮沒者多矣。攷內經治病之法。針灸爲本。砭石熨浴導引按摩酒醴爲佐。病各有宜。缺一不可。故徐靈胎有湯藥不足盡病之論。而今倘改良其器具。闡發其學術。亡羊補牢。未爲晚也。

（一）針—溫針—燒針

太陽病。頭痛至七日以上自愈者。以其行經盡故也。若欲作再經者。針足陽明。使經不傳、則愈。

問曰。血痺之病。從何得之。（中略）宜針引陽氣。令脈和、緊去則愈。

太陽病、三日。已、汗發若吐、若下、若溫針。仍不解者。此爲壞病。桂枝不中與之也。

太陽傷寒者。加溫鍼。必驚也。

若已發汗、吐下、溫針。譫語。柴胡證罷。此爲壞病。知犯何逆。以法治之。

若重發汗。復加燒針者。四逆湯主之。

發汗後。燒針、令其汗。針處被寒。核起而赤者。必發奔豚。

火逆、下之。因燒針、煩躁者。桂枝甘草龍骨牡蠣湯主之。

陽明病。脈浮而緊。咽燥、口苦。腹滿而喘。發熱汗出。不惡寒。反惡熱。身重。加燒針。必怵惕煩躁、不得眠。

按靈素兩經。詳論臟府經穴疾病等說。爲針法。言者十有七八。爲方藥言者十僅二三。（陸曰豈特十僅二三乃十無一二耳今人引素靈以說方藥移步換形滋可笑耳）傷寒雜病論。關於針灸之原文、亦二十餘條。且與方劑互相爲用。大論不專限於湯劑。明矣。惟因後人鮮於發揮。以至失傳。今之針灸大成。搜羅雖富。（陸曰鍼灸大成太俗不足稱）然市醫善其技者。幾於鳳毛麟角。良可惜也。

（二）灸

脈浮、熱甚。而反灸之。此爲實。實以虛治。因火而動。必咽燥唾血。

脈浮、宜其汗解。用火灸之。邪無從出。因火而盛。病從腰以下、必重而痺。名火逆也。

少陰病。吐利。手足不逆冷。反發熱者。不死。脈不至者。灸少陰七壯。

少陰病。得之一二日。口中和。其背惡寒者。當灸之。附子湯主之。

傷寒六七日。脈微。手足厥冷。煩躁。灸厥陰。厥不還者死。

瘧脈自弦。（中略）弦緊者、可發汗、針灸也。

發汗後。燒針令其汗。針處被寒。核起而赤者。必發奔豚。氣從少腹上衝心。灸其核上、各一壯。與桂枝加桂湯主之。

按素問曰。北方者。天地所藏閉之域。其地高陵、居風寒冰冽。其民樂野處而乳食。臟寒生滿病。其治宜灸焫。故灸焫者。亦從北方來也。千金方云。宦遊吳蜀。體上常須三兩處灸之。勿令瘡暫痧。則瘴癘温瘧毒、不能着人。故吳蜀多行灸法。扁鵲心書曰。今人不能治大病。良由不知鍼艾故也。灸之爲術。尙矣。然近人常曰。針灸失傳。愚謂針法或有闕佚。灸法並不失傳。不但近日東瀛頗多研究。卽吾國窮鄉僻壤。擅此技而療痼疾。起沉疴者。常所親覩。惟操其術者。多爲江湖技擊之徒。賣生藥之外科醫生。祕相傳授。不肯以其經驗、廣爲流傳耳。而今倘得政府之保障、與獎勵。使其普及醫林。必不讓東瀛人獨擅也。

(三)刺 徐曰此條應與(二)併

太陽病。初服桂枝湯。反煩、不解者。先刺風池、風府。却與桂枝湯。則愈。

傷寒腹滿、譫語。寸口脈浮而緊。此肝乘脾也。名曰縱。刺期門。

太陽與少陽併病。頭項強痛。或眩冒。時如結胸。心下痞鞕者。當刺大椎第一間、肺俞、肝俞。愼不可發汗。發汗則讝語、脈弦。五六日讝語不止。當刺期門。

陽明病。下血譫語者。此爲熱入血室。但頭汗出者。刺期門。隨其實而瀉之。濈然汗出則愈。

少陰病。下利便膿血者。可刺。

婦人傷胎。懷身、腹滿。不得小便。從腰以下、重。如有水狀。懷身七月。太陰當養。不養。此心氣實。當刺寫勞宮、及關元。小便微利則愈。

按內經刺法。有九變十二節。九變者。輸刺。遠道刺。經刺。絡刺。分刺。大瀉刺。毛刺。巨刺。焠刺。十二節者。偶刺。報刺。恢刺。齊刺。揚刺。直針、刺。俞刺。短刺。浮刺。陰刺。傍刺。贊刺。計二十一法。視病所在。不可更易。一法不備。則一病不愈。西國古時亦有針刺法。然其用甚狹。僅知放血而已。遠不及中土之精且詳。惟今西醫穿刺技術日進。一九一六年。英醫簡地利氏。且著有中國鍼法實驗談一篇。刊於熱帶病學衛生雜誌。頗引起醫家之注意。研究者大不乏人。顧吾現代醫界。反多不習。習之者亦不圖改進。恥莫甚焉。

(四)火薰—火刧—熨

風温之爲病。脈陰陽俱浮。身重多眠睡。鼻息必鼾。若發其汗。語言難出。小便不利。若被下者。直視失溲、若被火者。微發黃色。劇則如驚癇。時瘈瘲。若火薰之。一逆尙引日。再逆促命期。本條文從傷寒今釋改正

若太陽病證不罷者。不可下。下之爲逆。如此可小發汗。設面色緣緣正赤。陽氣怫鬱、在表。當解之、薰之。

太陽病。以火薰之。不得汗。其人必躁。到經不解。必清血。名曰火邪。

太陽病中風。以火刧發汗。邪風被火、熱。血氣流溢。失其常度。

太陽病、二日反躁。凡熨其背而大汗出。火熱入胃。胃中水竭。躁煩。必發讝語。十餘日、振慄、自下利者。此爲欲解也。

按周官司爟氏。四時變國火、以救時病。千金要方、備有火薰法。

本草綱目曰。面蟲咬傷。以燈火熏之。出水妙。又年深疥瘡、遍身延蔓者。硫黃艾葉研勻。作撚。浸油點燈。於被中、熏之。素問曰。若不灸者。亦可以蒸藥熨之。千金曰。凡心腹冷痛者。熬鹽一斗、熨。或熬蠶沙。燒磚石。蒸熨。取其裏溫煖。止蒸、土亦大佳。又有熨背散、椒熨方、冷熱熨等法。綱目曰。燈火主治小兒驚風諸病。燒銅匙柄熨烙目弦內。去風退赤甚妙。於是可見先哲治療技術。非如近世之偏重湯劑已也。

(五)水潠—水灌

過經成壞病。針藥所不能制。以水灌枯槁。陽氣微散。身寒。溫衣覆令汗出。表裏通和。其病即除。

病在陽。應以汗解之。反以冷水潠之、若灌之。其熱被劫不得去。彌更益煩。肉上粟起。意欲得水。反不渴者。服文蛤散。若不差者。與五苓散。

身冷皮粟不解。欲引衣自覆者。若水以潠之。益令熱却不得出。

發汗後飲水多必喘。以水灌之亦喘

按素問五常政大論。行水漬之。和其中外。可使必已。史記倉公傳。菑川王病。倉公以寒水拊其頭。刺足陽明脈。左右各三所。病旋已。華佗別傳。有婦人長病經年。佗令坐石槽中。且用寒水汲灌。云當滿百。滿灌。佗乃燃火溫床厚覆。良久汗洽出、着粉。汗滲便愈。肘後方、外臺祕要、儒門事親、本草綱目諸書。亦備載其驗案。水治法之起源與驗案。可概見矣。

(六)摩膏—溫粉

頭風摩散。大附子一枚。鹽等分。右二味爲散。沐了。以方寸匕摩疾上。令藥力行。

大青龍湯方後云。溫服一升。取微似汗。汗出多者。溫粉撲之。

按周禮疏引劉向云。扁鵲使子術按摩。千金要方曰。凡作膏。病在外。火灸摩之。在內溫酒服、如棗核許。又曰。膏摩治頭痛中二十種病。頭眩髮禿落、而中風者。外臺發汗篇、云。夫諸陽爲表。表始受病、皮膚之間。故可摩膏火灸發汗而愈。又曰。水一石。煮桃葉取七斗。以薦席自圍。衣被蓋上。安桃湯於牀簣下。取熱自熏。停少時。當雨汗。汗遍、去湯。待歇。速粉之。又有人疲極汗出。臥單簟中冷。但苦寒蜷。四日凡八過發汗。汗不出。苗燒地。桃葉蒸之。則得大汗。被中傳粉、極燥。便差。由是觀之。大論所載、雖略。醫療功用。倘著。豈可忽哉。

(七)湯劑—丸—散

太陽中風。陽浮而陰弱。陽浮者熱自發。陰弱者汗自出。嗇嗇惡寒。淅淅惡風。翕翕發熱。鼻鳴乾嘔者。桂枝湯主之。

中風發熱。六七日不解而煩。有表裏證。渴欲飲水。水入則吐者。名曰水逆。五苓散主之。

傷寒有熱。少腹滿。應小便不利。今反利者。爲有血也。當下之。不可餘藥。宜抵當丸。

按湯劑之組織與治法。古人有君臣佐使。七方十劑之制。唐宋間丸散之修製尤多。今此僅舉例而已。蓋歷代先哲、次註大論。關於六經之傳變辨別。與方劑之配合分析。各有闡發。其最精當者。莫如柯韻伯之傷寒來蘇集。及徐靈胎之六經病解、傷寒類方。尤在涇之傷寒貫珠集。早爲醫林所贊賞。愚復何贅。

(B)方法

治療方法。乃診察疾病之形勢。決定施治之規則之謂也。醫界鈇椎曰。病有形有勢。今也西醫之論病形。既已不遺餘力。而病勢則不然。中醫由證候配合多味之藥。其論病形。雖不及西醫周到。而論病勢則過之。蓋國醫論病勢。其義頗廣。可分受病原因、病狀趨勢、治療方法、三項述之。

(一)病因

金匱曰。千般疢難。不越三條。一者經絡受邪、入臟腑。爲內所因也。二者。四肢九竅。血脈相傳。壅塞不通。爲外皮膚所中也。三者房室金刃、蟲獸所傷。宋陳言復作三因方論。其義較廣。又金匱云『夫治未病者。見肝之病。知肝傳脾。當先實脾』。肝病何以必傳脾。吾師陸淵雷先生。據美國生理學教據卡儂氏之實驗證明。痛楚恐懼忿怒時。皆因交感神經之刺激。消化爲之阻滯。正可爲肝傳脾之說、下一確證註解。又大論『淋家不可發汗。發汗必便血』。『瘡家雖身疼痛。不可發汗。汗出則痙』。乃病雖有似麻黃湯發汗之證。然論病因。知是素患淋病。（陸曰淋病汗證之原因非乃其所兼宿疾耳此等雖嫌不析篇中類此者甚多）則下焦津乾。瘡家流膿已久。血液組織必告虧乏。若再汗之。其體液起救濟作用。勢必乘虛向外排泄。故成便血。神經失其營養。則痙隨之。正如和田啓十郎曰『不究原因而從事於治療者。反乎治療之法則者也』。彼西醫過信解剖理化。嘗蔑視其病因。注重對症治療。單味複劑之處方。不惟不能對治原病。時或激進病勢。根底加深。增劇附隨症。成合併病。西醫之治術。誠可疑焉。中醫治病。不但必究病因。且能辨明主證、副證。療其主證。副證亦隨之俱愈。學理之奧妙如此。誰謂其有藥無醫。

(二)病勢

內經曰。因其輕而揚之。因其重而減之。因其衰而彰之。大論曰。觀其脈證。知犯何逆。隨證治之。此病勢之定義也。病勢變態無窮。然大概不外陰陽、表裏、寒熱、虛實。茲舉數例以言之。

陰陽

病發熱惡寒者。發於陽也。無熱惡寒者。發於陰也。

按國醫之所謂陰陽。以及三陰三陽者。乃從病勢之變遷。證狀之強弱而言。如發熱惡寒者。知爲體溫增加。機能亢盛。故曰發於陽也。無熱惡寒者。知爲體溫低減。機能衰弱。故曰發於陰也。不過因此辨別其療法、宜溫宜涼之標準耳。若如內經所云。陰陽者天地之道也。萬物之綱紀。變化之父母。則廣廓無當矣。

表裏

傷寒。醫下之。續得下利。清穀不止。身疼痛者。急當救裏。後身疼痛。清便自調者。急當救表。救裏宜四逆湯。救表宜桂枝湯。

按表裏乃明病毒之所在。急當救裏救表。示病勢之緩急也。下之續得下利清穀不止。其腸胃虛寒。消化機能全失。可知。自然療能衰弱。裏證已急。故當先救其裏。至清便自調。知其腸胃機能已復。人體自然療能、欲驅病於肌表。仍有疼痛之表證。故當急救其表。隨證用藥。是國醫治病之大法也。

寒熱

自利不渴者、屬太陰。以其臟有寒故也。當溫之。宜服四逆輩。手足厥寒。脈細欲絕者。當歸四逆湯主之。

傷寒、若吐若下後。七八日不解。熱結在裏。表裏俱熱。時時惡風。大渴。舌上乾燥而煩。欲飲水、數升者。白虎加人參湯主之。

按凡病屬寒證、陰證。皆因人之正氣不足。則顯機能衰減之現象。如自利不渴。小便清白。脈沈遲、無力。或身雖發熱。手足逆冷。或惡寒踡臥等。是也。故用藥大抵以四逆理中輩爲主。以參朮

能振其機能。薑附能溫其衰冷也。至於熱證。多因體溫及機能之亢盛。大渴而煩。乃因表裏俱熱。消耗其津液所致。用白虎加人參湯者。以石膏知母之寒潤。能直折其亢熱。佐以甘草粳米人參。和胃氣、生津液之意也。

虛實

太陽病。得之八九日。如瘧狀。發熱惡寒。熱多寒少。其人不嘔。清便欲自可。一日二三發。脈微緩者。爲欲愈也。脈微而惡寒者。此陰陽俱虛。不可更發汗、更吐更下也。（陸曰此條從脈微引起可矣前半使人茫然不得主旨）陽明之爲病。胃家實也。

按陰陽俱虛。猶表裏俱虛也。心臟衰弱、而脈微。體溫低降而惡寒。法當溫補以扶正氣。故不宜汗吐下、以耗津液。若陽明病。其證爲腹滿便鞕。潮熱、譫語。乃胃腸受熱食毒壅結所致。故曰胃家實。法當用大小承氣湯、以攻其實。此亦國醫治療之權衡也。

(三)療法

西醫依病理解剖及病原細菌。以器械之差別爲主。（陸曰此句意不析篇中類此者亦多）中醫重辨證。以機能之綜合爲主。療法不同。效率自異。茲按其醫療法則。及用藥目的。分論之。

醫療法則

(一)原因療法。即診察病人素因、及受病原因、以施治。國醫所謂治

本者也。西醫專事病原菌之撲滅。以驅除病毒。故所謂特效藥者。在消滅病原之細菌。國醫則專求抗毒力之旺盛。以求消去病毒。例如表裏俱熱之白虎加人參湯證。以石膏知母之寒潤。直折其亢熱。似爲對症療法。以粳米甘草人參之和胃氣生津液。又是抗毒法療矣。

(二)對症療法。即對照當時之證候、以用藥。國醫所謂治標者也。乃西醫惟知治其正證。不治奇證。有熱則投解熱劑。有痛則服止痛藥。不但不問體力盛衰。雖起壞病。亦所不顧。國醫則不然。例如人參湯之主證。爲心窩部痞鞕。胸中痺。而副證爲嘔吐下痢。喜唾口液等。其方劑既適當。則主證副證、同時消滅。方劑之奧妙如此。又非西醫所能並論也。

(三)自然療能。以其病不須服藥。或無特效藥。僅藉自然體力、征服病毒之謂也。亦名曰待期療法。然自然療能有一定限度。其自然體力若得勝外界病毒之侵犯。醫者即放任不顧。病能自愈。反之。病毒侵犯過劇。體力不能抵抗。則細胞破壞。活力消滅。（陸曰二句太醫病劇以死者固不必細胞破壞也）遂不免於死亡。當此時。能以人力減去病毒。或增進細胞之抵抗力。則醫療之目的達矣。大論云。太陽病。得之八九日。如瘧狀。發熱惡寒。熱多寒少。其人不嘔。清便自可。一日二三發。脈微緩者。爲欲愈也。此正明其自然體力足以抵抗病毒故也。蓋國醫之辨證用藥。乃融會原因、對症、自然療能諸大法。以爲施治之準則。非若西醫之理論雖極完備。施治不得大體者。所能比擬。日人渡邊熙曰。漢醫之源泉。爲哲學之理論。（陸曰渡邊不知先有藥效後生理論誤以哲學爲源泉耳）至於實際療病之意匠。及其成績。較之科學之醫學。確有可靠之眞價與威權。良有由也。

用藥目的

脈浮而緊。浮則爲風。緊則爲寒。風則傷衛。寒則傷榮。榮衛俱病。骨節煩疼。可發其汗。宜麻黃湯。

病人手足厥冷。脈乍緊者。邪結在胸中。心下滿而煩。飢不能食者。此胸中實。當須吐之。宜瓜蒂散。

太陽未解。脈陰陽俱停。(中略)但陰脈微者。下之而解。若欲下之。宜調胃承氣湯。

太陽病。若吐若下若發汗後。微煩。小便數。大便因鞕。與小承氣湯和之愈。

自利不渴者。屬太陰。以其藏有寒故也。當溫之。服四逆輩。

按方劑之配合與作用。素問有君臣佐使之制。以君藥爲主要之味。西醫亦同。然無臣藥佐藥之力。則君藥不能爲其用。又非如西醫之佐使。僅爲調味調臭之用已也。然若七方十劑。以及湯頭歌訣分爲補益發表攻裏等二十門。醫學心悟汗吐下和溫清補消八法。各有發明。（陸曰嚴格言之湯頭歌訣醫學心悟皆陋極之書不當梘我輩端然市醫方奉此二書爲瓌俗計言之亦無不可）質諸事實。固有可取之處。究其理論。不無紛歧之弊。較其精當者。亦不外乎大論之汗吐下和温等法也。夫病機之變化無方。而藥效之所以愈病者。豈盡限於藥味之大小奇偶宜通補瀉也哉。

總而言之。遍讀傷寒雜病論。惟曰某病可加温針。或灸之。某證宜某湯主之。何者可發其汗、或吐之。何者宜和之下之。隨證治之大法。井然。降至千金外臺所載。亦但因病用藥。以藥合證而已。實驗所在。既無五運六氣之謬說。亦何空談玄想之有。至於方劑之運用。倘不勤求古訓、得其法則。安能辨別其宜温宜涼。當汗當下哉。提倡改進。豈可緩乎。或曰。大論要略有『互相尅賊名爲負也。』『此肝乘脾也名曰縱。』『金氣不行則肝氣盛』等句。非五運六氣而何。愚曰。不然。讀書貴乎知人論世。攷尙書甘誓有扈氏威侮五行。洪範。鯀堙洪水。汨陳其五行。降至鄒衍。倡陰陽家言、於是舉凡社會文化政事、以及星相巫卜。一切咸受陰陽五行之支配。非但醫藥已也。且仲景書中經散佚。叔和之編次。後人之羼入。先哲亦屢言之。若內經之三陰三陽、大論固襲其名而異其實矣。奈何近人不加探討。猶有侈談五運六氣。以與西醫爭辯者。貽人口實。反使積古相傳之治療異術。不得發揚。此乃舍其本而求其末者也。更有進者。國醫治療成績固佳。而理論之紛歧實甚。有待於整理者如何急切。然醫學教育權今爲西醫所佔奪。未得恢復。則一切改進問題。均難解决。盡努力之。

徐衡之評　分門別類。簡要而明。按語亦不蔓不支。

陸淵雷評　讀仲景書。專於治療方法上著眼。是爲探驪得珠。列表論述。亦頗扼要。前後議論。旨意過多。反覺龐雜。此則下筆時不肯割愛之故。文學工夫未到。往往犯此。不足爲作者病也。

凡天下事必比較然後見其眞。無比較則非惟不能知己之所短。並不能知己之所長。前代無論矣。今世所稱好學之士。有兩種。一則徒爲本國思想學術界所窖。而於他國者未嘗一涉其樊也。一則徒爲外國學術思想所眩。而於本國者不屑一厝其意也。

節錄梁任公著中國古代學術思想變遷史

國醫藥之興廢論 附醫案

林維墉

天下之事物。興固有道。廢亦有理。必綜合全部上下古今。而作精細之研究。以定其是非也。然則論國醫藥之興廢者。何獨不然。我國之醫藥。肇自太古。始而有藥。積驗成醫。故全以實際之功能為依歸。雖然。論理方面頗具玄學色彩者。乃因歷代感染文學及環境之薰陶。原非醫學根本之出發點也。我國之醫學。至今蒐萃五千年之經驗。而成斯偉大宏壯之學。保障民衆之健康。人口得以繁植。苟不切於實用。無補於治療。恐不能至此也。今日之西醫。奔走號呼。不遺餘力。藉口中醫為非科學之學科。空疎無物。不合實用。必盡力摧殘之消滅之而後快。已往事實。識者非之。毋待贅言。醫者治病之工也。藥者治病之工具也。醫藥學者。實驗之學也。醫藥之良否。當以能否治病為標準。即世界之醫藥。均不能逃公例者也。如是論國醫藥之興廢者。必先察其治病成績之如何。而後方可定其曲直也。豈如近代少數西醫。一時氣血之衝動。而得以擾其是非哉。蓋不知我國之醫學。以症候為治療之中心。憑症處方。因證而發藥。（陸曰症即證之俗字數句之間不宜先後錯出）專尚實際。非徒持空談者可比。又證候分主客之不同。治法亦隨之而各異。有主證雖同。副證不等者。其治法始終不變。或副證全同。而主證各別。則治法亦隨之而異。參互錯綜。變化無窮。非我道中人。不知此也。至於治病之成績。社會自有定論。所謂今世萬方崇拜之科學者。亦維以有相當之證據為條件而已。我國醫藥之可以治人之疾病者。非肯定之證據乎。此而不足以稱學。則我不知尚有何事何物可以稱之為學矣。但歷來西醫之所以言不出此。專指國醫之短處而搗亂之者。苟非先具私心。必不至此也。其實學問之真價與權威。決不因此而受毫厘之損益也。但不激不勵。古人已以之為恥。雖然年來我國醫藥界之同仁。頻受打擊之後。亦稍稍醒矣。然而以人物品類之不齊。意見紛歧。故對於學術改進問題。成見頗深。派別各出。終日擾擾。百無一是。長此以往。欲不免排擠而淘汰者幾希。要知哲學非無用之名事。惟專以陽明燥金太陰濕土為無上之圭臬者。則所見何狹。科學非必萬能。有時或窮。故必擇其所宜。兼收幷蓄。相磨相蕩。而後各見其長。庶無遺憾。易云。天行健。君子以自強不息。故吾界同仁。亟宜破除成見。力圖進取。方足以謀自存。（陸曰為學術謀發展則可為衣食謀自存則非吾儕之徒也）否則優勝劣敗。天演淘汰。則欲興不能。不廢而廢矣。

醫案

侯某（暨南學員）于十九年十月八日來院乞診。初病濕溫。久服西藥無效。元氣因之大傷。病邪內陷。身熱乍有乍無。神識昏沉。嗜眠。四肢乏力。大便溏而不實。診得脈象浮大無根。脈大爲虛。先賢論之甚詳。舌苦光滑。唇部乾燥。無根之火上浮。非燥熱之可比也。病勢沉重。未許等閒視之。勉擬培補元氣。溫通中陽。以冀轉危於萬一。陸曰用別直復用黨參黨參用米炒乾薑炮炭皆非予之所敢知

別直參三錢　雲苓神各三錢　炒白朮三錢　生熟棗仁各三錢

米炒黨參五錢　炮姜炭錢五分　廣陳皮二錢　清炙甘草一錢

熟附塊三錢　肉桂心八分　製半夏三錢

昨進培補元氣。溫通中陽法。神識清醒。便溏亦止。四肢稍和。腹餒求食。中焦之氣已能宣通。是佳象也。惟身熱依然不揚。陸曰身熱不揚之句時醫方案中屢見之不知其意何居若謂熱高爲揚豈投藥欲其熱高耶今乃出之我徒之口令我漸愧欲死倦而好眠。脈來虛大無力。舌質光白。邪涉少陰之經。險象圜生。今雖略見差減。但未允爲已入坦途焉。再守原方加減。少參達邪之品。以觀動靜。

米炒黨參八錢　抱茯神四錢　炒白朮二錢

熟附塊三錢　陳廣皮錢五分　北細辛八分

川桂枝一錢　製半夏三錢　清炙草一錢

大紅棗五枚

身熱不揚。較昨略減。四肢溫和。食量漸增。惟欬嗽咯痰甚多。色白質粘。脈來虛弦。舌苔薄膩而白。脾陽虛乏。濕由脾生。是以胸膈滿悶也。兩經溫補達邪。雖不能霍然病除。惟視症象。已有大氣轉復之意。仍宗原意。略事更章。

米炒黨參八錢　雲茯苓四錢　陳廣皮三錢

土炒白朮二錢　淡乾姜錢五分　川桂枝一錢

製半夏三錢　北五味五分　清炙草一錢

灶心土一兩　煎湯代水

咯痰漸少。欬嗽較輕。胃納已佳。起伏之熱稍降。精神比前旺盛。脈濡細。苔白膩。惟脾胃之機能尚未全復。肺部之痰涎不淸。仍宜溫通達邪。健中化濕爲主。

熟附塊三錢　雲茯苓四錢　廣陳皮錢五分　川桂枝錢五分

米炒黨參六錢　淡乾姜一錢　製半夏二錢　化橘紅一錢

土炒白朮三錢　北五味五分　炒穊米三錢　炒川貝一錢

炒心土一兩　煎湯代水

諸恙均愈。胃納精神俱佳。欬痰未楚。胸悶不舒。脈象弦緩。舌苦淡白。中陽恢復。惟餘濕尚未清澈。仍須培補宣化。

米炒黨參五錢　雲茯苓四錢　炒川貝錢五分　生熟棗仁各三錢

土炒白朮三錢　廣陳皮二錢　炙遠志八分　紅棗十粒

仙半夏三錢　厚樸花一錢　清炙草一兩

灶心土一兩煎湯代水

若此沉疴治療經過僅一週間。竟獲康健出院。誠意料之外。得謂非國醫藥之功能偉大乎。

蕭某。于十九年十一月四日來院。先曾在外延醫服藥。二月未效。乃轉入本院求治。脈弦細而數。舌苔薄膩。舌質色紅。小溲疼痛。溺出渾濁。甚且有物塊然而下。大便閉結。陰虛火旺。膀胱之氣不宣。濕熱逗留不化。陸曰此等斷語予所不解作者果能解耶經云。中氣不足。溲爲之變。病情淹纏。王道無近功。務宜鎮靜調養爲是。

細生地三錢蜜炙黃耆錢五分粉萆薢三錢梗通草一錢

京元參三錢蜜炙升麻二錢粉桔梗五錢福澤瀉二錢

大天冬錢五分太乙菖蒲五分川牛膝三錢海金沙三錢

進培養氣陰開提氣化法。小溲渾濁漸清。溺管痛楚亦退。晨起溲出仍有濁塊。症屬石淋之漸。石淋爲五淋中最重者。脈細略數。舌光紅。氣陰兩虧之證。務須加意靜養。治法仍宜培養。

細生地三錢蜜炙黃耆錢五分懷牛膝三錢福澤瀉錢五分

京元參三錢蜜炙升麻三分雲茯苓三錢車包前子三錢

大天冬錢五分太乙菖蒲五分淮山藥錢五分生草稍八分

金石斛二錢

腎主二便。陸曰荒謬腎虛陰虧之體。二便不利。經久不愈。疊進培養氣陰法。大便已能通行。陸曰大便通是天冬地生萱潤導之力然豈補腎之謂小溲濁塊亦止。惟溺時尚不甚清。色如米泔。脈虛而弦。舌質光紅。根部略起薄苔。氣陰來復之象。是佳兆也。仍守原法。更進一籌。

乾地黃三錢抱茯神三錢蜜炙黃耆三錢福澤瀉錢五分

京元參錢五分淮山藥錢五分蜜炙升麻五分車前子三錢

天麥冬一錢五分川牛膝三錢太乙菖蒲五分金石斛二錢

牡丹皮錢五分生草稍八分

大便已通行。小溲混濁。色如米泔。較淡。脈象虛細。舌苔光紅。精氣神乃人身之三寶。氣陰不足。則精關不固。溲濁之由。大率以此。陸曰溲濁由混入精液耶何可笑一仍宜氣陰雙補。固攝精關。

生熟地各三錢雲苓神各三錢厚杜仲三錢蜜黃耆三錢

京元參錢五分淮山藥二錢福澤瀉錢五分剪芡實五錢

天麥冬各錢半川牛膝三錢金石斛二錢蜜升麻五分

白蓮只十粒生草稍八分

服後諸恙已瘥。仍照原方略事加減。如桂枝朮白蓮鬚濟生腎氣丸等味。調治旬日。安然出院。

劉某。于二十年二月五日來院求治。頭眩惡寒。渴欲飲水。水入則吐。面浮肢腫。經云。渴欲飲水。水入則吐。五苓散主之。

桂枝尖錢五分雲茯苓七錢福澤瀉四錢

多白朮三錢木猪苓三錢　生姜汁滴三四點於茶中

昨服五苓散。嘔吐漸平。飲水稍減。惟水稍稽留。面黃肢腫。依然。擬以五苓合五皮加減調治。

桂枝尖錢五分連皮苓七錢木猪苓三錢生熟薏仁各三錢

多白朮四錢福澤瀉四錢綿茵陳五錢

老廣皮二錢大腹皮四錢生姜皮一錢

諸恙漸漸向愈。腫退身輕。脈和苔化。仍守前法以善其後。

桂枝尖錢五分連皮苓六錢木猪苓三錢綿茵陳五錢

生黃耆三錢多白朮三錢福澤瀉四錢五加皮二錢

川牛膝三錢大腹皮四錢陳廣皮二錢生姜

陸淵雷評　論一首。陳義甫淺。文亦罷茶。附醫案三則。治病成績甚佳。惟其案文藥法。別有所從來。非本院教育之功。不敢掠美。特此聲明。原作更有贈別詩四絕。以其無關醫藥。未刊載。

余嘗謂西醫是理論之學。而非實用之學。醫之實用。在能治病而已。近見日人渡邊熙引德人斯柯達云「醫家但求能診斷疾病。以滿足知識之欲。至於愈病與否。可以弗論」此眞西醫之親筆供狀。足徵余言之不謬。

淵雷

痢疾論

張永霖

痢疾以裏急後重。腹痛欲便不暢。下痢膿血為證候。其原因病理。實難言矣。內經命名腸澼。難經為大瘕泄。金元以降。又有滯下之稱。痢疾乃現代通俗之詞也。國醫以氣鬱濕滯為病因。西醫以赤痢菌與阿米巴原蟲為病原。病多發於夏秋之間。時疫霍亂盛行之後。屬傳染病之一種。多由生冷不節。宿食醞釀所致。而蒼蠅穢水。尤為傳染之大因。本病之媒介。夫過食則積。積則腸胃運化衰憊。而鹽酸之分泌不足。於是病原微生物大肆猖威。高熱腹痛。膿血雜下。而痢疾成矣。病原微生物既分二種。病理證狀。亦當有異。茲先敍流行性赤痢於前。再述熱帶性(阿米巴)赤痢於後。

流行性赤痢菌。一八七五年ロシャ氏(Loesch)始發見。（按日人名當用華文譯之作者僑居臺灣翻東籍較多遂隨用假名）定為擬足蟲。一八八三年コハ氏(Koch)證實之。自後復有ウイシナ氏(Wessener)。ハビス氏(Babes)等、潛心研究。行動物試驗。認為根據薄弱。頗反對之。於是赤痢病原、仍屬明昧。逮一八九七年。志賀氏發見真赤痢菌於日本。越三年。ストロン氏(Strong)フリクシナ氏(Flexner)等、附和其說。而赤痢之細菌始確定。此現代西醫所公認。視為鐵案者也。菌之形為桿狀。無鞭毛。不能運動。其在腸中發育最盛者。厥為大便停積之處。故所生之菌體與毒素亦多。盲腸結腸灣曲部等處。為最易侵襲之部。以大便至此停滯稍久故也。菌之所至。則發炎症。而呈腹痛下痢頻作之證。此因細菌之毒素侵入腸粘膜。非病原體竄入組織也。輕者稱為加答兒性赤痢。腸內粘膜及膜下組織。現出漿液性或出血性之浸潤而浮腫。重者腸粘膜表面。附着糠粃樣纖維胎。成為皺襞狀。而滲出粘液。與血液混或膿血狀以排出。於是腸粘膜陷於壞死。成灰白色。或帶褐黑色之痂皮。表面破壞而成潰瘍。病至此。所下純為膿血。甚則膿汁與腐爛之腸組織同時並出。具一種特臭。裏急後重。一日數十回。次數雖多。為量極少。同時併發高熱。腹部雷鳴。煩渴引飲。全身倦怠。嘔噦噎逆。精神昏朦。肌肉瘦削。此種危急之象。由毒素吸入血中。週布全身之故。重者二三日即至不救。老幼患此。尤為棘手。潮濕不潔之地。人煙稠密之處。患者尤多。始於初夏。熄於晚秋。六七之月。尤為猖獗。罹者男多於女。小兒與壯年、亦為不尠。此因接觸病毒之機會較多故也。

至於熱帶性(阿米巴)赤痢。其病原蟲爲阿米巴原蟲。流行熱帶地方。終年不絕。然毒素不如細菌性之烈。故所呈證狀、亦不若前者之甚。其病竈恆起於盲腸及結腸上部。而下行結腸與直腸。則鮮有顯然之變化可徵。其所侵襲之部。多在淋巴叢集之處。經數日。卽變成黃色潰瘍而隆起。周圍粘膜皆充血。或成潰瘍。所下大便亦帶粘液與血液。而次數增多。外觀亦如細菌性赤痢。特少急性證狀耳。設經久不治。或治不得法。輒經年不愈。變成慢性。體羸神疲。此細菌性與阿米巴性赤痢之解剖狀況也。

古人名腸澼者。知其病竈在腸也。謂之濕滯氣鬱者。闇合細菌留戀於腸中之事也。雷少逸云「痢疾多起於夏秋之交。熱鬱濕蒸。人感其氣。內干脾胃。脾不健運。胃不消導。熱挾濕食。醞釀中州。而成滯下。」按、此說淺易而明確。所謂熱鬱濕蒸。乃指細菌之繁衍旺盛。脾不健運。胃不消導。卽消化機能衰減。抵抗力薄弱。熱挾濕食。醞釀中州。卽菌襲腸部粘膜。發炎紅腫。可謂與西說途殊同歸。綜上所述。泰西言細菌原蟲爲祟者。似無疑義。然有患痢一二日。於鏡檢下無反應可查者。又有健康之人。糞便中時有阿米巴原蟲與赤痢菌發見者。抑又何耶。愚意菌蟲之令人爲病。隨人體質而不同。蓋體質強壯者。既無菌蟲之培養基。而抗菌力亦充實。故菌蟲不能繁殖。然則國醫氣鬱濕滯之說。似非盡屬妄誕矣。

本病所以更衣頻數。裏急後重者。雲鶴先生云「西醫於更衣頻數。爲腸粘膜發炎。裏急後重。爲肛門括約筋攣急而緊收。至腸何故發炎、肛門括約筋何故收縮。則惟有歸納於菌或蟲之發作。然在裏急後重、便意窘迫之最初。菌與蟲皆不能於顯微鏡下發見。其說之不徹底可想而知」按、西醫以科學爲萬能。凡諸傳染病皆歸之細菌。其不盡然之說。既如上述。其確然無疑者。腸發炎。必滲出膿狀粘液。蠕動亦隨而亢進。故腹痛。因之排出炎性滲出物於體外。同時直腸炎症已劇。肛門亦爲紅腫。因而感覺狹小。欲推送而不得遽出。此窘迫不暢。裏急後重之所由來也。滯下粘白。原爲腸壁炎症之滲出物。若炎症加劇。腸膜緊張。加以蠕動過急。互相擦磨。則粘膜之微絲血管破裂。血液與粘液混合。而赤白並下。仲聖謂熱痢。後賢謂濕滯氣阻。其斯之謂歟。(陸曰事亦易曉耳說破何等明白然淺人寧執溼滯氣阻籠統渺茫之說自以爲中醫眞髓在是讀此文又將詆爲非驢非馬矣)

古人多以色白屬寒。色赤屬熱。執一偏見。俱非確能。夫病竈既同。赤白亦一。赤者雖多屬實。實者不必盡赤。當以其他證狀爲標準。如所下多穢褐色。或如膿血。腥臭刺鼻。頻數窘迫。渴欲飲冷。胸腹灼熱。劇痛拒按。脈滑實有力者。屬熱屬實。若痛而喜按。脈沉遲無力。口不渴。或渴喜熱飲。便色白。或脫肛者。屬寒屬虛。又有胸痞懣而不渴。舌胎厚膩而黃潤。腹綿痛而肛墜。脈濡數者。古人謂之濕痢。又有屢發屢止腹隱痛略有身熱面色痿黃者為休息痢此症因腸粘膜常有慢性炎症之存在以不節飲食或不戒嗜好為誘因即西醫所謂慢性粘液性大腸炎也又有下痢不能食或食入即吐口臭噯噫舌潤質絳者古名噤口痢謂濕邪干犯惡氣薰蒸土脾虛弱肝木來侮說雖浮夸無稽而細昧其言亦有至理存焉所謂邪濕干犯惡氣薰蒸即細菌毒素或阿米巴原漿、上入胃部胃受刺激則起反射作用而嘔吐或不能食亦有毒素竄入血中循至腦神經中樞由迷走神經達胃以發嘔吐者然此必有高熱神昏譫語之兼證二者為噤口痢之大原因以古時無醫化學顯微鏡不能確證故概謂為濕耳若古人以噤口痢為虛證愚謂不盡然若病之退行期菌毒入胃所發者固屬虛證倘在進行期中毒素乘時崛起則豈無實證乎

治之之法當初起粘膜炎症期中窘迫不暢頻下腸垢時務去腸中之刺激防遏病機之進行如大黃黃芩黃連檳榔木香秦皮枳實苦參子等可隨證去取

大黃能驅除積穢淵雷先生云「急慢性腸炎腸內容物起異常醱酵產生有害物刺激腸粘膜使炎症轉劇時用本藥以助其排除則腸炎自止」蓋本品為植物心下劑專作用於大腸使蠕動亢進迅速推送腸內容物排出體外適用於大實不下血之時不然腸愈蠕動則下血者血愈多不下血者反促出血故證實脈實為使用本藥之標準（徐曰大黃能使大腸充血與痢症不甚相宜故西醫恆用輕粉(即甘汞)惟吾國之輕粉提煉不精含有毒質不甚合用耳陸曰腸蠕動愈速則腹痛愈甚子治痢非大實則不用大黃）

芩連均為消炎聖劑黃芩雖略能激腸蠕動却有阻止體溫增高消除炎症助長消化之功黃連則能收縮腸壁血管制止痢菌之繁殖古人主腸澼洩痢下血者蓋以此也

檳榔瀉氣、殺菌木香止痛助消化苦參子既能促進消化力增加血液循環又能激腸蠕動排除垢膩秦皮鎮痛具有療熱性下痢之效能枳實滌除穢積亦能促進消化此等皆粘膜炎症時期對證之品若腸微絲血管破裂膿血併下者阿膠血炭髮炭畬炭芍藥等均可與消炎之品合用

血炭髮炭日野氏云凡諸血證或中毒內服炭末依其吸着作用卓效神奇如急性胃腸病之出血服之能排除細菌或中和毒素又能保護創口愈其組織可知炭類治出血之功矣

阿膠質粘有止出血之功以吸入血液中增加血液之粘質凝固破裂之血管故凡出血者、無不應用之（徐曰阿膠為細菌之培養基不可單獨內服古人黃連阿膠湯駐車丸等因有黃連黃柏乾薑等殺菌之劑故用之無害）芍藥鎮痛鎮痙為對證療法、此為粘膜炎症將退時期之要品

若脫離極期轉為退行期者宜以砂仁白朮山藥黃耆人參生地故紙訶子石蓮子等為主屬於虛寒者當助以厚朴荳蔻乾薑附子之

類。（陸曰厚朴豆蔻可商）兼濕者蒼朮白蔻苡薏之屬。至於慢性大腸炎（休息痢）症屬不足。法當強壯胃腸。調中暢氣。或溫蕩宿垢。如四君六君。助以秦皮乾薑桔梗。或小量大黃。若噤口痢。古人統稱虛症。事實非是。其屬實者。可依粘膜炎症期之療法。憑證擇用。虛者藕汁石蓮子陳米粥。或大劑參朮之類。以痢久則胃機不振。故須以滋養強壯之劑。緩緩調補。

綜上所述。原因病理。中西所說雖異。但溯源窮本。其理則一。特自金元以降。學說流派。荒誕疊出。遺弊於今。大爲西醫譏誚。然藥效反不在其下。甚且過之。是以淵雷先生有云。「國醫之基礎在藥效。而用藥之標準在審證。審證確而用藥當。則治療之能事已畢。至於生理病理之理論。乃治療既效之後。依傳五行運氣而強爲之說爾。故治療雖效。理論反多失實。吾故曰國醫是實用之學。非理論之學。西醫之基礎在科學。而科學之應用在實驗。實驗所得。可以確知病竈之部位狀態。病菌之種類情勢。然病竈既無法剷除。病菌亦無法消滅。故診斷雖確。自三數種特效藥外。殆無治療方法。吾故曰西醫是理論之學。非實用之學。國醫既有治療之效。若能借助科學。以推究所以致效之故。則理論確實。治效亦可以推演而愈進。」金石良言。愚奉爲治醫南針者久矣。乃者畢業歸臺。醫玆難接。遙望師門。曷勝拳拳。爰錄吾師訓言。贅於篇末。並從師法。屏絕五運六氣之議。以西說釋病理。國藥爲治療。則中西之長。萃於一紙矣。然千慮一失。在所不免。海內碩彥。進而教之。則幸甚。

徐衡之評　說理明確。審治精詳。用藥先後。均有法度。可謂毫髮無遺憾。波瀾獨老成。

陸淵雷評　言有根據。藥不虛發。正舊說噤口屬虛之誤。尤有見地。此篇雖僅論痢疾。可藉見學派途徑。與因襲陳言者不同。

徐大椿醫學源流論云。『凡病之名有萬。而脈之象不過數十種。且一病而數十種之脈。無不可見。何能診脈即知其何病。此皆推測。以此欺人也。』今之以脈眩者見此論。吾不知其將何以解也。

錫庠

六氣與細菌

葉蓁

一、導言

人類者、進化之動物也。人與物並存於宇宙間。則環境生焉。環境之佳者。足以資生養。環境之惡者。因以生疾病。究之人生百年。寒暑遞易。安有環境概佳而無惡者。夫然則人類之於疾病。其不能幸免也。可斷然矣。疾病之誘因果何自耶。吾人所造次於是。顛沛不離。與之相擾攘相周旋。而不自覺者。非氣與物乎。（陸曰物字稍嫌膚泛）於是國醫之言曰。天地不正之氣。發為六淫。亦曰六氣。風寒暑濕燥火是也。人類觸之。每致疾病。蓋六氣乃人類之環境也。闡其說者曰。除少數內傷外。則一切疾病、皆由六氣。甚且以六氣配人身之臟腑。口之於味。耳目之於聲色。無不依六氣命焉。此講哲學而涉於虛杳者也。西醫之言曰。人間有物。視而不見。於顯微鏡下觀之。圓者。橢者。桿者。曲者。不一其形。累累者曰穉。亦曰細菌。人之疾病。細菌祟之。蓋細菌亦於人為環境也。闡其說者且曰。若無細菌。即無疾病。於是有細菌培養場。有研究細菌博士。衛生行政、於可能範圍內、禁止細菌之傳染。西方化人之驚細菌。甚於鄭國人驚伯有之鬼。（陸曰語有蘊蓄讀之啞然）此講科學而泥於迹象者也。雖然。六氣為疾病之造因固矣。然則六氣無稍間接不變形態。徑入於人而為疾病乎。是亦一疑問也。細菌亦為疾病之媒介信矣。然則細菌從何而生。處處可生。生而一致乎。揆之事實。恐非如是也。噫。六氣之與細菌。其形體雖不相同。其關係捷於影響。吾人以改良國醫揭櫫於世。烏可不深思而致其概也。欲明究竟。須先分論。

二、六氣與細菌

靈樞百病始生篇　夫病之生也。皆生於風、寒、暑、濕、燥、火、以之化之變也。

甲、六氣分屬諸病、

一、諸暴強直。皆屬於風。

二、諸病水液。澄澈清冷。皆屬於寒。

三、諸脹腹大。皆屬於熱。（即暑餘倣此）

四、諸痙項強。皆屬於濕。

五、諸痿喘嘔。皆屬於上。（喻嘉言謂內經獨遺燥氣。然此條指燥而言。）

六、諸禁鼓慄。如喪神守。皆屬於火。

乙六氣分屬五臟

一、諸風掉眩。皆屬於肝。

二、諸寒收引。皆屬於腎。

三、諸濕腫滿。皆屬於脾。

四、諸氣膹鬱。皆屬於肺。（喻嘉言謂此亦指燥而言）

五、諸痛癢瘡。皆屬於心。（薛雪謂熱甚則痛、熱微則癢。心屬火。其化熱。故兼屬火熱。）

素問至眞要大論（陸曰以上所謂病機十九條者亦至眞要之文）

丙、六氣與六味、

一、風淫於內。治以辛涼。佐以苦。以甘緩之。以辛散之。

二、寒淫於內。治以甘熱。佐以苦辛。以鹹瀉之。以辛潤之。以苦堅之。

三、熱淫於內。治以鹹寒。佐以甘苦。以酸收之。以苦發之。

四、濕淫於內。治以苦熱。佐以酸淡。以苦燥之。以淡泄之。

五、燥淫於內。治以苦溫。佐以甘辛。以苦下之。

六、火淫於內。治以鹹冷。佐以苦辛。以酸收之。以苦發之。

素問陰陽應象大論

丁、六氣應象

一、風勝則動。

二、寒勝則浮。

三、熱勝則腫。

四、濕勝則濡瀉。

五、燥勝則乾。

如靈樞百病始生篇所言、謂百病之生、皆生於風寒暑濕燥火云云、一似風寒暑濕等、皆能病人。而人遇之一切皆病也者、非也。證之陰陽應象大論所云風勝寒勝等語、則可以明瞭矣、夫勝者有餘也。物極則反。是以爲病。然所謂有餘、必相較而後見。始生篇又云、卒然逢疾風暴雨而不病者、蓋無虛、故邪不能獨傷人、此必因虛邪之風。與其身形、兩虛相得、乃客其形。兩實相逢、衆人肉堅。其中於虛邪也。因於天時、與其身形。參以虛實。大病乃成。此雖僅舉風而言、寒暑濕等之爲病。理亦猶是。而其病狀之顯者。有如前列甲項、演繹之則六氣能致諸病、歸納之、則諸病由於六氣。理甚淺顯。至於六氣分屬五臟、有如前列乙項。則有硬貼板滯之嫌。實起五行生尅之漸。且以六氣分配六味。有如前列丙項。尤不近理。至其變化之旨。當於第四章論之。

三、細菌與疾病

西曆十七世紀、荷蘭留文呵克氏自製簡單顯微鏡。因見齒垢內有微小有機體。是為細菌之濫觴。及一八四九年。卜倫台爾氏、研究由家畜染及人類之脾脫疽病。其在血液內臟中、發見一種桿狀細菌。經多方試驗。證實其為致病之原。於是細菌與醫學之關係大明。

甲、細菌分類

一、球狀菌　渾圓、橢圓、不等。分為五種。

子、葡萄球菌。　丑、鏈球菌。　寅、雙球菌。　卯四聯球菌。　辰、八聯球菌。

二、桿狀菌　如桿一般。或長或短。或粗或細。病原菌多屬此類。分為二種。

子、生芽胞的。　丑、不生芽胞的。

三、螺形菌　形狀如螺旋一般。灣曲或多或少。或緊或鬆。

乙、疾病由細菌侵入的分類

一痘症。猩紅熱。痲疹。流行性腮腺炎。水痘。天哮嗆。流行性感冒。回歸熱。白喉。丹毒。斑疹傷寒。肺炎。

二黃熱病。霍亂。痢症。腹瀉。

三、炭疽。口蹄病。痲瘋。鼻疽。喫咳病。眼炎。梅毒。淋病。破傷風。牛痘。

四、敗血病。壞疽。產褥熱。

五、結核病。狠瘡。瘰癧。

細菌學現在研究進程中。諸多病症。未能明瞭傳染之途徑。然觀甲項記載。菌類已如是之多。乙項記載。疾病亦如是其夥。至其傳染之故。則、一因細菌在灰塵內隨空氣而吸入。二、從食物或飲水咽入。三、通常為接種法。四、須有創傷。方有隙可乘。五、或因接種。或從空氣。都可傳染。依上論據。信而有徵。不若國醫舊說之玄妙渺茫。莫怪醉心歐化者。唾棄國醫而莫之信也。不獨此也。肆力抨擊國醫者。流且盡吹求之能事。一若國醫舊說。絕無可存者。遑論六氣而已。雖然細菌之視六氣。雖較有據。為問細菌緣何而生成。緣何而繁殖。詎得泥現象而舍本源。徒作膚淺之論乎。

四、六氣與細菌之關係

大自然形態之變動。有化學變動與物理變動。屬化學變動者。為化合。為反應。屬物理變動者。為混合。為變態。動植物之吸收養料。是化學變動也。重體加力則成風。是物理變動也。靈樞知此理而未明其法。故言「百病之生。皆生於風寒暑濕燥火。以之化之變也。」蓋風寒暑濕燥火。必經化學性之變動。始能為人之疾病。有若人類日享魚肉菽稻。必化為糜。為糖。為粉。為蛋白質等。始能為人身之滋養。其理甚明。乃集註靈素如薛雪者。附會其詞曰。「風主動搖。木之化也。腎屬水。其化寒。脾屬土。其化濕」如此者不一而足。豈知風之搖木。乃力之故。屬物理之變動。非化也。地上結冰。空氣已在零度下。斯時水之下層。反在四度。其實水非寒也。縱水為寒。已經成冰。是為變態。

又非化也。土固含水有濕然陶土原質爲鋁。鋁固不含水也。縱含水亦非化也。釋古者不明大自然界之變動。襲假聰明。盡將先聖哲理糊塗亂塗。貽國醫之羞。此非靈素之罪。乃釋古者之罪也。試擯棄宋元以後之謬說。取確鑿有據之科學。用爲六氣之註脚。間嘗觀細菌學言「各種細菌。要有一定之境遇。適宜之溫度、食物、潮濕、土地、氤氣。又云需氤氣之細菌。無空氣便不生。嫌惡空氣之細菌。遇空氣即死。或種菌之發生。適宜法倫表七十度以上之溫度。或種菌祇適於低溫度、或種菌最喜高溫熱。或種菌不須日光。或種菌必須動搖。依此而言。須氤氣而好動搖者風也。好低溫者寒也。好高熱者暑燥火也。濕則明言潮濕。是即靈樞所言化之變也。是即六氣各有化學性之變動而形成細菌。（陸曰在某種六氣之下適於某種病菌之繁殖已足爲六氣佔地步細菌究非六氣所形成）以爲疾病之原。有如食物之變化而爲糜爲炭水化合物。以爲肌肉之助。揆之於理則精密。按之於事則翔實。事理昭然。中西一貫。故蓁以爲細菌學家乃靈素之功臣也。惟靈素知其化而不知其所以化。細菌學家知其化而不究其化之所從來。日日研究溫濕。而日日擯棄六氣。豈西洋之溫濕。異於中國之溫濕乎。抑六氣猶乎六氣。一經中國人之口便不堪。掛西人之齒頰乎。不然。何以西醫講溫濕氤氣便爲科學。國醫講六氣便非科學。致其原因。固由食古不化者有以貽之。庸詎知六氣與細菌。固有絕大之關係如此乎。

五、結論

病之由六氣而生。甚爲錯綜。細分之不下千百種。而細菌發明者。僅數十種。究未能一病便得一菌。欲求精覈。當俟之細菌學專家。蓁不過舉其梗概。以明國醫西說。原非背道而馳。學者幸勿妄分門戶。研幾思深。不獨中西可得一貫。且見古先哲學更爲高人一籌。蓁爰引時人徐相任一段議論。用結余文。

微生物雖有寒熱燥暑之中。形狀種種之不同。其肆毒於人類。亦必應運而生。天氣而正。邪生之者少矣。天氣而不正。邪生之者衆矣。故天氣者造微生物也。常先變而後人類病。微生物者爲天氣所製造者也。常人類病而後見。天氣有改變微生物之能。微生物無改變天氣之權。然則以講微生物者爲知病理。能預防。以講天氣者爲不知病理。不能預防。（陸曰微生物可預防天氣誠不能預防寒熱燥濕非人力所能變更非自命哲學者所能變徙翁雖前輩予亦當仁不讓）非倒果爲因耶。冷熱之不知。寒暑之不問。以云診斷。甯能無誤。究竟天氣與微生物。孰爲先鋒。孰爲後勁。請各注重事實。勿徒高談學理。

徐衡之評　探源立論。超超元著。

陸淵雷評　氣候能生殺細菌。細菌不能左右氣候。且病之專因氣候。不因細菌者。固亦有之。論意扼要在此。故是顛撲不破。文筆力求簡鍊。反有鬱勃不達意處。此亦學文者必經之階級。

癲狂病之研究

陳元熙

蹉跎四載。行將卒業。自愧賦性鳩拙。鈍魯無文。惟値玆會刊付梓。諸同學皆有洋洋大觀之著述。鄙人濫竽充數。幸附驥尾。謹以癲狂病之研究。一與諸同學相切蹉焉。

癲狂爲神經系病之一。自來醫家論者甚多。內經謂邪入陰爲癲。邪入陽爲狂。難經謂重陰者癲。重陽者狂。二書論義無異。然後之論者。更有主火主痰主肝風主痰迷之說。雖不合近代科學。要亦非無所見也。顧余於諸說之中。謂漢之張仲景、獨得要領。其云讝語如見鬼狀者。此爲熱入血室。又曰。其人如狂者。血證諦也。前者指癲而言。後者指狂而言。（陸曰此雖非眞癲狂卻可推知癲狂之一種原因）嗣後王清任更進一層。以爲癲狂由氣血凝滯。腦氣與臟腑氣不接所致。於是病理更詳。但當時限於解剖生理。卒不能窮其究竟。夫仲景所謂血室。自不必指女子之子宮。（章曰此語稍泥）亦不必指少腹之膀胱。凡人體血液流行之處。概可謂之血室。亦即是循環系統也。讀古人書。不可以詞害意。苟定指何部爲血室。豈通論哉。（陸曰傷寒論之血室實指子宮若謂循環系即血室則人身無處非血室矣商之）夫患癲狂者。必有絕大之感觸。或絕大之驚恐。而引起心悸亢進。血壓增高。血壓高。則腦神經最易受刺激。腦部有害。體工即集血上行救濟。血漿不降。則各部神經咸受影響。此即所謂腦氣與臟腑氣不相接者是也。腦神經中最要者。莫如迷走神經。分布於各臟腑各組織。專司制止各神經之興奮。其次爲交感神經。亦分布於各臟腑各組織。專司興奮各神經之麻痺。二者互相監制。其作用正如甲狀腺之與副甲狀腺。各臟器之官能得以調和而無恙者。皆賴斯二神經之調節得宜也。若迷走神經之總樞。被腦部充血所阻。即成麻痺。於是各部交感神經。遂失制止。各呈其劇烈之興奮。興奮過甚。而狂症發矣。例如肺胃神經興奮。則黏膜發炎而液多。（主痰之說）心臟神經興奮。則血行更旺而顏赤。（主火之說）手足神經興奮。（陸曰手足之動非迷走交感神經所主而其興奮則一）則手揚而足擲。（肝風之說）反之。若交感神經之總樞。被腦部瘀血所阻。興奮者既已麻痺。復受迷走神經之約束。則麻痺之中又加麻痺焉。各部神經、亦不能幸免。而成癲症矣。例如知覺神經麻痺。則語言失常。運動神經麻痺。則神疲力乏。視聽神經麻痺。則目花耳鳴。古人重陰重陽之說。豈無故而然哉。由是觀之。癲狂既爲腦部充血。體工有救濟功能。治法亦不難解決。即可利用其功能。使上行之血流通下降。先從腸胃黏膜刺激。俟體工起而救濟。再行其血。由是則全身血液可得平均。倘神經尚有興奮與麻痺。當以弛緩之法治之。鄙人本此理想。嘗於去冬寒假期內治一狂症。竟獲奇效。當時之處方如下。

黃連　胆草　決明
黃芩　桃仁　鉄落
大黃　紅花　甘草

方中藥品。多偏於苦泄。以舊說釋之。苦泄能下降。在鄙意。芩連平腸胃之充血。加大黃刺激其黏膜。使體工起救濟作用。再以胆草擴大其血管。而腦部之血液得以下降。然救濟時又恐血液凝聚。故加桃仁紅花流通之味。使其暢行。復益以決明鉄落甘草者。專爲鎮靜弛緩。調節神經而設。如是循環系統可無障礙。興奮與麻痺得以恢復。而病自霍然矣。

章太炎評　內經以生鐵落飲治狂。仲景以防己地黃湯治狂。地黃用至二斤。皆治其血也。由此紬繹。足以自樹一幟。

徐衡之評　見得到。說得出。入古人之奧。匯中西之通。自是不凡。

陸淵雷評　狂證因於血結者多。篇中所論甚是矣。癲則未可一概論。觀篇中論癲之處。不若論狂之深切。可以見矣。捨癲而專論狂。此篇則可傳之作也。

本草一書。最有鴻益。宜熟讀之。（日人淺田宗伯醫訓）按所謂本草者。乃指證類本草本草綱目之等。至於本草備要本草便讀。雖熟讀何益。

淵雷

中西外科治療之比較

劉子坎

年來中西醫學之競爭。日甚一日。於是互相詆誤。有如水火。國人一般之評論。曰「中醫長于內科。西醫則長于外科。」愚往昔聞之。亦以為然。蓋睹西術物質上之器械精良耳。近來有所研究。乃知此係門外漢之語。實不足道也。夫中醫之治內症。固有特長。而外科之治療。亦並不弱。惜知之者秘而不宣。不知者棄而不究。以此日以不振耳。謂予不信。請將中西外科治療之法。分別比較於下。

（一）腫瘍之治療（西醫謂之炎症治療）

西法——對于腫瘍之治法。惟有消炎。別無他法。玆錄之如下。

1. 安靜法。—欲使發炎部之官能休息。宜安靜局部。並與以適當之位置。以促血液之還流。又發炎稍劇之際。則宜平臥。以謀身心之安甯。

2. 攝生法。—宜使居於日光遠射。空氣流通之室中。嚴禁刺戟性食物。俾攝取富於滋養分。且易消化之淡泊食餌。

3. 濕罨法。—取浸於制腐液之綿紗。儘纏絡於患部。依體溫之作用。施濕溫於患部。得大收消炎之效也。其制腐液以百倍之鉛糖水為最良。因其不特備低冷之效。且有促創面發生肉芽。催進生皮機能之功能故也。

4. 瀉血法。—用水蛭、或亂刺、刺絡（即靜脈切開法）三法。俾自局部噴出血液。以平其充血。在急性炎症。最有卓效。

5. 皮膚刺戟法。—為慢性炎合用之方法。使炎性部轉移於他所。（即表在部）通常用沃度酒、芥子泥、芫菁硬膏（舊作斑蝥貼膏）等。

6. 注射法。—注射百分之五古加乙涅。或百分之一莫兒比涅於皮下。使減退疼痛。於罨法不能奏鎮痛之效者用之。

7. 壓迫法。—壓迫一部。以防鬱血。主用絆創膏繃帶。

8. 懸垂法。—高舉發炎部。使近中心之部分、比末稍部低。促靜脉血之還流。以防鬱血。使迅速吸收也。

9. 點炙法。—燃艾貼膚。俾營誘導之作用。在慢性炎、每有卓效。如對於脚氣之麻痺頗呈良效。

10.按摩法—一切慢性炎、均有明效。得由揉擦。促淋巴管及靜脈之還流使炎性滲出物吸收。

11.電氣療法—施平流電氣之上行流。能減少疼痛。有吸收炎性滲出物之作用。

12.手術方法、—腫瘍或潰瘍之急性者。割開患部。除去炎生物。而使之治愈。

按以上十二條。為西醫治腫瘍（消炎）之要法。有時治潰瘍亦採用之。

中法—之治腫瘍有內外、寒熱、虛實、表裏之分。故其法甚密。總之以辨症施治為要。今將其大別分列於下、

(甲)外治法—可別為二。

一、藥物治療—有三種。

(A)箍貼—即今之膏藥。其用有二。

1.消腫止痛—凡腫瘍初起內膿未成者。貼之可散瘀、消炎定痛。使其炎症消滅。

2.提膿遮護—腫瘍日久內膿已結。貼之以促速潰。更可遮護炎部。

(B)摻布。—即藥粉。凡腫瘍初起可消者。以此加於箍貼內。則其功効更速。

(C)圍敷—今人謂之敷藥。凡腫瘍初起。有如塊形。輕者可敷以消散毒已聚者圍之亦得使炎部縮小而頂高易膿易潰以促早愈。

二、手術療法。—有下列數種。

(A)搨漬法。—以藥湯搨漬患處。使皮下組織疏解。俾瘀散血行。而腫得消（按此法與西術之濕罨法同、）

(B)放血法。—凡急性腫瘍（如疔瘡）其勢甚烈者。以針放其毒血。或用水蛭吸之。庶可免危。（按此與西術瀉血法同、）

(C)烙法—腫瘍有宜割去而恐其出血者。用此法烙之。（按此法勝于西醫手術、）

(D)炙熨法—腫瘍初起以艾炙患處。或以熱藥熨之。均可使其消散（按此勝于西醫之點炙法、）

(F)揉擦法—以食鹽和口液（隨曰口液不可用當代以他種藥汁）置腫處。輕擦慢揉可使瘀行腫消（按此與西術按摩法同、）

(F)引泡法—用發泡藥（如斑螯膏）貼在腫處。令起毒泡。用針刺破放去毒液。其腫可消（按此與西術皮膚刺戟法同、）

(乙)內治法。—可別爲三種。

一、內消法。—凡腫瘍初起。其膿未成者。可與以消腫解毒行瘀活血等品內服。使其消散。(但疔瘡等急毒之症、宜愼之、)若兼其他症狀者。須加劑治之。(如大便秘小溲不利等、)

二、托裏法。—若腫瘍久而內膿已結。則宜此法。用提毒促腐、排膿等品內托之。擢其速潰。則毒可速去而早瘉。且急毒之症。服此可使毒質不致流走爲害。

三、止痛法。—腫瘍痛疼甚者。可以麻醉及鎭痛等植物性之品、加於內消及托裏內。以止痛疼。

觀以上中西法對于腫瘍治療之比較。西醫僅有簡單之外治法。且大都均爲中法所有。而中法非特外治法甚備。尚有內消托裏止痛等根治之法。夫炎症之起。多由于血液及淋巴內、有一種毒質。(如細菌微生物等)因感氣候、與七情之影響。結聚而成。或其他之官能障礙所致。是故中醫外科用內治之妙。非西醫所夢想得到者。茲更將潰瘍瘡瘍及刀傷骨折等、治療之法比較如下。

(二)潰瘍及瘡瘍(西醫多列爲皮膚病)之治療法

西法—對于潰瘍及瘡瘍之治法亦甚簡單。除採取腫瘍之相當治療外。亦有膏散及藥水等外治之劑。然考其功用。無非防腐消炎、收斂而已。是亦僅事治標。而無治本之法也。

中法—治潰瘍瘡瘍之法。則較腫瘍爲簡。蓋以病毒既有去路。則毒勢已減。但其治法亦有內外兩種。試分述之。

甲)外治法、—亦有二種。

一、藥物治療—亦有三種。

(A)薄貼—功用與腫瘍大致相同。惟不具消散之力。

(B)圍敷—潰瘍圍之。可使根盤收束。毒不蔓延。瘡瘍敷之有拔毒殺蟲等效。

(C)摻布—潰瘍用之。以提毒、去腐、止血、消炎、生肌、收口。瘡瘍用之。有收濕、殺蟲、止癢等效。

二、手術療法—有三種。

(A)去腐法—以剪刀將其粘膿腐肉除去。使毒勢減輕。

(B)壓迫法、—潰瘍或瘡瘍有炎性滲出物不易出者。須用手術壓迫其四圍。令膿液盡出。則其瘉期自速。

(C)洗滌法、—外瘍既潰。膿水浸淫。必以洗滌爲第一方法。庶幾毒菌不留。易於生新收口。否則、惡腐不除。必多深蔓。而濕痒惡瘡。倜粒毒水。尤易四竄。又必傳染及人。爲害尤厲。宜隨症處方。煎湯洗滌。

(乙)內治法—有二種。

一、追蝕法、—此法專于排膿。使毒外泄、而不內攻。惡肉易去。好肉易生也。

二利濕法—此法多用于瘡瘍使其炎性滲出物由小溲排出。

按以上潰瘍及瘡瘍之中西治療之比較中法雖若簡單然較之西法究爲完備耳。

(三)刀傷骨折之法療

至于刀傷骨折之治療。觀西法驗人之手術。光亮之器械。似屬完美。然吾國之傷科專家。僅與祕製之劑。或服或敷。其效往往神速異常。且可平復如故。是亦非西術所可幾及也、

總觀以上。中西外科治療上之比較。可知西醫之長于外科者。僅在器械與手術。消炎與防腐而已。乃一治標之法也。焉有吾國醫之標本兼施之完美乎

愚作斯篇非欲効一般之煩絮。蓋不忍坐視眞理之淹沒。故當仁不讓也。並希吾國醫藥界。對于外科學速起注意。加以研究。採他人之所長。補我之不足。以發揮其沈蘊之光彩。非特醫藥界之光。國家亦與有榮焉。

徐衡之評　持論平允

陸淵雷評　能將外科治法分類說明。一洗中醫顢頇儱統之習。

鄭康成受公羊於何劭公。既而駁難劭公。劭公自慚曰。康成入吾室。操吾戈。以攻吾耶。夫學術論辨。當仁不讓。雖入室操戈。庸何傷。

國醫界新書報紙。蠭起。精粗淺深。彼此辨難。亦意中事。乃有乙勦襲甲說爲己說。轉以甲爲非驢非馬者。斯眞驢馬之不若矣。嗚呼。世無康成。吾求爲劭公之受攻而不可得。欲國醫學之進步難已。

淵　雷

流行性腦膜炎之研究

沈濟蒼

導言　原因　證候　治療　預防

導言　天氣向暖。各種傳染病又將次第猖獗。近年腦膜炎流行各地。人心惶惶。大有談虎色變之概。蓋其症蔓延甚速。來勢猛烈。雖洪水猛獸。不是過也。醫者於此。宜將防療之方宣佈公衆。俾獲充分之常識。庶幾事先可以儘量避免。臨時亦不致手足無措矣。考國醫對腦之器官。向無專論。古籍所載。更屬略而不詳。李時珍云。腦爲元神之府。王清任云。腦生靈機。貯記性。金正希云。人之記性皆在腦中。汪訒庵云。今人每記憶往事。必閉目上瞪而思索之。凡此皆言腦之生理。素問曰。血菀於上。使人薄厥。又曰。血之從氣幷走於上。則爲大厥。凡此則言腦之病理。由是觀之。往昔賢哲。固知腦爲全身重要關鍵。惟於生理解剖缺乏常識。遂致立論模糊。不能透切。至或以腦病爲心肝之患。如邪入心包。肝風煽動等臆測之詞。尤屬荒誕不經。但爲時代所限。固不足深責。惟吾國藥效。乃積數千年之經驗而成。原非先有理論。而不可改革者。獨怪今世之士。處科學昌明時代。猶置生理解剖等學於不顧。仍主舊說。以腦作肝。指鹿爲馬。張冠李戴。能不爲識者齒冷。在不明國醫沿革眞相者。且將興而懷疑吾國之藥效。國醫前途。不爲膠說所誤者幾希。（陸曰少正卯之言曰改革趨新非驢非馬失却中醫之眞精神嗟乎中醫之眞精神乃在心包肝風耶）國醫向無腦膜炎之名。考之典籍。惟痙病驚風之症。恰與腦炎相合。致近人謂腦炎即是驚風。亦乃痙病。甚有謂爲溫毒傷肝者。惟西醫之診斷傳染病。以驗菌爲第一要義。吾人僅以證候之相似而貿然斷定。無乃失之太疏。若夫市醫俗工。苦於中西貫通之難。竟有否認細菌與傳染之說者。愚實未敢贊同。蓋西醫驗菌。確切有據。一切急性傳染病之由於菌。吾人非特無反對餘地。且不應有絲毫懷疑也。（陸曰細菌學說及其事實可證者正多安在其不應懷疑乎）雖然。西醫以驗菌爲根據。其治病成績。將超越國醫乎。國醫不解驗菌。其將無以識病。妄加治療乎。是又非也。西醫知細菌爲患。專事殺菌工作。以爲其菌既滅。其病可愈。不知細菌之患。在乎菌毒。滅其菌而不盡其毒。菌雖死而其毒尚存。又將若之何。（陸曰血清療法本有殺菌抗毒兩種目的此說大偏不足以折西醫）衡之先生曰「西醫驗菌。要亦無多用處。吾醫不解斯術。要亦不須斯術。吾醫貴察病之形能。詳其證狀。卽可用藥論治。無須乎驗菌之煩瑣。」又曰。「西醫驗菌。國醫辨證。此兩方立場之不同處也。惟西醫在未驗得病源細菌之前。不敢妄投藥餌。國醫辨證不清。任意用藥。危險亦甚。」此數語。已將國醫治病應採之方針。發揮殆盡。且腦膜炎一症。經過甚速。一鈞一髮。稍縱卽逝。若待驗菌確實而後加以治療。則其病往往陷於絕境。至於不可收拾。國醫以辨證爲主。無非辨別表裏陰陽虛實寒熱。蓋人之秉體。各不相侔。素體壯實者。其病急。衰弱者其病緩。故小兒平素無衰弱症。偶因不慎而患腦膜炎者。多屬急性。否則多屬慢性或結核性。（陸曰體質是西醫陽證陰證之病因而非西醫急性慢性之原因結核則別是一種病源甚與此節大有可商）其治療方法。實者折之。虛者補之。熱者清之。寒者溫之。一視其症之寒熱虛實爲轉移。一病之治。變化無窮。其目的在求矯正其生理之偏勝。消滅其病理之狀態。順其趨勢。納諸正軌。故平其證狀。其病良已。初不知滅菌而菌毒自消也。（陸曰此恢復其生理機能使其理得悉全力以奏其抗毒素故不須而殺其菌）此種巧法。實非西醫所能望其項背。彼專以血清爲事。不以病理所發現之症象爲懷。未免呆滯。雖有異曲同工。殊途同歸之妙。而國醫能稍勝一籌者。以此。抑更有進者。國醫雖有「辨症用藥」之特長。不宜因此自滿。吾意當兼取西醫驗菌之法。以爲參考輔助之需。精益求精。端賴吾人今後之努力矣。爰不揣譾陋。舉本症之原因證狀治療預防等項。分述於下。推勘中西之說。使成系統。自知識薄見淺。難免貽笑大方。惟一得之愚。得吐爲快。誤謬之處。倘祈高明董而正之。

原因　本症原因。係由細胞內腦膜炎雙球菌之傳染而起。此菌種類不一。據英國格奧頓博士之研究。已有四種。各國各地之病菌。又復各異。最近據美國賀孚血清廠之報告。除格氏四種不同之菌外。尚有十餘種差別之多。又據上海工部局衛生處報告。就歷次疫症檢驗之結果。其病菌幾無一次相同者。其傳染之徑路。多從鼻腔及咽頭之扁桃腺。間有自皮膚破裂處細血管傳入者。前者以呼吸爲媒介。後者以抓傷皮膚爲梯航。嗣皆集中於腦膜及脊髓膜。有時則集於血中。及皮膚關節等處。此種細菌之來源。自與天時空氣有絕大關係。公共場所。人烟叢集。空氣渾濁。最易傳染。若與病人或帶菌之健者相接觸。而其人抵抗力薄弱。更易中傷。據西醫之試驗。此菌不傷人猿以外之動物。專嗜正待長成之兒童腦膜。且男孩患者。恆多於女。其理由則未詳。成人多有帶菌而不病者。良以其抵抗能力較幼童强盛故也。

證候　初起惡寒發熱。頭痛頭昏。嘔吐目眩。脈勁。與傷寒相類。若兼腹痛。在小兒易與食積相混。治之或差。毫釐千里。其惡寒之期甚暫。旋即壯熱如烙。（亦有不甚發熱者）腦及脊髓呈顯著劇烈之充。血腦膜脊髓膜脹大增厚。間有漿液滲出。故後腦疹痛甚。連肩背頸項強急。爲必見之證。病勢集中於腦。漿液滲出。則見神昏譫。語驚擾不安。目睛上竄。牙咬頭搖。在脊髓。則見角弓反張。手足抽搐。攣急握固。流於關節。則併發僂麻質斯。而見歷節腫痛。在血液皮膚。則併發紅紫斑疹。（故又名斑疹熱瘀點性熱）除以上數要證外。如遇疑似。不能確定腦膜炎時。可以下法試驗之。

（一）使病者將頭下灣至胸。常人固優爲之。患腦膜炎者則不能也。

（二）使病者仰臥。屈其大腿之一。使與胸接。而其他一腿能自動屈曲與胸接者。亦腦膜炎也。

（三）尋常人將大腿豎起。與腹部成一直角。則小腿亦可自由豎起。與大腿成一直角。惟腦脊髓膜炎。因屈肌收縮。不能爲之。

（四）兩眼瞳孔。時見大小不勻。抓其手足心。恆無癢感。

以上數法。載諸西籍。試驗頗捷。國醫之經驗較多者。亦能道之。惟皆居爲奇貨。祕不肯宣耳。

西醫診斷此症。必抽取脊髓液。以檢病菌之有無。再就其液體之清濁。菌類之不同。分爲化膿性漿液性或結核性。大都患腦炎者。其脊髓液並不渾濁。且無病菌蹤跡。則須抽取腦液以爲診斷。鼻涕咽頭粘液及血液糞便之診查。亦爲緊要。

急性腦膜炎腦脊髓膜炎。常於數小時內畢命。國醫謂之急驚風。慢性者則現全身衰弱。氣血虧損之症象。形狀狼狽。日漸瘦削。其病灶常兼及氣管支及腸系淋巴。故每見喘急欬嗽。腹膨便溏等證。（陸曰此似混慢性結核性爲一殆因牽就慢驚風之故） 國醫謂之慢驚風。有輕重迴環之病型。往往延至數旬數月方死。結核性亦稱是。

治療　西醫治療此症。端賴注射血清。其注射之量。視抽出之水量而定。或兩者相等。或減少三分之一。於抽後接連注射之。大致小兒十五西西。稍長二十至三十西西。重症每十二小時或八小時注射一次。輕症每日一次。恢復期間日一次。惟血清製品。大都仰給外洋。且吾國流行病菌之性質。與各國所製血清是否一致。尙屬疑問。腦膜炎病菌種類不一。已如上述。適用於甲菌之血清。施諸乙菌。完全無效。各國各地之菌。既復不同。血清之適於美洲者。又未必卽適於中國。雖有複性血清。亦不能必其與歷屆流行者盡同。故近時西醫咸主採用單性血清。以期對症而收實效。但事實上不易辦到。徒託空言而已。聞吾國北平防疫處上海衞生試驗所。有適於國人之腦膜炎血清製品。但西醫倘少採用。未知其效若何。（徐曰聞之裴君振勳云北平防疫處所製血清西醫多用之效果亦甚佳舶來血清以時間及菌別關係效果未必優于國產者惟甘爲西藥推銷員之國人西醫恐不肯用國產品耳） 由是觀之。西醫對此症治療之棘手。可想而知。其餘之治療。惟有頭痛劇烈。貼以冰囊。角弓反張。多抽脊水。與夫發熱甚則針退熱劑。如握姆乃廷 Omnadir 之類而已。

若夫國醫。則以辨證爲主。有此證用此方。活法頗多。惟此症初起。最易與傷寒食積蒙混。若不加詳察辨別。疑似妄投疎散消導之藥。非特不能愈病。且將延時失機。施救莫及。良可憫也。金匱痙濕暍篇有云。「病者身熱足寒。頸項強急。惡寒。時頭熱。面赤目赤。卒口噤。背反張。痓病也。」（按痓當作痙）此條未出方。金匱復有柔痓剛痓之方。說後遂以括蔞桂枝湯葛根湯等治腦膜炎腦脊髓膜炎。不效。則疑痓與痙爲兩種病。且疑仲景方不能治痙病。夫葛根等湯本非治痙病者。（章曰古人以證象言病葛根等湯非不治痙也但非治腦膜炎耳）後人之誤誤於拘執字面。食古不化耳。業師淵雷先生金匱今釋辨之透切。其言曰。「考金匱脈證及方。所謂痙者。不過項背之末稍運動神經麻痺痙攣。其病不在腦脊髓。所以麻痺痙攣。則因血燥津傷。神經失於榮養之故。血之所以燥。津之所以傷。則因感冒外傷。或患傳染病之故。凡末稍神經之病。無生命危險。故金匱之痙。雖有初期失治而成痼疾者。然非死證。自巢源千金諸書。以腦脊髓病之見角弓反張者爲痙。後人遂以痙爲不治之證。轉疑仲景方不效。」故一見膜炎之朕兆。不可再投解外之方。致貽伊戚。如有須解外消導者。其源起於外感食滯。非可與流行性腦膜炎腦脊髓膜炎相提並論者也。茲將本症應用之方。求諸千金外台及後世諸家。擇要錄後。以備參考。惟執拘成方。則爲死法。要在觀其意義。活潑使用。所謂神而明之。存乎其人者。非馱用量亦不汏。須隨證斟酌耳。

急性

（一）龍膽湯（千金）治頭痛驚惕。壯熱。嘔吐。目眩。咬牙。頸項強急。面赤。引飲。二便黃赤。脈弦。舌紅。（章曰腦膜炎腦脊髓炎非僅小兒有之又曰急下法有大承氣湯溫散法有倉公當歸湯其專解拘急而溫涼諸藥可隨證加入者有千金三黃湯此外如豆淋酒等亦多有效何以不采）

龍胆草　鈎籐　柴胡　黃芩　桔梗　芍藥　茯神　甘草　蜣螂　大黃

考本經。蜣螂爲小兒驚癇瘈瘲專藥。以蟲類有鎮痙之效也。柴胡能通利淋巴。以開痞塞。桔梗能驅除漿液。而排濁汁。龍胆黃芩苦寒瀉熱。引血下行。能低減腦部血壓。熱甚神昏加犀角蒺藜菊花。手足抽搐。痙攣握固。加羚羊角生石決。舌絳加生地當歸丹皮赤芍。痰甚急促加竹瀝枳實之類。（陸曰據驗古方不當以己意附加減法且此處加味乃市醫套法與千金藥例不合）

（二）虎睛丸（外台引劉氏）治小兒病眼不安。驚啼無淚。目定口呆。或手足騷擾。熱甚拒乳。

虎睛　犀角　子芩　梔子　大黃

蜜丸竹瀝冲研下

小兒驚啼騷擾。其頭痛劇烈可知。若按其囟不能前俯。而驚啼益甚者。是腦病無疑。再見上述及弄舌搖頭等證。則更顯明。可用此丸。配合法見外台三十五卷小兒驚癇門。驚風用蟲類藥有效。惲氏鐵樵謂蟲類能弛緩神經攣急，殆甚確。惟無手足抽搐目定口呆等證，則不可服。虎睛。全蝎蜈蚣蜣螂芫青（陸曰芫青非其類也不可內服）蜥蜴蜘蛛花蛇之類皆是也。犀角爲解熱藥。用於熱盛神昏者甚效。黃芩梔子大黃治上部充血。清熱止嘔。

（三）羅氏牛黃丸（藥證眞訣）治神志昏迷。目瞪。角弓反張。臥不着席。（陸曰玉樞丹試用有效何不采入）

白花蛇肉　全蠍　白附子　生川烏　天麻　薄荷　雄黃
硃砂　冰片　牛黃　元寸　麻黃　陳酒

曾見海上某醫。以本方加減一二味。更名發賣。用治腦脊髓膜炎。甚效。愚以市售小兒回春丹代之。曾經驗過。天麻薄荷等亦爲鎮痙劑，雄黃硃砂等爲殺菌藥。用牛黃麻黃以解熱利分泌。白附川烏驅逐濁痰，用元寸以開竅導引。又角弓反張之外。治以水蛭貼患處。能破瘀舒急。千金云。凡諸反張。大人脊下容側手。小兒容三指者，不可復活也。

（四）當歸龍薈丸（錢氏）治頭昏目眩。耳聾。神昏，驚悸搐搦。躁擾狂越，胸腹脅痛。小溲赤。大便濇。舌如沈香色。脈或勁或遲。

當歸　龍胆　梔子　川連　黃柏　黃芩　大黃　蘆薈
青黛　木香　元寸　柴胡　膽星

本方蘆薈青黛清熱殺菌。木香膽星理氣化痰，躁煩口渴合白虎湯。腸有燥屎合大承氣，神昏譫語撮空理線加羚羊犀角。

（五）化斑湯（溫辨條病）治發斑。股紅成片。滿身高腫，或皮膚紫疹形如瘀點。（章曰此方與痙無關）

石膏　知母　甘草　元參　犀角　粳米

熱毒血滯，充塞全身，故併發斑疹。大都以鮮明紅赤者爲輕。紫者爲重。若色黑如煤。雖屬副症。亦不易治。概宜清熱消炎涼血行瘀之劑，平其炎威。故如涼血之生地大青板藍金汁行瘀之丹皮赤芍王不留行，消炎之芩連黃柏，皆可隨證酌加。若斑發不厲而腦症急者。可專治腦症。不必顧斑，以免用藥夾雜之弊。

（六）犀角湯（千金）治熱毒流入四肢，併發關節炎。歷節腫痛。發熱拒按，捫之烙手。舌絳脈弦數。（陸曰主療當從原文若下己意當續以按語此條首二句末句決非千金之語）

犀角　羚羊　前胡　梔子　大黃　升麻　射干　豆豉

昔賢成方之適於本症者，惟此方最佳。前胡射干升麻豆豉。爲散發風熱而設。於本症不甚切要。豆豉有利尿作用。射干有通利關節之效。有時亦可用。如關節間滲出漿液。宜加桔梗之屬排膿。再加行血之藥。效當更著。

慢性

（一）全蝎觀音散（證治準繩）治驚搐眼翻。乍寒乍熱、面色不華。口中氣冷。小便清利、脈弱舌淡。

全蝎　黃芪　人參　木香　甘草　蓮肉　扁豆　茯苓

白朮　神曲　羌活　防風　天麻　生薑　大棗

本方以四君黃芪培補中氣。卽所以鼓舞細胞之生活力。以治虛寒之症、益以蓮肉扁豆神曲。且有開胃健脾之功。但以腦病急劇。乃與安腦神經之藥參半用之。蓋標本並治也。

（二）加味理中地黃湯（福幼篇）治氣血虧損。形狀狠狽。羸瘦腹脹。泄瀉完穀。反見大熱。唇裂出血。氣促神昏、兩目無光。手足抽搐。角弓反張。面枯舌萎。脈沈弱。或輕浮如羽。（徐曰古人所謂之慢驚大抵爲腦貧血症故恆用溫補取效若腦膜炎症雖爲慢性亦不可用大熱藥也）

熟地　當歸　萸肉　枸杞　白朮　炮姜　黨參　炙草

棗仁　肉桂　故紙　炙芪　附子　桃肉　生姜　大棗

灶心土煎湯

大熱不退加白芍。泄瀉不止加丁香。欬嗽加粟殼金櫻子。此方純取溫補填塞之藥。固元陽、滋陰血。無所不用。手足抽搐角弓反張不容兼顧者。蓋皮之不存。毛將焉附。在此危急存亡之秋。壞症已具。唯一緊要。卽在振起其全身細胞之生活力。參芪附子、以此而設。姜桂萸肉攝納浮陽、故紙桃肉平其喘欬、益以歸地枸杞棗仁滋陰安神。灶土止瀉。或有挽回之望。若猶用龍膽三黃爲瀉熱之治。是促其生機矣。可不慎哉。

貽後病

本症常併發中耳炎、致兩耳失聰、甚有病愈而耳聾依然者、是貽後病也。若實際未損。不致終身爲患。皆由血燥津衰。虛火上浮所致。治法如下。

八味地黃丸（雀行功）治病後津血衰少。虛火上沖、上氣喘息。少腹不仁。頭暈目昏、耳鳴耳聾、

熟地　山藥　山萸　雲苓　丹皮　澤瀉　肉桂　附子

耳聾甚。不聞高聲者、再加全蝎菖蒲靈磁石。溫酒下。常服以開竅吸納、方中附桂溫補下焦。引虛浮之火下行。並有健強內分泌之功、能鼓舞全身細胞之活動力。凡病後而見虛弱之象。皆得用之、熟地山萸增血益精。茯苓懷藥厚腸滲濕。丹皮澤瀉以滌血液中老廢物質。虛寒之甚。加杜仲五味鹿茸之類。作湯煎服。

本症貽後病除耳聾外。常見語言蹇澁。兩脚痿痺之症。經年累月、困頓床褥。無非大病之後血燥津枯。以致舌咽神經麻痺。一時未易恢

復。脚痿亦以下肢運動神經麻痺。關鍵痿弱。不能任重。步履艱難。致與癱瘓相似。治法如下。

地黃飲子（劉氏宣明論）治血衰津枯。舌瘖足痺。

熟地　巴戟　山萸　肉蓯蓉　金石斛　茯苓　菖蒲　遠志　附子　肉桂　麥冬　五味　薄荷　生姜　大棗

此方用大隊生津補血溫陽通絡之劑。多服自能見功。脚弱兼用虎潛丸。

預防　吾之所謂預防法。乃積極之預防。非消極之抵禦。猶憶前腦膜炎盛行時。市上有口套出售。謂之防範細菌之侵襲。文明之士。信而從之。雖涉足公共場所。亦以為有備無患。夫細菌之渺小。豈數重紗布所能掩蔽。若謂布上消毒藥。足令殺菌而有餘。則人體豈能當之而不為害。此等舉動。祇可為市儈推廣營業說法。然西醫竟從而稱道之。民衆從而附和之。其幼稚之氣。可笑孰甚。（徐曰口罩乃空氣之濾過器。猶之濁水之用沙濾。東西國普通用之。並非為市儈推廣營業也。　陸曰口罩可以禦飛塵。不足以禦病菌。特推廣營業之語。不免偏激耳）語云。當未雨而綢繆。毋臨渴而掘井。故欲避免疾患。須在平時注意鍛鍊身體。保養身心。病邪自不易侵襲。雖有之。亦不足為患。觀於帶菌之健者。可見矣。但此種習練。非一朝一夕之功。則自非注意個人衞生不可。茲擇其可行者。筆之於下。至若居必洋房。食必牛酪。是不適國情之論也。

一、非必要時。勿涉人多集合之處。游藝場所。切忌前往。

二、居室之空氣。宜使流通無阻。多納陽光。早睡早起。使精神充裕。邪自不犯。

三、衣服須冷暖得時。以杜感冒。更換宜勤。

四、不進來源不潔之飲食。常用藥皂。避疫水。以闢穢濁。

五、常以淡鹽湯或硼酸水漱口及洗鼻腔。以防病菌附着。

六、時常沐浴。清潔身體。使汗腺通暢。以免阻塞排泄之路。

七、非必要時。勿入病人之家。病人所用器具。須用開水浸洗清潔。且忌混用。以免傳染。

八、疫症盛行時。如偶覺目眩腦脹。身體不適。即須請醫診視。不可輕忽。

徐衡之評　論症清晰。采方詳備。末附豫防之法。亦切實可行。合作也。　惟金匱痙病中最要之大承氣湯。反不采用。未免遺漏。

陸淵雷評　論一病。先舉中西病理學說。次舉中藥治方。已成醫報上通套文字。然其紕繆淺率。讀之大堪噴飯。此篇雖不脫時流蹊徑。而翔實精審。已足睥睨醫報上名家。○引古方。當溯其根柢。錄其主療原文。即有己意。亦當以按語別之。著述之例宜爾也。如八味丸本仲景方。崔行功之書。見新唐書藝文志。當是六朝隋唐人。外臺脚氣不隨門雖引崔氏方。仍名仲景八味丸。知八味丸非崔行功製也。又如引千金二方。主療中有脈否。一望知非千金原文。醫書轉鈔滋訛。不究根柢。爲學術之大患。中國醫藥大辭典亦坐此病。吾黨之徒。豈可同俗。

革命以來。人民得集會結社之自由。於是百工皆有所謂職業團體。而百工之少數分子。舍其本工。而工作於團體。云以解其本職業之糾紛也。結果冗食者愈多。而各職業之糾紛愈甚。不知團體結合之未得其法歟。抑革命歷程中必經之階級歟。百工皆然。至於醫界。何獨不然。

淵雷

瘰癧之研究及灸法治驗談

王志純

瘰癧一症。乃瘍科中惡候也。其性頑固。不易化腐。往往經年累月而不潰。甚或有數年而不潰者。既潰又不易收功。以故患之者每多引起營養障礙。而致勞損。死亡為害至烈。近世中醫西醫。對於瘰癧之治療上。又絕無相當之進步。誠吾儕後學所當研究者也。中醫舊說之論瘰癧。以部位分經絡。如生於項前屬陽明經。項後屬太陽經。項之左右屬少陽經。且謂有風毒熱毒氣毒之異。瘰癧痰癧筋癧之殊。所謂風毒者。外受風寒。搏於經絡。先寒後熱。結核浮腫。治當散其風。除其濕。熱毒者。乃天時亢熱。暑中三陽。或內食膏粱厚味。釀結而成。色紅微熱。結核堅硬。治當清其肝。瀉其熱。氣毒者。乃感冒四時殺厲之氣而成。其患耳項胸腋。驟成腫塊。令人寒熱頭眩。項強作痛。治當調其血。和其氣。瘰癧者。纍纍如貫珠。連接三五枚。其患先小後大。不作寒熱。初不覺疼。日久漸痛。堅硬如碁子。大小如梅李。繞頸延腋。得之於誤食蟲蟻鼠殘之物。又或汗液宿水陳茶。混入而飧。乃食毒鬱結之病也。最難消散。治當散其堅。和其血。痰癧者。初起如梅如李。遍項有之。久則微紅。後必潰破。此乃飲食冷熱不調。饑飽喜怒不常。多致脾氣不能傳達。遂成痰核。治當豁其痰。行其氣。筋癧者。生於項側筋間。形如碁子。堅硬大小不一。或陷或突。久則虛羸。多生寒熱。勞怒則甚。此乃憂愁思慮。暴怒傷肝。故令筋縮。蓄成結核。治當清其肝。解其鬱。此皆徒尚空談。不切實際。錯綜紛紜。徒亂人意而已。蓋瘰癧乃頸項間之局部結核病耳。（陸曰頭部淋巴腺腫而已有結核菌者為結核性屬於勞瘵）無論陽明歟太陽歟少陽歟。皆不相關。人身亦未必真有十二經絡也。且瘰癧乃內發病。與風寒毫無關係。且風乃空氣之流動。寒乃人體之感覺。非真有一種物質。能透膚表入人體。而與經絡相搏也。其尤不可通者。為暑中三陽。暑者熱也。熱亦人體之感覺。初無物質。何所謂直中三陽耶。且三陽之於人體。究屬何種物質耶。此皆不可究詰之言耳。至瘰癧之發熱可分二種。一為既患瘰癧。而復兼外感者。一為久病瘰癧而至虛損者。兼外感者。固宜先解其表邪。所謂急則治其標也。（陸曰此先治卒病後治痼疾之理與急則治標稍異）久病虛損者。又當峻補其虛羸。所謂緩則圖其本也。

是以散風之法亦只能治瘰癧兼病之外感非根本治瘰癧之法也。若如上文所言用散風之法以治瘰癧則雖什百劑亦不能取效等之於隔靴搔痒而已。夫瘰癧之病原西醫謂爲結核菌侵入頸腺產生結節而成抑或頸部淋巴腺腫大所致。然而用消腫殺菌之劑或施以消腫殺菌之注射每不能奏效。然則所謂結核菌所謂淋巴腺腫大亦非瘰癧之絕對病原矣。（陸曰淋巴腺腫大與結核菌皆眞確不誤特其治法不甚效耳）以意測之。殆以頸項間之局部淋巴管起回流障礙（陸曰此即淋巴腺腫大之因）及局部靜脈管發生窒塞使一部份之血液及淋巴液有所蓄積而成痰瘀。痰瘀久久不去遂致堅結而成結核。執是說以論治則豁痰祛瘀流通血脈當爲治癧之大法矣。雖然亦有用豁痰祛瘀之法而不效者何也。蓋以患瘰癧者體質多虛羸豁痰祛瘀之藥又類皆尅削以射削之藥投之虛羸之體則病所未得其益正氣已蒙其害。況瘰癧爲局部外瘍藥力尤所難到其不效固在意中豈足怪哉。要之瘰癧爲局部疾患總以外治爲尙毋用湯藥以誅伐無辜即或用湯藥亦只須調和營衞之劑助正氣以驅病毒足矣。（陸曰精警透闢）顧吾嘗以祛瘀豁痰之劑施之於灸法而得效焉。（陸曰兩句文特爽健）爰述其經過以資研究。前年夏間我三弟和卿忽於頸項右側發生形如黃豆之小結核連接三枚。初不慮其爲瘰癧且以其絕無痛苦故不加注意來滬讀書如故。不料積漸長大及寒假回蘇則已大若銀杏頭項爲之牽強且轉側引痛焉。乃知其確爲瘰癧急欲爲之籌治。是時先嚴尙在遂謂余曰（陸曰上句稱先嚴下句即不得稱余當云命之曰）汝知醫者也當爲汝弟設法。余唯唯（陸曰當云純謹諾）乃翻檢各種關於瘰癧之書藉一一參考。然皆滿幅空文不得要領。（陸曰中醫舊籍往往讀之欲睡）惟其書載灸法頗合學理甚爲可取。其法以陳艾圓隔生薑一片置核上灸之。但令知熱不可使痛。每灸七壯日舉一次消散爲度。遂依法試之。三日而不甚效。後閱外科灸法講義謂凡頑瘡大疽難潰難消者可用附子餅灸之。因思瘰癧非亦難潰難消者乎。盍一試之。又憶昔年吾家有一女傭手足患凍瘃曾見其用馬勃一味置炭結火上燃之取煙熏之而愈。又余之舅母亦曾患凍瘃取皂莢燃煙熏之而愈。愈後皆竟不復發。意凍瘃因天氣嚴寒血液凝結而成。瘰癧亦屬血液凝結而成。馬勃皂莢既能治凍瘃則烏得不治瘰癧乎。盍與附子同試之。（陸曰慧悟而有學理）遂以馬勃皂莢鹽附子復加大黃薑汁同搗成餅。如銅圓大。覆核上。取陳艾圓隔餅灸之。餅乾則更易新餅。亦以七壯爲度。灸後蓋貼陽和膏。每日如法灸一次。且內服半貝丸。乃日見消散。不一月而病竟瘳矣。按灸法固爲吾國之古代治療。其功等於現代之太陽燈愛克司光鏡、紫光電。（陸曰此則近於武斷光與熱雖相關畢竟是兩事也）極利於結核病。然則用單純之灸法亦已足以治瘰癧。況加以藥餅。藥得火力。則內竄而直達病所。以發生功效。比單純灸法當然更效。質之藥理。附子能溫陽祛積。大黃能推陳致新。皂莢能軟堅豁痰。馬勃能退腫消毒。生薑能疏散流通。與瘰癧之病理、亦甚爲恰切。換言之。則附子大黃皂莢馬勃生薑。皆具殺菌消腫之功能。以治結核菌及淋巴腺腫大。亦甚相得。是以實驗雖僅一次。自謂非貪天之功焉。

章太炎評　治法不誤。論病因尚須仔細。

陸淵雷評　從凍瘃之療法。推得瘰癧之療法。慧心獨具。而又處處合理。循此道以治醫。醫學有不進步者乎。以視從師臨診。記幾首套方以從事者。有上下床之別。

莊子徐無鬼篇云。藥也。其實堇也。桔梗也。雞廱也。豕零也。是時爲帝者也。何可勝言。案廱或作壅。雞壅即芡實也。或單稱芡。如呂氏春秋恃君篇夏月則食蔆芡是也。本品又稱雞頭。淮南說山訓云。雞頭已瘻。蝱散積血。斲木愈齲。此類之推者也。揚雄方言云。𦵯芡雞頭也。北燕謂之𦵯。青徐淮泗之間。謂之芡。南楚江湘之間謂之雞頭。或謂之雁頭。或謂之烏頭。注云。狀似烏頭。故傳以名之。

誦穆

欬嗽論 附大腸欬小腸欬膀胱欬之原理

丁成萱

欬嗽者、習見之症候也。以其爲習見之症。故病家不以爲畏。醫者亦不以爲意。殊不知欬嗽之種類頗多。原因甚繁。俗語云。欬嗽是醫家對頭。此言欬嗽性甚頑固。治之不易就痊也。夫欬嗽果爲難治之症歟。苟能窮其原因。析其類屬。辨其治法。則治愈弗難。不則、茫無頭緒。藥石亂施。所謂見欬止欬。鮮有不僨事者。墨子曰。不知疾之所自起。則弗能治。誠哉斯言。萱也不敏。敢本此旨。就日常所見各病中之欬嗽症狀。分別論之。并殿治療方劑若干首。當否尚乞高明教正。

(甲)喉頭性之欬嗽

(一)急性喉頭炎　又名傷風欬嗽。或風寒欬嗽。其原多由於感冒及喉炎而續發者。亦有獨立發生者。如氣體及污穢塵埃等之刺戟。則發此症。他如飲酒吸煙。高談劇論。均易得之。自覺患部瘙癢及灼熱。或喉頭粘膜有粗糙之感。并起欬嗽嘶嗄。初時乾欬無痰。繼乃生白色溷濁之痰。後變黃色若膿。欬嗽音響。往往甚高。宛如犬吠。若以喉鏡檢之。喉部粘膜腫脹發赤。聲帶亦呈紅色。且往往有粘液膿汁遮其上。假聲帶及喉後壁之粘膜。亦充血疎鬆。紅赤脹起。往往在劇烈欬嗽之後。於聲帶處見小出血點。言語感痛。終至失音。成人患此。呼吸如常。惟小兒則多呼吸困難。以小兒之喉隘於大人故也。其病重者。恆見全身發熱。身體倦怠。頭痛腰痛等症。

(A)由感冒而續發。其症發熱惡寒。頭痛腰痛。欬嗽無痰或有痰者。選用下列各方。

a.麻黃湯　麻黃　杏仁　桂枝　甘草

右水煎溫服

b.麻黃杏仁甘草石膏湯　麻黃　杏仁　甘草　石膏

右水煎溫服

c.小青龍湯　麻黃　芍藥　乾薑　甘草　桂枝　細

辛 半夏 五味子

右水煎温服

d.驅風解毒加桔石湯 防風 荆芥 羌活 牛蒡

連翹 桔梗 石膏 甘草

右水煎溫服

e.麻黃加桔梗湯 即前麻黃湯加桔梗

f.桂枝加厚朴杏仁湯 桂枝 芍藥 生薑 甘草

大棗 厚朴 杏人

右水煎溫服

g.三拗湯 麻黃 杏人 甘草

右水煎服

b.金沸草散 旋覆花 麻黃 前胡 荆芥 半夏

甘草 芍藥（徐曰芍藥與喉頭欬嗽不甚相宜因性帶酸斂也仲景方與乾姜桂枝合用尙不妨） 大棗

生薑

右水煎服

i.參蘇飲 陳皮 茯苓 紫蘇 半夏 桔梗 前胡

葛根 枳殼 甘草 人參 木香 生薑 大棗

右水煎温服

t.温肺湯 即前麻黃湯加五味子

(B)乾欬無痰。聲音嘶嗄。喉部癢痛發赤者。用下方。

a.甘草湯 甘草

右水煎温服

(C)若多膿性痰者。及喉部被粘液膿汁遮蔽者。宜選用下列二方。

a.(輕症用)桔梗湯 桔梗 甘草

右水煎温服

b.(重症用)桔梗白散（章曰太峻○徐曰巴豆非治欬藥） 桔梗 貝母（各三分）

巴豆（一分去皮熬研如脂○陸曰實扶的里小兒格魯布性肺炎正氣猶持而有窒息狀態者可用白散若喉頭炎則割鷄焉用牛刀）

右爲散服

(二)慢性喉頭炎 急性喉頭炎反覆頻發。變而成此。其他因吸烟過度。用聲過劇。塵埃及有害物質頻頻吸入者。或慢性欬嗽病人。均易罹此。自覺喉部奇癢。欬嗽聲嘶。咯痰。喉頭粘膜暗赤腫脹。假聲帶及會厭往往肥厚。披裂軟骨部常有顆粒狀之新生增殖物。聲帶邊緣生小結節。如贅疣狀。極易與喉頭結核及癌腫相混。全身似無恙。惟不時稍有頭痛及倦怠耳。

(A)由慢性欬嗽而成者。用下方。

橘皮半夏湯 柴胡 蘇子 橘皮 半夏 茯苓

涉草　桑白皮　杏仁　桔梗　生薑

右水煎溫服

（B）由急性喉頭炎不治而成者。用下方。

a.甯嗽丸　南沙參　桑葉　杏仁　茯苓　川貝　姜夏　前胡　薄荷　蘇子　橘紅　米仁　生甘草

右爲末用川斛生穀芽煎湯和丸每服三四錢淡薑湯送下。

（C）欬嗽、咽喉癢痛。或有痰或無痰。或痰甚多而不易咯出者。選用下列各方。

a.甘草湯　見前

b.桔梗湯　見前

c.桔梗白散（章曰太峻）　見前

（二）喉頭結核　中土名爲喉癬。謂由於陰虛火旺所致。西國則謂由結核桿菌侵襲而成。特發者甚罕。大抵皆肺結核之分症也。其症聲音嘶嗄。爲必發之徵。甚者至全失音。此外則欬嗽頻數。喉部疼痛。輕度之嚥下困難等。亦爲常見之症。喉腔結核、初發喉腔後壁及聲帶。僅見粘膜生結核。迨結節崩壞之後。則成潰瘍。此潰瘍在喉腔之後壁者。成哆張之罅裂。邊緣肥厚。作輪廓狀。或者生弛張性臭肉樣之肉芽潰瘍在聲帶者。邊緣肥厚。或如被侵蝕。潰瘍在披裂軟骨者。易生軟骨膜炎。有時聲帶麻痺不能開合彈動。潰瘍在會厭軟骨者。往往起瀰蔓性浸潤。甚有腫至小指大者。此時嚥下作痛。或至不能攝取食物。其疼痛往往放散於耳中。浸潤區域大者。或起呼吸困難。時時體溫昇騰。

（A）初期聲音嘶嗄。咽喉疼痛。欬嗽。粘膜結核者。用下列之方。

（徐曰外台杏仁煎統旨清音丸均可備用和劑參粟湯亦佳）

a.滋陰降火湯　當歸　川芎　黃柏　知母　天花粉　芍藥　地黃　桔梗　甘草　或加竹瀝

右水煎溫服

d.清肺湯　桔梗　茯苓　橘皮　桑白皮　當歸　杏仁　梔子　黃芩　枳實　五味子　貝母　甘草

右水煎溫服

c.四陰煎　地黃　麥門冬　芍藥　沙參　茯苓　甘草　百合

右水煎溫服。痰多欬甚者。加貝母阿膠天花粉。體溫昇騰者加白薇。

d.山豆根湯　山豆根　桔梗　連翹　甘草　元參　薄荷　射干　陳皮　麥冬　燈心

(B.)欬不成聲。結核崩壞之後。成潰瘍者。用下方。

a.治喉癬方 人中白 西月石 川黃柏 京三梅 青果核(煅存性) 漂青黛 元兒茶 川水連 西瓜霜 爐甘石 薄荷末 西牛黃

右研極細末吹之。

(乙)氣管性之欬嗽

(一)急性氣管支炎 本病最爲習見。大抵在春初秋暮。寒暖不均之際發者爲多。此病與受寒有關係。故西諺有「胸部受寒」之名詞。中土包括於風寒欬嗽之內。尤以老幼二時代患者最多。以其抵抗力弱故也。有特發者。有爲痲疹、傷寒、(腸窒扶斯)百日欬、流行性感冒等病之一分症者。屬於特發者。多在感冒之後。往往帶一種傳染性質。一時流行。亦有由喉頭炎之波及者。本病之發生。非僅限局於氣管支內。大抵以下行性爲多。始於鼻感冒及咽喉發炎。漸次逾越喉部。竄入氣管。而下及於左右兩肺氣管支。其進行多半至中等大氣管支而止。病勢猛烈者。乃竟犯及小氣管支及毛細氣管支。而成毛細氣管支炎。當病之發生時。常兼尋常傷風之狀。罕覺寒冷。但全身稍覺倦怠。食慾不振。且骨及背腰痠痛。輕者不發熱。重者體溫昇高。(通常初發第一日或微覺有熱。後即平復。炎症入毛細氣管支時。則體溫復昇添)本病以欬嗽爲主徵。往往氣道中覺有損傷。亦覺奇癢。其氣管支興奮性亦亢進敏銳。初發時惟有頑固之乾欬。其音響甚粗大。欬甚時。胸骨下及膈之附麗處俱極痛。稍得透明無色之少量粘液痰。此名曰生痰。約越三日。乃覺欬嗽輕鬆。咯痰容易。痰中白血球增加。而痰作膿狀。帶黃色。此謂之熟痰。若不下及小氣管支。則呼吸不加速。亦無困難之感。

(A)初起發熱惡寒。一身骨節痠痛。乾欬無痰。或稍帶生痰者。選用下列各方。

a.麻黃湯 見前

b.小青龍湯 見前

c.肺感冒方 桑枝 桑葉 薄荷 杏仁 貝母 葱

右水煎溫服

d.柴胡桂枝干乾湯(徐曰此方不見佳) 柴胡 桂枝 乾薑 黃芩 牡蠣 括蔞根 甘草

右水煎溫服

e.小柴胡湯(徐曰此方治欬亦不相宜) 柴胡 黃芩 人參 甘草 生薑 大棗 半夏

右水煎溫服

(B)欬嗽有粘痰。不易咯出。甚至呼吸困難。或兼惡寒發熱者。

選用下列各方。

a.麻黃加桔梗湯　即前麻黃湯加桔梗

b.小兒風痰云云方　射干　大黃　檳榔　牽牛子　麻黃　甘草

右水煎溫服

c.清濕化痰湯（徐曰此非急性氣管支炎方）　南星　半夏　橘皮　茯苓　蒼朮　羌活　黃芩　白芷　白芥子　甘草　生薑

右水煎溫服

d.桔梗湯　桔梗　陳皮　枳實　半夏

右水煎溫服

e.桔梗白散（章曰太峻）　見前

f.三子養親湯（徐曰此非治氣嗽方）　白芥子　萊服子　紫蘇子

右水煎溫服

(C)炎症漸入毛細氣管支。發熱欬嗽。呼吸迫促困難者。選用下列方劑。

a.麻黃杏人甘草石膏湯　見前

b.麻杏石甘小青龍合法　二方加蘇子桑白

(二)慢性氣管支炎　本病大抵由急性氣管支炎反覆侵襲遷延不治而成。故有久欬之稱。亦有初發即爲慢性者。於老人常

見之。又石工礦夫。漆匠及烟酒家等。亦往往患此。其性甚頑。不易就愈。秋冬之際。病勢加劇。春夏溫暖之時。則病勢減輕。故英美二國俗稱之爲冬季欬嗽。留滯不去。數年而後。漸發呼吸困難。肺氣腫等症。而肺循環鬱滯不疏。於是左心肥大。瓣膜閉鎖不全。最後則發浮腫。面色青紫。肝充血。鬱血腎等症。與心臟病者症候相似。而病人亦坐此以死。本病病型甚多。略可分爲三種。

一、惡臭性氣管支炎　此以欬出惡臭性粘液樣膿樣痰爲主徵。其痰多而稀。色灰白。分上下兩層。上層稀而浮粘液沫。下層稠而沈澱。有時含污黃塊。大如豌豆。本病多限局於肺下部。又往往僅在氣管及大氣管支。屬此者名曰慢性氣管炎。在大吸烟家及有慢性之鼻咽喉病者。常見之。

二、乾性氣管支炎　本病多乾性欬嗽。而頗苦。用力欬嗽。僅得排出少量之痰。其痰粒粒成球形。內含少數膿球及多數肺胞上皮。肺胞上皮中常有黑色顆粒沉着其間。此烟煤灰塵也。痰性稠粘。若不排出。積於氣管支內。甚覺苦悶。呼吸困難。

三、粘液性氣管支炎　欬痰之量甚多。其性質常爲稀薄粘稠性。爲流動性。爲唾涎性。稍帶溷濁。含蛋白質。肺胞上皮甚少。本病之痰。極與肺水腫所吐痰相似。以其稀薄流動。且多泡

沫也。惟本病之痰含蛋白質之量少。彼則頗多。足資區別耳。

(A)屬於惡臭性氣管支炎者可選用下列各方。

a.(輕症用)桔梗湯　見前

b.(輕症用)四順湯　貝母　桔梗　紫菀　甘草

右水煎溫服。欬甚者可加杏人。

c.(重症用)三子養親湯　白芥子　蘿蔔子　蘇子　南星　半夏　黃芩　茯苓　陳皮　枳實　甘草　生薑

右水煎服。

d.(重症用)桔梗白散(徐曰不安)　見前

e.(重症用)皂莢丸　皂莢(括去皮用酥炙)

右一味末之。蜜丸梧子大。以棗膏和湯服三丸。日三夜一。虛人老者宜酌減。

(B)屬於乾性氣管支炎者可選用下列各方。

a.杏仁五味子湯　杏仁　茯苓　橘皮　五味子　桔梗　甘草

右水煎溫服。

d.九仙散　人參　款冬花　桑白皮　桔梗　阿膠　五味子　烏梅　貝母　粟殼　生薑

右水煎溫服。

c.人參款花湯　款冬　五味子　紫菀　桑白皮　人參　生薑　大棗

右水煎溫服。

d.杏人五味子湯　杏人　五味子　茯苓　甘草

右水煎溫服。

e.杏酪湯　杏人　麥冬　冰糖

右水煎溫服。

f.茯苓杏人甘草湯　茯苓　杏人　甘草

右水煎溫服。

(C)屬於粘液性氣管支炎者可選用下列各方。

a.利金湯　桔梗　甘草　貝母　橘皮　枳殼　茯苓　生薑

右水煎溫服

b.清肺湯　桔梗　茯苓　陳皮　桑白皮　貝母　當歸　麥門多　杏人　山梔子　黃芩　甘草　五味子

右水煎溫服。

e.三子養親湯　白芥子　萊菔子　蘇子　南星　半

夏　黃芩　茯苓　陳皮　枳實　甘草　生薑

右水煎溫服。

b.（顏面浮腫久欬不愈呼吸困難者用）葶藶大棗瀉肺湯　葶藶　大棗

右以水先煎大棗次內葶藶再煎溫服。

c.（欬嗽喘急身面俱腫者用）外台崔氏消腫下氣止欬立驗方　葶藶　貝母　杏仁　紫菀　茯苓　五味子　人參　桑白皮

右研末蜜丸如梧子大一服十九日二服甚者夜一服。漸漸加至二三十丸煮棗汁送之。

（三）毛細氣管支炎　本病多自重篤之氣管支炎下行而成。以毛細氣管支無軟骨爲之支撑故一遭粘膜腫脹加以分泌物充塞其間其管腔最易杜塞。此種病變若蔓延及於兩肺大部。卽起呼吸困難之症。病者常乞援於呼吸補助肌以營呼吸。吸入之氣多。呼出之氣少。故肺胞內空氣漸積漸滿。而肺乃逐漸膨脹。胸廓之形擴張如大鼓狀。而肺臟下部境界展伸下降。心臟前面亦被肺蓋覆矣。此謂之急性肺膨脹。本病以小兒患者爲最多。且甚危險。欬嗽咯痰。病者顏色蒼白甚或帶青紫色。苦悶不安。呼吸困難之度甚劇。成所謂氣急鼻煽。飲食啼泣、俱不

能行。常起坐床上。不克橫臥。呼吸數增多。脈搏之數有速至百四十以上者。體溫亦高騰。殆與肺炎無異。老人亦時有之。中年之人罕發此者、

患本病者可選用下列二方。

a.越婢加半夏湯　麻黃　石膏　生薑　大棗　甘草　半夏

右水煎溫服。

b.麻黃杏人甘草石膏合小青龍湯　俱見前

（四）氣管支擴張　本病往往因麻疹百日欬肋膜炎後繼發肺炎。自是而後欬嗽多痰而成本病。又往往於氣管支狹窄病人見之。因通氣排痰之不便。留積膨脹。氣管支壁受其壓迫而擴大也。擴張部中鬱痰不多者。全無症候。然患部氣管支能製造稀薄膿狀液。不甚粘稠。此種膿狀薄液隨時貯蓄於氣管支囊中。漸漸充滿。病人於此時若起臥倚側。身體之位置一變。則囊內滿貯之痰、卽溢而入於氣管支中。因其刺戟。倏發欬嗽。而大量之痰。逐衝出口鼻。痰盡乃安。一回欬出之痰量甚多。有斷非尋常氣管支腔所能容者。此名曰滿口欬出。乃本病之特徵也。此種欬嗽。以早晨爲多。蓋夜間聚蓄之痰。皆於此時排出也。空氣中種種微生物。往往乘吸息而入於氣管支中。不幸遇腐敗

菌入居其間。則囊內所蓄之痰。起腐敗變化。而唾出之痰。卽帶惡臭。不可向邇。其痰可分三層。下爲粉屑狀膿塊。其中常有黃白之顆粒。大如芝蔴或碗豆。頗似白麵之屑。研而碎之。則放惡臭。中爲稀而帶黃綠色之溷濁漿液。上則爲帶棕色含泡沫之粘稠性膿液。氣管支囊內容旣遭腐敗。或遭炎性細菌侵害。則氣管支擴張部遂一變而爲炎症性疾病。潰爛崩壞。而生氣管支粘膜壞疽。且復刺戟氣管支壁而剝蝕之。使管壁之血管擴張充血。易遭破損。故本病經過中、往往欬血。古書所謂欬唾膿血者是也。然常易與肺壞疽肺膿腫等相混。本病若爲合併症。以無熱爲常。其有膿液蓄積者。則生慢性化膿熱。

治療之法。俱同前惡臭性氣管支炎。

（五）百日欬　本病在中土有呼爲頓欬、痙欬、連聲欬、疫欬、鸕鷀欬者。往往流行於一時。冬春之交最多。西國謂其由細菌傳染而生。專犯小兒。而初生兒罹此者甚少。有免疫性質。故一度罹患多不再染。且本病往往隨痲疹而至。一時併發。頗極危險。故宜留意。其潛伏期大概在三至十四日之間。初發時與通常之氣管支炎（卽普通欬嗽）無異。第一星期中、或發低熱。全身狀態稍覺不調。此爲第一期。亦卽粘膜炎發期。稽留凡一二星期。症狀無他變。故往往不能確實診斷。過此則爲痙攣期。有特異痙攣性之欬嗽。至此始能確知爲本病。其欬嗽之發作。多突然而至。欬嗽短促、激劇而帶痙攣。聯續而發。不能稍消。迨吸入之空氣盡被欬出。乃於閉放不全之聲帶間、通一吸息。歔然有聲。僅此一息。而連續之勁欬又起。如是者數回。患兒顏色青紅帶腫。頸靜脈怒張。涕泗交流。甚者苦悶若窒息。顏色靑紫。故又謂之青欬。甚至惡心嘔吐。或咯痰極多。而後始得安靜。閱半時或一時間。又發作如前狀。反覆發止。一日間數或數十回不等。夜間往往加劇。痙攣期之逗留長短不一。短則二三星期。長則二三個月以上。大概夏期所發者。短於冬期。發作頻數。嘔吐屢起。攝取食物大受障礙。所以妨害營養者。愈甚。而病兒乃漸次憔悴。成人以上罹本病者。其欬嗽非如小兒之有特異定型。欬嗽刺戟劇甚而已。陸曰成人似無此病本病通常無熱。其有熱者。有氣管支炎毛細氣管支炎等合併症也。至輕快期則病勢稍退。發作之回數漸漸減少。劇烈之度亦輕減。欬嗽之特異的痙攣性亦稍退。嘔吐亦止。然尚有輕鬆之欬嗽、留而不去。復經一二星期。始得消失。

本病有下列各方可以選用。

a-麥門冬湯　麥門冬　半夏　人參　甘草　粳米　大棗

右水煎温服。熱甚者加石膏。

b. 淸肺湯　見前

c. 四物湯　桔梗　甘草　紫菀　麥冬

右水煎温服。

d. 甘露飲　生地黃　乾地黃　天門冬　麥門冬　枇杷葉　黃芩　甘草　石斛　枳實　茵蔯

右水煎温服。

e. 小柴胡湯（徐曰以下九方可删）

f. 小靑龍湯加杏仁　即前小靑龍湯加杏仁

g. 大靑龍湯　麻黃　桂枝　甘草　杏人　生薑　大棗　石膏

右水煎温服。

h. 麻黃杏人甘草石膏湯　見前

i. 香砂平胃湯（陸曰此方不知何人用於百日欬以理推之藥證相遠）　陳皮　蒼朮　厚朴　甘草　香附子　縮砂仁　生薑　大棗

右水煎温服。

j. 乾薑湯　乾薑　半夏　桂枝　蜀椒　杏人　蜂蜜

右水煎温服。

k. 橘皮竹茹加半夏湯　橘皮　竹茹　大棗　生薑　甘草　人參　半夏

右水煎温服。

l. 麻杏石甘小靑龍合法　見前

m. 左金丸（陸曰東人惠美甯固用此於百日欬盛稱其效今試之乃不如鸕鶿涎丸）　黃連（薑汁炒）　吳茱萸（鹽湯炮）

右爲末水泛丸。開水送下。

n. 鸕鶿涎丸　麻黃　杏人　石膏　桔梗　天花粉　細辛　射干　甘草　鸕鶿涎

右作丸。湯下。

o. （兼蛔蟲者。用）收嗽湯。　天門冬　貝母　檳榔　百部根　甘草

右水煎温服。

（丙）肺臟性之欬嗽

（一）急性眞性肺炎　本病有傳染性。以冬春兩季爲最多。壯年較少於老幼。女性較少於男子。病原爲細菌。當其發生之始。突然戰慄。如覺有重病。在幼兒則痙攣發作。或嘔吐。數時間內。體温上騰至三十九或四十度。當病之第一日。即覺肋側刺痛。呼吸迫促。一分間有多至三十至四十者。在小兒則又有呼息時喘鳴現象。病之第一日終第二日始。併發疼痛性短欬。有痰而

稠粘着物不易去。有黃而淺紅之色澤。名曰鏽色痰。此肺炎之特徵也。小兒之肺炎。往往無痰排出。蓋被嚥下故耳。病之第三日。大概於口鼻間發見匐行疹。其熱常作稽留。健壯人概較高於尫弱及老年人。脈搏與體溫一致。一分間約百至或百二十至。充實而緊張者、爲佳兆。頻數而小弱者、乃危徵也。本病在向愈期。大概發汗多在夜間睡眠中。半日之間、體溫頓降至常溫。患者亦覺快爽。食思增加。而現恢復之態。脈搏與呼吸數亦偕體溫共減。若熱高留而不降。脈小弱而頻數。(百二十乃至百四十)血壓日日沉降。病人之體力沉衰。神識溷濁。往往發氣管喘鳴而死。此種轉歸。大概由於心力衰弱之故。此外大量之病薄血狀桃紅色咯痰。及昏瞶譫語。均爲不良之徵。本病之合併症。以肋膜炎爲最多。乾性肋膜炎時。稀膜上有纖維素物附着。得聞摩擦音。知炎性病灶達於肺表面。濕性肋膜炎之時。其熱度經久不退。恢復期亦延長。其滲出物常瀦留於患側肋膜腔內。若滲出物之量迅速加增。熱度高騰。全身症候亦加劇。常與膿胸相混。

(A)初起者用下方。

a.越婢加半夏丸　見前

(B)欬嗽發熱。喘息不甚者。宜用下列方。

a.(無汗用)小青龍湯加石膏。　小青龍湯見前

d(有汗用)麻杏甘石湯。　見前

(C)欬嗽熱。喘息甚者。用下方。

a.(有汗者用)厚朴麻黃湯　厚朴　麻黃　石膏　杏人　乾薑　細辛　小麥　五味子（徐曰乾姜五味子桂枝等均不宜於肺炎用時須酌）

b.(無汗者用)射干麻黃湯　射干　麻黃　生薑　細辛　紫菀　款冬花　五味子　大棗　半夏

右水煎溫服

c.麻杏石甘小青龍合法　見前

(D)數日後身忽壯熱。喘息。脈微弱。直視搐搦者。用下方。

a.眞武湯加干薑五味細辛　生薑　芍藥　茯苓　白朮　附子　干薑　五味　細辛

右水煎溫服。

(E)脈數無力。而未致譫語直視者。可用下方。

a.小青龍去麻黃加茯苓湯　小青龍湯見前

(F)若果痰涎頗多稠粘而不易咯出時。可選用下列各方。

a.五嗽丸　桂心　皂莢　干薑

右爲丸湯下。

b.千金桂枝去芍藥加皂莢湯　桂枝　生薑　甘草　大棗　皂莢

右水煎溫服。

c.桔梗白散（徐曰不妥）　見前

d.皂莢丸　見前

(G)兼有乾性肋膜炎之合併症者。用下方。

a.小柴胡湯　見前

(H)兼有濕性肋膜炎之合併症者。可選用下列各方。

a.陷胸湯　大黃　黃連　甘草　括蔞仁

右水煎溫服。

b.瓜蔞湯　瓜蔞仁　橘皮　半夏　枳實　桂枝　桔梗　薤白　厚朴　生薑

右水煎溫服。

c.小青龍湯加石膏　見前

d.柴陷湯　柴胡　黃芩　人參　甘草　大棗　半夏　黃連　括蔞仁

右水煎溫服。痰多熱盛者加竹茹。

e.大陷胸湯　大黃　芒硝　甘遂

右水煎溫服。

f.柴胡半夏湯　柴胡　桔梗　半夏　黃芩　枳實　青皮　括蔞仁　杏人　甘草　大棗　生薑

右水煎溫服。

(I)兼有濕性肋膜炎之合併症滲出物加增熱度昇騰者，可用下方。（徐曰大陷胸湯亦可采用）

a.柴胡解毒湯　柴胡　黃芩　人參　甘草　生薑　大棗　半夏　黃連　黃柏　梔子

右水煎溫服。

(二)氣管支肺炎　或名爲粘膜性肺炎。常繼支氣管炎或毛細氣管支炎而發。患本病者，其體溫常急速昇騰。高達三十九至四十度。大概不發戰慄。呼吸迫促。脈搏頻數。全體之病象、頗陷重篤。咳嗽短而痛。痰量不多。爲粘液膿性。痰中時有血線。然非若眞性肺炎之爲鐵色稠粘也。本病亦發熱。然非同眞性肺炎之有定型。熱之高度亦少遜。繼續日期不一。或數日或數週經數日以上。體溫呼吸脈搏漸復常態。至昏瞶譫妄及心臟衰弱等症候。與眞性肺炎相同。要之本病危險之點。不讓於眞性肺炎也。

治法約同眞性肺炎。方劑亦可從眞性肺炎（A）（B）（C）（D）（E）五項下酌取。

(三)慢性肺炎　本病有繼眞性肺炎而發者、有繼氣管枝肺炎而發者。其繼氣管支肺炎而發者。以痲疹、百日欬後爲尤多。病屬慢性。多年不愈。然患者之身體無大損害。重者僅患慢性欬嗽、呼吸略短促。外此則無恙。仍能操輕易工作。此病每被認爲肺結核。但除欬嗽外。無其他結核症狀。欬嗽間時發作、痰多。或爲粘液膿性、或爲漿液膿性、又或惡臭。出血者亦不少。患者在平地行動。及操輕易工作。亦無呼吸短促之狀。惟昇高或用力。則呼吸困難之狀、在所難免。若併生鬱血症候。與夫氣管支擴張者。則甚可危。

治法方劑。俱從惡臭性氣管支炎項下、參攷酌取。

(四)肺結核　亦名肺癆、病由結核桿菌傳染而致。初起概爲潛進性、或隱或現、而無特異症狀。初期之肺結核。往往爲頑固之氣管枝炎所隱蔽。故多數患者、信爲感冒、而不介意。有食慾不振、及諸種胃症而誤爲胃炎者。在婦人及處女。常生貧血與月經不調諸症。而被視爲萎黃病者。然本病之特徵。在患者羸瘦日甚。此乃通常氣管支炎及萎黃病所無者。又易發生疲勞。往往奔走勞動。而致呼吸促迫。日晡則發潮熱。兩顴緋紅。又常發乾性短欬、此際或欬出少量粘液性膿性痰。或竟毫無欬痰。至痰中帶血。本病各時期中皆有之。往往爲單獨之小血線。混於膿痰中。或由數回短欬、而排出數食匙以上之泡沫狀鮮血。凡病人因大量出血而致生命危險者、不恆見。然屢次咯血。因之而發生重態貧血症者、往往有之。本病之潮熱。病進行時頗甚。病機停止。熱亦隨之而解。結核蔓延愈急者。熱亦愈高。往往呈稽留型。然尋常結核之熱。常爲間歇性。熱之昇、常在午後。往往惡寒。至夜則熱降。熱降之時。往往發汗、此之謂盜汗。昇降甚者。謂之消耗熱。此種熱型。最易耗爍病人體力。且本病之欬嗽。往往晝輕夜重。亦本病之一徵也。

(A)初起乾欬、或痰中帶血者。選用下方。

a.麥門冬湯　見前

b.瓊玉膏　生地　白茯苓　人參　白蜜

右作膏。白湯下。

c.二冬膏　天冬　麥冬　白蜜

右作膏白湯下。

d.人參固本丸　人參　麥冬　天冬　生地　熟地

右爲蜜丸。白湯下。

e.三才湯　天冬　人參　熟地

右水煎溫服。或蜜丸。

f.紫菀散　紫菀　人參　麥冬　桔梗　茯苓　阿膠

貝母　五味子　炙草

右爲散水溫煎服。

g.百花丸　川百合　款冬花

右蜜丸。白湯下。

h.咳奇方　麥冬　阿膠　百合　干薑　白朮　地黃

五味子　甘草　桔梗

右水煎溫服

i.三物加犀角湯（徐曰此方可刪）　大黃　黃芩　黃連　犀角

右水煎溫服。

j.柴胡四物湯　柴胡　黃芩　半夏　當歸　地黃

川芎　芍藥　人參　甘草　生薑　大棗

右水煎溫服。

(B)欬嗽有潮熱者用下方。

a.加味逍遙散　當歸　芍藥　白朮　柴胡　茯苓

甘草　牡丹皮　山梔子

右水煎溫服。

(C)諸症皆備者用下方。

a.緩痃湯　柴胡　桂枝　干薑　瓜蔞根　黃芩　牡蠣　甘草　鱉甲　芍藥

右水煎溫服。

b.解勞湯　芍藥　柴胡　鱉甲　枳殼　甘草　茯苓

大棗　生薑

右水煎溫服。

c.秦艽扶羸湯　柴胡　地骨　秦艽　當歸　紫菀

人參　半夏　鱉甲　甘草　烏梅　大棗　生薑

右水煎溫服。

(D)熱不退夢寐不安驚心悸動者可用下方。

·竹茹溫胆湯　半夏　柴胡　茯苓　桔梗　香附子

竹茹　陳皮　枳實　人參　黃連　甘草　大棗

生薑

上水煎溫服。

(E)盜汗、欬嗽、動悸有潮熱者。可用下方。

a.柴胡桂枝干薑湯　柴胡　桂枝　黃芩　瓜蔞根

牡蠣　乾薑　甘草

右水煎溫服。

(F)潮熱、盜汗肌肉消羸欬血者。可用下方。

a.黃芪鱉甲湯　桑白皮　半夏　甘草　地皮骨　知母　黃芪　秦艽　茯苓　芍藥　柴胡　鱉甲　天

多　桂枝　人參　桔梗　紫苑　生地

右水煎溫服。

(G)衰弱甚食機不進者。可用下方。

a.補中益氣湯　黃芪　當歸　白朮　陳皮　人參

柴胡　甘草　升麻　大棗　生薑

右水煎溫服。

(H)婦女罹肺結核潮熱、欬嗽、盜汗。或月經不調者。可用下方。

a.治婦人骨蒸勞熱欬嗽云云方　川芎　當歸　芍藥

莎草　麥門　白朮　牡丹皮　地骨皮　生地黃

五味子　甘草

右水煎溫服。

(丁)肋膜性之欬嗽

肋膜炎、古名脅痛。肋膜炎患者之欬嗽。古名肝欬。肋膜炎之病原爲感冒。外傷。肺炎。肺壞疽。肺結核。關節痛風。心臟病。及臟器炎症等之波及。因炎性產物之性質。得別爲乾性、濕性二種。前者有纖維素之沈着曰乾性肋膜炎。後者發滲出液曰滲出性肋膜炎。(即濕性肋膜炎)其滲出液富於漿液者。謂之漿液性肋膜炎。含膿者。曰膿性肋膜炎。有血者。曰出血性肋膜炎、腐臭者。曰腐敗性肋膜炎。不論何種肋膜炎。在初期。凡肋膜充血腫脹。滲出纖維素於肋膜表面。生菲薄僞膜者。皆得謂之乾性肋膜炎。或謂之纖維素性肋膜炎。漿液性肋膜炎之滲出液。爲稀薄黃色或帶綠黃色。含有纖維素。膿性肋膜炎之液。如膿汁、而不透明綠色。或稍帶黃。出血性肋膜炎之液。鮮紅色。或褐赤色。其陳舊者帶黑褐色。至於腐敗性肋膜炎之滲出液。灰白或汚穢赤褐色。有刺戟性惡臭。

(一)乾性肋膜炎　發炎之疼痛。殆爲必有之症。多因深呼吸欬嗽等而加劇。其欬嗽、往往無炎。所謂乾性欬嗽是也。病人臥位。常爲他動性健側臥位。乾性肋膜炎之一般症狀。大抵無明著之障礙。除高熱重篤之原因(肺炎肺結核流行感冒)外。概以輕度發熱而經過。

患本病者。可選用下列各方。(徐曰乾性脅膜炎宜用發汗劑)

a.柴胡疏肝湯　柴胡　芍藥　枳實　甘草　莎草

川芎　青皮

右水煎溫服。

b.十味當歸湯　當歸　桂枝　茯苓　枳實　大黃

吳茱萸　芍藥　人參　甘草　干薑

右水煎溫服。

c.柴胡桂枝干薑湯　見前

d.柴胡桂枝湯　即前小柴胡湯加桂枝芍藥

e.紫蘇子湯加杏人桑白皮　蘇子　厚朴　半夏　柴胡　甘草　橘皮　桂枝　杏人　桑白皮

右水煎溫服。

f.蘇子降氣湯　蘇子　前胡　半夏　香附　當歸　陳皮　桂枝

右水煎溫服。

(二)濕性肋膜炎　大抵以體溫上騰而經過。滲出物增加時爲稽留性。病性停止。則早晨降至平溫。下午上昇。而爲弛張性。滲出物被吸收時則復於常溫。漿液性肋膜炎大抵無高熱。初罹病時患側往往鈍痛。滲出液多量則患者呼吸困難。化膿性肋膜炎之發起與經過或爲急性。或爲亞急性。其熱高而爲稽留性。全身症候重篤。滲出物迅速加增。病象較重於漿液性肋膜炎。患者往往著明蒼白失力特甚。凡肺炎病人數日間生多量之滲出物者。不可不疑及此也。

(A)初期發熱者。用下方。(徐曰濕性肋膜炎宜兼用利水藥)

a.越婢加朮湯　麻黃　石膏　白朮　甘草　大棗　生薑

右水煎溫服。

(B)欬嗽胸肋疼痛熱呈弛張者。用下列方。

a.柴胡半夏湯　見前

b.柴胡枳桔湯　柴胡　黃芩　半夏　桔梗　瓜蔞人　枳實　人參　甘草　生薑

右水煎溫服。

c.小陷胸湯　黃連　半夏　瓜蔞仁

右水煎溫服。

(C)欬嗽。滲出液多。脅肋刺痛者。選用下列各方。

a.外台深師白前湯　白前　紫菀　半夏　大戟

右水煎溫服。

b.甘遂半夏湯　甘遂　半夏　芍藥　甘草密

右水煎溫服。(陸曰此方須從金匱煮法否則甘遂甘草同煮必致僨事)

c.滾痰丸　甘遂　大黃　黃芩　青礞石

右糊丸。白湯下。

d.控涎丹　甘遂　大戟　白芥子

右蜜丸或糊丸。白湯下。

e.十棗湯　芫花　甘遂　大戟　大棗

右水煎溫服。

附大腸欬小腸欬膀胱欬之原理

外此國醫籍中有所謂大腸欬、(欬而遺糞)小腸欬(欬而失氣)膀胱欬（欬而遺溺）者。可引城南逸人氏之說釋之。氏曰「……欬嗽之際。內壓增高。因而血行關係當然變調。欬嗽中腹腔內壓增高。則腹部大動脈上行大靜脈之血行稍起澀滯。尚有腹部內臟（尤以肝臟）之壓迫運動。驅送血液自腹腔流向胸腔心臟。然參與之臟器、若發病變。則不能恢復其如常之機能矣。要之。循環系統如屬健康。普通一時的努力過度。尚不致有害血行器、蓋健康之臟器。平時之潛勢力貯蓄頗足。卽過由欬嗽所惹之血行障礙。容易誘致於平常之平衡狀態。然一旦血行既起障礙。不論其中樞之心臟、末梢之血管。既有存在之障礙。復加之欬嗽之血行障礙作用。遂致招來重篤症狀。從而吾人往往見有隨伴欬嗽而起之不隨意脫糞放屁放尿等之弛緩現象。……」觀夫城南氏之言。可知所謂大腸欬小腸欬及膀胱欬者。不外欬嗽時血行障礙。及肛門括約筋或膀胱括約筋痲痺所致。或曰。大腸欬小腸欬及膀胱欬。多見於衰老之病人。其故安在。吾應之曰。以衰老病人之血行與括約筋、易致變調耳。

本篇參攷資料如下

歐氏內科學	中國博醫會發行	民十七年版	歐司勒著 高似蘭杜天一譯述
內科全書	商務書館發行	民十五年版	余岩等編
新醫學中藥治療法	天津新醫學會印	民十八年版	盧抑甫編述
東洋醫學處方各論	東洋醫學研究會印	昭和三年版	渡邊熙著
中外醫通	上海醫學書局	民十五年版	丁福保譯述
中西醫方會通	上海醫學書局	宣統二年版	丁福保譯述
漢法醫典	上海醫學書局	民五年版	丁福保譯述
臨床醫典	上海醫學書局	民二年版	丁福保譯述
漢醫方學解說	上海東洞學社	民十八年版	劉泗橋譯述
丸散膏丹自製法	中華新教育社	民十九年版	中華新教育社
外台祕要	上海圖書集成印書局	光緒廿四年版	王燾
喉科紫珍集	上海千頃堂		
最近之欬嗽學說及其治療指針（見診療醫報三卷七號）	上海診療醫報社	民二十年版	汪企張等編
肺炎病治法（見中國醫學院院刊二期）	上海中國醫學院	民十八年版	章太炎先生著

章太炎評　此次畢業試卷。各以己所經驗。按證施方者。甚多。唯欬嗽最為難治。此卷分證治療。雖無甚奇異之術。可謂略具條貫矣。唯肺結核證選用經方及後人方劑。終嫌平鈍。外臺盧勞門頗用峻藥。宜斟酌用之。

徐衡之評　論症則羅羅淸疏。采方則頭頭是道。可稱完善。惟治病之道。無異用兵。運用之妙。在於一心。臨證時不可徒執古方耳。愼之愼之。

陸淵雷評　欬嗽最習見之證。治之最難。終不能一藥卽愈。余常以此自愧。且以勉諸生。此卷論因選方。皆平正可取。若能每方詳其應有證候。則治欬之法。左右逢源矣。

遺精病自述及治療之我見

王利貞

導言

遺精病男女俱有。金匱要略曰。「男子遺精。女子夢交。」惟因女子畏羞。含忍不敢言。言之、亦不過腰痠痛。足乏力。目眩暈。夜不寐。種種附屬證狀而已。縱有大方婦女。直訴白沃之病。然白沃病因甚多。白淫白濁。染受於男子者。皆混淆在內。自古迄今。女子夢交之醫案。遂令無從研索。豈仲景之道不行歟。抑亦女子無遺精之事實歟。憒瞀之醫界。數千年來、提倡五行生尅。致力陰陽六氣者。頗不乏人。其信徒之多、摩肩接踵。流毒至今未已。言遺精者。遂以爲男子專有。夫女子亦有遺精之事。（即在睡夢中、無意識之排卵子與淫水）在仲景書中早已明言。惟後代醫家不盡知耳。今所最難決定者。並不在此問題。而在男女遺精程度比較之多寡而已。惟從生理上察致。或可得一相當見解。

女子在泌尿系組織上、佔有二大優點。一、女性之膀胱較男性者大。二、女性之水道較短而廣。女子既有此二大利益。結果。凡慢性實質性腎臟炎、慢性間質性腎臟炎、腎臟結石、膀胱結核等。足以致遺精原發病。女子患者極少。

若反觀之各種遺精之原因。女子雖較男子爲少。然亦有其特殊缺點。如子宮一物。足使女子發生遺精痛苦。日本尾台榕堂氏箸類聚方廣義曰。「婦人心氣鬱結。胸動甚。寒熱交作。經行衍期。多夢驚惕。鬼交漏精。身體漸就羸瘦。其狀恰似癆瘵。孀婦室女。情慾妄動而不遂者。」此何故歟。子宮爲之也。（陸曰此是性欲不滿足之病男女俱有之特女子守禮教較篤此病亦較多耳病源在性腺不在子宮性腺則男女俱有也）按此種病因。屬歇斯的里。Hysteria（陸曰上文之病實非歇斯的里）即拉丁文子宮意義。然則歇斯的里性之遺精。乃爲婦女所特有。男子縱有之。要不過限於文學家、俳優、音樂家、美術家、宗教家。少數男性之富於神經質者已耳。（陸曰然則非女子之特殊缺點矣謀篇不甚細膩故有此失）此僅能從生理方面證明仲景之言非虛。並由此測知男女在生理上各有遺精之可能。未嘗彼善於此。却不能據以論男女遺精程度之高下。苟欲得一標準以統計之。估定一區域內、或一社會、一民族中。男女遺精病之大概情形。必須再從環境上及時代上着手。除氣候。教育。地理。民族之遺傳性。戰爭等複雜之原因。不可認爲確定之標準外。至於人情。風俗。文物。制度。則顯然與此問題。大有攸關。據我個人揣想。在舊社會上。婚姻制度之壓迫。女子貞操之獎勵。男子納妾蓄妓之惡習。宗教迷信之提倡。此等怪狀畸形之下。女子遺精之數目。必超出男界。（陸曰此是求而不得之苦男女解放後求者未必皆得不求者相率被誘而求猶是功不補患奈世人之憒憒也）新社會之情形則不然。界女平等。自由結婚。雖戀愛之潛伏期、卽相思期。離婚之後。失戀之悲哀。獨身主義之可憐。此等光怪離奇之事件。均能使兩性之性生活異常。換言之。陷於遺精之悲慘狀態中。不能自拔。究竟事出雙方。痛苦亦雙方受之。在比較上。固無顯著之高下。然比之舊社會。又如何。因新社會淫靡之風甚熾。兩性遺精之程度。必超出舊社會無疑。（陸曰醫之飲食舊社會病飢新社會病飽然飲食與男女畢竟不同縱有不饜餐之人不食則不免於飢非若男女之慾可以淡忘也自舊社會變新社會於是淡忘者亦病饑勞而遺精之病日益多由是言之男女解放在統計上益增種種性病耳）以上所比較之大意。醫家對此。不可無一鳥瞰觀念存乎心中。値此科學時代。醫家不但負治療之責而已。同時負社會上關係健康之各種責任。我國醫界。對社會事業。素少干預。如防疫、公共衞生之設施。以及改良人種。促進民族康健諸問題。皆渺不關心。希望以後國醫界能擴大眼光與方針。從事於醫藥社會之研究。（陸曰雖若題外文字切中中醫弊病）

我所欲討論之遺精病。本與患者生命無大危險。在不關心社會之人。必謂此病治之可。不治亦可。換言之。研究之可。不研究亦未嘗不可。我故不敢擬自題其文曰「遺精之研究」。用以大題大作。特曰「遺精病自述及治療之我見」者。自願將題目範圍縮小。以示與人無干於己。則得求我之心身俱健。推而及諸人類之心身俱健。社會文明。或不致於日就衰落。蓋遺精之事雖小。而直接影響於個人「精神康健」者甚鉅。間接影響於「社會事業之活動」者更鉅。此稱慢性普遍性頹敗社會文明之疾患。可不畏哉。今自述之於下。以明個人經驗之得失。及處己修身之功過。非敢好爲自傳也。

本文

我自民國八年開始入中學。其時渾渾噩噩。進取心最富。體力亦強。每早五時離床。能繞跑大如法國公園面積之操場三四十圈。且日習爲常。如此凡四五載。雖輕微之感冒。亦未嘗染受。迄入大學部學科繁多。運動之事減少。加以年齡稍長。情思大放。復受西洋文學之薰陶。學校優美生活之培養。描寫詩文之情慾乃大熾。恆秉燭達旦。藉創作以獲安慰。（陸曰因情欲不遂而自願爲文人者新青年往往如此然文心固非情欲所能陶冶者新文學所以不當我意也作者性最誠篤所言足爲新青年之殷鑑）無何。精神日形頹靡。體力疲勞。百憂結於心。遺精病乃爲我有矣。

病初起甚輕。不以爲意。嘗括集所遺於生物實習課時、攜入理化室。照精液於顯微鏡下以取樂。同學皆年少好事。嘗戲以此病問某教授。於課堂教授笑謂我輩曰。「遺精病在敝國稱爲文化病之一。（陸曰可見西洋文化之背景）汝等欲免此病。須速回家結婚可也。」（陸曰然則結婚足以消滅文化耶一笑）

回憶從得病起六七年。於茲病勢由淺入深。先是一月二三回。既則遺至四五次。嘗未入本院前（民國十九年前）並未試服任何藥餌。僅採取普通營養預防及關於遺精衛生諸方法。頗得小效。然終不能應付生活之變遷。偶逢飲食不節。起居異常。則病症又起。懊惱殊深。自來本院後。十九年夏秋間（即去年暑假）患濕溫即腸熱症。臥床二月。愈後遺精病加劇。統計以從電影場大餐館回來之夜遺精之機會最多。（陸曰發人深省）嘗歡送一友往南京影戲院觀一言情片。因其人將往菲列濱教書也。友以患日間滑精之故。謝出劇場。從此知娛樂場中乃爲遺精家之養成所。宜少參加。爲是西國有謂遺精病與文明進步爲正比例者。良有以也。（陸曰可知西國所謂文明者不過淫靡耳）

去年秋冬間。曾購某大藥號監製之補腎固精丸二瓶服之。罔效。反遺泄更密。忿而碎其瓶。家中又寄來自配之參茸丸一料。亦愈服愈劇。捫心自問。羞愧已極。學醫者不能自愈其病。誠笑柄也。繼而思之。病之所以不治者。非無對的之藥。無乃時醫學術欺我耶。

憶民十七年春間。肄業於上海某中醫專門學校。聽藥物教員講授「遠志」兼及遺精病理有一段話。「腎主封藏。食味以厚之。遺泄爲心腎不交。遠志菖蒲以開之。」其餘關於治療之學。不曰補命門之火。即曰補腎水以制君火。或陽越於上。介以潛之。此類濫腔臭調。縈我腦際者有年餘。雖投入本院後。受醫藥革命之洗禮。無奈仲景派之醫學。於我研究素淺。而受前者之僞理論麻醉及中毒太深。故終不免受其暗示。冒昧試服春藥式之補品。噫。命門之火果爲何物耶。命門之火又烏乎可補。

痛悔之餘。思有所補救。乃專究仲景之方。或可得一解答。蓋本國醫學迄今、尚存有一線曙光者。全賴仲景派之醫學作中流砥柱。否則早被侈談五行生剋玄學派之江湖醫斷送盡矣。

在過去之寒假中。我友D君適從日本回國。告我患遺精多年。注射西藥無效。其病狀爲小便混濁。短少。少腹不仁。入夜口乾。足冷。副症爲頭暈。若日間食牛乳雞肉。夜則遺泄更甚。囑我處方。診之。乃仲景金匱腎氣丸症也。乃至徐重道國藥店購九十四兩贈之。囑每日服六錢。早晚分服。溫開水送下。並告以如遇外感或眼球發赤時。必立即停服。並忌食雞卵濃茶。晚間服藥時間。以在晚餐前半小時爲佳。友去後、約二十餘日。寄書報告稱病已大瘥。我心竊喜。因念友人之症狀。適與己合。乃親嘗一料。不覺月。病亦霍然。今春在醫院診一遺濁男子。患病五年矣。近日小便短赤。便時前後脹痛。尿意頻數。行走時肛門上覺有物如墜。大便不暢。脈細數。舌尖絳。（陸曰溲赤脈數舌絳時醫無不以爲熱者然寒熱辨不如是簡單也）爲擬一方以金匱腎氣丸作湯劑加入炒山梔黃柏皮二味。兼吞半硫丸五分。再診見效。囑連服之。尿轉長而清。大便亦復通順。旋改用丸藥與吞。最後改服補中益氣湯收全功。據患者言。於五年前曾得淋病甚劇。以後漸入和緩隱伏時期。病狀於是不顯。不料今春大發。小便如膏樣流下。按此遺濁初因淋病菌由尿道漸漸侵入於膀胱。發生炎症。或又影響直腸部位矣。

同學馬君伯孫臨症於上海世界紅卍字會醫院。借用仲景之桂枝湯加龍骨牡蠣。治愈一遺尿症。症狀爲夜不安眠。欬則遺尿。精神困頓。頭痛目眩。腰酸脚軟。行走欲仆。脈微而濇。舌絳無華。此亦爲最近之事實。

攷仲景治遺精之主要方有三。一爲金匱腎氣丸。（地黃、山茱萸、山藥、澤瀉、茯苓、牡丹皮、桂枝、附子、）二爲桂枝湯加龍骨牡蠣。（桂枝、芍藥、甘草、大棗、生姜、龍骨、牡蠣、）三爲小建中湯。（桂枝、芍藥、甘草、大棗、生薑、飴糖、）若能運用科學眼光以利用之。方雖少。亦儘可應供求於臨床上矣。（陸曰運用經方但憑證候多非科學所能解）

如第一方金匱腎氣丸。功用有五。A、強心利尿。如茯苓、附子、桂枝。除茯苓爲利水之專品外。桂附兼有強心作用。少量用之。比 Camfora 之功效爲優。對於遺精病西醫恆用 Camfora 以強心者也。B、消炎。澤瀉丹皮。國醫謂能瀉陰火清血分之熱。實則對腎臟以及泌尿系諸臟器之炎。竈俱有清肅之功。C、減少蛋白尿之成分。山藥天廚味精製造家曾有實驗報告。（徐曰吳蘊初之報告作者曾見過否據愚所知吳君向患糖尿病雖注射因蘇林而無效自服山藥後尿中糖分日見減少以至於無若減少蛋白之說愚未之聞也）（陸曰山藥之主成分爲炭水化物西醫於糖尿病絕對禁食者也然實驗十服山藥而愈糖尿者甚多此亦科學不足治病之一證作者謂減少蛋白恐是減少糖質之誤）D、恢復組織機能之麻痺。桂枝、附子。亦以少量爲限。否則反有增加麻痺之反應性。如治 Redmatise 之桂枝湯加朮附。鶴膝、慢性關節炎之桂枝芍藥知母湯。又關節痛之烏頭湯均以桂附爲主藥。用以復恢麻痺爲目的。E、強胃補血。山萸熟地是也。凡遺精病之屬於腎臟炎、脊髓炎、脊髓癆、膀胱炎、膀胱腫瘍、膀胱結石、精囊炎、攝護腺肥大、慢性淋病之尿道後部炎、尿道狹窄、及糖尿者。皆得治之。

第二方桂枝湯加龍骨牡蠣。功用有二。A、平均血壓。減少頭部充血。如桂枝甘草湯、天雄散、苓桂朮甘湯、炙甘草湯、五苓散等方中。皆以桂枝治心悸上衝爲目的。醫界之有識者。往往勸遺精家每夜用溫水洗脚。其原理亦猶用桂枝也。但此僅爲物理療法。僅係一種誘導法而已。B、鎮靜神經。芍藥、能收斂血管壁神經之擴張。驗之於桂枝湯療自汗可知。又牡蠣龍骨、含有石灰質。收斂之功甚偉。亦與西醫著名之遺精藥 Kalium Bromatm 相同。含有鈣之成分。（徐曰臭剝所含之成分爲鉀非鈣鉀爲鹼質非石灰質）能減退中樞神經系之興奮。制止神經。使其鎮靜。凡遺精之屬於神經性者。如心悸亢進。憂鬱難眠。情志感動。胡思妄想。暗中悲泣。如癡如痴者。皆得以本方治之，按同學馬君應用本方治愈遺尿症。似與遺精無關。實則同一神經性器質病變也。據馬君在本院院刊第三期臨症一得上報告。此症爲「膀胱欬」，名稱出內經素問，西醫稱此爲膀胱神經病。Harmblasenneurosen 係重病神經疾患。往往在晝間遺泄。特於喧笑咳嗽或努力之際發生。然則晝間遺精症 Pollutio diurnae 亦當屬神經過敏之疾病。本方亦正爲的對之方劑矣。更奇者。馬君又應用本方治愈一遺糞症。凡尿屎不自經者。大半關於神經疾患無疑。又本方在事實上能治癲痫驚狂。不僅神經性之遺精已也。

第三方小建中湯，功用有二。A. 鎮靜神經。（芍藥）B. 補血。（飴糖）用於大病後身體虛弱之遺精最宜。按大病恢復期中。病者生理上呈一種虛性興奮狀態，此時多有遺精者，本方一面用飴糖以強胃補血。蓋飴糖含豐富之麥芽糖糊精及蛋白質。爲最易消化之滋養物。同時亦適合於病家生理上之需求。蓋大病初愈之期。病家最嗜甜物。以供給肝臟製造血球之用。另一方面再用大量和緩神經之芍藥。以達其鎮靜目的。使不易激動。如此則健康、自易恢復。此等病。時醫喜用菖蒲、遠志、砂仁、石蓮、金櫻子、枸杞、免絲餅、等壯陽刺戟之藥。意謂補之。實則害之。蓋凡虛弱之體。不可用含有刺戟性之藥物。以助長其慾念。大病後尤甚。故仲景派芍藥等含有收斂作用之藥品。以制止虛性興奮。時醫之法。乃適相反。又此際病人生理機能未完全恢復。食品則宜清淡之蔬菜。（若病人思肉類時。亦當選肥者配以糖汁。合飯同食。蓋脂肪質與糖質再與穀類之澱粉混合時。最易起某種化學作用。使消化機能加倍暢旺。）藥物則宜和平之品。（若用西藥。則以麥精魚肝油爲佳，）若見病者遺精，臆斷爲命門火衰。用刺戟品滋膩品大補之。則其愚等於「揠苗助長矣。」總觀仲景之立方皆含義至深，且無一不合乎科學原理，後學者加以精究體會。方能應用無失。今人見其藥味寡少。藥力猛烈，一方面懼之，一方面忽之，如是、則良藥當前，交臂失之矣。

以上三方。可爲治療遺精之大法。惟應用時更有宜注意者幾點。列舉於下。1、金匱腎氣丸與朱丹溪之知柏八味丸。及濟生腎氣丸。藥味功用目的各異。宜鑑別之，2、金匱腎氣丸應用於女子之機會，在遺精範圍內雖屬較少。但糖尿病。轉胞。產後血脚氣。虛勞喘欬，受男子傳染後之慢性淋病等。宜用本方者極多。3、如因腎石而起之遺精病，無論男女。（但女子極少）須絕對禁用桂枝湯加龍骨牡蠣。其理由屬於化學問題。因龍骨牡蠣含石灰質及鈣質。能助成腎石之原因。故本方服之過久時。亦與衛生不相宜。大概普通用本方之標準。以尿量多者爲對症。亦無須憑化學檢查法。假如尿意頻數。尿量短亦或混濁者。則非金匱腎氣丸不可。4、小建中湯。凡遺精。下腹肌組織軟弱。或受風寒襲擊。痙攣作痛者。皆可用。平素體質虛寒者。應用本方之機會亦多。並不限於大病後恢復期之遺精。5、桂枝湯加龍骨牡蠣之功用。既知與西醫用 Kalium Brematum 之原理同。時醫以謂「介以潛之。」則牽強附會矣。依據學理。則五味子、酸棗仁、磁石、硃砂、等。未嘗不可應用。時醫有用龜板者、要不過根據「介以潛之」之謬想而已。

至於遺精病有不在以上三方之範圍內者。此種遺精。非腎臟泌尿系之原發病。如直腸炎、痔核。皆能間接引起遺精。若是者。宜先去其原因。竊意仲景之大黃牡丹皮湯。時方之當歸龍薈丸。淸甯丸。枳實導滯丸等。皆可依症狀採用。蓋此種遺精。由於精囊間接受鄰近器官之病變。如直腸發炎或腫瘍等。使精囊受刺戟或壓迫而起遺泄動作。故治療法。亦非腎氣丸等三方所宜也。此爲最後須當注意之點。

徐衡之評　以今義疏解古方。確有見地。分別應用之法。亦瞭如指掌。

陸淵雷評　作者人極誠篤。言其經歷之病。最爲親切有味。中間敍病源。足使現下青年深省。不特有功醫學已也

留連醉鄉者。頗多嗜五加皮酒。譙周巴蜀異物志。文章草贊曰。文章作酒。能成其味。以金買草。不言其貴。

案文章草。即五加皮也。　誦穆

傷寒溫熱平說

王蘭

傷寒溫熱之異治。自勝清葉薛以來。甚囂塵上。其荒誕臆說。頗不可曉。要之。讀仲景傷寒論不通之故也。傷寒論有中風。有傷寒。有溫病。有風溫。是其所論。本屬廣義。其命名爲傷寒者。猶今人之言外感或時行病。舉凡傷寒溫熱。皆在其中。因不獨專論麻黃湯一證也。後人不察。以爲書名傷寒。則專論傷寒。不論溫熱。不知傷寒與溫熱之分。祇在惡寒與不惡寒耳。（陸曰葉薛輩所稱溫熱多指肺炎之類以惡寒與否分傷寒溫熱乃聊北山陸九芝一派之說）三陽篇中。除麻黃桂枝、專爲治寒。不適用於溫熱外。（陸曰溫熱亦不忌麻桂陽明病有先用麻桂解表者可以見也謂麻桂專治寒乃市醫之見）餘方則十之八九、皆可治溫。請略言之。太陽病發熱而渴。不惡寒者。名爲溫病。宜麻杏石甘湯、解表清裏。若發汗已。身灼熱者。名曰風溫。宜葛根芩連湯、解肌退熱。若溫病失表不治。熱聚於裏。大汗大渴。熱壯煩燥者。宜白虎湯清之。脈弱者加人參。其或腸有燥屎。腹滿譫語。日晡所發潮熱。目睛不和。手足燥擾者。宜承氣湯下之。又如大青龍之治。則證同麻黃而煩燥者。卽俗醫所謂冬溫之證。小柴胡湯則濕溫證有時用之。其他如五苓散。如猪苓湯。如黃芩湯。如黃連湯。又皆溫病常用之方也。觀此。則知仲景之書、雖名傷寒。而治溫之方甚多。治傷寒固不能不宗其法。卽治溫病亦不能出其範圍。舍傷寒論法而治溫。卽爲岐途魔道。彼葉天士、吳鞠通、王孟英等之紛紛聚訟。亦可以休矣。

徐衡之評　心地明白

陸淵雷評　所見甚是。議論引證未能暢達耳。

張璐晚年號石頑。著傷纘寒論、傷寒緒論、傷寒舌鑑、傷寒兼證析義、本草逢源、張氏醫通、大言浮誇、少有精義。惟醫通卷十六。博羅衆方。類藥味相近者。擇一方爲之主。都爲三十七類。頗便檢查。讀者比而觀之。亦易見義。柯琴著傷寒來蘇集。徐大椿著傷寒類方。雖範圍廣狹不同。方法實源於張氏。然方下不全標出處。所標亦不盡確。終非上乘。

錫庠

結胸症非水結之探討

張壽山

結胸一症。大論百四三條有此爲水結在胸脅也之文。於是註傷寒者、多本以立論。徐靈胎曰。結胸乃水飲爲患。尤在涇曰。水飲結在胸脅之間。謂之結胸。柯韻伯曰。輿不得爲汗之水氣、結而不散。心中鞕痛。因名結胸。丹波元堅曰。結胸者何。飲邪相盤踞胸堂。遂及心下是也。山田氏曰。痞與結胸同是心下之病。其異由氣結與水結而已。是皆以結胸爲水結也。夫結胸之爲水結。經有明文。註有詳釋。豈容復加探討。愚所以探討之者。以於病理有疑惑。空談不足掩事實耳。夫水爲流動散漫之物。不能結也。苟其結也。必有膜囊圍而聚之。病非痼疾。從何來此膜囊耶。縱有膜囊。亦不能使人拒按作痛也。且以薄膜盛水。雖極充其量。又豈能堅鞕如石耶。（陸曰未嘗不言之成理然體液搏結成之病者多不但結胸爲不必有膜囊也）故吾於水結之說。不敢深信。而探討結胸症非水結之動機亦由斯而起焉。

結胸症之病位並不在胸。前賢有謂在胸脅者。如成無已曰。表中陽邪入裏。結於胸中。謂之結胸。程應旄曰。從胸上結鞕而勢連於下者。大陷胸湯。魏荔彤曰。在胃則爲傳陽明。在胸則謂結胸。喻嘉言曰。內陷之邪。但結胸間。邪結在高。而陽氣不能下達。用大陷胸湯、允爲的對也。汪琥曰。蓋結胸病。始因誤下而傷其下焦之陽。陽氣既傷。則風寒之邪乘虛而入。上結於胸。按之則痛者。胸中實也。揆諸家之釋結胸。皆以所結在胸。蓋狃於結胸兩字。順文註釋耳。

大論百四一條。心下因鞕。則爲結胸。百四二條。心下痛。按之石鞕者。大陷胸湯主之。百四四條。從心下至少腹鞕滿而痛不可近者。大陷胸湯主之。百四五條。正在心下。按之則痛。合而考之。結鞕不在胸。而在心下也。心下乃胃之所在。假使結胸是水結。胃中有水。豈能石鞕而手不能近耶。此愚於結胸是水結根本否認者也。

或難之曰。陷胸湯丸是攻水峻劑。病非水結。焉得孟浪用之。且服後下水。彰彰事實。非可掩蔽者也。子又將何說之辭。答之曰。不然。夫發汗劑之發汗。其病不必爲汗結。（陸曰強詞奪理）退熱者。嘗利用之退熱矣。然則下水劑又安見其不可利用以治他病哉。見其下水。即謂其病之由於水，奚異見出汗而謂其病之由於汗。適見其淺耳。

或又曰，結胸非水結矣。陷胸湯丸非專是下水之方矣。然則結胸究是何病。又何爲而治以陷胸湯丸。曰。斯可從大論結胸之症狀及陷胸湯丸之效用、而推得之。百三五條曰。按之痛，寸脈浮關脈沈。百四一條曰。膈內拒痛。胃中空虛。客氣動膈。短氣燥煩。心中懊憹。陽氣內陷。心下因鞕。百四二條曰。脈沈而緊。心下痛。按之石鞕。百四四條曰。不大便五六日。舌上燥而渴。日晡所小有潮熱。從心下至少腹鞕滿而痛不可近。彙而觀之。結胸主症爲心下鞕痛拒按。亦有痛及少腹者。其副症則爲短氣、燥煩，心中懊憹、舌燥。口渴。日晡潮熱。其脈沈而緊。結胸之症狀如此。

考心下鞕痛。有食積者。有胃癌者。有胃癰者。前已下之。當非食積。發熱爲胃癌胃癰、同有之症。但胃癌是痼疾。必體瘦氣弱。胃癰是卒疾。不必瘦弱。且舌燥口渴、非胃癌之證。從症象上推敲。當是胃癰而非胃癌。胃壁生癰。故心中懊憹。橫膈膜因護痛而不下降。故短氣。瘍科書謂胃癰之脈沈數。此曰沈緊。亦相類矣。當癰未潰時。高鞕腫脹。可觸知之也。已潰後。則漸漸平軟。經文鞕滿石鞕與觸之拒按、按之痛者。互見其斯之故歟。

大陷胸湯、大黃芒硝甘遂也。大陷胸丸、大黃葶藶芒硝杏仁甘遂也。小陷胸湯、括蔞黃連半夏也。（陸曰小陷胸與大陷胸本自迥殊小陷胸治胃大陷胸殆非胃藥）大黃爲植物性下劑。芒硝爲鹽類下劑。能吸收胃壁之液體。喉科以風化硝吹喉。治喉痺。利用其吸收力也。甘遂葶藶逐痰下水。蓋能促進腸胃粘膜之分泌。杏仁治喉痺。利胸膈。鈴方以治陰瘡爛痛。梅師方、以治耳出膿汁。蓋亦消腫排膿藥也。括蔞、李時珍謂其利大腸、消癰腫。黃連、別錄謂其主膿血。蓋瘍科要藥也。半夏、鎮嘔藥也。本經謂其主治心下堅、咽喉腫痛。別錄謂其消癰腫。張元素謂其消腫散結。總觀諸藥。與胃癰病情適合。括蔞半夏杏仁黃連之治胃癰。固無須辭解。（陸曰[illegible]是胃癰此正者[illegible]）即大黃芒硝甘遂葶藶亦深得治癰之道。蓋胃壁生癰。膿毒易於排出。鬱滯胃內，勢必蔓延。蕩而清之。實是一番打掃洗滌工作。不可或少者也。瘍科書治胃癰有所謂清胃射干湯、丹皮湯者。方內有大黃芒硝。其亦有見於斯歟。況此藥既能使腸胃分泌。必能使胃癰之膿汁排出胃壁。（陸曰仍此推究藥效時下中醫所[illegible]是旨可也）故謂結胸即胃癰。在藥效上亦可證明而成立者也。

或又曰。結胸即胃癰。及陷胸湯治胃癰之學理。既聞命矣。然結胸何以起於誤下之後。其說可得聞乎。愚應之曰。結胸起於誤下後。僅百三七條、百四一條見之。百四二條曰、傷寒六七日。百四三條曰。傷寒十餘日。是述病之經過。而不由誤下。可見結胸並不全由誤下也。又百四四條曰。而復下之。不大便五六日。是誤下六七日後始成結胸也。蓋誤下傷胃。可誘發胃癰耳。

胃癌之病。國醫古籍稱積聚、或稱澼塊。而用攻下逐痰之法。千金堅癥積聚門甘遂湯治暴堅久痞腹有堅者。方甘遂黃芩芒硝桂心細辛大黃。又治癥堅心下有物大如杯。不食。食則腹滿心腹絞痛。方葶藶子大黃澤漆。是其例也。按後方、其大陷胸丸去甘遂芒硝杏仁加澤漆。前方即大陷胸加桂心細辛黃芩。然則治結胸之法。未嘗不可治胃癌。特見症不同耳。

又巢源千金外臺有所謂石水者、蓋治法當下水。而有塊鞕如石者、因名之曰石水耳。非眞水結爲石之病也、恐昧者以此誤會水結。故附辨之。愚疑結胸非水結者久矣。但以經文明言、不敢推翻、然終不肯崇古墨守。默爾而息。況傷寒論兵燹之餘。又經叔和譔次。其眞僞參雜可知。即使經文不誤。亦當以事實爲前題。不當尊其人而沿襲其非也、今以意釋之、雖不敢爲定論、要亦研究之所許。

章太炎評　有意翻案。能破而不能立。○愚謂結胸乃淋巴病也、誤下則津液上行、上行至胸管。與內陷之毒熱相遇。則淋巴腫硬成爲結胸、其有自心下至少腹者。皆津液上行之路也。

徐衡之評　結胸一症、固未必盡由水結。然謂即是胃癰。未免武斷、願作者再研究之、

陸淵雷評。結胸今時稀見。陷胸湯丸。東醫又借治龜胸龜背。遂令作者生疑、然胃癰決非陷胸所主。愼勿以人命爲試驗。籍中推勘入細之處。固非俗醫盲從墨守者所能幾及。譬之探險家。雖無所獲。其冒險精神已難能矣。

日人東洞吉益著藥徵。就仲景書而考徵藥之主治。仲景書本翔實。藥徵方法嚴密。故其言可信。然仲景書於藥效。未嘗無或遺者。且攷徵須證據明顯。及數處互見。方可成立。否則。即爲疑證。或孤證。只有割愛。而仲景書之是等若隱若顯處。及間及之處、每審精義、故遺藥必多。如生姜之治嘔逆。誠然。然解表之功。亦不可沒。桂枝湯解表劑也。中有生姜。惟以考據立場。桂枝湯亦有甘草大棗等。不可謂桂枝湯藥。必能解表、而解表諸劑亦不皆有生姜。坐是。故曰『桂枝湯證不具也。』不曰嘔逆者省文也。生姜解表之功遺焉。故藥徵之言。皆可信。而藥之用不僅如藥徵也。

錫庠

闢產後三衝之謬說

凌九雲

三衝者。舊說以爲婦人生產之後。惡露不下而上逆。一則衝胃。二則衝肺。三則衝心。余未入本院之前。曾閱醫醇賸義。其論三衝之原因。由於產後平臥太早。或服湯太少。(所謂湯者即益母紅糖湯也)惡露因而不能下行。不下則勢必上逆。爲患輕則衝胃。重則衝肺。更重則衝心。衝胃之症但見嘔吐噦心。治之較易。衝肺則氣急鼻煽。治之較難。至若衝心。則驟然昏厥。不可救藥。間有得甦者。亦十不得一耳。其所用之藥。則以祛瘀爲主。而各加引經藥以導引之。祛瘀如紅花、桃仁、延胡、赤芍、歸尾、蘇木之類。衝胃則加蒼朮厚朴。衝肺則加童便桑皮。衝心則加琥珀蒲黃。因立三方之名以區別之。曰去惡平胃散。曰去惡肅肺湯。曰去惡清心飲。余初觀此篇。似覺津津有味。且三方鼎立。隨症取用。方法亦備。豈知一入本院之後。略知生理之常識。臟腑之構造。追惟費氏之說。眞如盲人評古。欺人之言耳。其可辯者有二焉。試觀月經之行也。亦出自子宮。未聞行經期內不可平臥也。經水與惡露。同物而異名。(陸曰此言可採)當去不去。皆足致病。何惡露之能上衝。而經水不能上衝耶。祇此一端。已足證其謬妄。况心肺在膈膜之上。惡露在子宮而居膈下。豈惡露之能竄子宮而上逆。穿膈膜而滲透肺葉。且衝破心包乎。抑別有血管直接通之乎。斯皆必無之理也。然則自古至今。產婦之高枕倚被。皆無事自擾乎。曰不然。此另有深意存焉。夫產後之有惡露。亦生理之常態。體功自能驅之外出。惟恐新產之婦。體質虛弱。惡露不能暢下。不得不助以湯藥。輔以高枕。但欲使其易於下行。豈防其上衝者哉。倘惡露久留體內。則變症莫測。或瘀結而爲癥瘕。或化生毒素。由血液循環系傳達腦部。腦神經受其刺戟。以致驟然暈厥。更有因產時下部去血過多。引起腦部貧血。亦能驟然暈厥。如此症狀。殆即昔人所謂惡露衝心之症乎。凡今之腦病。見神志昏糊。不省人事者。前人均歸之於心。以內經有言「心者君主之官。神明出焉」。意謂心爲一身之君主。心病則諸臟應之。以致如斯。如急性熱病之熱灸神經。薰蒸於腦。昏迷痙攣。市醫名曰邪入心包。更有神經脆弱之人。偶受刺戟。言語舉動失常。甚至癲狂罵詈。俗謂之偏心。而治之之方。或曰某某鎮心丸。或曰某某清心湯。似亦責之於心病。以此證之。其所云惡露衝心之症。亦屬腦病無疑。

矣。古人論症，既無生理學以研究，亦無解剖學以參考，因形而立名。無怪其舛謬若此。豈欲造作妄語，欺我後學哉。而今之默守成法，至死不變者，尚高唱其惡露上衝、邪入心包之說，豈不悖哉。至於嘔吐噁心，以及氣急鼻煽之症，與惡露尤不相干。或因疾病既起，而影響惡露之下行，殆亦有之。余於去年暑假中，曾治一人，係產後旬日而病。其證惡露不下，嘔吐噁心，中脘窒悶。先延某婦科專家醫治，即以為惡露衝胃之症，用攻瘀藥，不效。後經余專投芳香化濁之品，而嘔吐漸止，瘀亦自下。初以為異，及今思之，良由產室每多嚴閉窗戶，空氣渾濁，兼之多飲糖湯，皆能助濕，易於釀成濕溫。及其既病之後，病毒肆虐於脘部，胃腸營逆蠕動，欲驅毒上出，體功竭全力以向上，自不能顧及於下，故瘀不下行。及脘部既舒，體功自能下排惡露，故專服芳香之品，其瘀不治而自治矣。再論衝肺之症，其所以氣急鼻煽者，必因肺炎及支氣管炎而起。產後體虛，不耐風寒之刺戟，一有不慎，即發為寒熱欬嗽，甚則熱壯神昏，痰盛氣促，故見氣急鼻煽之象。惟症至氣急鼻煽，故屬難治。但於惡露絕無關係，而竟謂為惡露衝肺所致，亦不思之甚矣。

章太炎評　婦人方向少佳者，其專家產科持論尤多繆戾。此闢三衝之說，特為痛快，然嘗闢者不止此也。

徐衡之評　古人不諳生理解剖之學，無可諱言。惟三衝之說，亦不可一筆抹煞。蓋古人必遇有斯症，故遂立是名也。大凡惡露久留不下，因生理上吸收及循環之作用，瘀敗之血，或侵入腦，或侵入肺，亦在情理之中，未可謂必無是症也。鄙見如此，願與作者一商榷之。

陸淵雷評　舊時收生婦，不諳調盤予宮之術，不將惡露擠下，惟以高枕倚坐，以待生理作用自然排出，故產後平臥而成所謂三衝之證者，事實上誠有之。衝肺衝心，湯本右衛門以為血栓栓塞肺腦血管，理或然矣。惟衝胃證最可疑，胃府頗頑強，即有血栓，亦未必即嘔吐惡心也。

楚辭離騷云：貫薜荔之落蘂。山鬼歌亦稱被薜荔兮帶女羅。九歌曰：采薜荔兮水中，搴芙蓉兮木末。又九章曰：令薜荔以為理兮，憚舉趾而緣木云云。案薜荔者，木蓮也。吾鄉謂之木饅頭，又呼為乒乓。婦人產後，乳房焮腫，乳汁不出，痛劇欲死者，服之良已。

誦穆

麻瘋之研究

蔣止軒

導言

疾病亦多端矣。其痛苦最久。如受天刑。是以毀滅人體而最可憫可畏者。厥惟麻瘋。麻瘋古名惡疾。為傳染病之一。自古中外皆有之。今據專家考查。全世界患麻瘋者二百萬人。而吾國居其半。嗚呼。何以吾國特多也。良以國事蜩螗。內政不修。民知未開。衛生不講。以致麻瘋病得以繁殖無已。反觀歐美。當中世紀。其數不弱於吾國。年來急起撲滅。如病院之隔離也。設專門會社以救濟也。今則麻瘋病已寥若晨星。是可歎也。顧吾國醫界對此病漠然不甚注意。一任其如洪水橫流。殺人無數。良可悲已。今後望醫界同仁羣起研究。使斯惡疾早日肅清。苦海同胞。得登彼岸。是所深願焉。不佞對斯病苦無多研究。而所見患者頗多。曾記曩年余叔病結節癩。醫藥無效。逾數年亡。其可畏之病狀。至今仍深刻於心。及習醫後。閱里閭亦慣見之。於是將斯病證狀論治。檢古人所言。鄙見所及。分類以述。供注意此病者討論而已。

麻瘋之考古　麻瘋在中國已有深遠之歷史。傳說孔子弟子、有患斯疾者。論語曰。「伯牛有疾。子問之。自牖執其手。曰。亡之。命矣夫。斯人也、而有斯疾也。」包注曰。牛有惡疾。不欲見人。故孔子從牖執其手也。淮南子曰。「冉牛為厲。」可知伯牛之疾、是麻瘋。惡疾與厲皆麻瘋之別稱。（引王吉民歷代醫學之發明）由是可知、麻瘋於三千年前、已在中國蔓延。而伯牛乃中國經籍中患麻瘋之第一人。其後史載達官貴人、患此疾者。頗不乏人。如漢之曹時。以患惡疾去官。諡號為侯。（陸曰為侯字當有訛誤）號稱建安七子之一著名文學家、王仲宣。曾患是疾。以不聽名醫張仲景之勸告。竟在二十年後。如張預言而卒。（見皇甫謐甲乙經）其次如唐四傑中之盧照鄰。（照鄰以惡疾棄家學佛。見千金孫真人傳）（陸曰千金無孫真人傳照鄰惡疾見舊唐書作者於考據之學絕無根柢故紕謬若此）及名將崔言者。（見神仙傳）均為患麻瘋之名士也。總之自周而降。麻瘋已屢見不鮮矣。

歷代醫籍之發明及病名考證　本病在古時已有相當論述。認為惡疾。而不與他病相混。說其病狀病因。自靈素而後。代有明言。素問風論云。「風寒客於脈中不去。名曰癘風。癘風者。榮氣熱胕。其氣不清。鼻柱壞。色敗。皮膚瘍潰。此節已明言麻瘋而發潰爛之證。又曰。「風寒與太陽俱入。行諸脈俞。散諸分肉之間。與衞氣相干。其道不利。故使肌肉膹䐜而有瘍。衞氣有所凝而不行。故其肉不仁也。」按肌肉膹䐜而有瘍者。是所謂結節性麻瘋也。其肉不仁者。是麻木性麻瘋也。二者古人已判然別之。靈樞四時氣篇。「癘風。素刺其腫上。已刺。以銳鍼、鍼其處。按出其惡氣。腫盡乃止。」按腫者結節紫斑也。鍼其腫出其瘀毒。亦是局部袪毒之法。其後葛洪之肘後方。略謂「癩疾初起。覺皮膚不仁。或淫淫苦痒如蟲行。或眼前見物如垂絲。或隱疹赤黑」云云。迨隋巢氏病源。出其中論麻瘋之症狀種類及診斷。更爲詳細。擧其大概。如麻痺不仁。針刺不痛。汗不流泄。眉毛脫落。或身體腫痛。眼目流膿。肢節墮落。鼻柱崩倒。身體潰瘍等證。候已詳載無餘矣。惟其中類如麻瘋之疥癬斑瘡、皮膚病。一并羼入。令人易於誤混。此因古人無確切之診別。不足爲眞也。巢源之後。允推千金外台千金方第二十三篇。可稱麻瘋之專著。（陸曰千金第二十三篇爲九漏腸癰五痔疥癬惡疾其論惡疾者僅得全卷十之一安得爲癩瘋專著倘辭不細膩其失乃鉅）並謂有六百癩人、受其診治而獲癒者。祇十一耳。麻瘋在此時之猖獗。已可概見。又云。此疾遠者十年死。近者五年。其病亡之決診。及治癒之十分率。言之鑿鑿。較前人所論。更進一層矣。外台則於惡疾大風外。分爲癩白癩。且多精效之方。麻瘋之證治。至此可謂大備。自後關於麻瘋之說。散見不鮮。金元諸家所說。與前朝略同。明李挺醫學入門論之最精。曰。癩即內經之癘風。一因風毒。二因濕毒。三因傳染。總因內傷。又曰。外瘡壞蝕。由蟲之蔓延經絡。其言不特精細。且直說有蟲與傳染。發前人所未言。與西說相暗合。李氏可稱創論。其他論麻瘋者。尙多。然類皆抄襲前人。陳陳相因。罕見創作。不足復數矣。要之。自古迄今。麻瘋在醫籍中論之彰彰。不與他病相混。斯知古人於此病有特異之認識耳。

綜觀各代醫籍。麻瘋病名。繁雜不一。約計之有大風。麻瘋。癘瘍。癩。爲白癩。癩瘋。、厲惡疾、等名。要不過時代方言之異。故名雖屢變。擧證則同。確知爲一疾而數名也。茲更考其聲訓。厲賴原爲一音。古音無別。說文。厲从厂蠆聲。（俗字作蠆）蠆今音蔡。故古音從厲得聲之字。皆讀如賴。厲古字也。癘爲後起字。說文。癘惡疾也。从疒、蠆聲。亦作厲、作癩、作瘌、朱駿聲註謂、古厲癘瘌賴癩均通用、（陸曰說文但作癘朱云字亦作癘作癩作瘌此所引殊外謬）可知癘癩本一字一病。惟今稱癘者、知爲麻瘋。書癩常易與疥癬惡瘡之皮膚病相混雜耳。餘如素問註大風。即癘風也。千金方癘與惡疾並擧。方書稱大麻瘋。曰金鑑始。今則以此名最爲普遍。張景岳釋之最爲簡切。謂厲即大風。又曰癩。俗名大麻風。觀此更爲瞭然無疑矣。

原因　本病原因。西歷一千八百七十四年。漢森氏 Hansen 在痲瘋患者身中、發現一種分枝桿身狀。定名為痲瘋桿菌。為痲瘋之病原。先是但知其有傳染性。自發現此桿菌後。全世界益信之。其傳染之機。為常與患者接觸，如同居同寢。病菌乃得襲入人體。故患者子女多易傳染。體弱多病者。雖稍與患者接近。亦易傳染。是以歐西將患者嚴行隔離。以杜蔓延。本疾之潛伏期長短不一。自三個月起。多至十年廿年。甚至有三十年者。（陸曰潛伏期之說甚渺茫西醫書記諸傳染病之潛伏期亦大有出入予別有說以闢之）舊籍中所論病因。類多臆說。如風寒客於脈而不去也。感受惡風也。觸犯忌害也。甚則疑祖宗罪惡之報應。（陸曰報應誠有之特非醫家所有事耳）迷信之詞。不一而足。惟李挺謂由傳染。謂有蟲壞蝕而得。乃先漢森氏言之。但當時無真確之器械檢驗。故李說不甚彰著耳。夫此病之傳染。絕無疑義。然按之實際。有不然者。妻子家人。與痲風患者同居同餐。乃有始終不感染者。反之。絕不見痲瘋患者之處。亦有忽患此病者。推其故。與本身抵抗力之強弱。及居處寒暖之適宜否。大有關係。前者抵抗力強。以故得不傳染。換言之。其身上即有病菌。亦不為害。何也。體強足以壓制病菌也。後者體弱抵抗力衰。兼感六淫。故雖無痲瘋患者與之接觸。病菌亦易滋生也。李挺謂總因內傷。可以彌西說之缺矣。

症狀及分類　痲瘋病狀之可畏。人人皆知。其病狀有三種。即結節性痲瘋。（又名皮膚性痲瘋）神經性痲瘋。與混合性痲瘋是也。

一、結節性痲瘋　此種痲瘋最易認識。病者大抵面部虛腫。發生圓塊形狀粗磊。貌如睡獅。極為醜惡。人體之首為痲瘋桿菌侵害者。為鼻口粘膜。及皮膚。破壞粘膜及小血管。於是圓塊或結節突起。或發紫斑黑色。筋脈粗厚、漸漸痲木不仁。最後毛髮脫落。手足指及諸器官相繼毀滅。發潰爛。經過七八年至十數年而死。

二、神經性痲瘋　此種當其初起時。不甚顯著。病菌先攻腦及神經系。致全身痲木。并間接毀壞各種纖維。病者面呈蒼白色。眼皮下垂。手足指均收縮。運動全失。然病者聰明如故，經過期較長。因不如第一種破壞性之烈也。

三、混合性痲瘋　合結節性與神經性兩種症狀。故名混合。至末期。病菌侵害遍於全身，神經皮膚及骨骸無不破壞。為狀最慘。經過亦最短。

上列三種痲瘋。第一種侵害皮膚粘膜血管為主。第二種損害神經為多。故二者證象各有異同。頗易診斷。

本病經過甚長。病之進行亦漸。自初至末。大概可分為三期。

1. 初期　初起如受外感。皮膚微癢不適。如蟲行。發剝色斑。斑處無汗。肌肉痲痺。失微細之感覺。神經增大。有筋脈拘急之自覺。患者能如常運動作事。在此期中。病菌未全損害神經。頗易治療。

2. 中期　若在初期不治療。則病菌傳佈全身，剝色斑周圍出皮疹。

變爲紅色。墳然隆起。神經漸漸失其效力。或時有發熱。結節性者在此期眉髮漸脫。結節突起。鼻廣頰大。唇厚而高。神經性者。則時發劇痛。或覺過敏、或麻木。繼後漸顯癱瘓。肌萎縮、不能運動。狀手指彎曲不能、作瓜形。（陸曰句不可解也乃作者文不通順所鑒本者文詞亦拙之故）步履維艱、面呈可駭貌。

3. 末期　各結節瑰、漸成潰瘍而出膿。鼻尖陷。鼻孔出臭膿。此時感覺器除聽覺外。功用全失。時作神經痛。指趾爛脫。或曲而萎縮。毛髮全無。（上證多見於結節性）神經性者。則多現皮萎縮。薄而緊。或至裂。目上瞼下垂。下瞼外翻。不閉合。或不能動。結合膜發乾。角膜生潰瘍而瞽。口唇癱瘓。致流涎。齦縮，骨露、牙脫。舌與口之粘膜皆麻木。飲食言語俱難。關節不能屈伸。指趾落。慘狀畢呈。可怖可憫。病至此。雖有神藥。亦無能爲力。最後病菌侵害內藏。併發他病而死。

考麻瘋病情由微至劇。毀人體于漸漸。其病理。西說亦無翔實之定論。從病之形能推測。病菌之損害。始終在軀殼外層。如皮膚神經、肌肉血管是也。即有侵及內藏。亦必在末期內。故患者飲食大小便如常。當病菌初襲入時。但侵害皮膚粘膜。及神經系發神經束衣炎。神經索發厚變腫。感覺纖微破壞。則患者始作痒而麻木。既乃皮膚感覺全失。若在此時不治療。（初期中即治神經纖微可再生）運動神經亦受影響。而起肌萎縮。關節運動遲緩。同時損害皮膚粘膜。令排泄機能失職。而汗不流泄。其呈紫斑及結節者。由病菌侵入微血管。栓塞血行。破壞血液。使血管變厚變硬。血瘀不行。皮膚不得榮養。而眉髮脫落。其後瘀血與菌相爲因果。血愈瘀塞。則菌愈繁殖。故古人謂由血滯毒凝。不爲無理。素問更謂宜刺以銳鍼。出其惡氣。所謂出其惡氣者。乃出其皮下之惡血也。由是可知攻瘀血亦爲治麻瘋之要務。

治療　本症爲慢性之長期病。治療無近效。初期尚易。中期稍難。末期則不治。若認爲絕對不治之病。則是無稽之談。消極之言耳。初二期內。醫者果能盡力療治。并注意其居處環境。病者安心進藥。恐未爲必死之症也。

本病西醫無特藥。其較有效者。爲注射大楓子油。（特注射時有劇痛及猛烈之反應）或用太陽燈照射。以振旺其血行。國醫則不乏經驗良方。如能按證施用。定有佳効。惜今人不之賞用。致沉痾不起。良方湮沒。甚可歎已。考古人治本病之法。有發表攻下殺蟲等方。余以爲。尚應增祛瘀血一法。使血行暢。則病菌不得繁殖。（陸曰去瘀血即去體內病菌之培養基湯本右衞門嘗持此論）發表宜於初期。振起皮膚之機能。使病毒從汗解。攻下宜於結節腫潰瘍時。令惡毒盡量從大便排泄。殺蟲原爲直接撲滅病菌之法。宜與他法相輔而行。總之。斯病藥宜多服。方能見効。若貪近功而間斷。則罕見其得愈也。茲搜集可用諸方。以備採用。（陸曰諸方畧著其出處）

一、葛根苓朮附陽　治麻瘋初起。皮膚搔癢不適。不汗出。失微細之感覺。發紫斑。筋脈拘攣者。

葛根　麻黃　桂枝　芍藥　附子　白朮　茯苓　生薑

大棗　甘草

此方為日人湯本氏創方。陸曰殆非湯本所創東洞常用葛根湯加朮附不知何人加茯苓耳用葛根麻桂發汗。復皮膚之排泄機能。使病菌不得滯留。朮附能刺激纖微神經。以除麻木。桂芍健旺血行也。實麻瘋初起之良方。

二、萬靈丹　治麻瘋、麻木不仁。渾身拘急疼痛。筋脈變相生結節者。

茆朮　川烏　何首烏　全蠍　天麻　當歸　川芎　羌活

荊芥　防風　麻黃　細辛　明雄黃　朱砂

本方以麻木為主證。故發汗外。重用刺激神經藥以興奮之。如川烏川芎全蠍天麻皆是。雄黃因其能殺菌也。

三、九龍丸　治麻瘋結節突腫。癢痛不仁者。

當歸　川芎　荊芥　羌活　蟬退　防風　全蠍　苦參

大楓子 八兩

本方除解表鎮痛藥外。即重用大楓子苦參。陸曰他藥皆不注銖兩惟大楓子注八兩而云重用大楓子苦參何泯率如此以兩藥俱能殺菌也。考肘後外台方治本病用單味苦參漬酒。可知苦參治本病有相當効力也。

四、大楓當歸丸　治麻瘋紫斑突起。眉髮脫落。鼻廣頰大唇厚者。

大楓子　當歸　紅花　苦參　沉香　白蛇　烏蛇各十五錢

右為末糊丸

本方用當歸紅花以袪瘀活血。烏蛇白蛇為以毒攻毒之法。陸曰此說太淺蛇毒在其淺膚肉則不毒時醫遇此病亦慣用之。其醫治作用未明。

五、大楓子大黃丸　治麻瘋、身體疼痛燥痒者。

大楓子皮燒兩　大黃生用兩六　枯礬三錢

本方用大黃以攻瘀毒。枯礬以殺蟲止癢。蓋獨恃楓子之殺蟲。收効尚弱。伍以大黃。則毒有去路矣。

六、大楓子三黃丸　治諸癩。

大楓子十兩　大黃五兩　天石三錢　枯礬二錢　黃芩二兩　沉香二兩　益母草二兩　黃連二兩

本方即前方加味。芩連苦寒。消皮膚粘膜之炎症。治中期諸麻瘋。用防風通聖散送服。癢者加烏蛇白蛇、麒麟血、各三錢。古方集云。「治癩病方雖多。但無較大楓子大黃二味方更神者。神方不易傳也」。不佞曾以上方加桃仁附子、為丸。治一結節麻瘋。其人紫斑如雲。麻木。筋脈拘急。服三月而紫斑稍減。筋脈舒緩。知覺漸敏。可知本方確有偉効。忽意病證稍篤者。應與大黃䗪蟲丸同服。

七、再造散　治麻瘋潰爛。眉毛脫落。知覺全失。面突起腫。鼻陷目翳者。

鬱金半兩　大黃六錢　皂角刺　白牽牛各一兩

爲散。酒調下。

本方出陳無擇三因方。爲攻毒名方。方後註云。服後當便出臭物。乃瘀毒從下出之證。

八、大黃䗪蟲丸　仲景方。藥鋪有成丸。

本方據湯本氏之推論。治本病之結節性、及斑紋癩甚效。以其能驅瘀血也。愚意麻瘋至結節突腫。眉髮脫落。赤斑如雲。目黯不明。及婦女患者。兼病月經不通。更非多服大劑袪瘀血藥。不能見效。而大黃䗪蟲丸爲必用之方。蓋瘀血不去。則菌不滅。菌不滅。則病毒甯有肅清之日哉。

大楓子之醫治作用　大楓子產熱帶地。用之於本病。始自吾國之朱丹溪氏。（陸曰本草綱目附方引普濟方用大風子治大風諸癩。普濟宋王守愚之書。可知不始於丹溪。丹溪且議大風油性熱傷血矣）今西人由其果實中榨出淡黃之溶液。可注射及內服。據猪子氏之研究。本品中藏有油。富蛋白質之子芽中。含有脂油。在胃中與胃液起作用。而將 Gyno Cardio Aeid 分出。至腸壁而吸入血中。使麻風菌與之相遇。而顯殺菌作用。外用亦有同樣效力。但多內服。惟刺激胃粘膜力太大。往往引起胃炎。生嘔吐惡心等證、云云。

按用大楓子治本病。與大黃桃仁芩連等袪瘀攻毒藥同用。收効更著。因大楓子能殺菌。而不能袪瘀也。且大黃芩連能消炎。與大楓子同用。更可制其刺激粘膜發胃炎之弊也、

局所療法　局所療法。於病勢篤重潰瘍時用之。乃急者治標之意。其法先將潰爛處消毒淸潔。貼以軟膏。（如硼酸軟膏等）

嶺南衛生方云。治大風瘡裂潰爛。用大楓子燒存性、研末和麻油輕粉塗敷。幷仍以穀煎湯洗之。

日常療養

一、適宜之環境　患者居處宜空曠。病室採光通風。使吸得新鮮之空氣。多植花卉。能使患者心境快樂。（陸曰大風惡疾。不特當養身。且當養心。千金言之詳矣）

二、適當運動　運動能增進血液循環。使肌肉堅強。日常行之。則抵抗力增強。麻瘋菌乃不易產生。奏效自速。

三、良好食物　食物中應食新蔬菜水果、與魚肉腐敗之食物。與一般香料辛辣有刺激之物。絕對宜忌。酒亦當避。

四、洗浴　在有潰瘍時。宜常洗澡。浴後應摩擦全身。使血行興旺。皮膚活潑。

五、性交　應絕對禁止。與妻當隔離。因性交能斵喪病人之生機。減抵抗之力。且易傳染故也、

徐衡之評　攷古精詳。論症明確。選方亦純正無疵。

陸淵雷評　以曾經治效之大病。旁蒐博采。發爲篇章。自與憑空致論者不同。惟文理太劣。雖加潤色。猶未暢達。考古病名二章所徵引。乃似未檢原書者。且曾讀何氏論語集解。朱氏說文通訓定聲。則文學根柢不致如此薄弱。二章者。疑有所藍本。而輾轉失其本眞耳。

脈話

錫庠

日人丹波元簡脈學輯要云。『寸關尺三部。配五藏六府。內經仲景未有明文。倉公雖間及此。其言曖昧。迨至王叔和。始立左心小腸肝膽腎右肺大腸胃命門之說。王太僕楊玄操遂奉之以釋經文。緣此以還。部位配當之論、各家異義、是非掊擊。動輒累數百言。可謂蛋中尋骨矣。』其言能明源流重實際。如此論脈者。稽之中土醫家。曾無一人。或猶以時代爲解。然居今日之世。以此炫人惑衆者。曾不知凡幾。國醫成今日之局。豈偶然耶。

只切脈、不問證。其始特江湖醫、藉以惑世。不知其若何深入一般病家也。一似醫者只宜切脈、不當問證。并以此卜醫者技能之高下。於是市醫諱於問證。往往含糊處方。夫望聞問切。爲國醫診斷四大要端。不可缺一者也。就素問論。切爲巧。小徑也。不若問之工爲大道。更不若望聞之神明也、以今日言之。問爲自覺診。望聞切爲他覺診。豈可專特一部分之他覺診。以治萬病。嗚呼。始作俑者。其無後乎。

盲腸炎論治

劉文浦

余於未習醫前。肄業中學。教員錢某、患腹痛，身雖罹病。仍從事教務不懈，課餘研究文學。孳孳不倦。病則置諸淡然，不求醫治。以爲無妨也。及病情加劇。精神萎頓。漸不能支，方赴滬上某醫院診治。醫診斷爲盲腸炎。乃行割治。詎知消息傳來。因病已深。痼在施行手術未完之際。即與世長逝矣。當時余毫無醫學智識，不知注意。然錢先生之死於盲腸炎。已深印腦海矣。其後習醫。頗研究盲腸炎之症治。不揣譾陋。筆之於下。與賢者一商榷焉。

盲腸炎古名腸癰。金匱言之甚詳。後世諸家方論，亦無有能出其範圍者。其論病之確當。方藥之靈效。初非西醫所能幾及。金匱曰。「腸癰之爲病。其身甲錯。腹皮急。按之濡。如腫狀，腹無積聚。身無熱。脈數者。爲腸內癰膿。薏苡附子敗醬散主之。」又曰。「腸癰者。少腹腫痞。按之即痛如淋。小便自調。時時發熱。自汗出。復惡寒。其脈遲緊者。膿未成。可下之。脈洪數者。膿已成。不可下也。大黃牡丹皮湯主之。」至盲腸炎之原因。金匱略而不詳。諸家言亦未多中肯。日醫齋藤次六曰。「盲腸炎之名詞實誤。應云蟲樣突起炎。特囿於習慣。一時未能矯正耳。以盲腸在小腸終點移入大腸之端。實即上行結腸從腹之下方向上方之部分。其外側有小枝。如小指大。爲二寸細長管。即蟲樣突起。此內腔通於盲腸。其尖端即入於此。小腸之細而曲折。至此突然寬廣。故種種微生蟲及有害物。均積滯於此。且蟲樣突起、作洞窟、甚深。蟲樣突起中之有害微菌所生之炎，即所謂盲腸炎矣。且其炎或不限於一部。而及於周圍，則謂之盲腸周圍炎」又曰。「大便祕結之人。蟲樣突起內宿便常生硬化。所謂糞石是也。此糞石硬如魚骨柑核櫻實。足傷蟲樣突起之內側。於是化膿菌乘之而入。發生此病。此外由結核菌而起者亦多。」此論尚明晰。足資參考。故錄之。據今日實驗之醫學智識。盲腸炎之起源。皆發自蚓突。（即蟲樣突起）古醫書謂之大腸癰者，以不明生理解剖故也，因其患病之地位在大腸部。故混稱大腸癰。今西醫通稱盲腸炎。嚴密言之。亦未確當。以盲腸是大腸之一部分。大腸共分盲腸結腸直腸三部。而盲腸爲大腸之起點。狀如盲囊。因名盲腸。蚓突在盲腸之盲端下部、細長突起如蚓、故名蚓突。病竈在此。當名蚓突炎。蚓突之腔形、如玻璃試驗管、糞屯於內、不易排出。若糞便內結、或分泌物積滯、或有害物侵入、皆能使粘膜受損。易生潰瘍、紋窄及穿破之傾向。凡此皆爲本病之誘因。其直接原因。如舉重物。及驟然用力過度。致傷蚓突、他如結核病等。間亦能致此病、

症狀　分輕重二者言之。本症輕者、名單純性蚓突炎。僅蚓突一部發炎。間有不顯症狀者、若病起驟突。則有各種急性症候。患部劇痛。最爲顯著、或爲發作性。或爲持續性。痛處在右骨窩者、估十分之五。有時在腹部中央。有時瀰散無定。然究以在腹右者爲最常見。其痛有時尖刺如刀刺、或如疝痛。其實因蚓突腔之一部分閉塞。致排除粘液時。其圜縱諸肌蠕動急而且亂。故作痛也、初痛時、往往始自胃部。因之腹診上不易斷定其原發部位。然臍與腸骨前上棘所引直線上。必有最甚之壓痛點。此處可診知廣汎之抵抗物。或索狀之蚓突。此外如大便祕結。亦有初起腹瀉者。同時食慾不振。時有惡心嘔吐。舌苔垢濁、往往發口臭。且有寒熱。病人異常疲憊。腸中因有糞便停留瓦斯積蓄。遂成皷脹。小便頻數。呈暗赤色。病者躺臥。其右腿常作半曲式。

本病之重者。名化膿性蚓突炎、其症候較前尤甚。右腸骨窩之痛較烈。該部之抵抗物、或腫瘍。更易觸知。且全身惡寒戰慄、寒極則熱、嘔吐、便溏、皷脹、因之全身狀態。遂漸不良。發生冷汗、卒呈虛脫狀態。且本病經過中。傾向往往續發蚓突周圍炎、腹膜炎、或腸穿孔等、以致危及生命。其中續發蚓突周圍炎者較多。其滲出物。有漿液性纖維素性及膿性之別、其症候亦大異。漿液性纖維素性者。在迴蚓部、有境界不整之大腫瘍。其痛向右下肢放散、知覺異常。且有浮腫。膿性者。惡寒戰慄、迴蚓部腫瘍、較前壓痛殊甚。然其化膿、大都限於蚓突部、若不醫治。則膿瘍當向腸部、或前腹壁穿孔、致成腹膜炎、因此患本病喪命者。泰半因腹膜炎所致。又有證候現腹脹、脈速、舌乾。病者仰臥而腿屈起。面容憔悴、而有企望之態者、其面容即人將死之面容。謂之死相。

綜合前金匱腸癰之症象。與上述蚓突炎之症狀對照。易知蚓突炎即中醫之腸癰。乃非附會之談。

治法　西醫對於本病。惟有用外科法治療。內科無特效之藥。雖有藥可以止痛、然絕對不能除其病根、所以對於醫病之責任。惟有令病者臥床休息。施灌腸法。排去宿便、及病原菌。此雖爲合理之療法、然每使蚓突有穿孔之虞。近時一般療法。常喜用鴉片治蚓突炎及腹膜炎。實不甚妥。以鴉片每使病症隱匿也、痛時患部放冰囊。或置水蛭二三十條、去其炎症。用下劑則絕對不可。漿液纖維素性蚓突

周圍炎用瀉血法、冷罨法。外用吸收劑等。以促滲出液之吸收。膿性周圍炎。須用外科手術。故西醫對於本病。須在早期施行手術。割除蚓突。方可免以後種種之痛苦。因蚓突對於生理、一無作用。去之無害。且早期割去後。皆可治愈。並無復發之虞。否則治不得法。即有生命之危。因此謂本病治療、以開割爲上。至內治法、則爲姑息療法云。使其言然。亦須長於割治之醫生行之。方無生命之憂。否則徒割無益。然中醫竟有內消之藥。治之得早。病者無須受開刀之痛苦。較之西醫。豈不更勝一籌。爰遵症候。處方如下。

吾人既知腸癰（蚓突）治法。在初起癰腫時。第一須消散結毒。欲從古醫籍求一對證良方。誠屬鮮少。比較言之。當推金匱大黃牡丹皮湯爲最佳。（大黃牡丹皮桃仁瓜子芒硝）方中最妙者、在大黃一味。以大黃能下達腸壁發炎病灶。與以刺戟。（徐曰凡有炎症之部分最忌有所刺戟西醫所以絕對不用下者即爲此）使蠕動亢進、而制止逆蠕動。且能亢進排洩反射機能。使蚓突部充血。因此可以減少發炎。（徐曰充血足以增進發炎局部使之減少）故本病用大黃易於奏效。（陸曰此述其炎症未劇時急速排除其有害物質耳非刺激炎灶之謂亦非直接減少發炎也）牡丹皮、有活血涼血清熱之功。故其作用能消炎。桃仁古人入厥陰血分。爲血瘀血閉之專藥。故能治瘀血急結、少腹痛。凡毒結於少腹。小便不利。或如淋者。此後必有膿自下。或瀉血。故服本方後。有膿當下。如無膿當下血。然則本藥爲消炎性驅血之解凝藥明矣。故本方用桃仁以祛瘀血而平癰腫耳。瓜子能散熱毒癰腫。使毒從便道而出。所以本藥之作用、爲消炎性利尿兼緩下藥。芒硝、能軟堅除熱。以芒硝爲鹽類下劑。亢進組織液之灌流。故對於熱性病、或他臟器有炎證者有效。本藥合以上各藥并用。更能增進其消炎力。

考大黃單獨用。每有引起腫痛之流弊。故仲景方每配以芒硝、而免其痛。（徐曰芒硝與大黃合用最宜免痛）其故何也。蓋植物性下劑、（大黃）作用於大腸。使其蠕動亢進。故有腹痛現象。鹽類下劑、（芒硝）作用於小腸上部。僅有腹鳴而不發腹痛。再本病之所以發炎。是有害物在蚓突腔內、難以外出。芒硝內服到該部。能保持其溶液不吸收。使有害物溶化。但該部蠕動緩慢。則有害物雖已溶化。亦無力排洩外出。故必加大黃亢進該部之蠕動。而有害物乃出。故芒硝與大黃每多同用也。

若攣痛甚者……建中湯去飴加陳皮木香。以本方重用芍藥。瘍科用芍藥經驗。有破血行瘀之明顯效果。且藥徵所載、主治結實而拘攣。可知芍藥有和緩「組織」神經之作用。更有桂枝能使血液流行亢進。且本藥含有揮發油。故有多少之防腐作用。再加以甘草大棗、生薑、陳皮、木香等、行血活血之品。（徐曰生薑桂枝皆非炎病所宜）祛除發炎病灶。則該部粘膜不受刺戟。於是運動神經、纖維知覺神經、感受動作。如初則腫癰平。痛亦自止矣。（方出漢法醫典）

若癰成日久不潰。膿已成。當祛毒而排膿。用金匱薏苡附子敗醬散主之。（薏苡仁附子敗醬）方中用薏苡仁化膿。附子能恢復新陳代謝機能。旺盛心力。活動血行。使鬱滯之膿水、由尿道而排出於體外。（故服本方後、小便當下、）凡新陳代謝機能沉衰時。則體溫之發生減少。故本病身無熱而惡寒戰慄。又以心臟衰弱、而呈虛脫之現象。知覺神經由停滯老廢物之刺戟。而起異常感覺。故本病發生劇痛。又筋肉亦爲營養失調而弛縱。故本病腹部軟弱無力。於裏致大便失禁而下利。以致招來其他臟器組織之沉衰。所以本方用附子以振起復興是等之機能。而得以排膿。敗醬能化膿爲水。故本方配合三味。以薏苡仁敗醬化膿成水。以附子逐水。中醫立方配合之妙。於此可見一斑。此西醫所望塵莫及者也。

此外如甲字湯亦主之。（茯苓、桃仁、芍藥、牡丹、桂枝、甘草、生薑、大黃、薏苡仁、（方出漢法醫典）

若膿從臍出。面白神勞。宜八珍湯加牡丹皮、肉桂、黃耆、五味子、斂而補之。惟患者於此時轉側動作。宜徐緩而勿驚動。此必須注意也。

兼腹膜炎者。附子粳米湯主之。如躭延日久。因循失治。以致損及他臟器。或致生殖器紫黑。腐爛色敗。無膿。每流污水。煩躁不止。身熱嗌乾。俱屬逆證。不治。

考西醫常言炎性症忌用下劑。據云下劑入腸胃後之作用。雖有通利之效。反恐激重炎性症狀。要知醫法之神妙。決無如此拘束者。陸曰炎症禁下。恐其出血穿孔也。然腸管本司蠕動之器。炎症初起下之亦自無傷。大黃牡丹湯有驗案甚多。則淺泛之理論不足以撤事實也　無刺戟性藥物、有時可使之爲發炎性刺戟作用。刺戟性藥物、有時亦可使之勿爲發炎性刺戟作用。要在神而明之。存乎其人耳。且無作用、則不成爲藥物。若恐其刺戟。不敢用之。延久引起他症狀。則悔之而不及。諺云。醫猶軍將。藥猶士卒。醫不敢用藥。猶將不敢用卒。尚何治病之足云。

結論　綜上所述。腸癰即西醫所謂蚓突炎。非盲腸。不可混稱。此其一。癰腫癰膿種種證象。爲中醫審證用藥之標準。不可不分。此其二。金匱之大黃牡丹皮湯。宜於癰腫時。已成膿時、不可妄用。此其三。腸癰預後。每有不良。薏苡附子敗醬散事實上雖能收全治之效。然必須對證用藥。不可輕率。此其四。愚識見淺薄。妄用西說。難免識者之譏。惟在此革新中國醫學之時。不得不借西說、以明其理耳。

徐衡之評　結論尚明白。

陸淵雷評　所論亦多可取。但以文筆不佳。遂覺減色。

急性熱病之滋陰療法

趙錫庠

（一）導言

急性熱病之應否滋陰。久成醫界問題。經方家多反對滋陰者。甚且認滋陰非惟不能愈病。反足壞病。如陸九芝曰滋膩傷陰。引邪內陷。是滋陰一法為不可或用者矣。而信仰葉桂薛雪者。乃以病之不解、為陰傷陽盛。以病之變壞、為誤治傷陰。以病之不治、為津液涸竭。於是視滋陰藥為金丹玉液矣。其言參商若是。學醫者將何道之從。庠不敏。略攷其沿革及應用。並下愚見。加以論斷。就正有道。

（二）沿革及應用

仲景傷寒論。為治療急性熱病之大法。解決斯問題。自當上攷大論。大論一百一十二方。得滋陰方三。炙甘草湯。猪膚湯。黃連阿膠湯是也。連膠湯肘後方作大病差後善後之方。日人山田正珍建議改從。淵雷先生是之。且充以學理。（見先生傷寒今釋）炙甘草湯、為心動悸脈結代之專方。他病亦可治以此方。非必急性熱病也。柯韻伯謂為叔和所附。抑有見於斯歟。猪膚湯、丹波元堅攷證為猪肉之近外多脂者。蓋以日常食物中最富養分者。製為湯液。使病者多得榮養。乃所謂食養療法也。是大論雖有三方。未嘗用以攻病去毒也。仲景為上古醫學集大成者。然則滋陰一法。在東漢以前不占地位矣。

自漢歷晉隋唐宋數代。論急性熱病。亦無以滋陰為法者。即金元四大家。亦不用滋陰方治急性熱病。劉李張三子不論已。丹溪朱震亨。世所謂養陰派也。然所用之藥。多係黃柏知母。所治之病。亦多屬雜病。非若近世俗醫。專以地黃阿膠元參麥冬等治急性熱病者也。蓋滋陰之法。起於明而盛行於清。其間可分三個時期。茲分言之。

第一時期

明薛己張介賓。世皆謂其偏於溫補。斯論殊不確切。八味丸固其習用。六味丸亦所好用之方也。二氏受李杲「屬內傷十居八九」說之影響。而誤解內經「邪之所湊其氣必虛」一語。於是急性熱病多為認作內傷。更受王冰「壯水之主以制陽光」說之影響。於是更以為滋陰可以清熱。張氏古方八陣寒陣云。「陽極傷陰。陰竭則死。或去其火。或壯其水。故方有寒陣。」是以滋陰爲清法矣。其治陽明煩熱。主玉女煎。重用熟地麥冬。張熟地之別稱。正有自也。自時厥後。滋陰藥投於急性熱病者益多。愚故曰。急性熱病之滋陰療法。實嚆矢於薛巳張介賓也。及至趙獻可。更變本加厲。其醫貫云。「火之有餘。原水之不足也。毫不敢去火。只補水以配火。壯水之主。以鎮陽光。」細味其言。則清法可全廢。惟壯水即是鎮陽。是較薛氏張氏更進一層矣。斯派學說。在明末清初。盛極一時。高鼓峯輩固其流派。即獨樹一幟。以攻下見稱之吳又可氏。亦稍受影響。其溫疫論曰。「凡屢經汗下。清和而煩熱加甚者。當補陰以濟陽。所謂寒之不寒。責其無水。是六味四物生脈養榮諸方酌用。」此雖用於汗下之後。但亦認急性熱病有滋陰退熱一法。斯數子者。皆謂急性熱病以壯水制陽爲要務。而用滋陰者也。爲第一時期。

第二時期

南昌喻昌著尙論篇。本內經「冬傷於寒。春必病溫。」及「冬不藏精。春必病溫。」二語立論。創溫症三例。曰冬傷於寒。春必病溫。曰冬不藏精。春必病溫。曰既傷於寒。又不藏精。春時同發。其溫症大意。又曰。「緣眞陰爲熱邪久耗。無以制亢陽。而燎原不熄也。」或以爲蘇醫之好用滋陰藥。乃導源於喻昌。孰知喻氏以不藏精爲腎病。爲少陰經病。更與仲景少陰病合論。認溫病爲陰病。而治以溫藥。雖有無以制陽之說。並未見諸實行也。然後之好用膠地者。未始不本「冬不藏精」及「無以制陽」之學說。至有清雍乾間。滋陰之法乃大變。應用範圍亦大廣。吳縣葉桂。既以爲熱病易於傷津。更認定許多病端爲胃津傷亡或腎陰枯涸。如溫熱論曰。「斑出熱不解者。胃津亡也。」又曰。「舌絳而光亮。胃陰亡也。」又曰。「齒如枯骨色者。腎陰枯也。」又曰。「舌雖絳而不鮮。乾枯而痿者。腎陰涸也。」是也。胃津傷亡。於是大隊甘寒。麥冬石斛地黃蘆根及梨皮蔗漿等。爲急性熱病常用之藥。臨症指南溫熱門吳姓一案。王姓一案。與暑門金姓兩案。是其例也。腎陰枯涸。於是一派滋陰。阿膠龜板地黃鱉甲及淡菜海參等。亦爲急性熱病常用之藥。痙門某姓三案。是其例也。又其助戰汗也。曰「法宜益胃」。益胃無非石斛麥冬而已。又曰「刦傷津液。變症最速。」又曰「津刦燥甚。喘急告危。」又曰「恐涸極而無救也。」是以爲急性熱病之變症。由於津傷陰涸。推其意。蓋謂熱既刦耗津液。津液愈枯涸。則熱愈甚。如此迭爲因果。則變症百出。豈有生理。故常有「滋液救其焚燎」之語。總而言之。葉氏心目中。津陰二字。爲急性熱病經過。豫後及治療之大關紐。所以常常戒人「須要顧其津液」也。斯亦本於壯水制陽。不過範圍較大而已。然葉氏之用滋陰藥也。尙以臆分爲二途。一爲定痙。一爲淸榮。定痙者。臨症指南痙厥門治余姓案曰。「溫邪刦液。陽浮獨行。內風大震。變幻痙厥危殆」此寥寥數語將其對痙症之病理及治療法全盤表出以熱病之痙厥與所謂陰虛內風視爲一事則初診之阿膠雞子黃人參天冬細生地白芍二診之阿膠人參淡菜鮮生地天冬川斛當然事也痙厥門此例約居太半皆以爲液傷而陽浮陽浮而風動風動而痙厥甘寒救液是爲扼要之治此種主張亦導源於內經「風淫於內治以甘寒」之說也淸榮者葉氏論熱病有所謂榮分血分者其見症爲心神不安夜甚無寐舌絳齒燥或牙齦出血身現斑點榮分輕用犀角元參等血分重用生地丹皮等又葉氏認心司知覺於是以神昏爲心包絡受病又認心主血屬榮於是心榮連稱（逵曰杜溪之名可發一笑今則滔滔皆是矣）其所謂「淸絡熱」者特淸榮藥中加入菖蒲鬱金耳將生地元參淸榮之藥用於急性熱病者指南溫暑諸門隨處可以看到溫熱門陳姓三案暑門一案是其最顯者也（逵曰巍然溫熱大師近人方盱衡讚嘆自謂仰之彌高而吾黨之小子見之乃如掌上觀文眞堪浮白）薛雪與葉桂同時其學說亦大同小異薛之言曰「恐胃液不存其人自焚而死也」又曰「然泄邪而胃液不上升者熱邪愈熾」是與葉氏益液退熱之意同又曰「風乘三焦而痙厥厥而不返者死虛液乾枯火邪盤据也」又曰「血不榮筋而痙」是與葉氏同以痙厥由於液傷也又曰「榮血已耗宜犀角羚羊連翹生地元參等」是又同以元參生地等淸榮也葉氏胃液腎陰並重薛氏則專論胃液神昏譫語固歸之榮熱其治痙厥亦責榮血不用阿膠龜板也即地黃亦不用熟者又以金汁解毒葉氏並不重視亦未言明與榮分之關係而薛氏於邪陷榮分則主張「重劑解毒」於出血或血汗則目爲「毒邪深入榮分」而予以犀角生地赤芍丹皮連翹紫草茜根銀花等味金汁之投於榮熱症也或與生地汁西瓜汁甘蔗汁同用或與犀角羚羊角生地元參銀花露紫草方諸水同用是以爲熱入榮分即是毒入血中解毒即是淸榮此其稍異于葉氏者也（以上本溫熱經緯薛生白濕熱病篇）

尤怡亦受葉氏之影響（逵曰尤在涇雍乾之間與徐靈胎同時稍後于葉）柳選靜香樓醫案伏氣門首三案頗能表現其思想第一案以阿膠羚羊定痙第二案則一派育液滋陰藥所謂存陰泄熱也第三案以淸榮藥治紫斑蓋深得葉氏之整個思想者也尤氏以研究仲景之學稱於世其伎猶如此（逵曰尤氏既著金匱心典復著金匱翼專爲後世俗醫著法其意以爲仲景方難用特不敢斥言耳蓋宋元以後仲景方用法失傳學家尊奉仲景不過裝點門面而已固不特尤氏爲然）可見斯派學說影響之大矣會稽章虛谷於葉薛二氏備極推崇著醫門棒喝以葉氏之溫病論薛氏之溫熱條辨接大論金匱內經之後大有伯仲仲景之意其言隨文繹解而已此後淮陰吳瑭師承葉氏其溫病條辨諸方或就葉意以立方或變葉案而爲方淸燥湯加減復脈湯玉竹麥冬湯麥冬麻仁湯或復陰以留陽或壯水以敵火或增液爲作汗之具師葉氏之第一義也大定風珠小定風珠二甲復脈湯三甲復脈湯治痙厥痰壅師葉氏之第二義也淸榮湯淸宮

湯銀翹去豆豉加細生地大青葉丹皮倍元參湯治榮熱及熱陷心包師葉氏第三義也薛張諸氏之運用滋陰乃爲一般病說法葉薛諸氏則專對急性熱病立言薛張專以退熱葉薛則退熱外更藉以定痙清榮故葉薛之說盛行後爲第二時期

第三時期

吳瑭除師承葉氏外又有以滋陰藥潤便一法蓋以爲熱病最易傷陰陰傷之不大便猶乎陸地之不能行舟當采「增水行舟」之計於是作增液湯護胃承氣湯新加黃龍湯增液承氣湯諸法同治閩王士雄收羅葉薛章吳諸氏之說作溫熱經緯讚倡滋陰頗力然並未越出諸範圍蓋亦章氏之流也陸曰諸人中章王讀書較多葉最陋其醫案々字讀之欲嘔然時人寶葉特甚斯亦巴人之曲和之者衆也越衢雷氏父子推行滋陰亦力其時病論治熱入榮分之清熱解毒法不曰涼榮而曰解毒蓋深得薛氏之意其潤下救津法即調胃承氣湯增液方合方是則脫胎於吳氏斯時也用滋陰藥除本葉薛二氏外更多一法矣是爲第三時期

綜上觀之急性熱病之用滋陰藥也有四一爲壯水制陽二爲育陰定痙三爲清泄榮熱四爲滋潤導便以制陽爲最早溫熱諸家率行無間潤便最晚率之者亦大有人在定痙則葉氏偏重濁補薛氏與清榮同法清榮則薛氏着眼解毒奉行葉氏者多奉行薛氏者少陸曰其實薛高於葉高則和之者寡矣

（三） 滋陰之我見

應用滋陰療法約有四端前已言之茲亦分而討論

（甲） 壯水制陽

夫壯水制陽治陰虛火旺之法也陰也者榮養料也榮養不足於是起虛性興奮以謀代償是之謂陰虛火旺裕其榮養則虛性興奮自退是之謂壯水制陽然則壯水制陽祇可治虛性興奮非任何熱症皆可滋陰以退也明矣急性熱病之發熱由於陰虛乎抑由於他故乎吾知無敢以陰虛對者既非陰虛而以滋陰退急性熱病之熱則又何也薛已張介賓等以萬病皆補誤之於前葉桂薛雪踵之專誤急性熱病於後吳瑭王士雄更爲之推波揚厲陸九芝譏其混清滋爲一談誠然誠然

發高熱而不食榮養爲之耗刦肌肉爲之消爍誠所謂「熱病最易傷陰」此乃因熱傷陰非因陰傷而熱不得據爲滋陰退熱之理由也陸曰明白痛快不知滋陰家見之又作何說斯時之陰虛當積極的去其病不當消極的滋其陰所謂揚湯止沸不如釜底抽薪也陸曰歐戰時德人用無限制潛艇政策協約國無術以滅其潛艇乃用無限制造船政策滋陰以退熱者無限制造船政策也即退一步言陰固當滋矣然榮養品之得變爲人身陰津者恃其腸胃爲之消化爲之吸收耳若急性熱病者多見食慾不振不爲之消化不爲之吸收雖飲以血漿亦奚用哉陸曰此義更非滋陰家所及知彼以爲梨汁蔗漿入胃即處胃液耳即能消化即能吸收矣亦豈可越出日常食物之

外強胃腸納不經慣之物乎。今張介賓之熟地。葉桂之阿膠龜板。濁膩敗胃。皆絕對不宜病體者。是滋陰退熱一法。有害而無益。熱亦終不可退也。（陸曰滋陰本不足以退熱其有熱退者病自退耳故熱病之滋陰更不如西醫餌牛乳雞子牛乳雞子之適口充腸固勝於熟地阿膠已）

（乙） 育陰定痙

急性熱病之見抽搐瘈瘲者頗多。其原因或為神經有炎症。或為菌毒侵襲神經。與陰虛風動迥為兩事。此症而投以滋膩之定風珠等藥。眞是楚人所謂風馬牛不相及者。薛氏於此症不用阿膠龜板。是較葉氏有見矣。然則定痙之法。亦在當淘汰之列矣。

（丙） 清泄榮熱

西國醫書的所謂毒血病者。乃多種局部性傳染病之中期或末期。病菌或病原蟲產生毒素。吸入血中而現中毒症狀。如丹毒白喉肺炎破傷風是也。最易受毒素侵襲者。為神經循環二系統。循環系統受襲。則脈細而數。甚至心臟停頓而死。運動神經受襲。則肌肉強直。或抽搐作不規則之運動。毒素侵及知覺神經。則譫語獃笑躁擾不安。或發狂。甚則昏迷不省人事而死。中毒深者。舌亦乾燥。治療則用水療法以清其毒。與蘇醫所謂熱入血分者頗相似。榮熱與毒血皆以症候得名。舌乾身痙（原作痙厥章曰痙與厥證狀本異俗醫並稱痙厥不當沿用）神昏譫語脈細數是也。清榮與水療。皆是對症治療。然則熱入血分云者。即西醫所謂毒血病歟。生地元參雖不敢必其能解毒。然稽之醫籍。地黃本經謂其逐血痺。別錄謂其破惡血。又以治產血上薄。瑞竹堂方以治產後惡血。產後中風。千金翼方以治產後百病（當是產褥熱破傷風之類）千金方以治溫毒發斑。元參大明本草謂其消腫毒。綱目謂其解斑毒。活人書以治發斑咽痛。聖惠方以治喉痺。據此則地黃元參之解毒。亦有可保者矣。血毒病能使人作痙。前已言之。然則薛氏以痙厥歸於榮血。可謂精思冥悟矣。其言明毒入榮血。有功醫學不少。吾故曰薛氏賢於葉氏。也然則吾儕不可因反對退熱而連類及清榮也。

（丁） 滋潤導便

有下證而礙於其他見症。斯時以滋潤藥導便。未始非一法也。然吾所謂他症。非吳氏陰傷之謂。要知苟有下證。陰愈傷。下愈應急。所謂急下存陰是也。且增液湯遲緩而不準確。遠不及麻仁丸。即後世之蔞貝亦不如也。後人因是而置承氣諸湯於高閣。其謬尤甚於吳氏矣。（徐曰腸熱病不宜用大黃增液湯確較麻仁丸大承氣為佳○陸曰腸熱病禁大黃恐其腸出血也然腸將出血必轉陰證自無用大黃之理若陽證胃實未有不可下者愚所治證狀酷似腸熱之病因下而愈者甚多與徐君之意稍異暇當討論之）

（四） 結論

諸氏盛言滋陰。而滋陰毫不足法。惟假滋陰藥以清解血毒。是則可取。且血中毒素解除。則因毒為病之熱及痙。亦將自愈。是清榮即能定痙。即能退熱。故愚嘗曰溫熱諸家與其言滋陰。不如曰清榮也。清榮則可。滋陰則不可。是清榮之生地元參可用。滋陰而不清榮之阿膠龜板不可用也。（陸曰龜版煎劑尚無大礙阿膠則適成細菌之培養基而況於淡菜海參乎）　薛氏雖有滋陰以退熱定痙之意。而用藥則生地元參。不若葉氏吳氏濫用阿膠龜板。是以愚論法則取清榮。論人則取薛氏。滋陰藥中如生地元參蔗漿梨汁。具有漿液。尚不濁膩。用之無當。亦不致壞病。況新鮮之物。富含維他命。以之作藥石外調養法。未始不可。然終日斤斤於斯。坐失病機。是又不可也。（陸曰如此則等於西醫之待期療法）　至於熟地黃、陳阿膠、敗龜板。則陳敗穢濁。豈病體所能堪耶。故詆滋陰爲愈病不足。壞病有餘者。雖屬矯枉過正。要非全誣耳。

滋陰藥之得見用於急性熱病。非用以滋陰。乃以其清榮。非滋陰藥皆可全用。乃用兼能清榮之滋陰藥。是急性熱病與滋陰本身、不生關係。然則奉滋陰爲金科玉律者。適見其愚昧耳。

章太炎評　剖析精確。

徐衡之評　頭腦清晰。

陸淵雷評　是今世醫醫之良藥。有功學術。有功民命。至於源流清析。論議精覈。乃其餘事耳。

暴日侵逼。國內民氣激昂之極。人心未死。國必不亡。雖然。有「一鼓之氣。」有「浩然之氣。」不可不辨。

何謂一鼓之氣。外患當前。因刺激而奮起。衝冠裂眥。怒不可遏。然刺激稍平。其氣即消。試觀抵制日貨已有九次。以最有效之方法。經九次之多。不能使日人戢其野心。此無他。所恃者一鼓之氣。不能恃久故也。

何謂浩然之氣。須知識階級之青年。各自於道德學業上修養鍛鍊。把是非看得清。利害識得透。然後事變來時。自能從容應付。有百折不撓之精神。一鼓有五分鐘之譏。浩然則久而彌堅。此其異也。

一鼓之氣。只適用戰線上衝鋒時。浩然之氣。乃爲一切成功之母。國難亟矣。願我青年自勉。假定十年後將亡國。而我青年於五年之內養成浩然之氣。則國難不足懼。日本不足滅也。

論偏枯之原因及治療

石豈愚

偏枯亦名中風。自來說者誤解。學者盲從。以致病理不明。治療錯誤。深可歎焉。迨張景岳立非風之名。闢中風之謬。於是斯症之眞理漸明。假令張氏不能洞悉斯病之因。安能立名確切。以正古人之謬哉。雖然。張氏知斯症之發生。非風邪之外中。乃組織之內壞。但此不過知其大概。而未詳悉其病之所由。故其立名雖確。而其議論與治療。仍不能中肯。考張氏之說。專主貧血症立論。其治療之法。施於貧血性之痿廢則可。若施於充血性之偏枯則不可。蓋滋陰補血之藥。用於血液缺乏之人。則能令其赤血球及血液增多。以營養其體內之組織。若施於充血之人。則血液過多。必引起血管之破裂。而益增其病之危篤。故張氏之治法。決不可施於充血性之偏枯。張氏之外。又有河間東垣諸說。河間以心火暴發立論。東垣以本氣自病發揮。夫同是一病。其立論相去懸殊。究竟孰是孰非。令人不能無疑。今試比較論之。蓋河間之所謂心火暴發。豈果心火之有餘耶。乃心血之不足也。血液不足。則心火上越。（陸曰何謂心火卻仍費解）甚則呼吸亢進。而至於昏倒。血液不能營養其組織。則新陳代謝機能衰弱。而手足偏廢矣。（陸曰偏廢何嘗是新陳代謝之病變）此乃貧血性之痿廢。非充血性之偏枯也。觀其處方。亦只可施於貧血之痿廢而已。故劉氏之論症及治療。與張氏不甚懸殊。東垣既云本氣自病。又云肥盛之人血每有餘。氣常不足。斯言是矣。然既以血有餘氣不足立論。則當以破血生氣之藥治之。何以反用驅風之藥以耗其氣。補血之品以壅其血管。豈非立論與治療前後矛盾乎。此無他。皆由泥於前人之說。致不能別出心裁。（陸曰語欠斟酌病理自有種種證明豈可別出心裁哉）以求其盡善。故立論雖確。而治法不善。則未免有白玉微瑕之譏。亦無取焉。惟王氏（陸曰蓋指王清任也然不當突然但稱王氏）深得斯病之眞際。發血有餘氣不足之論。蓋血之與氣。猶風之與水。水無風則不動。血無氣則不行。是以血管之血液過多。氣不足以運之。則血液充滿於血管而為瘀血。考王氏所謂氣不足者。即指人身之機能而言也。機能不足。血液過多。則體內之組織發生障礙。因而手足偏廢矣。此即西醫謂為腦溢血之症。蓋腦溢血之發生。或由於腦動脈發生粟粒形動脉瘤。以致神經受其障礙而失司。故卒然昏倒矣。余於研究之餘始知此病由於血管之血液充滿。於是更信王氏之言不誣也。今考此說。則知李氏唱於前。而王氏發於後。加以科學之證明。愈覺此說之精當。然病因既明。則治療之法亦不可不講。西醫雖知斯症爲腦溢血。而治療上又無特效之方劑。在普通之治療。不過以樟腦等藥爲注射之劑。（徐曰並非如此）惟樟腦之性。含有特殊之揮發油。既能通血管之閉塞。又能使血液以流行。若施於卒然昏倒之時。用以強心脉通血管。及鼓動血管之血液。以減輕其血壓之增高。（陸曰強心鼓血豈能低其血壓西醫治腦溢血但有放血耳）可暫時以借用。而非根本之治療也。至李氏雖有確切之立論而無相當之治療。亦不足與王氏並論。王氏獨具隻眼。立還五湯以生氣破血。方用生氣之藥爲主。（陸曰還五湯重用黃耆間有試用而效者然卒中偏枯而主黃耆所不可解生氣不過導滯見解耳）破血之品以助之。蓋生氣之藥。能亢進體內之機能。而振起其衰弱。加以破血之藥。以減少其血管之血液。而除體內之障礙。夫機能既得強壯。而組織之障礙又除。則偏枯之病。可豁然而愈矣。以上諸說。惟王氏能別出心裁。猗歟王氏之論症與治療。誠發前人所未發。備古聖所未備。不啻爲千古治斯症者開一路徑也。

陸淵雷評　論旨不過讚歎補陽還五湯。此湯是否必效。尚不可知。且篇中偶涉科學。便覺乖張。急須加功補習。

本院抗日標語

（一）做學生時。不勤學業。不顧公德。不守規則。是亡國滅種之大原因。是替日本兵衝鋒。

（二）請自問自已的學業性行。若有一分不及日本人。便種下一分亡國種子。

（三）救國吞日。人人負責。請從今刻苦自勵。整齊嚴肅。遵守舊道德。吸收新知識。

生化湯與折衝飲方論及治驗

馬伯孫

產後之病。除外感外。皆血所使然。治療之法。當着眼於血。補血驅瘀。爲其大法。生化湯折衝飲者。產後諸病常用之方也。方意皆重理血。生化湯爲當歸、川芎、桃仁、姜炮炭、炙甘草、五味。方載達生篇。張孟深氏製方。折衝飲出子玄子產論。當歸川芎、桃仁、桂枝、芍藥、牛膝、延胡索、紅花、丹皮、九味是也。觀其藥味。則知二方皆爲間接直接之驅瘀劑。用以治產後惡露不下者。惡露何爲必須驅之下達。且二方起何種生理作用。而得排除惡露。欲論此者。當先明惡露之由來。故本篇先研究惡露之來源。及其害毒。而後論方義。探明二方使用標準。及懸治驗之得失。

惡露之來源

惡露之來源。須從姙娠生理述起。姙娠者。始於卵之姙孕。終於胎兒成熟。惹起分娩。謂之姙娠期。姙娠之機能。在於子宮與卵巢。今研究惡露。卵巢姑置勿論。論子宮可矣。子宮位置於小骨盤中。介於膀胱直腸之間。分子宮頸與子宮體二部。子宮體位於頸部之上。體之上緣、謂之子宮底。底之二角、通左右輸卵管。其頸部狹小。下通陰道。子宮體由三層體素而成。外層爲漿膜。中層乃平滑肌。（此層極厚收縮力甚強、）內層則爲粘膜。此粘膜於平日、厚僅二十三密里邁當。一旦姙卵附着其表面一部分時。卽產生極厚極鬆、似水綿狀之粘膜。謂之脫膜。Decidua 然姙卵附着子宮粘膜時。已成胚胎矣。胚胎種植於子宮底之脫膜上。其後日漸長大。胚胎之外胎膜 Chorion 與子宮底脫膜、結合而成胎盤。然胚胎能發育者。全賴外胎膜產生多量之絨毛。名曰外胎膜絨毛。其絨毛卽埋入脫膜。斯時胎盤（脫膜與外胎膜）便成胎兒之營養器。胎兒之營養、全爲母體血液。然胎兒與母體血液。有血管壁及絨毛表膜相隔。無直接間接之交通。胎兒能得養者。因胚胎之外胎膜絨毛、浸漬於母體脫膜之大血腔內故也。然母體動脉血管。由子宮粘膜、亦達於脫膜之大血腔內。因此母體之血液、於脫膜中起滲透作用。血中之養料——生質、精、炭水化合物、氧等——卽滲入絨毛間腔。由絨毛中之臍靜脉毛細管。輸入胎兒之循環系。而胎兒血中之廢物——二養化炭、氫質等廢物——由臍動脈毛細管滲出。入外胎膜絨毛間腔。還入脫膜中之母體靜脈。有此機轉。故胎兒能得養增大。過二百八十日。（平均時期、）胎兒體質、及胎盤內之液質（羊水、）亦增加。達於極點。時子宮即起分娩之動作。起劇力收縮。及各種隨意肌肉運動。——如腹肌、胸膈肌、喉頭肌——達分娩之時。子宮即起疼痛收縮。子宮頸漲大。而助以腹肌之收縮。壓窄子宮。胎兒受其壓迫而產出陰道。胎兒既產。子宮略為休息。再繼續收縮。則胎盤（脫膜與外胎膜）完全與子宮粘膜剝離。且亦因子宮之收縮。逐出陰道。脫膜（胎盤之外層）既與子宮粘膜剝離。由子宮粘膜分佈於脫粘中之母體血管。為之破裂。流血。此流出之血、瀦於子宮腔者。即惡露是也。陸曰此段言子宮形態妊娠生理與本篇論旨無大關係宜從簡錄

惡露之害

惡露既為分娩時、胎盤剝離子宮粘膜之出血。以新產子宮、收縮未全。內腔甚寬。所出之血液、停瀦於子宮腔中。不即流出陰道。經若干時。始徐徐流出。故惡露之色、皆紫暗成塊。惡露之排泄、與產婦之體質有關。產婦體質強而營養足者。神經常得濡養。交感神經末稍纖維、易於興奮。子宮收縮強盛。則胎盤剝離面之破裂血管、隨之而縮。且流入子宮腔之血液。亦因其收縮、而逼出陰道。無停瀦之慮。產婦衰弱者。交感神經失養而弛緩。子宮收縮力弱。破裂血管、不易收斂。子宮腔、瀦積之惡露。亦不易排泄矣。然殘餘惡露瀦於子宮腔中。不宜過久。久則反為創傷面外來細菌——釀膿菌、淋菌、結核菌、大腸菌、腐敗菌等——之培養基。細菌得其培養。發育繁殖。產生毒素。直接作用於子宮粘膜。而見發熱惡寒。帶下貧血。頭痛嘔吐。陰戶疼痛。尿數便祕。下腹部感覺異常。是為急慢性子宮內膜炎。子宮實質炎。甚致瀦血久留。自起腐敗分解。產生毒素。浸入血液循環而入腦部。腦神經受其刺戟。而見腦症狀。暈厥不省人事。是為自家中毒症。即俗所謂惡露衝心症也。陸曰釋惡露衝心之故甚是 或細菌毒素由創傷面、隨血液、分佈全身。而病產褥熱。局部則子宮膣外陰部疼痛。惡露發臭。全身症狀、為發熱惡寒。乳汁減少。腹脹疼痛。食慾退減。嘔吐惡心。腹膜發炎。或毒素隨血液循環。而起敗血症。致心臟衰弱而死。或臍下發生瘕塊。疼痛難除。甚至全身營養障碍。終身不姙。惡露之為害大矣。陸曰此段甚佳可正舊時婦人方之誤

生化湯與折衝飲方論

生化湯折衝飲者。即為排除惡露之方。二方皆以川芎當歸為主。然主藥同而副藥異也。故當分而論之。生化湯之主藥、為川芎。徐曰當歸川芎能調整子宮血行 川芎含有揮發油、及蔗糖等成分。揮發油內服。則刺戟腸胃粘膜。興奮平滑肌而亢進其機能。故有健胃之効。甚至興奮過甚。蠕

勤加速而致吐下。故川芎能興奮子宮之平滑肌。（陸曰是則然矣但不當以揮發油爲說揮發油多矣何獨宜川芎耶）平滑肌收縮。卽子宮起痙攣性收縮矣。生化湯重用川芎所以使子宮收縮也。產後子宮能起痙攣性收縮。則胎盤與子宮粘膜剝離時、所破裂之血管。卽隨之而縮。既出血管、流入子宮腔之血液。（惡露）亦因其收縮而逼出陰道。川芎伍當歸之強壯。則子宮收縮更甚。兼能亢進血壓。故臨產失血者。賴其維持全身血壓。以防血暈虛脫。子宮雖縮。破裂血管、一時難於斂口。瀦積之惡露、亦不卽流出。故以炮姜、促其收斂止血。（徐曰乾姜入胃能令內皮發爍行血其性芳香其味辛辣古人雖有炮黑止血之說然終不能無疑）桃仁驅瘀。俾其外出、甘草含有多量之粘滑質。被護病灶。緩和外來刺戟。則瀦積之惡露除而血管斂。子宮漸次恢復原狀矣。觀其藥味。以川芎當歸、使子宮起強度之收縮。助以桃仁。排除瀦積惡露。再以炮姜、收斂止血。甘草被護病處之創傷面。由是言之。產後一二日間。胎盤剝離之創傷面未愈。血管未斂。子宮弛緩擴張。少腹脹滿。按有之硬塊。（子宮擴張使然、）惡露未下而疼痛者。生化湯所主也。至於折衝飲。亦用川芎當歸、收縮子宮。而去炮姜炙草。則知子宮內血管已斂。創傷愈者。又用紅花、丹皮、赤芍、牛膝、延胡索、桂枝、桃仁等大劑驅瘀行血藥。協子宮之收縮。排除停瀦之惡露。由是觀之。產後有日。產婦精神已恢復、而惡露不下者。或惡露不下。瀦於子宮腔中。爲時過久。腐敗分解。產生毒素。侵犯腦神經。已起暈厥時。以及子宮內膜炎、產褥熱等。折衝飲所主也。收縮子宮。排除惡露。剷除根源。則惡露之變症自愈。更有宜注意者。如上文所言產後子宮之收縮與產婦體質強弱有關。若臨產後、產婦衰弱者。雖見生化湯之證候而用之。亦難使子宮收縮強盛。且不兼顧其失血。則易見腦部貧血虛脫血暈。當以獨參湯、參附湯等、隨症合生化湯服之。以防虛脫。若產婦腹不痛。而惡露徐徐下達。惟子宮一時不易收縮而現少腹脹滿者。生化湯去桃仁。俾子宮收縮則已。或竟不服藥亦可。故折衝飲之證。而不審虛實。不辨遲早。以生化湯治之。必無効而反延病勢。反之生化湯之證。誤投折衝飲。卽刻血下而亡。故知生化湯與折衝飲雖同爲治惡露之方。然其用法有虛實遲早之別。用之的當。子宮收縮惡露排除。再與調養之劑。可應手而効也。用之不當。藥下則斃。故用二方。當從其症。生化湯、非產後皆宜服者。用之。亦當視其症而加減焉。折衝飲則非產後惡露瀦久不下者勿輕用之。

治驗

庚午季冬。實習於斜橋世界紅卍字會醫院。一日天寒雨雪。寒氣逼人。來一女性病者。身穿重裘。外裹厚被。由其老母及女友、相扶來診。坐定。輒索熱飲。視其面色。蒼白無神。形寒戰慄。兩眉緊鎖。手按腹部。知其定有痛楚。切其脈。沉細有力。胎白微靑。詢之不應。老母爲言腹痛。病已二日。詢其如何作痛。搖首不語。因此診斷不確。惟知腹痛而已。欲以腹診求之。而病者不許。亦不強也。因此以面色蒼白。形寒戰慄。渴嗜熱飲。爲處方之標準。從寒痛論治。處千金當歸湯加味。當歸三錢、芍藥三錢、炒潞黨二錢、干姜八分、姜半夏三錢、川朴一錢、桂枝壹錢半、黃芪二錢、原附片三錢、台烏藥三錢、椒目十粒、炙草壹錢半、大棗四個、連服二劑。後日來診。腹痛反劇。飲食不進。斯時眞不解其故。爲言非腹診、則無從處方。病者許而診之。少腹脹滿。臍之二旁及臍下有凝塊。按之痛劇。因問曰。月經如何。其女伴亦促其自述。病者始含羞語曰。向於杭州某綢廠作工。得識一男工。久而發生愛昧。于是珠胎暗結。大腹便便。（陸曰二句殊非含羞自述之神態此亦文法不細膩之故）難於見母。故留杭年餘。自食其力。今則胎兒已產。產之明晚。卽搭車回申。欲依母調養。而途中受寒。惡露凝而不下。故腹痛甚劇。夜間甚至頭痛昏厥。乃知腹痛是惡露使然。自恨問症不詳。診斷粗心。幾誤病機也。因作生化湯加味。川芎壹錢半、當歸三錢、桃仁三錢、艾絨壹錢半、西洋參壹錢、赤芍三錢、炮姜炭一錢、炙甘草一錢半、明晨復來診。病勢依然。再擬生化湯合桂枝茯苓丸加減。當歸三錢、川芎一錢半、桃仁三錢、桂廿一錢半、赤茯苓三錢、丹皮三錢、西洋參一錢半、炮姜炭一錢、炙甘草一錢半、是晚回家自修。記起此病因思惡露爲害。投生化湯何以不効。繙閱參考各書。覓方圖治。偶憶產論之折衝飲。以爲對症。決於明晨使用。觀其結果。明晨病者果復來。病勢仍如故也。卽與折衝飲全當歸三錢、川芎一錢半、桃仁四錢、桂枝一錢半、京赤芍三錢、川牛膝三錢、延胡索三錢、藏紅花八分、粉丹皮三錢、西洋參二錢、艾絨一錢半、服之腹痛略減。其夜病家自買藥續服一劑。服下一時半。腹痛而便下紫褐血塊甚多。便下二次。腹痛卽愈。惟精神甚爲衰弱。明晨來診。切其脈沉而濇。再擬八珍湯善後。潞黨參二錢、白朮三錢、雲茯苓三錢、熟地黃四錢、杭白芍三錢、大川芎一錢、當歸四錢、阿膠一錢沖、製首烏二錢、服五劑。則不來矣。

此案雖得全愈。然錯認病源。終覺慚怍。病既由於惡露。何以生化湯治之不効。而折衝飲得効耶。因此研究二方。從藥效推測方理。遂悟生化湯者。治臨產後一二日間。少腹脹滿。按之臍下及二旁、有瘕塊。惡露緩下、而疼痛者用之。若以治產後爲時過多。惡露瀦久不下者。藥力小則無効矣。折衝飲治產後有日。惡露瀦久。已爲害者。治之實有効也。若施於臨產後。卽可血下虛脫而亡。可不審諸。蓋治案、卽本篇之動機也。

徐衡之評　生化湯爲調整子宮劑。折衝飲爲驅瘀劑。二者性質本自不同。作者因治療之得失。而悟二方之作用。的是解人。

陸淵雷評　生化湯有炮薑之斂。折衝飲有牛膝延胡之行氣下墜。所異在此。作者因施治而推求其理。語多中肯。惟治案第二第三方。亦頗搖動病根。得折衝飲。則疊積之藥力俱顯。譬之劉季亡秦。篝火狐鳴者。亦與有功焉。○第二第三方不得奏效。亦未始非首次方峻補之故。

皮膚刺激劑

謝誦穆

目次

附蘂草

動物門

節足動物門

甲翼類目　斑蝥

彈尾類目　鼠婦

蜘蛛類目　蜘蛛

蠕體動物門

蛭類目　水蛭

參考書目舉要(不重要者略之)

千金要方　外科發揮　皇漢醫學拾掇篇

外臺祕要　外科精要　同仁會藥理學

本草綱目　外科樞要　漢法醫典

本草拾遺　癰疽驗方　儒門事親

和漢藥物學　串雅內外篇　濟陰綱目

和漢藥考及其譯本新本草綱目

化學實驗新本草　外科精義

保嬰撮要　沈氏尊生　蘭臺軌範

小兒藥證直訣　實用藥物學

皮膚刺戟劑總論

(一)皮膚刺戟劑之定義及略考

凡作用於皮膚。使其知覺發興奮。並喚起其充血或炎症之物質。皆稱爲皮膚刺戟劑。此類藥物。在吾華導源甚古。肘後方治小兒禿瘡。用白頭翁根搗敷。一宿作瘡。半月愈。又治熱毒瘰癧。用小芥子末醋和貼之。消卽止。恐損肉。(陸曰此非刺激乃腐蝕耳)是卽皮膚刺戟劑之嚆矢。千金方治瘡腫痛劇。以蒲公英草摘取根莖白汁塗之。多塗爲佳。瘥止。外臺祕要載小品少小陰㿉偏腫。白頭翁敷之神效方。云生白頭翁根。不問多少。擣之。隨病處以敷之。一宿當作瘡。二十日愈。聖濟總錄治大風面上有紫瘖癗未消。用乾斑蝥末。以生油調敷。約半日瘖癗脹起。以軟帛拭去藥。以棘針挑破近下。令水出。乾不得剝其瘡皮。及不可以藥近口眼。若是尖瘖癗子。卽勿用此。陳藏器論毛茛云。惡瘡癰腫未潰。搗葉傅之。不得入瘡。令肉爛。又患瘧人。以一握微碎縛於臂上。男左女右。勿令近肉。卽便成瘡。又綱目引藺氏經驗方。云治癖痞腹痕。及堅硬如盃盌者。用水葒子一升。另研獨顆蒜三十個。去皮。新狗腦一個。皮硝四兩。搗爛。攤在患處。上用油紙。以長帛束之。酉時貼之。次日辰時取之。未效再貼一二次。倘有膿潰。勿怪。云綜按以上諸說。皆爲皮膚刺戟之劑。可知此類藥物。先哲習用已久。而後人多不經意。遂使良法淪沒。不見賞用。言念及此。爲憮然者久之。

備註。一篇首定義語。在林春雄藥理學中。

(二)皮膚刺戟劑之種類

林春雄云。皮膚刺戟劑作用輕微時。能輕輕刺戟皮膚知覺神經。同時令皮膚充血而發赤。謂之發赤劑。若其作用強大。而知覺神經甚被刺戟。血管又受傷害。則發疼痛。且由血管滲出液體。起所謂炎症。因生水疱。請之發疱劑。更進而使細胞壞死。以至化膿。而所謂打膿劑者。刺戟皮腺口而生小膿疱。後相融合。遂成膿瘍者也。案發赤劑或作引赤劑。打膿劑或作喚膿劑。譯名雖異。其致一也。

(三)皮膚刺戟劑與腐蝕劑之異點

皮膚刺戟之劑。頗與腐蝕劑有別。腐蝕之劑。如千金方治身面疣目。以苦酒浸石灰六七日。取汁頻滴之。自落。外臺祕要云。卒發風疹。以醋水和石灰塗之。隨手滅。(徐曰此非腐蝕作用)元希聲侍郎祕方也。普濟方治癰疽瘀肉。用石灰半斤。蕎麥稭灰半斤。淋汁。煎成霜。蜜封。每以針畫破塗之。自腐。本經謂石灰主死肌。去黑子息肉。甄權謂石灰蝕惡肉。大明則以之治癧瘍瘢疵瘰贅疣子。後世則用代刀針。開瘡瘍之孔。俾膿血得出。是腐蝕之效也。聖惠方治諸瘡弩肉。如蛇出數寸。硫黃末一兩。肉上傅之。卽縮。聖濟總錄治痣黶疣贅。用花鹼礦灰。以小麥稈灰汁。煎二味。令乾。等分爲末。以針刺破。水調點之。三日三上。卽去。須新合乃效。時珍則以蕎麥稭燒灰。淋汁。取鹼熬乾。同石灰等分。蜜收。能爛癰疽。蝕惡肉。去黯痣。最良。凡是皆腐蝕劑也。肘后方治面黯雀卯。以苦酒清水。常常拭之。又治疔腫初起。用麵圍住。以針亂刺瘡上。銅器煎醋沸。傾入圍中。令容一盞。冷卽易之。三度根卽出也。是亦腐蝕劑之屬也。至腐蝕劑與皮膚刺戟劑。兩者稍異。其作用。據藥理學言。卽腐蝕劑者。與構成組織之物質。直接成化學的親和而破壞之者也。炎症及引赤。不過爲其反應而現者耳。故腐蝕劑對於死尸亦能發現其腐蝕作用。反之。前章所述皮膚刺戟劑之藥。對於組織。不直接起化學的變化。故用於死尸。雖如何多量。亦毫無作用。如用於生活體。則先使細胞起機能的變化。而發引赤炎症等。而組織壞死化膿等之器質的變化。唯其結果而已。

(四)皮膚刺戟劑之醫治作用

一。持久與皮膚以輕微刺戟時。能催進該部分所存炎症滲出物。與異常增殖組織。及其他病的產物之破壞與吸收。且血液含有撲殺病原體之防衛物質。故充血者對於各種傳染性炎症。就中慢性症。能奏治癒之效。故能使種種炎症狀態風痺性疾患及神經痛等趨於輕快。(陸曰此直譯日文遂令長句不可讀)

二。當失神虛脫嗜眠之際。以劇烈之知覺刺戟加於皮膚。則求心的刺戟腦而恢復其機能。已經消失之意識。可使醒覺也。

三。應用以治療各種內臟病。

四。服其少量。能起輕微刺戟。亢進食慾。助消化。用爲香味料。

案以上四條。節自藥理學。實未能盡皮膚刺戟劑之用也。

(五)皮膚戟刺劑之應用

皮膚刺戟劑之應用。約可簉為十一類•其應用於傳染病者。如瘧疾麻瘋瘰癧。應用於呼吸系統病者。如哮喘喉症。應用于消化系統病者。如黃疸口瘡雀舌關格。應用於循環系統病者。如鼻衄凍瘡。應用于神經系統病者。如驚風中風歇私的里。應用於泌尿系統病者。如癃閉。應用於物理病者。如中暑。應用於皮膚病者。如禿瘡癩癬。其他瘡癰腫毒等為一類。子藏經帶等為一類。蛇蟲傷等復為一類。

(六)皮膚刺戟劑之製劑

皮膚刺戟之劑。大多取新鮮之植物。搗為泥狀而使用之。或捻為餅。或捲為丸。形式無定。其有製為膏劑而用之者。如烏金膏。有製為散劑而用之者。如巽功散。有取其汁液者。如崔氏纂要奇方之治小兒唇緊。有作為錠形者。如外臺祕要之治大便不通。有製為坐藥而用之者。如濟陰綱目之治婦人乾血。有製為擦劑而用之者。如肘後方之治疔腫惡毒。他若製為浸劑者。為芥子浴。燒烟熏者。則為玉鑰匙。此外或炒泡或研或擣等法。尤更僕難數。俱散見於後。不悉舉。

備註二。本段所舉之例。都在各論中。

(七)皮膚刺戟劑使用法之一般

林春雄云。皮膚刺戟劑之所以奏效者。在於刺戟。毫不在藥固有之作用。而其奏效與否。惟因刺戟之強弱。使用時間之長短。及使用場所之廣狹而定耳。其選擇之適否。惟賴醫家之經驗。(錄藥理學)

一、刺戟之強弱—設兩藥使用於皮膚之時間相埒。則比較上。如巴豆油為刺戟劑之強者。而生薑汁則為刺戟劑之弱者。又刺戟劑與製劑亦有關係。若與含有澱粉之飯粒配合。則刺戟力較為緩解。

二、使用時間之長短—使用時間與氣候頗有關係。大抵氣候熱。則較氣候寒之使用時間為短。

三、使用場所之廣狹—使用場所。可分為全身及局部兩種。全身者可擇用浸劑浴洗。或選用擦劑塗擦。局部者。其一則使用場所有規定。其二則隨患處而使用。而局部作用復因藥劑形狀之大小。為刺戟之消息。

實用藥物學謂外用慢性病則貼於患部近側。頭痛貼於項部。眼病貼於耳後。肺炎肋膜炎貼於胸圍。此外如昏睡則貼於腓腸筋。僂麻質斯則貼於關節近部。神經痛則貼於神經徑路。

(八)本劑編製之法

從來藥物學之編製。諸書互異。如本草綱目。其序例之歷代本草。則似藥物史。合藥分劑之法則。以及七方禁忌。則為處方學。宣通補洩輕重滑澀燥濕十劑。論藥物對於人體之作用。則似藥力學。用藥凡例。及詳註汗吐下三法。則藥治學之儔也。其正編之藥物。以動植礦為綱。綱下復析為門。如人禽獸蟲等之屬於動。草木米穀果菜等屬於植。玉石之類屬於礦。各門之下。更區為類。如草部八類。山隰水石。其分以產地。芳草毒草。其分以性。而蔓草苔草。則寫其形也。蓋皆就自然界現象之觀察。而為若是之分析。在彼時自然科學闇昧之時代。而編製之精密乃爾。雖受環境之限制。及搜采之過泛頗雜承誤之說。而網羅放佚之功。固有足多者。他如本草求眞。要藥分劑。皆以藥效分類。汪氏備要尤以藥效相從。又若往昔以藥物派入某經某臟某腑。語雖不經。而與藥物臟器分類法相彷彿焉。故藥物分類之法不一。如李氏綱目。為自然科學之分類法。汪氏備要等。則為藥效之分類法。日人和漢藥物學之編製。屬於前者。丁氏化學實驗新本草之編製。屬於後者。本篇則以藥效分類法為經。自然科學之分類法為緯。至每藥之編製。有偏於應用。有偏於供參考者。穆則擬合而一之。為目凡十。曰異名基本形態產地採取製劑用法成分性味效能等。形態一項。多取諸和漢藥物學。至藥方之有關外治者。雖或非刺戟之效。亦附列之。以廣其用。篇中徵引出處。不及備舉。因錄參考書目摘要於首。便稽考焉。（凡係穆管見所及謹加穆案二字如回回蒜及斑蝥等皆然）

皮膚刺戟劑各論——植物部

顯花植物部　被子植物門

雙子葉植物綱

毛茛科

回回蒜

別名　老虎爪。

基本　本品為水田及水濕之地自生之回回蒜之莖葉。（陸曰當意譯之云回回蒜）（野生於水田及水濕之地入藥用其莖葉餘做此以國文作外國辭氣予深惡之為其受文化侵略也）

形態　本品為越年生草本。高一二尺。莖葉皆密生毛茸。葉為複葉。由三個小葉而成。其小葉作二三分裂。滑澤而厚。春期開五瓣之黃色花。果實呈綠色。

成分　春季花時。取其莖葉。通以水蒸氣而蒸餾之。所得水溶液。有一種特異刺戟性之臭氣。及如灼之味。一二日後。轉溷濁而為乳劑樣液體。加依的而蒸餾之。則轉黃色而得揮發油。其劇臭能催眼淚。觸及皮膚。則引赤。本油甚易分解。漸次不透明。而失發泡之效。變為白色無味無臭無晶之粉末。或無味無臭之針狀結晶。

效能　汁液用為發泡藥。又用葉以治間歇熱。穆案。曩在杭州安定中學時。校長陳柏園先生患黃疸。一費姓國醫以本品為外治藥而愈之。同學葉潤石君曾為文以紀之。言本品之形態及治療之始末甚詳。略云。本品在鄉人呼為老虎爪。其法採本品之新鮮者。搗爛。捻取如蠶豆大者一粒。置左手關脈部位。覆以小蛤殼。更用布將蛤殼紮定。一週時後去布揭去蛤殼及藥。則敷處起一小水泡。以銀針決之。捺去其黃水。以盡爲度。（穆意此法可二三施用以愈爲期）若內服通下藥硫酸鎂。案即硝石則更佳。費醫謂以此法治愈者。已不下數十人云。（徐曰朴硝硫酸鈉非硫酸鎂費姓治黃疸之效恐在硫酸鎂而不在回回蒜）

又案本品所以能治黃疸者。一則因本品能使心臟搏動增速。血壓增高。則血液組織中所含之膽汁色素容易排出。二則患黃疸者肝臟之機能爲退行性。其取血中已成之膽色素排之體外之機能障礙。而本品則能間接的亢進內臟機能。可療治各內臟之病能。使肝藏排泄機能之障礙者恢復。衰弱者興奮同時腎臟等亦受本品之影響。而胆色素遂更易排盡。三則黃疸而爲機械性者。則費醫一方面用本品以排除已行蓄積於組織中之膽色素。一方面本又有用通下藥硫酸鎂之說。硫酸鎂既能吸收血中水分。又能排除膽管之障礙。計固兩得也。（徐曰本案議論雖是然僅外敷服於內未必即得如是之效能（據愚所知有用回回蒜外敷（其敷法與費姓同）兩膝眼而治鶴膝風者其效獲捷鶴膝風爲關節炎之一種也）

白頭翁

異名　野丈人

基本　爲自生於山野向陽之地白頭翁之根。

形態　本植物高達六七寸。被白色之毛茸。下部之葉作重羽狀分裂。上部之葉二個柄細裂。四五月頃花莖出。開紅紫色之花。雌蕊之尖端放白色之光澤。似老翁之白髮。根瘠小似牛蒡。外面呈褐色。

作用　章次公先生藥物講義引袁淑範氏說云。白頭翁係屬毛茛科植物。依寇波氏言。凡屬毛茛科之植物。往往能使人畜中毒。可爲芫青之代用品。塗抹其有效成分與皮膚時。呈強烈之刺激作用。使發生水泡。故近時嘗用作發泡藥。如內服其新鮮植物或津汁時。則刺激胃腸。起胃腸炎。吸收後則起搐搦麻痺等中毒症狀。依死後解剖檢驗時。亦不外胃腸炎及腦髓等之刺戟症狀。用其新鮮植物雖有此種種之毒性症候。然用其乾枯植物時。則毫無作用。

效能　外用作皮膚刺戟劑。

附方　小兒禿瘡—白頭翁根搗敷。一宿作瘡。半月愈。—（肘後方）

少小陰㿗—外台秘要載小品療少小陰㿗。白頭翁敷之神效方云生白頭翁根。不拘多少擣之。隨病處以敷之。一宿當作瘡。二十日愈。

外痔腫痛—白頭翁草一名野丈人。以根搗塗之。逐血止痛。—（衛生易簡方）

大蔘

異名 蘢草。仙人丈。

基本 爲自生於山野陰濕之地大蔘之新鮮花莖葉實。

形態 爲多年生蔓生之草本長逵丈餘。葉爲對生之羽狀複葉。由卵形或心臟形之三個乃至七個之小葉所成。其上面呈深綠色。下面呈淡綠色。七八月頃開白色之花。有花被四。此植物之葉柄纏絡他物。用以支持自體。又屬有毒植物。

採取 別錄曰。五月採實。

成分 日本國友保民氏報告。大蔘之化學的成分有阿涅蒙油。（アネチン）

阿涅蒙油—爲金黃色油狀之液體。放劇烈竄烈性之臭氣。用起寒溫和劑（冰及食鹽）使之冷卻而凝固。曝露之於大氣。經過數日。則變類白色樹脂樣之塊。蓋此變化爲阿涅蒙油分解爲阿涅蒙及阿涅蒙酸之徵

作用 阿涅蒙油接近眼部。則刺戟結膜而催淚。置皮膚上。立致引赤發泡。嚙大蔘之花葉。則齒牙受損而脫落。甚至起吐瀉腹痛痙攣等而死。

吉井渾醫之動物試驗成績云。（上略）揉解大蔘葉。貼布皮膚。約十二時間後發泡。又用從大蔘所得之金黃色之液。（即阿涅蒙油）塗布皮膚。立即引赤。數時間後發泡。

效能 爲強烈之發泡藥。根莖院惡瘡腫毒。水氣腳氣者濃汁漬之。—（蘇頌）

附方 疥癬—用此草剉搗。和阿涅蒙油少許擦患部。則掀熱腫痛速即乾愈。

敗肉—本品能消化潰瘍中之水棉狀肉。穢敗之胼胝狀肉。或癬狀潰瘍。或兼有腐骨疽症。搗葉貼之。有排膿淨刷之效。或云。乳癌潰爛。有水棉狀肉者。用乾葉末摻之而全愈云。—（荷蘭藥鏡）

癖痞腹痕—閣氏經驗方云。治癖痞腹痕。及堅硬如盃盌者。用水蘸水一升。另研。獨顆蒜三十個去皮。新狗腦一個。皮硝四兩。搗爛。攤在患處。上用油紙。以長帛束之。酉時貼之。次日辰時取之。未效再貼一二次。倘有膿潰。勿怪。仍看虛實。逐日間服錢氏白餅子紫霜丸塌氣丸消積丸利之磨之。

毛蔘附

形態 藏器曰。毛蔘生山足。似大蔘。葉上有毛。

產地 時珍曰。此即蔘之生於山麓者。非澤濕之蔘也。

效能 癰腫疽瘻瘰癧。杵碎納瘡。引膿血生肌。亦作湯洗。兼濯足治

脚氣。—（藏器）

毛莨

異名　毛建草。

基本　爲生於山野中毛莨科毛莨之莖葉。

形態　爲多年生草本有毛高至二三尺單葉掌狀分裂夏日從其根葉之間抽出花莖分枝開花於莖頂花黃色或白色花瓣五又有復瓣者其雌蕊有多數排列成頭狀果實爲乾果多而且小集成球形此植物之莖葉根及果實皆有毒及苛烈刺戟性之汁液色黃狀如乳。

效能　外用作發泡劑打膿劑。

附方　時珍曰山人截瘧采葉挼貼寸口一夜作泡如火燎故呼爲天灸自灸。

藏器曰惡瘡癰腫未潰搗葉傅之不得入瘡令肉爛又患瘡人以一握微碎縛於臂上男左女右勿令近肉即便成瘡。

巴豆

大戟科

異名　老陽子。剛子。

基本及形態　爲卵圓形之蒴果。內部分三房。種子即巴豆。長約四分闊約二分五厘。稍帶扁平。外面呈灰褐色。稍粗糙腹面稍帶平坦。

性味　其氣有刺戟性。味初緩和。後毒辣如灼。

成分　主成分爲巴豆油含30%至40%幷有其他樹脂揮發油等。巴豆油含有硬脂酸軟脂酸巴豆酸及其他脂肪酸之甘油化合物其主成分爲巴豆酸（Crotonic acid $C_4H_6O_2$）爲美麗細毛狀結晶。

作用　貼於皮膚則發炎症水泡。注入於皮下。則發皮下蜂窩織炎。塗布巴豆酸於腹部臍邊甚則發生下利。

製劑　壓搾巴豆可得脂肪油。即巴豆油每巴豆子一兩。可得油四五錢。

效能　外用作皮膚刺戟劑。常用之則爲惹性藥。引病外出。能治身內之病又如將巴豆油二十分合於尋常鉛膏藥八分則爲移病藥又如塗此藥於皮膚能生炎起痞瘤又能治風濕酒風脚痺瘰結核胸內諸病均宜揉病患各部。

附方　箭頭入骨—以巴豆肉微炒。以蜣螂研勻。塗傷處。俟痒極拔出。—（肘後方）

疥瘡搔癢—巴豆十粒。炮黃去皮。右順手研。入醋少許。膩粉少許。抓破點上。不得近目幷外腎上—（千金方）

喉痺垂死—止有餘氣者。巴豆去皮。針線穿。咽入牽出。良。—（千金方）

風搔隱疹—心下迷悶。巴豆五十粒。去皮。水七升。煮二升。以帛染拭之。隨手愈。（千金翼方）

耳聾—巴豆 杏仁各七枚 印成鹽兩顆 生地黃極粗者長一寸半 頭髮雞子大燒灰 右五味。治下篩。以綵薄裹。內耳中。一日一夜。若小損。即去之。直以物塞耳。耳中黃水及膿出。漸漸有效。不得更著。不著一宿後。更內一日一夜。還去之如前。—（千金方）

結胸灸法—巴豆十四枚 黃連七寸連皮用 右搗細末。用津唾和成膏。塡入臍心。以艾灸其上。腹中有聲者。其病去矣。不拘壯數。以病退爲度。纔灸了。便以溫湯浸手帕拭之。恐生瘡也。—（本事方）

走馬咽痺—用巴豆去皮。以綿子微裹。隨左右塞於鼻中。立透。如左右俱有者。用二枚。—（儒門事親）案此方在急救經驗良方名火刺仙丹

纏喉風痺—巴豆兩粒。紙卷作角。切斷兩頭。以針穿孔。內入喉中。氣透即通。—（勝金方）

小兒口瘡—不能食乳。剛子一枚。連油研。入黃丹少許。剃去顖上髮。貼之。四邊起粟泡。便溫水洗去。乃予菖蒲湯再洗。即不成瘡。神效。—（瑞竹堂方）

二便不通—巴豆連油。黃連各半兩。搗作餅子。先滴葱鹽汁在臍內。安餅子上。灸二七壯。取利爲度。—（楊氏家藏方）

大便不通—外治宜宣積丸。巴豆去殼 干薑 韭子 良薑 硫磺 甘遂 檳榔等分。飯丸如雞子黃大。早朝先以椒湯洗手。麻油塗手掌。握一丸。移時便下。欲止則以冷水洗手。—（醫鑑）

癰疽惡肉—烏金膏解一切瘡毒。及腐化瘀肉。最能推陳致新。巴豆仁炒焦。研膏。點痛處則解毒。塗於肉上則自化。加乳香少許亦可。若毒深不能收斂者。宜作燃托之。不致成瘡。—（外科精義）

膨脹取水—眞輕粉二兩 巴霜四兩 生硫黃一錢 加麝香更妙。同研成餅。先以白帛一片鋪臍上。以藥放外。上用綿縛住。約人行五六里。自能瀉下黃水。待至三五度。除去藥。溫粥補之。—（串雅內外編）案膨脹有以銅管穿腹洩水者頗類西醫之套管針見古今醫案按

小兒雀舌—巴豆半粒。飯粒四五粒。共搗爲餅。如黃豆大。貼眉心中間。待四圍起泡。去之即愈。—（串雅內外編）

瘡癰膿熟不潰—代針膏。巴豆去殼炒焦 白丁香細直者是 碱各五分 乳香二分 爲末。熱水調點瘡頭上。常以碱水潤之。勿令乾也。—

（串雅內外篇）

癬—身面上如錢大者擦之如神。巴豆五六個。去皮打碎。包絹內擦之好肉上不可擦—（同前）

牙關緊閉—玉鑰匙用巴豆壓油於紙上取油。紙撚成條子。點火吹滅以烟熏於鼻中。一時口鼻流涎牙關自開。（沈氏尊生）

婦人乾血—掌中金丸巴豆一錢穿山甲炮甘草苦丁香川椒各三錢苦葶藶白附子猪牙皂角草烏各三錢右爲細末以生葱綫汁和丸。彈子大每用一丸。綿包之納陰中一日即血。二日即赤。三日即血。神效—（濟陰綱目）

催生—巴豆三粒胡椒七粒烏梅一顆共研細末搗爛取成膏。酒調和貼於臍下—（陳修園）

疥癬擦藥—巴豆大黃蓖麻子黑胡麻各等分右四味細剉。以麻布包之。漬熱酒中。打拍皮膚。則於一時半時之間如麻疹狀。發於肌表。發時禁用熱水洗。如此六七日左右。乃浴於熱湯中。則白疹盡愈。—（皇漢醫學拾掇篇）

十字花科

芥子

別名　家芥子辣芥子

基本及形態　芥子果實爲長角形。熟則下部兩片開綻。種子露出。即芥子。本品略作球圓形。直徑一五。帶褐黃色或暗褐色。用擴大鏡檢視之。則上面有細小之凹窩。子葉帶綠黃色作鞍狀重疊。本品每百粒之重量約爲○五五瓦。

成分　本品含有百分中一分之芥子油。

芥子油爲澄明無色。或爲類黃色之稀薄液。時日經久則爲黃褐色。有刺激性極強烈之臭氣。比重一、○一八乃至一、○二五沸騰於一百四十八度至一百五十二度

（除脂肪油外含有密倫酸加里密洛辛此密倫酸加里受密洛辛之醱酵作用化生芥子油）

作用　芥子油有揮發性。又能溶解於脂油。故易竄透組織。不特呈異物的刺戟作用。且對於知覺神經末梢有特異性刺戟作用。又能傷害血管內皮細胞。故凡所觸局部。均起劇烈炎性刺戟。皮膚潮紅。起疼痛。更進而生水泡。甚至化膿。而其竄透於皮膚中也。能達深層。令起炎症。此種炎症與化膿。不易治愈。即治愈亦留瘢痕。芥子油竄透刺戟性如是強大。故適用爲潮紅劑。於短時間內劇烈作用於皮膚。除刺戟外。芥子油又有防腐作用。（林春雄）

效能　日本藥局方云。爲皮膚刺戟劑。於卒倒窒息僂麻斯性病胃

痛急性氣管枝加答兒等之咳嗽發作喘息等。（爲芥子泥外用之）

其一法。用芥末雞蛋青調爲濃漿敷之。此法在小兒亦可用。緣芥末與鷄蛋末相調。便不患其酷烈。如牙痛宜敷頰部。胃痛宜敷心口。腦筋作疼。骨鉸發腫。及患走風脚症。宜敷患處。又如臟腑內若發炎。須按其部位敷之。又如肚痛心痛。及風濕骨疼。外敷亦甚有驗。頭上或作痛。或發炎。及顛狂等症。宜敷脚心。又如傷風頭刺痛。及患風濕等症。用芥末調水浸足。亦頗獲效。—（並化學實驗新本草）

用於假死失神虛脫昏睡等。又當炎性疼痛風寒溼痺神經痛時。爲使其疼痛反射的得以輕快。而外用本物。或爲增進血液之凝固性。而用於出血。（林春雄）

治風毒腫及痲痺。醋研敷之。撲損瘀血腰痛腎冷。和生姜研塗之。鞋研水調塗。止血衄。（吳瑞）

附方

熱毒瘰癧—小芥菜子末。醋和貼之。消即止。恐損肉。—（肘后方）

喉痺卒不得語—芥子末水和傅之。乾則易。—（千金方）

舌本縮—中風口噤舌本縮者。用芥菜子一升。研。入醋二升。煮一升。傅頷下。效。

喉痺腫痛—芥子末水和傅喉下。乾即易之。—（並聖惠方）

小兒唇緊—用馬芥子搗汁曝濃。頻塗之。—崔氏纂要奇方

身體麻木—芥菜子末。醋調塗之。—（濟生祕覽）

眉毛不生—芥菜子半夏等分。爲末。生薑自然汁調搽。數次即生。—（孫氏集效方）

陰毒病—用芥子末。以新水調。膏藥貼臍上。汗出爲效。—（儒門事親）

痞塊—紅芥菜子。不拘多少。生薑汁浸一宿。大約芥菜子一酒盃。加麝香一錢。阿魏三錢。搗爛如膏。攤布上。貼患處。汗巾紮緊。一宵貼過。斷無不消。（串雅內外篇）

人事不省—歇私的里。於知覺脫失人事不省者。宜於顏面注冷水。項部貼發泡膏。或塗芥子。

膓出血—貼用芥子泥於腸部或腓腸部。

肋膜炎—痛部塗芥子。—（並丁福保）

腰脊脹痛—芥子末調酒。貼之立效。—（補摘玄方）

白芥子

別名 胡芥。蜀芥。

形態 似芥子。惟色白。

成分 Acring: Sulphocyanate C_7H_7OCS, Sinalbin, Sinapinesup lhoeyanib, Myrsoein.—（新中藥）

性味　其引赤性弱。有苛烈燒灼之味。有職使皮膚發泡之性。其揮發性與芥子油相同。

效能　外用爲皮膚刺戟劑。痺木脚氣。腰節諸痛。—（時珍）

附方　小兒乳癖—白芥子研末水調。攤膚貼之。以平爲期。—（本草權度）

防痘入目—白芥子末。水調塗足心。引毒歸下。令瘡疹不入目。—（全幼心鑑）

頭風—白芥子五錢。蓖麻子五錢。川芎白芷末各錢半。搗成膏。貼患處。亦良。

積聚握藥—得效方云。凡積聚服藥畏難者。可用握藥法。能令積散。宜握藥丸。白芥子巴豆乾薑良薑硫黃甘遂檳榔等分。飯丸如中指大。先以川椒湯洗手。麻油塗手掌中。握藥一團。少時即瀉。欲止瀉。以冷水洗手。—（沈氏尊生引陸曰此即醫鑑實積丸已見巴豆條下）

芸香科

山椒

異名　秦椒。大椒。

基本　爲山野自生或庭園栽培之山椒之果實。

形態　果實未熟之際呈綠色。至秋成熟。變爲赤褐色。面色現無數細小之凹陷部。係其油室、又果皮之癒合部。熟時其部分二片破綻。露出小球狀之種子。有黑色之光澤。

成分　果殼有特異之芳香性氣味。含揮發油並脂肪等。

作用　塗在皮膚。能發紅熱。久則並作水泡。

效能　爲引赤藥發泡藥。外搽風濕骨疼跌打等症。甚驗。

附方　手足心腫—椒鹽末等分。醋和傅之。良。—（肘能方）

瘡疱疥癬惡瘡—蜀椒一升。附子十五枚。野葛一尺五寸。右三味。㕮咀。以酢漬一宿。豬膏一斤。煎令附子色黃。去滓。塗之。日三上。—（千金方副）

蝮蛇毒—取合口椒同葫荽苗等分。搗敷。無不差。—（千金方）

漆瘡—或用好花椒煎湯洗之。—（保嬰撮要）

腎子腫硬—先用椒葱湯煎洗。次以乾蚯蚓糞津唾調敷。—（保嬰撮行並副）

陰挺下脫—蜀椒烏頭白芨各半兩。右爲末。以方寸匕綿裹納陰中。入三寸。腹中熱。易之。一日一度。明日乃復着。七日愈。

不產及斷續邃物不盡方。大椒桔礬戎鹽各半兩　皂角去皮子

一兩 吳茱萸當歸各二兩 大黃細辛五味乾薑炮各一兩 右爲細末。以絹袋盛。如指大。入婦人陰中。坐臥任意。勿行走。小便時去之。一日一度易。必下清黃冷汁。可十日去之。本爲子藏有冷惡物。故令無子。値天陰冷。則發疼痛。須俟病出巳。不可中止。—（濟陰綱目）

菊科 合瓣花植物類

蒲公英

別名 黃花郎。

基本 爲原野路旁自生之菊科蒲公英全草。

採取 開花前連根採取。

形態 本植物爲多年生草本。葉叢生地上。爲長橢圓形。其端尖邊緣。有大小不同之鋸齒。春日葉間抽五寸內外之花軸。頂端開小頭狀花序之黃色舌狀花。花後萼成白色毛冠。結瘦果。作放線狀裂開。種子乘風飛散。

本植物之根。作紡錘形。外面呈灰褐色。橫斷面現黃色木心。皮部厚。有同心性並列之多數乳脈管。採集於春季沃地者。富於汁液。且多甘味。反之。採集於秋季瘠土者。則汁液少而苦味多。

成分 タラキサチン（苦味質）膠質糖質加里鈣鹽等。陸曰當音譯爲華文 國人以國文著書奈何用假名

作用 皮膚遇其有效成分。則焮腫癢痛。

效能 亦可作皮膚刺戟劑。

附方 白汁塗惡刺狐尿刺瘡卽愈。—（頤）

瘡腰痛劇—以蒲公英草。摘取根莖白汁塗之。多塗爲佳。痊止。—（千金方）

多年惡瘡—蒲公英搗爛貼之。—（急救方）

蛇傷—右用蒲公英科根作泥。塗貼於傷處。用白麵膏藥貼之。大效。—（儒門事親）

惡瘡諸刺—以蒲公英搗之。貼。—（同上）

吹乳乳癰—用蒲公英搗爛。罨患處。神妙。—（濟陰綱目）

旱蓮草

別名 鱧腸。金陵草。

基本 爲生於水邊鱧腸屬旱蓮草之莖葉。

形態 爲一年生雜草。莖高一二尺。枝自葉液對生。質稍厚。葉披針形。有鋸齒。齒面粗糙。生毛茸。八九月間。自小枝開小頭狀花。花小。白色。外圍之花作舌狀花冠。中部之花作筒狀花冠。果實成熟。呈黑色。

效能　外用作發泡劑。

附方　繫臂截瘧—旱蓮草槌爛。男左女右。置寸口上。以古文錢壓定。帛繫住良久。起小泡。謂之天灸。其瘧卽止。甚效。—（王執中資生經）

串雅內外篇亦載此法

茄科

蕃椒

異名　辣茄

基本　係茄科蕃椒之實。

形態　爲長圓形莢果。粗如小指。有赤色或黃褐色薄膜。作革質狀。有光澤。莢中大半爲空洞。中有無數黃色心臟形種子。新鮮者有惡臭。但乾後則消失。

成分　自辛味之樹脂蠟分色素鹽類等而成。

作用　貼於皮膚則刺戟該部分而充血。多食則發諸疳云。

效能　外用作發赤劑。

藥檢云擦癬。

百草鏡云洗凍瘃。浴冷疥。

附方　蘇白雲方凍瘃。剝辣茄皮貼上。卽愈。

下腹痛—寒中下腹痛。於腹圍中包蕃椒帶之。卽治。

草鞋擦傷生泡—燒蕃椒和糊之。—（並和漢藥考）

單子葉植物綱　百合科

大蒜

異名　葫。葷菜。

基本　係百合科蒜之球根。

形態　爲多年生草本。葉似水仙。細長扁平而柔軟。夏日抽花軸。開繖形花序之白色小花。後結小球果。根爲球形。被以淡紅色之外皮。

成分　含有揮發性之含硫油及大蒜油。

作用　若搗汁而以之塗在皮膚上。則立見發紅。而有微痛。—（化學實驗新本草）

球根貼於肌膚。焮腫發泡。—（荷蘭藥鏡）

效能　外用作引赤發泡劑。

療瘡癬。（藏器）止霍亂轉筋腹痛。並搗貼之。（日華）溫水搗爛服。治中暑不醒。搗貼足心。止鼻衄不止。搗膏敷臍。能達下焦。消水。利大小便。貼足心。能引熱下行。治泄瀉暴痢。及乾濕霍亂。止衄血。納肛門。能通幽門。治關格不通。（時珍）

附方　疔腫惡毒—用門臼灰一撮。羅細。以獨蒜或新蒜薹染灰。擦瘡口。候瘡上自然出少汗。再擦。少頃卽消散也。雖發背疔腫。

亦可擦之。—（肘後方）

沙蝨蟲—大蒜十枚合皮。安熱灰中炮令熟。去皮。刀斷蒜頭。取熱著蟲處。—（千金方）

關格脹滿—大小便不通。獨頭蒜燒熟。去皮。綿裹納下部。氣立通也。（外台祕要）

泄瀉暴痢—大蒜搗貼兩足。亦貼臍中。—（千金方）

乾溼霍亂轉筋—用大蒜搗塗足心。立愈。—（永類鈐方）

陰痒—蒜煮湯洗之。—（崔氏方）

水氣腫滿—大蒜田螺車前子等分。熬膏。攤貼臍中。水從便漩而下。數日即愈。—（仇遠稗史）

腦瀉鼻淵—大蒜切片。貼足心。取效。止。—（摘玄方）

頭痛—用大蒜一顆。去皮。研取汁。令病人仰臥。以銅筋點少許。滴鼻中。急令搐入腦。眼中淚出。差。—（奇效方）

小便不通—大蒜獨顆者一枚。梔子七枚。鹽花少許。右搗爛。綿紙上貼臍。良久即通。未通。塗於陰囊上。立通。—（醫宗必讀）

腹痛心胃痛—蒜頭一把。入臼內搗爛。敷患處。治肚痛心胃痛。—（丁福保）

哮喘—法以大蒜頭數枚。舂之成糊。分罨兩足心。用布包裹。一夜一換。法頗簡便。三四次自能見愈。—（非非室杏林談藪）

喉症提皰—六要提皰以洩毒。再用大蒜搗爛。如蠶頭大。敷經渠穴。在大指下腕手處。寸口動脈中。男左女右。用蜆殼蓋上。紮住。數時起泡。挑破。揩乾。以去毒氣。—（何廉臣）

生薑

基本　本品爲多年生草本生薑之根。

形態　薑根在夏末發生新根。橫列如掌形。狀扁平。囊莖之近根處紅色。宿根則爲淡黃色。

氣味　爲特異之芳香性。其味苛烈如灼。

成分　含有揮發油軟性樹脂越幾斯質澱粉巴蘇林等。生薑之效有成分爲揮發油。其含量不定。大抵爲1%至2%之淡黃色稀薄油。沸騰點爲160°。

作用　生薑對於粘膜。刺戟作用至強。即對於皮膚。亦燃灼及變質。（臨床應用漢方醫學解說）

效能　外用作發赤劑

腹痛轉筋。（張鼎）氣實心胸壅隔。（甄權）點赤眼。（時珍）

附方　霍亂轉筋—入腹欲死。生薑三兩搗。酒一升。煮三兩沸。服。仍以薑搗貼痛處。—

大便不通—生薑削。長二寸。塗鹽。內下部。立通。—（並外台祕要）

胸脅滿痛—凡心胸脅下有邪氣結實硬痛脹滿者。生薑二斤。搗渣留汁。慢炒待潤。以絹包於患處。款款熨之。冷再以汁炒再熨。良久。豁然寬快也。

溼熱發黃—生薑時時周身擦之。其黃自退也。一方加茵陳蒿。尤妙。—（並傷寒槌法）

暴赤眼腫—宗奭曰。用古銅錢刮薑取汁。於錢唇點之。淚出。今日點。明日愈。勿疑。

腋下狐臭—薑汁頻塗。絕根。

赤白癜風—生薑頻擦之。良。—（並易簡方）

兩耳凍瘡—生薑自然汁熬膏塗。—（暇日記）

發搐鼻寒—保嬰撮要治驗云。小兒月內發搐鼻塞。乃風邪所傷。以六君子湯加桔梗細辛。子母俱服。更以生薑二片。葱頭七莖。擂攤紙上。合置掌中。令熱。急貼顖門。少頃。鼻利搐止。—

背獨惡寒—滑伯仁治一人病傷寒。已經病去。而背獨惡寒。脈細如線。湯熨不應。伯仁以理中湯加薑桂附子大作服。外以革撥良薑吳茱桂椒諸品大辛熱藥。爲末。薑汁調塗滿背。以紙覆之。稍乾即易。如是半月。竟不復寒矣。

遍身作痒—以生薑搗爛。布包擦之。而止。俞東扶曰。遍身作痒。（中略）然亦有屢治不效者。以不得病因。而復以涼血去風爲治耳。—（古今醫案按）

便閉—冷閉者。嚼生薑導之。（李士材）

臍風撮口—生姜葱白萊菔子田螺肉生地。搗爛塗臍。抱住洩風而愈。（幼科釋謎）

澤瀉科

澤瀉

別名　水瀉。

基本　即屬池沼水澤自生之澤瀉之根。

形態　其形態略作球圓狀。外部平滑。呈黃褐色。下面鬚根。其橫斷面爲淡白褐色之粉質狀。嘗之有鹹味。生根則有苛烈之感性。

效能　外用作發泡藥。—（漢法醫典）

裸子植物門　松杉科

松脂

異名　琥珀孫。白松脂。松香。瀝青。

基本及形態　本品爲本植物之自然滲出物。或故意施以疵傷而滲出凝固乾燥之樹脂。其外觀爲黃色。或帶黃褐色。成塊粒。有微似松節油之香氣。略透映。易破碎。破碎面現貝殼狀。置於重湯之上而熱之。則熔融。溶解於酒精並加里滷汁等。比重一·〇七至一·〇八。

採取 日本收集松脂法—收集之法。陰歷三四月間。以山刀斫去黑松或紅松向南之樹皮。令樹脂得漸次滴出。候秋間凝結。收入竹筒。其堅凝之松脂塊。一入沸湯。依然柔軟。可任意搓揑。而以籜皮包之。是爲粗製松脂。入鍋熔融。麻布濾去其渣。放冷凝結成塊。是爲精製松脂。

成分 含有同質異性之樹脂酸。如AbretinSaure $C_{44}H_{64}O_5$ PimarSaure $C_{20}H_{30}O_2$ Sylvin Saure $C_{20}H_{30}O_2$等。此外則爲無水物及酸化物等。

作用 皮膚與粘膜觸之。始則充血發赤。繼起炎症。容易透康健皮膚或粘膜而入組織內。

效能 外用爲發赤劑。打膿劑。對於神經痛。風寒濕脾痛風等。以松香油一分。加脂肪二分。作爲擦劑。若欲促膿腫成熟。或刺戟凍瘡。褥瘡。及其他治愈緩慢之弛緩性潰瘍。促其治愈。則以基礎軟膏或松香軟膏。製爲刺戟繃帶而用之。—（藥理學）

主治癰疽惡瘡。頭瘍白禿。疥癩。（本經）風痺死肌。（別錄）煎膏生肌止痛。排膿抽風。貼諸瘡膿血痠爛。（甄權）

附方 小兒禿瘡—簡便方。用松香五錢。猪油一兩。熬搽。一日數次。數日即愈。又衛生寶鑑用瀝青二兩。黃蠟一兩半。銅綠一錢半。麻油一兩半。文武火熬收。每攤貼之。神效。

小兒緊唇—聖惠方。松脂炙化貼之。

一切腫毒—松香八兩。銅綠二錢。蓖麻子五錢。搗作膏。攤貼甚抄。—（李樓奇方）

軟節頻發—翠玉膏。用通明瀝青八兩。銅綠二兩。麻油三錢。雄猪胆汁三個。先溶瀝青。乃下油膽。扯拔器盛。最月緋帛攤貼。不須再換。

疥癬濕瘡—松膠香研細。少入輕粉。先以油塗瘡。糝末在上。一日便乾。頑者一二度愈—（鬼遺方）

附蘘草

異名 宦游筆記云。南人呼爲蘘麻。北人呼爲蝎子草。

形態 人海記云。蘆高四五尺。葉如麻。墨莊漫錄云。白香山詩。颶風千里黑。蘘草四時青。此草有花無實。雪下猶青故也。

產地 宦游筆記云。黔境遍地有之。墨莊漫錄云。川陝間有一種草。羅生於野。即蘘麻也。人海記云。自唐川鶯蹤汗鉄木嶺外。遍地有之。

採取時間　經霜則辛螫。不可觸。——（入海記）

作用　墨莊漫錄云。其枝葉拂入肌肉。即成瘰疱。浸淫潰爛。久不能愈。宦游筆記云。葉類麻。多毛刺。觸之螫人。腫痛不可忍。（案頌云吐利人不止）時珍云。葉上有毛芒可畏。觸人如蜂蠆螫蠚。以人溺灌之即解。投水中。能毒魚。

成分　誦穆案。普通枝葉毛刷毛芒等物。觸之未能爲害。而此草之枝葉毛刺。乃有刺戟蝕害之作用。循理以求其有分泌液也必矣。考時珍云。以人溺灌之即解。人溺之主成分爲 Amm ioaNH_3。呈鹼性反應。能中和酸類。使其作用緩和。此草之毒能以人溺解之。則其主成分殆爲有機酸中蟻酸之類。惜無由得而驗之也。

又案蘇頌謂本品主治蛇毒。搗塗之。考蛇毒在於其門牙所分泌之毒汁。此毒汁爲鹼性。（尤如響尾蛇其毒所屬 Aekali.）今本品能塗蛇毒。則其能中和鹼性可知。由此反證。則本品之爲酸性。似更可確定矣。（陸曰推理頗具慧心）

效能　主治蛇毒。搗塗之。——（蘇頌）

風疹初起。以此點之。一夜皆失。——（時珍）

浴瘋。采取煮汁洗。——（本草拾遺）

動物部　節足動物門

甲翼類

斑蝥

基本及形態　斑蝥爲屬甲翼類之昆蟲。其種類頗多。今舉其要者如左。

豆斑蝥（葛上亭長）外觀類螢。長五分許。作赤褐色。略爲心臟形。觸角細長。甲翼黑色。其兩借中央有類黃色之線。腹部黑色。有黃色輪四五條。

青斑蝥（芫青）形態類豆斑蝥而稍大。長六七分。全體有金綠色光澤。具六脚。有觸角。頭部作心臟形。呈赤色。甲翼作四角形。翅爲淡褐色。氣味同前。

土斑蝥（地膽）樓息山野土石之間。長寸許。體碧黑色。前肢短。無後翅。前胸細。腹部大。祇能匍匐地上。

斑蝥（中產）產中國山西山東湖南湖北安徽諸省。全身黑色。長寸許。甲翅有黑褐色線一條至三條。

品考　誦穆案。小泉榮次郎以葛上亭長芫除地胆等三物同隸斑蝥。考綱目引蘇頌云。四蟲皆是一類。其說是。但謂隨時變耳。則亡是事矣。又時珍曰。芫青青綠色。斑蝥黃斑色。亭長黑身赤頭。地膽黑頭赤尾。其色與小泉氏有異。會當一細考之。

製劑 炮炙論曰。凡斑蝥芫青亭長地膽修治。並漬糯米小麻子相伴炒。至米黃黑色。取出去頭足兩翅。以血餘裹懸東牆角上一夜。用之。則毒去也。

成分 斑蝥所含發泡性之有效主成分。爲羯荅利陳。Cantharidin カンタリチン $C_{10}H_{12}O_4$ 爲光澤無色之稜柱狀或葉狀之結晶體。

作用 令皮膚成泡。約六點鐘至十二點鐘卽成。又如起小泡。能引病外出。（化學實驗新本草）

效能 外用作引赤發泡生毛藥等。治肺體生炎。心胞絡生炎。肺胞膜生炎。照胸前部位搽之。蝕死肌。破石癃。（本經）血積傷人肌。（別錄）斑蝥主治惡瘡死肌。（本經）蝕瘡中惡肉。鼻中瘜肉。——（見地胆下）

附方 異功丹——串雅內編云。庚生按。喉症不一。爲害最速。余每以異功丹治之。無不立效。眞神方也。附異功丹方。斑蝥去翅足四錢。糯米伴之炒黃。血竭沒藥乳香全蝎元參各六分。麝香冰片各三分。共研細末。磁瓶收貯。弗令泄氣。用時以尋常膏藥一張。取藥末如黃豆大。貼喉外緊對痛處。閱二三時揭去。卽起泡。用銀針挑出黃水。如黑色或深黃色。再用膏藥及藥末。貼於泡之左右。仍照前挑看。以出淡黃水爲度。不論喉蛾喉風喉閉。均皆可用。惟孕婦忌之。此乾隆丁未乩方也。

誦穆按。此方亦稱異功散。能建殊効。余堂叔喉痛腫閉。不能嚥飲。勢已垂危。急以此方施於喉前左右兩處。腫勢卽減。湯藥遂得入矣。家慈嘗爲穆言。淸光緒間。越地白喉流行。喉科醫以竹刀刮去其膜。輒死。先外曾祖工瘍科。合此方分送。全活無算。至有慚於再索重用之而亦效者云。猶憶讀書蕭山時。晨夕過一富家。其戶榜云施送白喉膏藥。跡其治效。疑卽此方。而彼時以未習醫。故後亦淡然置之。惜未一詢之也。又按此方用法之經過。略有出入。先外曾祖施藥時。每用以膏藥兩重。在內覆蓋異功丹者較小。外層者略大。復覆於小膏藥之上。則藥氣不洩。又何廉臣云。專門喉科者。（中略）六要提皰以洩毒。用異功散如蠶豆大。放膏藥上。貼患處喉外兩傍。一週時起泡。夏日貼二三時。卽能起泡。不必久貼。起泡後速卽挑破。擠出黃水。倘紫色或深黃色。宜用藥貼於泡之左右。仍照前挑看。以出淡黃水爲度。藥藪啓祕則謂用少許摻太乙膏上。貼項前後結核處。一週時起泡。挑破。換大紅膏云。

斑蝥弔膏方——斑蝥一斤末。黃蠟八兩。松香八兩。猪膏八兩。

先將黃蠟松香猪油煮熔。然後將斑蝥末加入。以攪至凝結爲度。此膏用布攤調。或用紙亦可。貼此膏約三四點鐘。令其略起水泡。宜隨即撤去。再敷以麥糠甘菊。或敷以爛飯。但貼此膏。其症之輕重亦須分辨。其在重症。則刺破其水泡後。並須將其皮揭去。而復貼以松香黃膏。令其膿盡發。庶易獲效。其在輕症。則俟其起水泡後。隨即刺穿。另用白藥膏以潤之。至小兒貼此膏。須將白藥膏加入。勿令過烈。如臟腑發炎。須俟其稍退。貼此膏。令引炎外出。又如頭腦積血伏熱等症。須先用藥以清其熱。次以此膏貼頸後及小腿裏。又如眼內久患熱症。以此膏貼太陽穴及貼頸後耳後等處。其翳膜自可免生。又如肺內熱已退。仍覺痛而未愈。以此膏貼胸前。又如腦筋作疼。以此膏貼患處。若骨鋑發腫。以此膏貼數次。自能獲效。此膏有三妙用。其一能引炎外出。其二能令熱消散。而免生翳膜。其三能行氣血。

斑蝥貼膏方—斑蝥十二分。極細末。黃蠟七分半。煉羊油七分半。洋松香三分。煉猪油六分。除斑蝥。餘共入瓷鍋鎔化。再加斑蝥調勻。至涼爲度。能引症外出。起水泡。用臨用時攤布上。以樟腦細末撒膏面上。可免小便熱疼。外蒙亮紗一層。點患處。俟起水泡。即行揭去。—（並見化學實驗新本草）

疣痣黑子—斑蝥三個。人言少許。以糯米炒黃。去米。入蒜一個。搗爛。點之。—（肘後方）

疔腫拔根—斑蝥一枚。捻破。以鍼劃瘡上。作米字形樣。封之。即出根也。—（外台祕要）

積年瘑瘡—斑蝥半兩。微炒爲末。蜜調敷。—（外台祕要）

面上痞瘟—大風面上有紫痞瘟未消。用乾斑蝥末。以生油調敷。約半日。痞瘟脹起。以軟帛拭去藥。以棘針挑破近下。令水出乾。不得剝其瘡皮。及不可以藥近眼。若是尖痞瘟子。即勿用此。—（聖濟總錄）

鼻中瘜肉—地膽生研汁灌之。乾者湯煮取汁。又方。細辛白芷等分。以生地膽汁和成膏。每用少許點之。取消爲度。—（並聖惠）

耳聾—斑蝥一個。巴豆一粒。研細。綿裹塞耳。痛取出。—（濟生方）

目中頑翳—發盲膏。用青娘子。紅娘子。斑蝥各二個。去頭足。麵炒黃色。蓬砂一錢。蕤仁去油五個。爲末。每點少許。日四五次。仍同春雪膏點之。—（普濟方）

癰疽按膿—癰疽不破。或破而腫硬無膿。斑蝥爲末。及蒜搗

膏和水。一豆許貼之少頃膿出即去藥。—（直指方）

癰疽不肯作膿—（三合湯）斑蝥新江子白砒各等分爲細末紝瘡內瘀肉自化。—（癰疽驗方）

彈尾類目

鼠婦

別名　地虱。地雞。

基本　係彈尾類之鼠婦之全體。

形態　全體呈灰綠色長二三分卷縮作球圓形。下腹扁平。多足。尾端有棒狀具。能彈地跳行。重訂本草綱目啓蒙。略謂其形椎圓形。大者長四五分。背爲隆起之橫紋。底平。多足。全身灰白色微紅。

成分　未詳。或云含有蟻酸。

效能　用作引赤發泡藥。

附方　胞肉瘡—使咂其血。則蟲赤脹。瘡隨愈。

蜘蛛類目

蜘蛛

形態　狀如囊。口有顎二對。上顎二節。末節爲鉤。其尖端有毒腺之孔。胸部有脚四對。肛門前有瘤狀突起之物。

效能　蜈蚣蜂蠆螫入。取置咬處。吸其毒。弘景

附方　疔腫拔毒—取户邊蜘蛛。杵爛醋和。先挑四畔血出。根稍露。傅之。乾即易。一日夜根拔出。大有神效。—（千金方）

水蛭

異名　至掌。

基本　爲棲息池沼小田之水蛭類。醫用即取其生活者。

形態　水蛭通常重〇·二五乃至〇·三五格蘭姆。體扁平細長。多呈黃綠色。背面色濃。腹面色淡。又背面有五條黃色之縱線。體爲多數之小關節。分廿六體節。

效能　遇血液凝滯及膨脹等症。則令其吸附咬咂。有數種病宜用蜞者。如腹胞膜生炎痔瘡直腸下墜等是。

使用法　按定部位。先將皮膚洗淨。有毛髮處須剃去洗淨。取蛭數條。多或一二十條。用軟布將蛭洗淨。放玻璃盃內。以杯覆腫處。任其噬吮。或不用杯。而以布包蜞身。露其口。沓噬近患處。蛭吮飽則自然放落。不可猛力拔出。以防傷肉。倘久吮不落。用鹽或醋少許糝之。自落。

附方　赤白丹腫—藏器曰。以水蛭十餘枚。令咂病處。取皮皺肉白爲效。冬月無蛭。地中掘取。暖水養之。令動。先淨人皮膚。以竹筒盛蛭合之。須臾咬咂。血滿自脫。更用飢者。

癰疽初起—洪丞相方。用蜞針法云。先以筆管一個。入螞蜞

一條。以管口對瘡頭。使蜞吮瘡膿血。其毒即散。如瘡大須換三四條。若吮正穴。蜞必死矣。累試累效。若血不止。以藕節上泥塗之。—（外科精要）

徐衡之評　綱舉目張。有條不紊。發明處尤具慧心。

陸淵雷評　蒐采編排。煞費苦心。下己意處。亦見學力。非鈔胥所能辨。○理論駢文。爲外治專書。當兼考之。

神異經南荒經云。南方有扞蔗之林。其高百丈。圍三尺八寸。促節多汁。甜如蜜。咋嚙其汁。令人潤澤。可以節蚘蟲。人腹中蚘蟲。其狀如蚓。此消穀蟲也。多則傷人。少則穀不消。是甘蔗能減多益少。凡蔗皆然。案以蔗調蚘說頗不經。蔗之入藥。載在別錄。南方草木狀草類曰。諸蔗。一曰甘蔗。交趾所生者。圍數寸。長丈餘。頗似竹。斷而食之。甚甘。管取其汁。曝數日成飴。入口消釋。彼人謂之石蜜。是蔗糖之始也。

列子曰。吳楚之國。有大木焉。其名爲櫾。碧樹而冬青。實丹而味酸。食其皮汁。已憤厥之疾。齊州珍之。渡淮而北。化爲枳焉。案末句又見晏子春秋晏子對楚王語。而所謂櫾即橘之巨者。

述異記云。今藥中有禹餘糧者。世傳禹治水。棄其所餘糧於江中。生爲藥也。博物志異草木篇。謂海上有草焉。名篩。其實食之如大麥。七月稔熟。名曰自然谷。或曰禹餘糧。案前者係石類。後者係草類。據此則禹餘糧有兩種焉。

腎臟舊說考

沈本琰

古醫書言臟腑功用。多不合生理實驗。其最顯者。歸大腦之功用於心。歸運動神經之功用於肝。近人能多言之。章院長及祝味菊先生。發明古人所謂三焦。即是淋巴系。其說甚確。使唐容川見之。當汗流驚走。澗雷夫子、發明古人所謂脾。乃指小腸及組織之吸收作用。考證之精。識見之卓。歎爲觀止。夫子又言古人所謂腎。乃指無腺管之內分泌。惟略示端倪。引而不發。聞者或未能盡曉也。琰不揣譾陋。取內經巢源千金諸書、說腎者分類證以內分泌學說。作腎臟舊說考。雖未必悉當夫子本意。諒亦無多違失。

生理學所稱無腺管者六。曰腎上腺。亦名副腎。曰胸腺。曰甲狀腺。亦名牌腺。曰副甲狀腺。亦名牌旁腺。曰大腦垂體。亦名蝶鞍腺。曰松果體。亦名視結間腺。其別有主要功用。而兼營內分泌者。曰胰腺。亦名膵臟。曰性腺。亦名青春腺。其功用及病變。具詳生理書西醫書。本篇所參考者僅六種。薛氏生理衛生學。格氏系統解剖學。某氏解剖生理學。歐氏內科學。哈氏生理學。及自強醫刊之內分泌研究。舉其書名。以備閱者考校。

腎主精。精者生來精靈之本也。故生之來、謂之精。精者腎之藏也。耳者腎之官。腎氣通於耳。耳和則能聞五音矣。腎在竅爲耳。然則腎氣上通於耳。下通於陰也。左腎壬。右腎癸。循環玄宮。上出耳門。候聞四遠。下迴玉海。俠脊左右。與臍相當。（千金腎臟脈論）

云腎主精。云下通於陰。明是內生殖器。又云左腎壬。右腎癸。俠脊左右。與臍相當。則其物又明是泌尿之腎。此誤以內生殖器之功用。歸於泌尿之腎矣。竊嘗論之。靈樞經水篇言其死可解剖而視之。是古人亦嘗解剖死體。見內臟之部位形狀矣。惟其功用。苦無精巧方法、以試明之。見膀胱有積水。則謂其藏津液。見胃腸有水穀。則謂其主腐熟。此因顯而易知者。故尚未錯誤。然見小腸貯液體。大腸貯固體。而謂小腸排尿。大腸排糞。則已誤矣。若夫心肝脾肺腎。古人見其形中實。不若他種內臟之作管狀囊狀者。中貯何物。不易知也。於是神其名。曰五臟。五臟中肺通氣管。心房含血。一望即見。故謂肺主氣。心主血。倘腎不誤他臟之功用。不能如是易知。乃臆測之故。誤者多不誤者少矣。（陸曰一部內經不合生理之故作者數語道盡轉覺靈素內兒爲刻舟求劍矣）雖然古人言臟腑之功用雖誤。其診病施治仍然不誤。因治療但用刺炙湯藥。對於藏府本體無直接之手術故也。（陸曰前開中醫校教材編輯委員會有謂外國生理與中醫扞格須別纂中國生理者此其識見與作者有雲泥之判）世稱華陀治病。刳滌藏府。湔洗腸胃。殊嘗疑爲稗史。故神其說。不然以當時之診斷知識。用手術於內臟。則內生殖器之病。而滌其泌尿之腎膀胱。腎臟之病。而割其小腸。有不劇且死者乎。（陸曰此斡旋治療不用手術之說耳乃別開妙悟知此所謂師子搏球使出渾身解數歟雖然華陀割治致死者殆亦有之稗史記其驗者隱其不驗者耳）

女子七歲。腎氣盛。齒更髮長。二七而天癸至。任脈通。太衝脈盛。月事以時下。故有子。三七腎氣平均。故眞牙生而長極。丈夫八歲。腎氣實。髮長齒更。二八腎氣盛。天癸至。精氣溢寫。陰陽和。故能有子。三八腎氣平均。筋骨勁強。故眞牙生而長極。五八腎氣衰。髮墮齒槁。七八肝氣衰。筋不能勳。天癸竭。精少。腎藏衰。形體皆極。（素問上天眞古論）

此言男女之發育及衰老。皆隨腎氣爲盛衰也。既男女別論。則所謂腎氣者。當然卽指性腺之功用。近年性腺之動物試驗。頗有發明。割去年老動物之性腺。植以雛稚動物之性腺。該動物卽變爲少壯狀態。求偶生產。悉如未衰老時。因大唱返老還童術。施於人體。其術雖不甚效。然人體以性腺之盛衰爲盛衰。已可斷言。素問之腎氣卽是性腺之功用。亦可斷言矣。惟動物試驗之結果。性腺之功用似限於生殖器及其官能。內經則以齒髮筋骨諸體。皆隨腎氣而盛衰。蓋性腺與他種無管腺之相互關係。及其互相依賴之處。頗複雜不明。今所已知著。童年時割除性腺。則甲狀腺之發達減弱。腎上腺皮質及大腦垂體之發育增強。胸腺久留不萎縮。是此等諸腺。皆與性腺有密切關係也。甲狀腺減弱。則身心之發育、均被阻。成所謂克汀病♀etinism。腎上皮質之功用未悉。但知其關係生殖。大腦垂體增強。則令皮膚肥厚。骨骼巨大。精神懈怠。生殖機能退減。胸腺不萎縮。則保持幼稚狀態。雖身體長大。猶具童顏童心。由是言之。以上之發育障礙。直接因諸種無管腺之變化。間接乃因性腺之割除。無管腺之各個功用。至今尚未大明。內經遠在二千年前。一切歸諸腎氣。固不得訾其籠統矣。

天癸之名。俗師用以指女子經水。內經旣云天癸至。復云月事以時下。況男子亦有天癸。則天癸顯非經水。王註謂經血漸盈。應時而下。天眞之氣降。與之從事。此與經血混而不析。俗師所以沿誤也。張氏類經。謂天一之陰氣化水。因名天癸。其在人身。是謂元陰。亦曰元氣。其說乃涉縹渺。而後之註者。皆從張說。謂是天一所生之癸水。殊謂天癸之名。大有陰陽家臭味。陰陽家之本意。或當如張說。若人體之天癸。宜卽性腺之內分泌耳。性腺之內分泌。不知開始於何年齡若女子十四男子十六則與內經天癸至之年齡吻合而吾說可成鐵案今考性腺與胸腺互爲消長胸腺之功用爲保持幼稚狀態遏阻生殖器之發育性腺之功用爲助長生殖器之發育消除幼稚狀態故童年時胸腺長而性腺不長成童以後性腺長則胸腺消初生嬰兒之胸腺約重十三克遂年增長至十五歲而極約重三十八克十六歲後即逐漸萎縮以至僅留痕迹假定胸腺因性腺之內分泌而消則性腺內分泌之開始必在十五六之間與內經二七二八正合(陸曰思想何等穎悟)可知內經之天癸至即指性腺內分泌之開始矣

因而強力腎氣乃傷(素問生氣通天論)

腎者、作強之官伎巧出焉(素問靈蘭祕典論)

有所用力舉重若入房過度汗出浴水則傷腎(靈樞邪氣藏府病形篇)

此言勞力及入房皆腎主之也作強伎巧專謂勞力強力王註以爲強力入房馬氏張志聰氏高氏皆以爲強用其力就文義論強力不得作入房解釋內經學說則強力與入房皆腎之功用靈樞用力與入房並舉可證王註亦有所本也入房爲生殖器官所主似與他種無管腺無關然腎上腺皮質大腦垂體前頁松果腺胸腺之消萎皆關係生殖器之發育及其官能不僅性腺而已故入房之腎亦包以上諸腺而言至勞力之腎以腎上腺爲主淵雷夫子言之詳矣見金匱卷一第三條此外如男子割除性腺後其果敢剛毅之男性美德消滅無餘不能果敢剛毅即不能強力是強力之腎與入房之腎實爲一腎不得議素靈荒誕也又工作精力之來源出於新陳代謝而腎上腺甲狀腺大腦垂體後頁松果體胰腺皆有左右新陳代謝之效古人既概括諸腺之功用而統稱腎則謂腎主勞力者其識實出近世科學家之上

腎者主蟄封藏之本精之處也其華在髮其充在骨(素問六節藏象論)

腎主身之骨髓腎熱則腰脊不舉骨枯而髓減發爲骨痿熱舍於腎腎者水府也今水不勝火則骨枯而髓虛故足不任身發爲骨痿(素問痿論)

腎之合骨也其榮髮也云云多食甘則骨痛而髮落(素問五藏生成篇)

足少陰氣絕、則骨枯少陰者、冬脈也伏行而濡骨髓者也故骨不濡則肉不能著也骨肉不相親則肉軟却肉軟却、則齒長而垢髮無澤髮無澤者骨先死(靈樞經脈篇)

以上諸條謂骨與髮皆與腎有關係類此者甚多不能悉引今考大腦垂體之病變能令髮稀能令肢端肥大故推知其官能與骨骼及軟組織之生長有關係云松果體內分泌擾亂能令毛髮生長增多是皆內分泌關係骨髮之證多食甘當作傷腎解不是斥言甘味蓋謂腎屬水甘屬土味土能剋水故多食甘能傷腎耳

北方生寒寒生水水生鹽鹽生腎云云寒傷血燥勝寒鹽傷血甘

勝鹹(素問陰陽應象大論)

王註云寒則血凝傷可知也食鹹而渴傷血可知案王說非也試問血遇寒而凝者燥之得自活乎(徐曰燥之句與經文原意不符)遇鹹而傷者甘之得自復乎琢謂脈者腎之氣鹹者腎之味此以氣味代表腎猶文家所謂代字訣謂腎能傷血耳(陸曰經意未必爾說來乃娓娓動聽)腎上腺之內分泌名腎上腺精Aerenalin能收縮小動脈以增加血壓而短縮血凝之時間故為良好之止血藥此即所謂傷血歟此外內分泌之影響血壓者胸腺能減低血壓其影響心搏勁者腎上腺令心搏遲甲狀狀令心搏速大腦垂體之病變亦令心搏遲凡影響血循環之作用皆得包於傷血二字中

腎在味為鹹不過古醫書之套語似無研究之價值然西藥有性腺之製劑名生殖靈有多種無管腺混合之製劑名河馬通嘗聞服之者言其味皆鹹則腎味之鹹雖云附會五行亦不全違事實(陸曰鹹生腎鹹傷血在內經說本無根不當曲解此節所印證亦未能怡然理順然蒐索入細作者一片苦心終不忍抹煞)

少陰終者面黑齒長而垢腹脹閉上下不通而死矣(素問診要經終論靈樞終始篇同)

冬脈者腎也云云太過則令人解㑊脊脈痛而少氣不欲言其不及則令人心懸如病飢䏚中清脊中痛少腹滿小便變(素問玉機眞藏論)

腎病者腹大脛腫喘欬身重寢汗出憎風虛則胸中痛大腹小腹痛清厥意不樂(素問藏氣法時論)

腎熱者色黑而齒槁(素問痿論)

少陰之厥則口乾溺赤腹滿心痛云云少陰厥逆虛滿嘔變下泄清(素問厥論)

腎足少陰之脉云云是動則病饑而不欲食面如漆柴欬唾則有血喝喝而喘(靈樞經脈篇)

腎氣盛為志有餘則病腹脹飧泄體腫喘欬汗出憎風面目黑小便黃是為腎氣之實也則宜瀉之腎氣不足則腰厥背冷胸內痛耳鳴苦聾是為腎氣之虛也則宜補之(巢氏病源)

腎病者腹大體腫喘欬汗出憎風虛則胸中痛(同上)

腎風水其脈大緊身無痛形不瘦不能食善驚(同上)

腎藏病者咽喉窒塞腹滿耳聾(同上)

綜以上諸條分類言之其曰面黑曰色黑曰面如漆柴曰面目黑曰解㑊(筋骨懈惰之意)曰少氣不欲言曰大腹小腹痛清厥意不樂曰耳鳴苦聾者皆阿狄森氏病之證也(腎上腺病變)曰心懸如病飢曰饑不欲食曰嘔變乃阿狄森氏病甲狀腺病共有之證也曰腹大脛腫曰腹滿曰虛滿曰腹脹曰腹大體腫曰胸中痛曰心痛曰齒長而垢曰齒槁曰䏚中清曰喘欬身重寢汗出憎風曰下泄清曰腰背冷曰欬唾則有血喝喝而喘曰咽喉窒塞皆甲狀腺病之證也巢源腎風水一條尤

顯然爲克汀病及粘液性水腫乃甲狀腺機能退減所致其曰小便變曰溺赤曰小便黃者皆大腦垂體之病也此外胸腺病亦能作喘所謂胸腺性氣喘也西醫又以腎上腺精治喘則喘證亦與二腺有關以臆測之舊說所謂腎不納氣者蓋即腎上腺分泌不足歟

黑脈之至也上堅而大有積氣在小腹與陰名曰腎痺（素問五藏生成篇）

腰者腎之府轉搖不能腎將憊矣（素問脈要精微論）

腎病少腹腰脊病胻痠（素問標本病傳論）

腎盛怒而不止則傷志志傷則喜忘其前言腰脊不可俯仰屈伸（靈樞本神篇）

腎病發者令人悽悽然腰脊痛宛轉（千金方腎臟脈論）

腎之積名曰奔豚發於少腹上至心下如豚走之狀上下無時（同上）

以上諸條皆以領域而言也古人綜括一切生理病理機轉分類以隸屬於五藏故人體自頂至踵無莫非五藏之領域素問脈要精微論云尺外以候腎又云下竟下者少腹腰股膝脛中事也是知少腹腰股膝脛爲腎之領域蓋腎於五藏居最下故以下部諸體隸於腎耳故以上諸條之病雖云腎病實與內分泌無關例如奔豚決非腎積要略亦不言腎積金匱今釋辨之詳矣注家以爲腎積者徒據千金及僞難經之說不深考耳琰謂以其病起于少腹故係之腎以領域而言也領域之說淵雷夫子似未論及今補出之理似允愜非敢立異也（陸曰允愜之至匪特不嫌立異殷殷乎且出藍矣）

本篇所引證雖甚簡略而舉例已粗備苟於古書中細檢之而分類之當不外以上諸例腎之爲內分泌已無可疑雖然生今之死既知內分泌更眞確之事實即不必固守舊說稱內分泌爲腎舍正路而遶遠路矣琰之此作以解西醫膠柱鼓瑟之論則可若云助盲從固執之內經家張目則非作者之願也

章太炎評　會合新舊最爲精審與附會者迴殊

徐衡之評　勤求古訓融合新知精確老當得未曾有

陸淵雷評　千載沈薶之義一旦渙然冰釋怡然理順唐容川之附會固不足數即王勳臣之知今疑古亦覺以辭害旨不善說詩腎之爲內分泌可惜先經鄙人道破不然眞當橫行一世壓倒醫林○往年鄙人草臟腑論尋古書所言功用以今日之生理病理證實其物先成脾臟一篇載之醫光雜志心知古人言腎者多指內分泌欲續作腎臟篇憚其頭緒紛繁爲之擱筆今歲春夏之交作者質問此事往復甚苦倉卒間竟爾詞塞作者縮架上書檢示乃爲之剖析疑義數端是時功課注重實習頗怪其作此不急之務何爲不知其作爲課卷條貫井然乃爾也鄙人所畏難不敢爲者作者竟快然代爲之是眞吾黨之不櫛進士

日人渡邊熙曰。『自二十世紀之初以至今日。號爲德國醫學全盛時期。然純正科學之醫術治療。不能並轡齊驅。西洋醫家之發明有似剝蕉見質。難維信用者日見其多。尤以新藥之發明在德意志本國信者亦少。而日本之模仿德國仍然亦步亦趨。猶之一千五百年前漢法醫輸入以來。日本學者醉心此道。甚至變姓改名。期與中華一致。今之傾向德醫毋乃類此。全國公私醫校增至二十餘所。新藥之輸入發明及膺博士頭銜者幾如汗牛充棟。極盛一時。然而治療之術率多謬誤。』

又曰『不佞固曾受德派醫學教育者。未習漢醫以前亦曾輕蔑詬罵。及身受漢法正派之薪傳。始起醫術上極端之信仰。鑽研愈深。眞髓愈見。則截補東西學術之新思想不禁油然而生。並深信皇漢醫術亦爲研究科學之要材。』

雜誌

中央國醫館籌備會

民國二十年三月十五日舉行中央國醫館預備會。出席者約二三百人。由主席陳郁起立報告開會宗旨。提出三點（一）大會改期(二)理事產生方法(三)議案討論方法。籌備處意思關於第一點決於十七日舉行。關於第二點理事四十九人。政界醫藥界各佔半數。政界由政界發起人公推。醫藥界由各省市區醫藥界分推之。計各省一人。各市二人。關於第三點因議案極多。斷非大會中所能討論。擬交付理事會辦理云云。繼由出席者對于上述問題各抒意見。作長時間之討論。結果各項問題維持籌備處原議。末由主席請各省市出席者推出加倍人數報告籌備處。送請政府圈定。十六日上午全體赴中山墓謁陵。由陳郁主祭。獻花圈。讀祭文。恭啓墓門入墓瞻像。下午羣赴第一公園公祭譚故院長。行禮如儀。十七日假座國術館舉行大會開幕禮。陳立夫焦易堂王用賓陳郁陳奠圻為主席團。出席者黨政機關代表暨各地醫藥界代表約二百餘人。行禮如儀。有黨國要人王寵惠王用賓等相繼演說。大致闡發國醫國藥之地位之重要。及歷來不自振作之可惜。並對於國醫館表示無窮之希望。下午繼續開會。議通過章程。報告理事名單。業將呈送政府圈定。並通過三一七為國醫國藥界紀念日。一切議決交由理事會核議辦理。此中央國醫館籌備會開會之大概情形也。

中央國醫館圈定理事

中央國醫館。於三月十七日開籌備大會。到者各省代表約三百餘人。議決要案甚多。並推舉理事九十八人。呈請國府圈定。頃聞中央國醫館已奉到行政院指令。所擬理事會章程。尙屬可行。已由院選定籌備大會公推之九十八人中。圈定理事四十七人。候補理事二十五人。並呈國府備案。仰即知照云云。茲將圈定理事名單。抄錄如下。焦易堂。邵元冲。邵力子。陳立夫。王用賓。楊杰。陳郁。彭養光。周仲良。

陳奠圻。呂繆陵。仲安。施今墨。郭受天。馮霖若。陳无咎。張宗成。殷受田。夏應堂。陳松坪。唐堯欽。葛養民。隋翰英。程調之。謝利恆。陸淵雷。王和安。曾少達。王碩如。章格六。范更生。匡山牛。載坤。蔡幹卿。梁少甫。范耀雲。周偉昰。楊小川。余華龕。陳觀光。陳任枚。李事堃。包一盧。鄭伯禹。陳宜誠。劉輔亭。楊楊材。（以上四十七位經圈定爲理事）徐相任。王葆真。楊立三。王仲奇。丁仲英。顧渭川。施濟羣。湯慶麟。朱文中。雙醒齋。邱嘯天。張子鶴。周維藩。龍九經。馮端生。陸男孫。梁子和。朱永昇。高盧生。宋大仁。朱廉夫。胡優丕。岑靖。劉獄崙。李芝亭。（以上二十五人經圈定爲候補理事）

東洋漢醫學復活聲

㊀日人請設皇漢醫學講座

㊁已通過貴衆兩院委員會

㊂中國人而排斥漢醫能無愧死乎

六日東京時事新報載日本現有東洋醫學復活之傾向。緣東洋醫道會理事長南拜山氏。帝大名譽教授理學博士白井光太郎。佐田芳久。森田幸門。諸岡存等醫學博士。頭山滿。內田良平。田中弘之等五百餘人。曾對議會提出帝大皇漢醫學講座新設請願書。貴族院柳生子爵。三室戸子爵高橋方右衛門爲提出者。衆議院猪野毛利榮。山下統爲提出者。並已通過兩院委員會。漢醫近年在歐美經人研究。已承認其效果。漢法醫之醫療費甚廉。白井理學博士云。漢法醫爲數千年來由中國所研究者。其效果詳載於本草綱目。本草綱目除草藥外。尙述動物礦物之性質。例如麻黃爲發汗劑。據美國調查。則尙能強心臟。且在三千年前已用作喘息治療劑。獺肝丸爲肺病藥。龍骨鉛丹可下蛔蟲及除痰。吾人擬設一研究所。因需經費。故先提出講座之要求。（利貞）

中國醫學已引起世人注意

六月十六日上海時報鮑振青先生云。『自西方科學昌明。而中國學術。相形見拙。日益落伍。西醫勃興。漢醫退避三舍。漸有廢棄之趨勢。不知漢醫有特殊靈驗之處。遠非西醫所及。今日歐美日本醫學家。仍認西醫缺點尙多。故三年前。日本醫學專家。曾有漢醫研究之組織。往年日本禁止漢醫問世。今則漢醫可以公然問世矣。最近日內瓦國際聯盟當局。以漢醫爲中國數千年流傳之學術。爲世界人類幸福起見。有廣爲介紹之必要。故決定由日本印度美國。以及歐洲各國。選派專門家組織專門委員會。從事研究。謀漢醫進步改良。目下各國咸認此舉如實現。實爲現代醫學界一大紀元云。』（利貞）

國醫在海外之治績

余友王君利貞。廣交游。其友人在華盛頓大學者。近以書抵君『中西醫學上。我均門外漢。但我一面仰望中國科學研究的努力一面奇異中醫療病的神祕。數年前在舊金山有營木富商之少女十八歲患神經病Dunaoy 時清時迷伊父用過十餘萬美金延美邦神經專家診治不愈。繼以歐洲名醫亦無效待歸家後友人以中醫介紹。少女之父不信勸之益切伊勉強試之中醫每日來病人家觀察伊行爲。陳設各種玫瑰花于庭中。見少女酣嗜玫瑰花以鼻探花味。二星期中中醫報告病女之父。命伊預備生牛肉二大片。使病人躺椅上。以手足梏住用牛肉置伊鼻孔外使稍稍透空氣而將伊口大開。作吸氣之代理物二小時後。醫生以牛肉取下見長一寸之蟲二條細如絲綫色黃而活動醫生云此蟲最先極小係數年前該女由玫瑰中吸入鼻中受相當的環境在鼻中生長慢慢侵入腦中在神經居住。如是使該女成 Dunatio 二三月後此女必完全清明如常人一樣但以後絕不可讓伊聞任何花卉二月後少女果愈伊父以五千元美金酬此華醫。此名醫于今仍居舊金山也』（誦穆）

第三屆辛未級畢業典禮紀盛

汪飛白紀錄

六月二十四日。本院舉行第三屆畢業禮開會如儀由院董董康先生授憑。復致訓詞繼由來賓蔡濟平華實孚謝利恆顧友于諸先生演說。本院徐衡之陸淵雷章次公三先生亦各致訓詞又一二三各級同學並以嘉言爲贈。末由畢業生代表答詞而禮成。記其演說詞大旨如後。

董康先生演說詞

方書在歷史上占一重要之位置由神農以來。蔚爲專門之學問。漢後迄宋方書如千金外台等輩出有清尤夥今人每倡言保存國粹。醫學亦國粹之一。爲救國救民之事。望諸生畢業後。本學術救國救民之精神。作實地之研究。

蔡濟平先生演說詞

現中醫羣談科學。科學者有一定之事實爲對象者也。吾中醫治病之效。垂數千年。若非暗合科學。豈能如此。惟後世醫書日增。各逞一說。互相是非。雖間有至理存者。其彷彿影響之談。乃居泰半。故未可全恃耳。今國醫學院以科學爲教學。吾知諸君畢業後。皆以實驗爲依歸。其無糢糊影響之談。可斷言也。望諸君本科學方法。再發揚光大。推之世界。余有厚望焉。

華實孚先生演說詞

中國醫藥。歷史悠遠。自神農出而有藥學。黃帝興而有醫學。近來西醫謂中醫爲哲學。不合世界潮流。然科學常先有理論而後證之以實驗。是則科學之起點。仍淵源於哲學也。中國素重人道。以毀破屍體爲不道德。故不事解剖。清王清任先生乘溫疫流行時。得觀察其究竟。作醫林改錯一書。爲中國醫學史上一大光榮。雖錯誤不一。其精神已可佩矣。惜繼起無人。卽劃然中止耳。藥方雖非出自科學。而出于實驗。實近于科學。西醫以未經化驗。遂疑中醫之全部皆非科學。則誤矣。方書自仲景而後。代有著述。如金元四家。各立門戶。及清則有葉派。平易近人。俗醫多喜之。以故求治者愈多。則藥方愈輕。醫學之不發達。此亦其原因之一。諸君在貴院受教日久。治病極貴負責。不屑以輕藥敷衍。此大堪欽佩者。然諸君出校以後。切不可恃學理而忽於診病。遇一疾。必細心診視。徐靈胎嘗謂以重藥誤事。不如以輕藥緩治。是說未嘗無見。要之。診斷確者。可用重劑。其有疑義者。則輕劑爲穩。

謝利恆先生演說詞

外人謂中國貨棄於地。礦多未採。中醫亦然。其寶藏皆隱伏未顯。在昔採礦用土法。事勞而獲少。今則用新法開採。故諸君成績。必較他處從師者高出十百倍矣。

王元道國藥號顧友于先生演說詞

國醫之革命。有上海國醫學院。望各位抱大無畏精神。爲社會服務。顧有良醫而無良藥。則效等於零。鄙人有鑒及此。故於王元道之設備。頗異於尋常藥商。請略言之。特聘煮藥技師。設寄居海上。感中藥煎服之不便者。本店則代客煎藥。甚爲愼重。煎時並有監察員從旁檢點。且以機器榨藥渣。使無剩餘。此便利病家者一也。患急症者。倉卒持方往藥肆配藥。非一兩小時不得。往往藥不及病。是以本號特設急病配藥部。凡急病。隨到隨配。此便利於病家者二也。鄙人等本此以求發展。尚希時賜批評。並加以指教。尤望國醫藥聯合起來革命。勿抱金錢主義。而趨於救國救民之一途。

徐衡之先生演說詞

今天是本院第三屆畢業的典禮。辱蒙各位先生在這狠熱的天氣。診務狠忙的當兒。惠然光降。是我們非常的榮幸。更蒙各位先生的演說。獎勉有加。各位同學當如何的感激和勉勵。

諸位同學今天行的是畢業禮。也可說是行的臨別紀念禮。既是臨別紀念。就免不了臨別的贈言。衡之對於諸位同學。相處多年。平時差不多無話不談。所有的吃飯本領。差不多和盤托出交給諸位了。要在這臨別的時候。想幾句話說。一時却有些想不出來。然而一言不發。似又不像樣子。不得已還是舊話重提。聊以點綴點綴罷。

我不是常說的麼。做醫生最要緊的是多記方子。今天就把這一點再說一遍。做醫生是爲了治病。要治病就要用方子。要用方子就要牢記成方。成方記得多。便可以應付一切病。所以我一再叮囑。要多記牢記種種方子。說到這裏。却要補充一句。諸位要曉得我說要記方子。並不是不要研究學理。單單記着方子便算完事的。學理當然是先要研究透澈。研究學理之外。便是要多記牢記方子了。也有人說。只要學理研究透澈。便可以創造方子。這話雖亦有理。但總不如多記成方的爲便於應用。大概前人化過一翻功夫。已經有了成效的東西。我們拿他來應用。却要省許多麻煩哩。現在我將做文章來做個比仿。若是要學做文章。要做好的文章。非將古人的文章讀之爛熟不可。你讀熟了之後。臨到你自己動筆的時候。便是胸有成行。信手拈來便成妙文。所謂杜詩韓文無一字無來歷。正是得到古人的好處啊。若是你不讀古人之書。要想自已創作。那就老實不客氣。你自己還十二分的吃力。十二分的討好。可是人家看來。非但說你是杜撰。而且還是看不懂咧。我所說的多記牢記方子。也正是這個道理。你方子記得多了。到你看病的時候。胸有成方。俯拾即是。若是沒有成方在胸。那就不免支離雜湊之弊。方子既不成方子。效果亦未必佳妙罷。不過多記牢記方子。固然知道是要緊的事了。還要知道執死方治活病。本是古人所忌。古人方子是死的。我們要拿來活的用着。即所謂岳武穆說的運用之妙。在乎一心是哩。假使你徒然方子是記得許多。然而食古不化。不會運用。這便不免刻舟求劍膠柱鼓瑟了。我再將寫字來做個比仿。我們要寫字。大概非經過臨摹碑帖不可。經過一翻苦工。早夕臨池。結果你的字就不愁不好。若是你要想自成一家。不肯加之臨摹工夫。到後來就不免牛鬼蛇神。不過又有一種人。臨摹得狠像。或竟可以亂眞。但是一旦離開了碑帖。在碑帖上沒有的字。他竟一輩子寫不好的。這就是因爲食古不化不會運用的壞處。方子記得儘多。要曉得病是不會一無二致的。照準書上生的。若是你不會變動。不會活用。恐怕連一個頭痛發熱的輕微毛病也會弄得無法可想。不會醫治。像這樣的兩脚書櫥。在現在醫界上也恐怕大有其人。你道這是古方古法的害人呢還是你自己太笨伯太拘泥的緣故呢。

衛之初行醫的時候。便受着一種極大痛苦。所謂極大痛苦。便是方子記得太少。竟有一病到手無藥可下之慨。我的所以如此。大概有兩種原因。其一。當然是自己太不用功。其二。是我的先生單喜歡研究理論。根本方子記得不多。學生也就不免傳染着同樣的毛病。因此之故。得到的結果。給你大大的痛苦消受。我因爲受着這種痛苦。便急起直追的在方書上用功。近幾年來。己勉強可以應付。痛苦亦比從前減少得多哩。

既如上說。我是過來的人。過來人說的話。多是有經驗的。現在我便下了一個斷語。就是「做醫生研究學理之外。多記牢記方子。是千萬要緊」我曾將此言告訴章院長太炎先生。及同志門雪、淵雷、公度、成之、巨膺諸君。他們多以爲我這話是經驗之談。絕對不錯的。既而我又思之。這種膚淺得厲害的斷語。可是人人想得到。亦人人說得出。做醫生要記方子。是當然的事。又何必大驚小怪以爲是經天緯地之說呢。不過我又恐怕人人想得到。人人說得出。也人人曉得是當然的事。在事實上就恐怕人人想不到。人人說不出。(說不出方子)曉得當然就不會當然了。

我又常私自考慮。以爲每一個病。至少要有五個方子。方才勉強夠得應付。譬如欬嗽一症。麻黃湯可以治欬。小靑龍湯可以治欬。葶藶大棗湯可以治欬。鍾乳補肺湯可以治欬。補肺阿膠湯可以治欬。欬嗽有種種不同的欬嗽。方子便有種種不同的方子。又如發熱一證。桂枝葛根湯可以退熱。葛根芩連湯可以退熱。柴胡湯可以退熱。柴胡鼈甲湯可以退熱。大小承氣湯可以退熱。發熱有種種不同的發熱。方子亦有種種不同的方子。我說五個方子恐怕還是最低限度最少數哩。我行醫十餘年。在醫界中亦混得很熟悉。他人的方子也見得不少。往往有許多同道。竟有用一兩張方子。應付一切病的。欬嗽。便脫不了象貝杏仁。發熱。便脫不了豆豉豆卷。猝病如此。痼病亦如此。初病如此。病進亦如此。像這樣醫生。在時下恐不在少數。想到這裏。我才明白行醫的人多。學醫的人亦容易。百貨商店是樣樣要內行的。專門批發當然比較容易得許多。

閒話少說。言歸正傳。諸位在本院讀了好幾年。不是我自誦的話。基本學識。如錢君俠倫的生理解剖。朱君勉仙的組織胎生。惲君季英的化學。沈君仲圭的醫常。祝君味菊、余君公俠的病理。這幾位先生。多是循循善誘。諸同學的根本淸楚。實即肇基於此。到後來又有姜君辛叔的細菌。鄧君源和的診斷。這兩門對於你們的俾益。又是不少。還有陸君淵雷的傷寒金匱。章君成之的藥物雜病。章君巨膺的溫病。這幾位多是新舊學說。鎔治一爐。是遵守着我們院訓「發皇古義。融會新知」的正宗嫡派。不是我吹（吹滬諺大言也）的話。在現在醫界中。恐怕揀不出幾個來呢。而且這幾位的精神。諄諄不倦。眞是風雨不移的。至於沈君芝九。程君門雪的婦科。又是何等的有經驗的專門學說。沈君是十幾代的婦科專家。而程君則於婦科最爲擅長的。末了說到我教的兒科、那是不客氣的話。好比戲台上的袍龍套、湊湊數熱閙熱閙罷了。還有兩年日本文。要看看日本書籍、那眞綽綽有餘。到將近畢業的時候。臨診實習。又有各位先生的悉心指導。想起我在石皮弄醫專讀書聽講。簡直是孟老夫子所說的以己昏昏使人昏昏、比到現在你們眞有天淵之別啊。諸位在這幾年中、所研求的學理、大都可以明白。所讀的方子。當然也不在少數。而今天我還要喋喋不休舊話重提的。是因爲深恐諸位畢業以後。掛起牌子、做了入世之人。便不再繼續努力。或者竟以爲所學的已經滿足。就此懈怠不起勁了。

說起方書。要牢牢記着、却非一件容易事。方子最多的書。要算是普濟方。這部書上約計有六萬多方子。這書方子最多。決非可以熟讀的。況且這書在明朝時候就沒有了。其次要算是聖濟總錄。方子也有兩萬多首。再如本草綱目上的萬方鍼綫。方子亦非常之多。再次則爲千金外台及東人醫心方。方子也以數千計。像這樣烟海浩瀚。洋洋大觀。竟有些像一部廿四史、不知從何處說起之慨。再次如局方本事。方子亦不在少數。這許多方子、當然是古人苦心孤詣從經驗上得來。我也常和幾位同志談起。若要整理中醫。必自整理醫方入手。有許多方子、我們應該設法試用試用才好。否則英雄埋沒。眞是可惜得很啊。此種計劃也是我們事業中之一。將來非集合許多同志。共同合作不可。決非少數人所能辦到的。此是後話。這且慢表。我們現在先從捷徑做起。照我個人的經驗及步驟談談罷。金匱傷寒的方子、是不消說得的。尤在涇的金匱翼。徐靈胎的蘭台軌範。到也不差。便於誦讀的如陳修園的時方妙用。汪訒菴的湯頭歌訣。雖然俚俗不堪。爲便於記憶誦讀起見。不妨一讀、孫眞人千金方。王燾外台祕要、許學士本事方。蘇沈良方。洪氏集驗方諸書。均可選擇用之。東人丹波氏之觀聚方要補。及淺田宗伯之方函口訣。均甚切於實用。而選方亦甚精當。我所曉得的大略如此。諸位能照我所說的做去。第一步記方工作。大約十不離八九了。

陸淵雷先生演說詞

頃諸位嘉賓之演說。皆極有價值之教訓。不但畢業生宜服膺。即未畢業者亦宜永念。予無以復加。願諸生自帖之標語。謂醫病尚須醫醫。其志雖大。其事乃至不易。予頃患脚癬及痢疾。自療之。痢疾雖愈。

脚癬乃頑固不愈。夫以自療之親切細到。倘且不能必效。醫病之難如此。況於醫醫乎。然亦不可不勉。標語又謂請學院繼續指導。換言之。即在此團體中繼續的研究也。蓋以諸生之所學。加以將來之經驗。固宜續有所發明。即予等年未老邁。亦許更有新知獲得。今日以前。予等既以所知者教之諸生。今日以後。諸生與予等當各以其新知互教。且教後進。所謂學院繼續指導者。不當如是耶。中醫之見絀於西醫。原因固甚多。中醫各自矜祕其心得。學術方法極不一律。亦見絀之一大原因也。西醫每有發明。其政府與學術機關。常給與榮譽及相當酬報。故人亦樂出其心得以供同道。新說既行。則一致樂用。故西醫之治病有定法。即使百治百死。而其法為西醫所公認者。雖屢易醫。亦不相訾議。中醫則不然。即有發明。不但無榮譽報酬。嫉忌者反從而周納之。使不得不緘祕。人人緘祕。遂使診斷治法皆從而大有參錯。甲治一病而不效。易乙醫。乙必議甲之診斷處方有錯誤。又不效而易丙。丙議甲乙亦然。夫甲乙之說。無不各有根據。可以對照古本也。然其法不效。則知參錯之古書不足據。惟有各出其臨病經驗。從統計上得其確效。彼此公開。悉除嫉忌矜祕之惡習。然後中醫有進步而可以自存也。予以此自勉。亦以勉畢業諸生。

本院宗師仲景。諸生治病。亦往往用整個的經方。然于此有困難問題。經方如麻黃承氣等。三數味即成一方。病家受時醫之薰陶。意謂藥方必三味一排。三排而加以一二味引子。方可愈病。見經方如此簡單。轉疑懼而不敢服。於是柔媚者將盡棄其學而學時方之敷衍以維持其營業。剛愎者則投袂逕去。謂俗人識淺。死不足恤也。前者謂之求。後者謂之忮。求之弊。不過個人辜負本院之教育而已。忮之弊。足令社會愈益樂用敷衍之時方。而醫風愈不可正。諸生不云醫病須醫醫乎。治病餬口之外。同時負有改善醫風之責任。佛說我不入地獄。誰入地獄。彼耶穌教之布教者。又何等謙卑自牧。然終不以他教經典易其新舊約也。諸生遇病家疑懼經方時。當苦口婆心。不憚煩以說其信用。蓋宗旨不可變。所以達此宗旨之方法。固無一定也。忮則宗旨不得達。求則變易其宗旨。孔子曰。不忮不求。何用不臧。吾黨之徒勉之。

章次公先生演說詞

第三屆畢業同學。自中國醫學院革命至此。提倡醫學革命。努力奮門。以至今日。今日所得之一紙文憑。皆夙昔辛勤所得。非偶然也。諸君治學須有條理。治病須遵學理。學理者。如遇一熱性病之麻黃證。例當治以麻黃。而懼時醫之衆口鑠金。苟不背學理。不妨代以荊防等藥。蓋荊防皆有揮發油。可以發汗。學理不背。儘可代用也。倘此症果非麻黃不可者。則仍用麻黃。又如時醫治所謂風熱者。每用淸水豆卷。在此情形之下。不妨一用。藍清水豆卷有利尿之功。而柯韻伯則謂利小便爲太陽病治法之一也。若內熱方熾。而以桑菊替膏黃之用。則違背學理。非本院家法矣。太炎先生謂余膽大。實則余所診視多苦力耳。故余嘗主張治病要有八字。卽強盜手腕。菩薩心腸。設不究病人之體質。病毒之淺深。一味孟浪攻擊。則是有強盜手腕而無菩薩心腸矣。歸納之。則治學要有條理。治病不能違反學理。諸君行將離吾儕而去。聊貢數語。以當贈別。

畢業生代表沈濟蒼答詞

今日爲修業期滿之一日。我儕榮幸與慚愧交併。數年來歷受各師長之訓誨。殊深感謝。各位來賓先生。教益尤多。今後擬照此努力。以副來賓及各師長之期望。吾儕如方離襁褓之嬰孩。纔能學步。猶須母親之扶持。尚希諸先生諸同學不吝繼續指教。

同學錄

本院院董

姓名	籍貫	職歷	通訊處
鄭洪年	廣東	暨南大學校長	上海真茹國立暨南大學
潘公展	江蘇	上海市社會局長	上海同孚路大中里
董康	江蘇	前大理院院長	上海西摩路錦文坊
馮少山	廣東	前總商會會長	
袁履登	浙江	甯紹公司經理	上海甯紹輪船公司
惲鐵樵	江蘇	國醫	上海雲南路會樂里

前任教職員

姓名	別字	籍貫	職任	通訊處
芮昆	達吾	安徽當塗	訓育主任兼國文教授	安徽當塗小丹陽
孫永祚	膺若	浙江	國文教授	上海同孚路同福里
劉泗橋		浙江	診斷教授	(已故)
趙璧	相如	江蘇鎮江	藥物教授	鎮江大港南巷

龐澤民		廣東南海	理化生物教授	上海狄司威路東洋花園後愛思里七號
姚　垚		江蘇上海	黨義教授	上海
趙公尙		江蘇丹陽	生物教授	上海四馬路中一醫院
尹尤選		江　蘇	理化生物教授	本院
朱鶴鳴	克聞	浙江海甯	生理教授	上海寶隆醫院
李純珊女士	徽一	江蘇武進	生理教授	常州菱蒲巷六號
董曼子女士		江蘇武進	日文教授	常州廟巷內
劉學海		廣　東	日文教授	本院轉
鄭養山		江蘇蘇州	婦科教授	上海牯嶺路
嚴孟丹		浙　江	婦科教授	
哈受百		江　蘇	婦科教授	
王厚培	潤民	江蘇泰縣	醫史醫論教授	江蘇泰縣塘灣鎮
顧錫五	福民	江蘇鎮江	外科教授	
何　川	公度	江蘇金山	雜病教授	上海霞飛路五鳳里
張始生		江蘇海門	藥材教授	(已故)
姚兆培		江　蘇	醫學常識教授	上海西門肇浜路
徐世恩	國樑	江蘇武進	會計課員	常州青果巷七十一號
夏宗麟	孟祥	江蘇崑山	庶務課員	王山市第三街三三號
馬　塗	鑑涵	安徽懷甯	文牘兼書記	蘇州胥門內百善橋雙成巷五號

傅鳳翳女士		江蘇武進	書記	
陶潤田	芳甫	江蘇東台	會計兼庶務	
沙戟門		安徽壽州	書記	上海陸家浜路寶祈里二二號
李廷良		浙江杭州	針灸推拿教授	
程門雪		安徽	婦科教授	

現任教職員

姓名	別字	籍貫	職任	通訊處
章炳麟	太炎	浙江餘杭	院長	本院
徐銓	衡之	江蘇武進	總務主任兼幼科教授	上海二馬路西藏路平樂里九十五號
陸彭年	淵雷	江蘇川沙	教務主任兼傷寒金匱教授	上海南市王家碼頭懋業里
祝味菊		四川成都	研究科主任兼病理教授	上海霞飛路振平里
程念修		江蘇武進	訓育主任	上海楊樹浦蘭路厚生坊六號
章壽棟	巨膺	江蘇江陰	事務主任兼溫熱教授	上海寶山路寶山里
章成之	次公	江蘇鎮江	圖書館主任兼藥物教授	上海陸家浜路世界紅卍字會上海分會醫院
陳振	熙民	江蘇武進	國文教授	本院
陸師尙		江蘇川沙	國文教授	川沙城內金粟堂
許半龍		江蘇吳江	外科方劑教授	上海西門路永裕里七一號
惲福森	季英	江蘇武進	理化教授	上海蒲石路九六號

錢俠倫		江蘇無錫	生理教授	上海寶隆醫院
姜振勛	辛叔	江蘇松江	細菌治療技術教授	上海南市公立上海醫院
朱松	勉仙	廣東潮陽	胎生組織教授	上海北四川路明通里四號
黃勞逸		浙江杭州	有機化學教授	杭州祠廟巷三十六號
鄧源和		江蘇上海	診斷教授	上海城內大王廟平民醫院
何雲鶴		江蘇寶山	內經時病教授	上海北四川路克明路順大里八號
余傑	公俠	江蘇泰興	病理教授	泰興宣鎮
沈仲圭		浙江杭州	醫史常識醫案教授	杭州糧道山六號
吳克潛		浙江	幼科教授	上海辣斐德路貝勒路東維厚里二三號
金久之		江蘇揚州	婦科推拿針灸教授	本院
曹錫嘉	湘人	江蘇江陰	國文教授	上海小西門江陰街三二三號
唐海屏		江蘇太倉	日文教授	上海法界殺牛公司後面喇格納路祥茂里八號
戴中龢	兆紱	江蘇武進	會記兼庶務	常州西門外湟里鎮轉河頭橋
程季芬		江蘇武進	書記	戚墅堰焦店
葛蘊華		江蘇鎮江	書記	鎮江姚家橋

第一屆畢業同學 中華民國十八年六月

姓名	性別	籍貫	通訊處
余逸農	男	安徽來安	津浦鐵路滁州來安縣

余鳳智	男	廣東台山	廣州市西關賢思頭二號
余傑	男	江蘇泰興	泰興宣鎮同春餘藥號
陳敬先	男	廣東潮陽	潮陽豪山鄉致和堂轉
郭榮生	男	江蘇丹徒	鎮江九如巷
徐庚和	男	江蘇鎮江	上海九江路廿二號復新公司
項恕	男	浙江臨海	浙江海門杜下橋項大德藥號
黃昭光	男	浙江甬縣	鄞東南鄉徐東埭鑫和祥

第二屆畢業同學 中華民國十九年六月

楊慶鴻	男	浙江江山	浙江江山二十八都
彭奇英	男	福建浦城	衢州轉浦城洋溪尾
徐恆吉	男	江蘇泰興	泰興口岸大泗莊
鄒文凱	男	廣東梅縣	汕頭梅縣新街吉安堂國藥號
沈香如	男	浙江慈谿	上海愷自邇路一百六十一號
周光白	男	江蘇江陰	無錫顧山
許鏡明	男	江蘇江陰	無錫祝塘鎮
顧甦人	男	江蘇南通	南通東南水關二十九號
唐景韓	男	廣東三水	上海北四川路崇業里二十二號
余澤霓	男	浙江餘姚	杭州東街仁德堂藥店

本屆辛未級畢業同學

中華民國二十年六月(上以年齡長幼爲次)

郭鴻傑	男	廣東文昌	瓊州文昌南陽市錦興號轉
林維墉	男	廣東惠來	汕頭潮陽南關內銘利生轉
葉　蓁	女	廣東潮安	上海法租界大馬路天主堂街口三三號三樓
張永霖	男	台灣台中	台灣台中州豐原郡大雅莊花眉八四號
沈濟蒼	男	江蘇南匯	上海金神父路貝勒路口濟蒼里
劉子玫	男	安徽當塗	當塗西十字街南首
陳元熙	男	江蘇松江	上海西鄉七寶鎮東興南貨號轉
王志純	女	江蘇蘇州	
丁成萱	男	江蘇如皋	如皋李堡市
王利貞	男	湖南臨武	廣東北江坪石轉臨武縣啓明書局王本甲轉
王　蘭	女	安徽當塗	當塗縣東街
張壽山	男	江蘇宜興	無錫和橋棟墅港
劉文浦	男	江蘇寶山	滬太長途汽車路羅店鎮乾豐號
蔣止軒	男	江蘇海門	海門六垞鎮
凌九雲	男	江蘇嘉定	嘉定南翔紀王廟大街
趙錫庠	男	江蘇鎮江	鎮江大港西街趙大興宅
何明諤	男	江蘇奉賢	上海西門路西成里八一號

丕豈愚	女	廣東潮安	上海大東門江夏六號
馬伯孫	男	江蘇寶山	上海海甯路一七八七號
謝誦穆	男	浙江蕭山	浙江臨浦尖鎮
沈本球	女	江蘇嘉定	嘉定城內萬年春藥號

三年級同學

王質清	男	安徽蕪湖	蕪湖馬路福慶里一號高遠英轉
王若谷	男	江蘇江都	揚州仙女廟漕捐巷十七號
田福生	男	江蘇六合	六合北門大街
池溥時	男	浙江瑞安	溫州瑞安溫池里
朱舉雍	男	四川大竹	四川大竹縣文星鎮公所
何鬻	男	江蘇奉賢	上海西門路西成里八一號
沈警凡	男	浙江硤石	硤石石泉郵局轉
汪飛白	男	安徽蕪湖	蕪湖金馬門興隆街十七號
汪燊	男	浙江紹興	建德城內半道紅程仲頤轉
李一飛	男	江蘇江陰	江陰東門外李公茂油廠
李遵堯	男	江蘇高淳	高淳固城
宋道援	男	江蘇溧陽	溧陽南城脚
吳景暉	男	福建	廈門車加轆五十五號

周冷秋	男	浙江崇德	浙江崇德北大街
林開智	男	廣東潮陽	汕頭潮陽東門外陞利行
林朝介	男	台灣	台灣台中州豐原郡潭子莊大埔厝三一號
南振鏞	男	浙江永嘉	浙江溫州南門外虞師里
范　適	男	浙江湯溪	浙江湯溪羅埠鎮范德壽堂轉厚大
張德正	男	江蘇寶山	吳淞楊行東市
張希雄	男	江蘇常州	常州卜弋橋吳信順號
張錫堂	男	台灣	台灣台中州豐原郡大雅莊花眉八十號
張森林	男	台灣	台灣(同上)
張碧傳	男	台灣	台灣台中州豐原郡大雅莊花眉一〇一號
孫硯孚	男	江蘇無錫	無錫王莊轉港下
夏昌六	男	江蘇松江	泗涇鎮轉九里巷
唐曼子	男	江蘇南匯	南匯周浦王家浜路
馬善達	男	江蘇寶山	上海海甯路一七八七號
梁東洲	男	廣東	台灣新竹中壢郡觀音莊崙坪
梁練卿	男	廣東	台灣新竹中壢郡觀音莊崙坪
殷悠澤	男	江蘇武進	江蘇無錫雲堰橋殷廣和藥號
秦肇封	男	浙江瑞安	瑞安南門外項合順魚行
陳　毅	女	安徽正陽	正陽關小黃巷

陳達仁	男	浙江餘姚	餘姚滸山
陳潤民	男	廣東中山	湖北漢陽湖月提月湖新街一〇一號
陳偉民	男	廣東台山	廣東台山上閣塾頭郵局
陳盟	男	廣東台山	廣東台山海晏街億昌棧
陳敦厚	男	台灣	台灣台南州六郡斗南莊
陳史六	男	廣東	台灣新州郡湖口莊
許徵鴻	男	安徽當塗	當塗下南門長春堂藥號
許金田	男	台灣	台灣台南州嘉美郡民雄莊東勢湖三〇九番地
景如霞	女	浙江餘姚	餘姚周巷景宅
賀壽康	男	安徽泗縣	泗縣泰合昌轉
楊惝	男	江蘇上海	上海四馬路畫錦里新鹿鳴旅社
童靜盦	男	江蘇東台	如皋轉拼茶市
陶傑	男	江蘇東台	如皋拼茶市
趙能穀	男	浙江紹興	紹興廣甯橋
黎仲宇	男	江西萍鄉	
鄧文舫	男	湖北夏口	漢口馬場袁家墩鄧太記
錢鼎鼐	男	江蘇松江	松江東門大街五十三號

二年級同學

王成玉	男	江蘇鹽城	北江湖桑夾溝同仁堂
尹成仁	男	四川巴縣	四川巴縣
朱益民	男	浙江崇德	崇德養濟弄
沈金榮	男	江蘇上海	浦東洋涇鎮寶壽堂藥店
沈克駿	男	江蘇吳江	上海嘉爾鳴路德慶里六三七號
呂光煊	男	浙江鄞縣	上海山西路高陽里三號
袁　順	男	浙江新登	浙江新登三溪鎮永裕號轉
邱應鏞	男	台　灣	台灣新營郡白河莊馬稠後
張築子	女	湖南醴陵	上海霞飛路寶康里十九號
徐志勉	男	江蘇宜興	宜興屺亭橋堵仁康號
徐維炳	男	江西瑞昌	瑞昌
陳希孟	男	江蘇吳江	吳江城內祥園衖一號
陳守默	男	江蘇東台	東台富安曉肇鄉
陳　康	男	江蘇東台	如皋富安西盧鄉
陳耀華	男	福建惠安	
陳文溥	男	江蘇銅山	隴海東路八義集轉集臨陣頭
陳可望	男	安徽懷甯	上海民國路四四四號吳韓珠醫室轉
陳文統	男	台　灣	台灣南州虎尾郡虎尾過溪仔
陳子鶴	男	台　灣	台灣高雄州屏東街

陳　熊	男	台灣	台灣台南州十斗方郡右坑店右坑
陳淸峯	男	台灣	台灣高雄州哨舟公町二丁目
倪宣化	男	四川威遠	威遠龍會鎮轉李市元吉交
許道根	男	福建侯閩	上海華龍路中華職業教育社四〇四號
馮瑞麒	男	廣東文昌	香港南北行街福昌榮轉
黃席豐	男	廣東揭陽	汕頭揭陽河婆善濟堂
黃鼎謨	男	浙江江山	浙江江山秀峯
傅葉炎	男	廣東	台灣新竹中壢郡楊梅莊
楊克強	男	江蘇靑浦	泗涇鼎新號
楊燧熊	男	浙江鎮海	三層樓下謝仲房轉
陶乃文	男	江蘇江甯	上海南陽橋新樂里五號
葉學爵	男	江蘇松江	松江楓涇楊家橋
趙續如	男	河北饒陽	天津西門外北小道子協濟會工廠轉
廖文輝	男	台灣	
蔡榮華	男	台灣	台灣新竹郡湖江頭一七九號
黎燕芳	女	廣東中山	上海寶山路頤福里五十八號
劉子開	男	江西吉安	江西吉安安福
劉民鑄	男	江蘇靖江	靖江東門外城河沿
鄭開明	男	廣東潮安	汕頭潮南西平路關帝宮巷吟晟別墅

蘇豐任	男	台灣	上海廈門路衍慶里一百八十七號
錢硯畦	男	江蘇吳縣	無錫轉璜塘義豐轉
錢潤德	男	江蘇江陰	台灣新竹郡新埔莊照門字石門四二號
鍾金丁	男	台灣	台灣新竹郡新埔莊照門字石門四二號
鍾金枝	男	台灣	台灣高雄州屏東街
韓炳鈞	男	台灣	上海虹口橫浜橋廣肇公學譚家彥轉
譚國華	女	廣東南海	廣西鬱林經昌
龐業華	男	廣西鬱林	上海郵政總局繙譯課蕭靜軒轉
蕭熙	男	西江南成	

一年級同學

余文忠	男	安徽懷甯	安慶西門外板井巷八十六號
余惠羣	女	廣東中山	上海薩坡賽路豐裕里五十九號
李冰研	女	廣東中山	上海交通路棋盤街容新照相館
汪寅章	男	浙江	上海提籃橋隆慶里汪寓
吳仲雲	男	廣西蒼梧	廣西梧州石鼓街第七號
吳如丁	男	台灣	台灣高雄州旗後町四丁目
周桂庭	男	湖南長沙	上海棋盤街口長沙湘記商號
周思湯	男	江蘇吳江	吳江下塘灣

周宏德	女	江蘇嘉定	上海盆湯弄橋西德安里一四九六號
范載能	男	四川巴縣	巴縣含谷場郵局轉
張師永	男	江蘇青浦	南翔紀王廟
張小機	男	江蘇金壇	金壇丹陽門十三號
張嵩高	男	浙江長興	湖州奉勝里德和祥藥號
張榮東	男	台　灣	台灣斗六郡斗六街一七四番地
夏慎興	男	四川廣安	
殷禮讓	男	江蘇丹徒	鎮江大港留村大成堂
袁瑾舫	男	湖南資興	資興三都市流華灣
韋　冠	男	廣西邕甯	廣西永淳南陽墟益生號
陳恭炎	男	台　灣	台灣岡山郡莊營牌子頭市場前養之藥房
莊國昌	男	江蘇常州	常州厚餘鎮
彭覺民	男	廣東大埔	上海閘北寶通路底愛華瑞記香皂廠
傅家樂	男	浙江鄞縣	上海東有恆路華德香烟廠
曾逢春	男	台　灣	台灣岡山郡莊營牌子頭
黃元勳	男	廣　東	台灣新竹郡新埔莊旱溪子一四三號
鄧衍封	男	安徽蕪湖	上海南成都路善樂坊七〇三號
鄭伯如	男	台　灣	
鄒秉魁	男	江蘇無錫	宜興丁山鄒萬新行

錢玲治	男	廣東三水	上海閘北虹口廣東街一四六號
蔣稚階	男	四川銅梁	銅梁板橋鎮郵局轉
蔣鳳鈞	男	安徽歙縣	安徽歙縣北鄉黃山
繆秋珍	女	江蘇武進	常州西門外湟里鎮元隆號
蘇令暉	女	江蘇吳縣	上海蒲石路一六九號
嚴蘊華	女	江蘇南通	上海浦東楊家渡市立震修學校

上海國醫學院辛未級畢業紀念刊

定價大洋捌角

中華民國二十年八月出版

編輯者　上海國醫學院

發行者　上海國醫學院

印刷者　人文印書館
山海關路二二九號
電話三七八八七號

發行處　上海國醫學院
上海霞飛路華龍路口
電話三二二四三號